S0-BKV-939

Diccionario de la
Biblia

ESPASA de bolsillo

Diccionario de la Biblia

Danielle Fouilloux, Anne Langlois,
Alice Le Moigné, Françoise Spiess,
Madeleine Thibault, Renée Trébuchon

ESPASA

ESPASA DE BOLSILLO

Director Editorial: Javier de Juan y Peñalosa
Director de Diccionarios y Enciclopedias: Juan González Álvaro
Coordinadora de la edición: Marisol Palés Castro
Editora: Lola Cruz
Colaboradora editorial: Gemma Pascual
Diseño de la colección: Víctor Parra
Ilustración de la cubierta: *Construcción de la torre de Babel,* de Pieter Bruegel el Joven, Museo del Prado, Madrid
Realización de la cubierta: Ángel Sanz Martín
Maquetación: Ángel Sanz Martín

Título original: *Dictionnaire culturel de la Bible,* publicado en francés por Éditions Nathan y Éditions du Cerf, París, 1990
Versión en castellano: Elena del Amo de la Iglesia

Depósito legal: M. 7.808-1996
I.S.B.N.: 84-239-9234-9

Impreso en España/Printed in Spain
Impresión: UNIGRAF, S. L.

Editorial Espasa Calpe, S. A.
Carretera de Irún, km 12,200. 28049 Madrid

SUMARIO

PRÓLOGO IX
CÓMO CONSULTAR EL DICCIONARIO XIV

LA BIBLIA XVII
Constitución del Antiguo Testamento XIX
Cronología de la redacción del Nuevo Testamento . . XX
Índice de la Biblia hebraica XXI
Índice de la Biblia griega XXII
La Biblia de los católicos XXIII
La Biblia de los protestantes XXV
Referencias bíblicas y abreviaturas XXVII

DICCIONARIO DE LA A A LA Z 1-458

ANEXOS 459
La Biblia y la literatura española 459
La Biblia y las artes plásticas 467
La Biblia y la música 473
La Biblia y el cine 475
Cuadro cronológico 476
Índice general 483
Índice de locuciones, expresiones y proverbios 497
Índice de escritores 503
Índice de pintores y escultores 521
Índice de compositores 535
Índice de directores de cine 541

BIBLIOGRAFÍA 545

PRÓLOGO

¿Por qué este diccionario?

El pluralismo y el derecho reconocido por todos a la libertad de conciencia que caracterizan a nuestra sociedad abren paso a nuevas actitudes frente al hecho religioso, en las que predominan la tolerancia y la curiosidad. Sin embargo, junto a esta curiosidad, apreciable sobre todo en el mundo editorial y el cine, una ignorancia profunda hace que el patrimonio cultural judeocristiano sea inaccesible a los jóvenes o al gran público.

Como sabemos, un creciente número de niños y adolescentes no reciben instrucción religiosa alguna. Aunque somos absolutamente partidarios del laicismo —como respeto a la pluralidad— no nos resignamos a la ignorancia. Entre las disciplinas escolares, la historia, la literatura, la filosofía y las artes se resienten del desconocimiento de las referencias fundamentales a las que las obras y el lenguaje remiten constantemente. Al parecer, y aunque no se trate de la enseñanza propiamente religiosa, existe una necesidad de transmitir las llaves de un tesoro común a Europa. Para responder a esta necesidad hemos concebido la idea de este diccionario.

¿Para quién?

Primitivamente lo habíamos destinado exclusivamente a estudiantes, pero algunos colegas se mostraron interesados individualmente y nos pidieron cronologías, mapas, ilustraciones.

«¿Por qué no piensan también en los visitantes de museos?», nos preguntaron aquí y allá. De este modo fuimos ampliando el abanico de nuestros futuros lectores.

Así pues, este diccionario va dirigido a los estudiantes y también a todos aquellos que, ocasionalmente, por curiosidad o dentro de una perspectiva pedagógica, quieran acceder a las raíces bíblicas de nuestra cultura. Pero esta información, sin puntos de referencia, ¿dónde encontrarla? Sin un mínimo de explicaciones, ¿cómo interpretarla? Para acceder a los textos de origen, también hace falta una guía, unos itinerarios. Intentamos proponer algunos por medio de este libro.

¿Cuál ha sido la selección?

Nuestro interés ha sido esencialmente pragmático y pedagógico. La experiencia cotidiana en las aulas nos permitía localizar fácilmente las lagunas, los errores en materia religiosa: confusión entre Pascua y Pentecostés, María, tercera persona de la Santísima Trinidad...

Más delicada era la determinación de los conocimientos que se pueden considerar fundamentales en el ámbito cultural. ¿Debíamos de atenernos a un repertorio de obras maestras y descartar la búsqueda de tesoros más modestos?

Respecto a la cultura religiosa, no era cuestión de elaborar una enciclopedia de hechos religiosos, ni de redactar una suma etnocultural del mundo bíblico. Ya existen obras de esa clase, y muy eruditas; sin embargo, ante la abundancia de información que proporcionan, los lectores poco experimentados corren el riesgo de no saber discernir lo esencial. Por otro lado, tampoco queríamos limitarnos a elaborar un «breve vocabulario» religioso. Sin duda, un simple léxico tiene su utilidad, pero raras veces estimula la curiosidad y a veces puede dar lugar a simplificaciones abusivas con el pretexto de la claridad.

Tampoco queríamos, en materia literaria y artística, hacer un inventario exhaustivo de las obras inspiradas en la Biblia: era algo que sobrepasaba nuestras posibilidades y no presentaba un auténtico interés pedagógico. En suma, se trataba de hacer coincidir los dos extremos de una cadena: por una parte, las informaciones reunidas y clasificadas en los grandes diccionarios bíblicos, y, por otra, un número indefinido de producciones culturales dispersas en el tiempo, la geografía y diversas obras de referencia.

Con el fin de no desanimar a redactores y destinatarios, hemos tomado la decisión, en el ámbito religioso, de atenernos a los datos escriturarios bíblicos, apartándonos provisionalmente (salvo algunas excepciones) de las prácticas, las instituciones eclesiásticas, la liturgia o la tradición posterior al Nuevo Testamento. Esta selección nos ha parecido prioritaria para conseguir un mejor acceso a los fundamentos sobre los cuales se ha edificado la cultura occidental.

Hemos mantenido nombres propios, palabras de uso corriente (alma, ángel...), términos de la vida rural (viña, cizaña...), que para muchos han dejado de ser evocadores, expresiones gráficas (chivo expiatorio, valle de lágrimas...) [1]. En muchas de las entradas damos su etimología con el fin de establecer una especie de catálogo de significaciones bíblicas. Sin haber alterado en lo absoluto la historia sagrada, no hemos tenido más remedio que resumir algunos textos. A veces, el significado de ciertas voces y expresiones bíblicas, al entrar en contacto con otras culturas, ha sufrido diversas modificaciones. Asimismo, la lengua popular ha logrado trastocar muchos de sus sentidos originales. Así, la palabra *alma* en su sentido actual refleja el dualismo que opone, para los pensadores griegos, lo espiritual y lo corporal, mientras que, para el Génesis, el alma es el «soplo de vida» que Dios transmite al cuerpo del hombre y de la mujer. Otro ejemplo: hemos intentado, en la entrada *infierno/infiernos,* resaltar los diversos niveles de significados, unos tardíos, avalados por una imaginería muy posterior a la Biblia, y otros que se remontan a una época en la que nu-

---

[1] Algunas palabras no son traducciones de términos bíblicos, sino la nueva forma que se otorga a acontecimientos o nociones religiosas (Anunciación, Cuaresma, misa, etc.).

merosas religiones hablaban de los infiernos como del lugar destinado a los muertos. Esto nos ha permitido no descuidar demasiado la aportación de la historia al vocabulario.

En el ámbito de las producciones culturales, hemos procedido de modo más empírico. Junto a los «clásicos», cuyos nombres lógicamente se imponían, ¿no convenía dejar un lugar para los pintores contemporáneos y los escritores recientes, muchos de los cuales no aparecen recogidos en las obras generales de consulta? ¿Por qué desdeñar los abundantes recursos iconográficos del siglo XIX o desestimar las aportaciones cinematográficas de nuestro siglo? ¿Por qué no suscitar el deseo de nuevos descubrimientos, en una época en que la facilidad de la reproducción de las imágenes y las ediciones de bolsillo ponen al alcance de todos —en las bibliotecas o las librerías— lo que antaño solo estaba reservado a ricos conocedores o a eruditos?

Quedaba el problema de la selección. Tuvimos en consideración lo que nuestras preferencias pudieran tener de arbitrario y de aleatorio. Esperamos que, a pesar de sus defectos, este diccionario de referencias sea una herramienta útil para todos aquellos que decidan consultarlo.

Hemos pretendido, sobre todo, que quienes lo lean, sean judíos, cristianos, musulmanes o ateos, no puedan sentirse heridos por nuestra forma de expresión[2]. Aunque es cierto que el conjunto del vocabulario utilizado sugiere una óptica más cristiana que judía o musulmana, también es verdad que los autores, los pintores, los músicos, etc., que dominan la tradición europea hasta el período de entreguerras están mayoritariamente influidos por el cristianismo. A partir de entonces, el mundo musulmán ha emergido del exotismo en el que nuestras costumbres lo confinaban y algunos escritores representativos de la cultura judía han conquistado una gran audiencia, como Élie Wiesel o Isaac Bashevis Singer. Somos los primeros en desear profundamente que

---

[2] Hemos decidido escribir el nombre «Yahvé», frecuente en la cultura cristiana contemporánea, pero conviene recordar que los judíos jamás pronuncian esta palabra.

en el futuro se rescaten y se den a conocer mejor las obras maestras de la cultura judía, muchas de las cuales han permanecido durante siglos *oscurecidas* por la dominación de las confesiones cristianas y por los antisemitismos latentes o violentos. Pero insistimos en que nuestra intención no consistía en sacar a la luz el caudal religioso olvidado, sino en recuperar el origen, tantas veces meditado y reinterpretado, del mayor patrimonio intelectual de Europa y América.

LOS AUTORES.

CÓMO CONSULTAR EL DICCIONARIO

Las voces están dispuestas en orden alfabético para facilitar la consulta. Cada una de las voces permite realizar una búsqueda pluridisciplinar, proporcionando información sobre un personaje, un lugar, o un concepto clave. La utilización de *llamadas* y *correlaciones* permite no sobrecargar los textos y, a la vez, realizar reagrupamientos para trabajos temáticos. Los *índices* (entradas, locuciones, autores) al final de la obra facilitan el manejo del diccionario.

En la voz «Rafael», tomada como ejemplo, texto y llamadas sugieren una ampliación en el tema «hombres y ángeles» (en la literatura y el cine). La iconografía y el índice «Rembrandt» atraen la atención sobre este autor como pintor de la Biblia. La lectura del libro de Tobías (referencias) orienta hacia la imagen de un Dios benévolo y permite abordar la noción de Providencia.

Sin embargo, cada lector podrá crearse sus propios recorridos: viaje iniciático desde el Edén hasta la Jerusalén celestial, viaje geográfico de Ur a Egipto, viajes en el tiempo, etcétera.

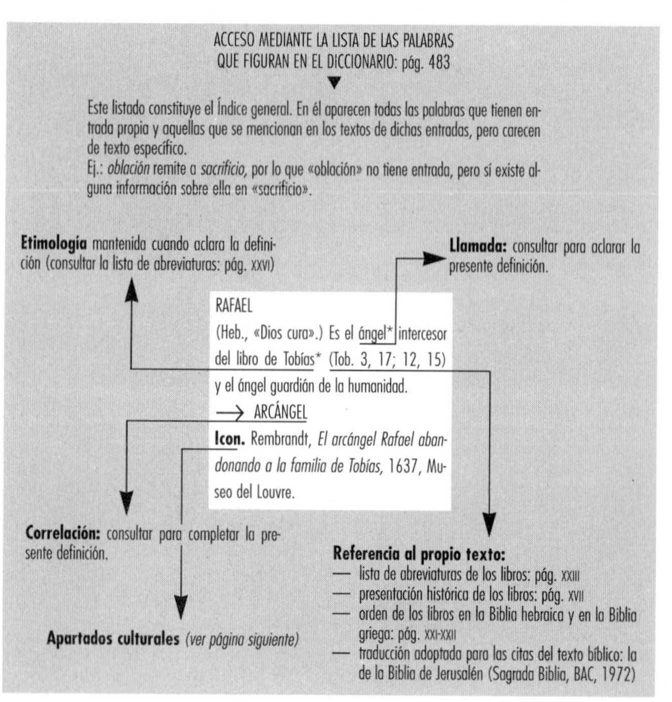

Apartados culturales

Existen cuatro apartados que incluyen información cultural de distinto tipo relativa a la entrada en la que se encuentran. Una entrada puede contener alguno, todos o ninguno de estos apartados, pero siempre seguirán el orden que se indica a continuación.

Locuciones y proverbios (Lengua) *utilizados en el lenguaje habitual: la referencia precisa y el sentido figuran en la nota o en la continuación de la locución.*

◄ ACCESO MEDIANTE EL ÍNDICE DE LOCUCIONES, EXPRESIONES Y PROVERBIOS: pág. 497

Referencias literarias (Lit.), *esencialmente obtenidas de los grandes clásicos de la literatura occidental*

— *los textos citados pueden ser apologéticos y edificantes o polémicos y antirreligiosos, directamente inspirados en el pensamiento bíblico o desviados para discutirlo y alterarlo. Algunas veces se sitúan en una controversia, una corriente, un período.*

◄ ACCESO MEDIANTE EL ÍNDICE DE LOS ESCRITORES CITADOS: pág. 503

Referencias iconográficas (Icon.), *la mayoría de las veces han sido seleccionadas tanto por el valor estético de las obras como por la facilidad de acceso a dichas obras. Esculturas, mosaicos, iconos, vidrieras... figuran en las referencias, incluso aunque sean de autor anónimo.*

◄ ACCESO MEDIANTE EL ÍNDICE DE LOS PINTORES Y ESCULTORES CITADOS: pág. 521

Referencias musicales (Mús.), *seleccionadas, como en la literatura y la iconografía, para ilustrar las relaciones entre los textos sagrados y el arte. Estas referencias abarcan desde la música clásica hasta la música popular.*

◄ ACCESO MEDIANTE EL ÍNDICE DE LOS COMPOSITORES CITADOS: pág. 535

Referencias cinematográficas (Cin.), *que citan tanto las películas concebidas como gran espectáculo como las obras en las que aparecen alusiones bíblicas.*

◄ ACCESO MEDIANTE EL ÍNDICE DE LOS DIRECTORES DE LAS PELÍCULAS CITADAS: pág. 541

Esta selección permite constatar que el arte occidental recibe de la Biblia:

— *una ideología*, en su sentido más amplio, aceptada o discutida,

— *una mitología*, decorativa o paródica.

Este diccionario es *una guía* para recuperar la parte de la herencia bíblica que está en nuestros libros y nuestros museos, en nuestros discos y nuestras pantallas.

Las listas a las que se hace referencia contienen:

— el nombre y el apellido del autor;

— las fechas de nacimiento y muerte;

— la nacionalidad;

— la enumeración de las voces en que se cita al autor.

De este modo, dichos listados reflejan:

— *los temas bíblicos más fecundos*, que no siempre son los más importantes del pensamiento bíblico;

— *los autores más influidos por los textos bíblicos*, que no siempre son los que están más cerca de la religión.

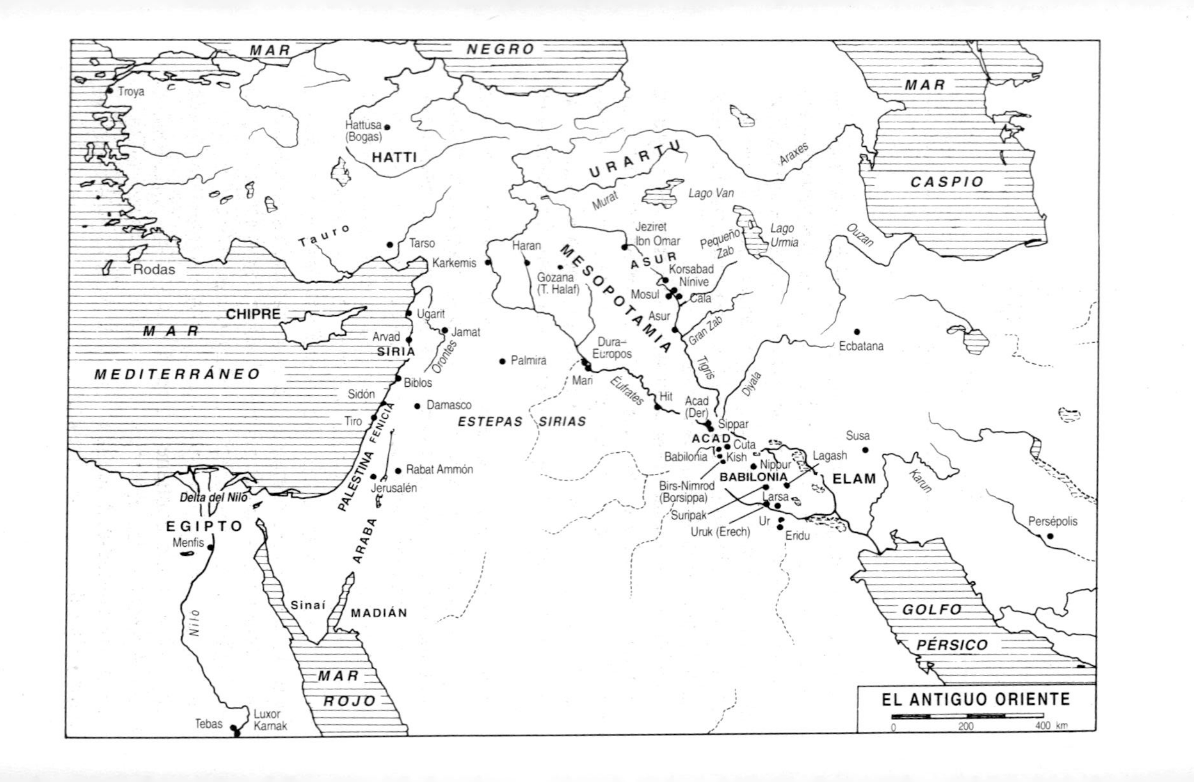
EL ANTIGUO ORIENTE
0
200
400 km
MAR NEGRO
MAR CASPIO
MAR MEDITERRÁNEO
MAR ROJO
GOLFO PÉRSICO
Troya
Hattusa (Bogas)
HATTI
Tauro
Tarso
Rodas
Karkemis
CHIPRE
Ugarit
Jamat
Arvad
SIRIA
Orontes
Biblos
Sidón
Tiro
FENICIA
PALESTINA
Damasco
Palmira
Rabat Ammón
Jerusalén
ARABA
Delta del Nilo
EGIPTO
Menfis
Nilo
Sinaí
MADIÁN
Tebas
Luxor
Karnak
URARTU
Murat
Lago Van
Araxes
Lago Urmia
Ouzan
Jezíret Ibn Omar
Pequeño Zab
ASUR
Haran
Gozana (T. Halaf)
MESOPOTAMIA
Korsabad
Nínive
Mosul
Cala
Asur
Gran Zab
Tigris
Dura-Europos
Mari
Éufrates
Hit
ESTEPAS SIRIAS
Acad (Der)
Sippar
Diyala
ACAD
Cuta
Babilonia
Kish
Nippur
BABILONIA
Birs-Nimrod (Borsippa)
Larsa
Suripak
Uruk (Erech)
Ur
Eridu
Lagash
ELAM
Susa
Karun
Ecbatana
Persépolis

LA BIBLIA

Lo que designamos con el término general de «Biblia» es el libro sagrado para los judíos y los cristianos; los musulmanes también la respetan y conocen de ella algunos pasajes por el Corán. La palabra Biblia viene del griego *biblia,* «Los Libros» (sagrados), y también procede de *bublos,* «papiro», por la ciudad de Biblos que controlaba su comercio.

Nacida de tradiciones orales, progresivamente reagrupadas y escritas, la Biblia es un conjunto enormemente complejo, formado por libros de estilos y géneros muy diversos, algunos firmados, otros anónimos, cuya fecha de composición se extiende a una decena de siglos (ver los cuadros cronológicos, págs. XIX y XX).

Para los judíos se compone de tres grandes partes: la *Torá* (o la Ley, que también se llama el *Pentateuco,* porque está formada por los cinco primeros libros), los *Nebiim* (los «Profetas», aunque esta denominación abarca también lo que otros llaman los «Libros históricos») y los *Ketubim* (los «Escritos», es decir, todo lo demás; ver el índice de la Biblia hebraica, pág. XXI). Es habitual, en el judaísmo, referirse a la Biblia con la voz *TaNaK* (formada por las tres primeras letras de las palabras *Torá, Nebiim* y *Ketubim),* o con la palabra *Torá,* tomada en un amplio sentido. Es lo que los cristianos denominan «Antiguo Testamento» para distinguirlo del «Nuevo Testamento», que les es propio. Este último contiene los cuatro evangelios, los Hechos de los Apóstoles, las epístolas (o «Cartas») y el Apocalipsis. Para mayor comodidad, adoptaremos este vocabulario, habitual en los países de mayoría cristiana.

El Antiguo Testamento, originalmente escrito en hebreo* [1], contiene sin embargo algunos pasajes en arameo. Ciertos libros, mantenidos solo por el judaísmo alejandrino, únicamente se han transmitido en griego. Los católicos y los ortodoxos los consideran deuterocanónicos*, y los judíos y protestantes apócrifos*. (Sin embargo, todos consideran apócrifos a cinco de ellos; ver el índice de la Biblia griega, pág. XXII.)

Evidentemente no poseemos ninguno de los manuscritos originales, sino solamente copias de copias. Los manuscritos más antiguos del Antiguo Testamento fueron hallados en 1948 en Qumrán*, a orillas del mar Muerto (especialmente un manuscrito del libro de Isaías casi completo, así como otros muchos fragmentos). Estos demuestran la sorprendente calidad del trabajo de los copistas, porque las diferencias entre manuscritos, aunque con varios siglos de distancia, son mínimas.

Un enorme trabajo de cotejo y comparación de todos los manuscritos (comparación que también tiene en cuenta las traducciones más antiguas, especialmente en griego, latín y siriaco) ha permitido establecer un texto casi oficial que sirve de base a todas las ediciones posteriores en lengua original y, en consecuencia, a todas las traducciones en lenguas extranjeras.

Los manuscritos griegos más importantes en pergamino *(Sinaiticus, Alexandrinus, Vaticanus)* datan de los siglos IV-V d. C. y contienen el Antiguo Testamento y el Nuevo Testamento. El papiro cristiano más antiguo, fechado en el año 125 d. C., es un fragmento del Evangelio de Juan, hallado en Egipto; testifica que dicho escrito ya había sido divulgado en esa época lejos de su lugar de origen.

La Biblia es el libro más difundido en el mundo: ha sido traducido —totalmente o en parte— a unos 1.800 idiomas y dialectos e inspirado innumerables obras de arte. Incluso podemos decir que ha determinado, en el mundo occidental, gran parte de la cultura de la que somos herederos.

---

* Consultar la voz del diccionario.

[1] El alfabeto hebreo solo tiene consonantes, 22 en total. De ahí la diversidad de las transcripciones que sí introducen vocales.

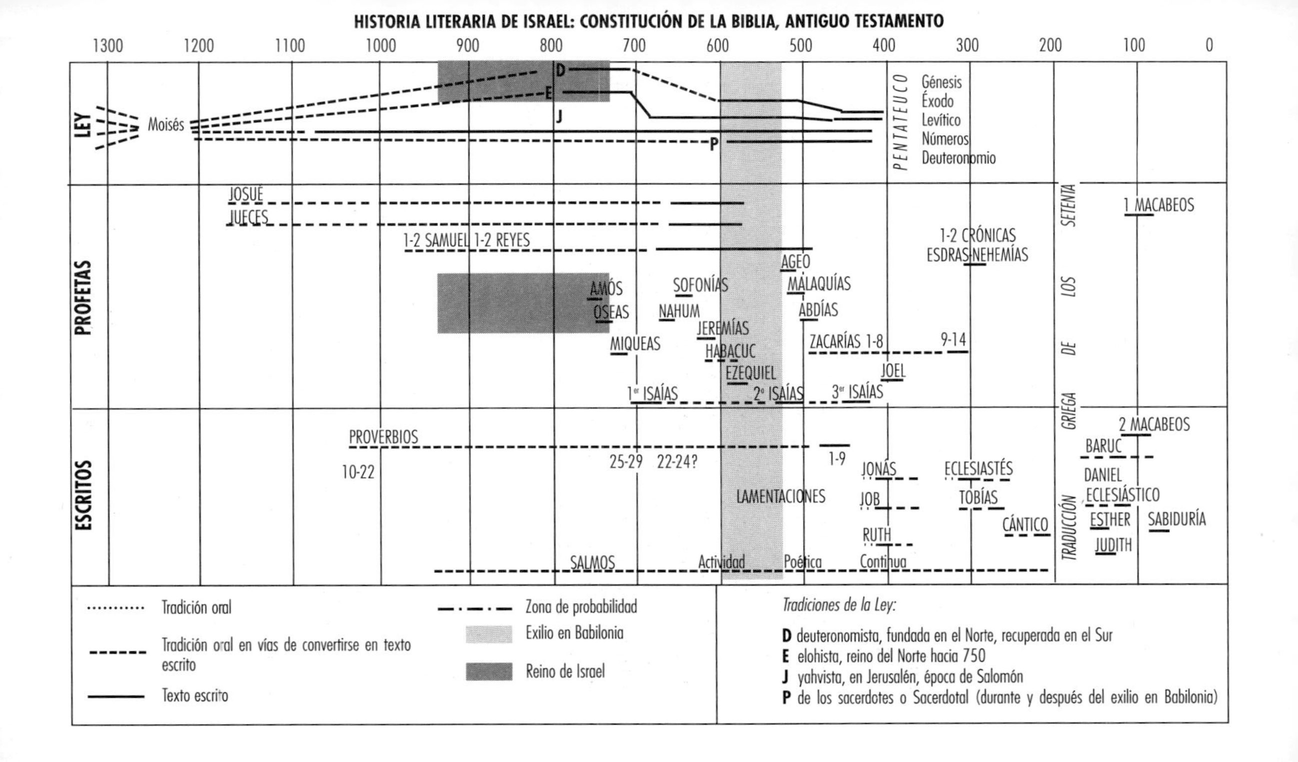
HISTORIA LITERARIA DE ISRAEL: CONSTITUCIÓN DE LA BIBLIA, ANTIGUO TESTAMENTO
1300
1200
1100
1000
900
800
700
600
500
400
300
200
100
0
LEY
Moisés
D
E
J
P
PENTATEUCO
Génesis
Éxodo
Levítico
Números
Deuteronomio
PROFETAS
JOSUÉ
JUECES
1-2 SAMUEL 1-2 REYES
AMÓS
OSEAS
MIQUEAS
SOFONÍAS
NAHUM
JEREMÍAS
HABACUC
EZEQUIEL
1er ISAÍAS
2º ISAÍAS
AGEO
MALAQUÍAS
ABDÍAS
ZACARÍAS 1-8
9-14
JOEL
3er ISAÍAS
1-2 CRÓNICAS
ESDRAS-NEHEMÍAS
1 MACABEOS
ESCRITOS
PROVERBIOS
10-22
25-29
22-24?
1-9
LAMENTACIONES
JONÁS
JOB
RUTH
ECLESIASTÉS
TOBÍAS
CÁNTICO
SALMOS
Actividad
Poética
Continua
TRADUCCIÓN GRIEGA DE LOS SETENTA
2 MACABEOS
BARUC
DANIEL
ECLESIÁSTICO
ESTHER
JUDITH
SABIDURÍA
Tradición oral
Tradición oral en vías de convertirse en texto escrito
Texto escrito
Zona de probabilidad
Exilio en Babilonia
Reino de Israel
Tradiciones de la Ley:
D deuteronomista, fundada en el Norte, recuperada en el Sur
E elohista, reino del Norte hacia 750
J yahvista, en Jerusalén, época de Salomón
P de los sacerdotes o Sacerdotal (durante y después del exilio en Babilonia)

CRONOLOGÍA DE LA REDACCIÓN DEL NUEVO TESTAMENTO

27 a. C.	14 d. C.	37	41	54	68	79	81	96	
AUGUSTO	TIBERIO	CALÍGULA	CLAUDIO	NERÓN	VESPASIANO	TITO	DOMICIANO	NERVA	TRAJANO

– 6 Nacimiento de Jesús

27 Vida pública de Jesús

30 Crucifixión

48 Concilio de Jerusalén

66-70 Guerra judía
Destrucción de Jerusalén

Tradición oral

• Marcos
• Mateo
• Juan
• Lucas
Hechos

51 ■ 1-2 Tesalonicenses
58 ? ■ Santiago
57-58 ■ 1 Corintios
■ Gálatas
■ Filipenses
■ 2 Corintios
■ Romanos
61-63 ■ Colosenses
■ Filemón
■ Efesios
67 ■ Tito
■ 1-2 Timoteo
■ Hebreos
70-80 ■ 2 Pedro
■ Judas
■ 1-2-3 Juan
64 ■ 1 Pedro
95 Apocalipsis

Según Étiene Charpentier, *Para leer el Antiguo Testamento,* Éditions du Cerf, 1980.
Las fechas propuestas son las más probables, pero ningún escrito se puede fechar con absoluta certeza.

■ Epístola, carta
• Evangelio

ÍNDICE DE LA BIBLIA HEBRAICA

El canon de la Biblia hebraica, fijado por los judíos de Palestina en la era cristiana, ha sido conservado por los judíos modernos, y el Antiguo Testamento, por los protestantes. No contiene más que los libros hebreos, excepto los libros escritos en griego y los suplementos griegos de Esther y de Daniel.

La Biblia hebraica está dividida en tres partes, en el siguiente orden:

I. LA LEY

(EL PENTATEUCO)

1. El Génesis (designado por las primeras palabras del texto: «Al principio»).
2. El Éxodo («Estos son los nombres»).
3. El Levítico («Y [Yahvé] llamó a Moisés»).
4. Los Números («En el desierto»).
5. El Deuteronomio («Estas son las palabras»).

II. LOS PROFETAS

Los «Profetas anteriores»:

6. Josué.
7. Los Jueces.
8. Samuel (1 y 2 reunidos).
9. Los Reyes (1 y 2 reunidos).

Los «Profetas posteriores»:

10. Isaías.
11. Jeremías.
12. Ezequiel.
13. «Los Doce» profetas, en el orden que instauró la Vulgata: Oseas, Joel, Amós, Abdías, Jonás, Miqueas, Nahum, Habacuc, Sofonías, Ageo, Zacarías, Malaquías.

III. LOS ESCRITOS

(O HAGIÓGRAFOS)

14. Los Salmos o «Alabanzas»
15. Job.
16. Los Proverbios.
17. Ruth.
18. El Cantar de los Cantares.
19. El Eclesiastés («Qohelet»).
20. Las Lamentaciones.
21. Esther.

(Los libros 17 a 21 reciben el nombre de «Cinco Rollos»; se leían en las fiestas judías.)

22. Daniel.
23. Esdras-Nehemías.
24. Las Crónicas.

Así pues, la Biblia judía contiene 24 libros.

ÍNDICE DE LA BIBLIA GRIEGA

La Biblia griega de los Setenta*, destinada a los judíos de la diáspora*, comprende:

1) Los libros de la Biblia hebraica, traducidos al griego con variantes en los libros de Esther y de Daniel.
2) Libros deuterocanónicos*.
3) Obras apócrifas*, mencionadas entre corchetes.

I. LEGISLACIÓN E HISTORIA

El Génesis.
El Éxodo.
El Levítico.
Los Números.
El Deuteronomio.
Josué.
Los Jueces.
Ruth.
Los cuatro «libros de los Reinos»:
I y II = Samuel
III y IV = Reyes
Los Paralipómenos (= Crónicas)
I y II
Los cuatro libros de Esdras:
Esdras I y II = Esdras-Nehemías
[Esdras III y IV —llamados I y II en griego— son apócrifos]
Esther, con fragmentos originales en griego.
Judith.
Tobías.
Macabeos I y II [más III y IV apócrifos].

II. POETAS Y PROFETAS

Los Salmos.
[Odas].
Los Proverbios de Salomón.
El Eclesiastés.
El Cantar de los Cantares.
Job.
El libro de la Sabiduría («Sabiduría de Salomón»).
El Eclesiástico («Sabiduría de Sirac»).
[Salmos de Salomón].

Los doce Profetas menores («Dodékaprophéton»), en el orden siguiente: Oseas, Amós, Miqueas, Joel, Abdías, Jonás, Nahum, Habacuc, Sofonías, Ageo, Zacarías, Malaquías.
Isaías.
Jeremías.
Baruc 1-5.
Las Lamentaciones.
Baruc 6 («Carta de Jeremías»).
Ezequiel.
Daniel 13 («Susana»).
Daniel 1-12 (3, 24-90, en griego).
Daniel 14 («Bel y el Dragón»).

LA BIBLIA DE LOS CATÓLICOS

Los 27 libros que componen el Nuevo Testamento han llegado hasta nosotros en griego.

El Antiguo Testamento, tal como lo recibe la Iglesia católica, contiene 46 libros.

En 39 de ellos, la lengua original es el hebreo, con pasajes arameos en Esdras (4, 8 a 6, 18; 7, 12-26) y Daniel (2, 4b a 7, 28).

Los otros siete, así como algunos pasajes de Esther y de Daniel —estos libros llevan asterisco—, nos han llegado en griego en la traducción llamada de los Setenta (LXX), destinada a los judíos de la diáspora. Las ediciones protestantes, que se atienen a la Biblia hebraica en el AT —la de los judíos de Palestina—, no suelen incluir los libros y fragmentos siguientes (que llaman deuterocanónicos):

Tobías, Judith, Macabeos 1 y 2, Baruc, Sabiduría, Eclesiástico, Esther (en la Vulgata: 10, 4 a 16, 24) y Daniel (en la Vulgata: 3, 24-90; 13 y 14).

EL ANTIGUO TESTAMENTO

EL PENTATEUCO

Génesis .... Gén.
Éxodo .... Éx.
Levítico .... Lev.
Números .... Núm.
Deuteronomio .... Dt.

LOS LIBROS HISTÓRICOS

Josué .... Jos.
Jueces .... Jue.
Ruth .... Ruth
1.er libro de Samuel .... 1Sam.
2.º libro de Samuel .... 2Sam.
1.er libro de los Reyes .... 1Re.
2.º libro de los Reyes .... 2Re.
1.er libro de las Crónicas ..... 1Cró.
2.º libro de las Crónicas .... 2Cró.
Esdras .... Esd.
Nehemías .... Neh.
Tobías* .... Tob.
Judith* .... Jdt.
Esther* .... Est.
1.er libro de los Macabeos* .. 1Mac.
2.º libro de los Macabeos* .. 2Mac.

LOS LIBROS POÉTICOS Y SAPIENCIALES

Job .... Job
Salmos .... Sal.
Proverbios .... Prov.
Eclesiastés (o Qohelet) ...... Ecl.
El Cantar de los Cantares .... Cant.
El libro de la Sabiduría* ..... Sab.
El Eclesiástico* (o Sirácida) .. Eclo.

LOS LIBROS PROFÉTICOS

Isaías	Is.
Jeremías	Jer.
Lamentaciones	Lam.
Baruc*	Bar.
Ezequiel	Ez.
Daniel*	Dan.
Oseas	Os.
Joel	Jl.
Amós	Am.
Abdías	Abd.
Jonás	Jon.
Miqueas	Miq.
Nahum	Nah.
Habacuc	Hab.
Sofonías	Sof.
Ageo	Ag.
Zacarías	Zac.
Malaquías	Mal.

EL NUEVO TESTAMENTO

Evangelio según san Mateo	Mt.
Evangelio según san Marcos	Mc.
Evangelio según san Lucas	Lc.
Evangelio según san Juan	Jn.
Hechos de los Apóstoles	Act.
Epístola a los Romanos	Rom.
1.ª Epístola a los Corintios	1Cor.
2.ª Epístola a los Corintios	2Cor.
Epístola a los Gálatas	Gál.
Epístola a los Efesios	Ef.
Epístola a los Filipenses	Flp.
Epístola a los Colosenses	Col.
1.ª Epístola a los Tesalonicenses	1Tes.
2.ª Epístola a los Tesalonicenses	2Tes.
1.ª Epístola a Timoteo	1Tim.
2.ª Epístola a Timoteo	2Tim.
Epístola a Tito	Tit.
Epístola a Filemón	Flm.
Epístola a los Hebreos	Heb.
Epístola de Santiago	Sant.
1.ª Epístola de san Pedro	1Pe.
2.ª Epístola de san Pedro	2Pe.
1.ª Epístola de san Juan	1Jn.
2.ª Epístola de san Juan	2Jn.
3.ª Epístola de san Juan	3Jn.
Epístola de san Judas	Judas
Apocalipsis	Ap.

LA BIBLIA DE LOS PROTESTANTES

Incluye los libros de la Biblia hebraica en el Antiguo Testamento, y el Nuevo Testamento (ver *supra).*

ORDEN ALFABÉTICO
DE LOS LIBROS

Abd.	Abdías
Act.	Hechos de los Apóstoles
Ag.	Ageo
Am.	Amós
Ap.	Apocalipsis
Bar.	Baruc
Cant.	Cantar de los Cantares
Col.	Epístola a los Colosenses
1Cor.	1.ª Epístola a los Corintios
1Cor.	2.ª Epístola a los Corintios
1Cró.	1.er libro de las Crónicas
2Cró.	2.º libro de las Crónicas
Dan.	Daniel
Dt.	Deuteronomio
Ecl.	Eclesiastés (Qohelet)
Eclo.	Eclesiástico (Sirac)
Ef.	Epístola a los Efesios
Esd.	Esdras
Est.	Esther
Éx.	Éxodo
Ez.	Ezequiel
Flm.	Epístola a Filemón
Flp.	Epístola a los Filipenses
Gál.	Epístola a los Gálatas
Gén.	Génesis
Hab.	Habacuc
Heb.	Epístola a los Hebreos
Is.	Isaías
Jdt.	Judith
Jer.	Jeremías
Jl.	Joel
Jn.	Evangelio según san Juan
1Jn.	1.ª Epístola de san Juan
2Jn.	2.ª Epístola de san Juan
3Jn.	3.ª Epístola de san Juan
Job	Job
Jon.	Jonás
Jos.	Josué
Judas	Epístola de san Judas
Jue.	Jueces
Lam.	Lamentaciones
Lc.	Evangelio según san Lucas
Lev.	Levítico
1Mac.	1.er libro de los Macabeos
2Mac.	2.º libro de los Macabeos

Mal. . . . . Malaquías
Mc. . . . Evangelio según san Marcos
Miq. . . . . Miqueas
Mt. . . . . Evangelio según san Mateo

Nah. . . . . Nahum
Neh. . . . . Nehemías
Núm. . . . . Números

Os. . . . . Oseas

1Pe. . . . . . 1.ª Epístola de san Pedro
2Pe. . . . . . 2.ª Epístola de san Pedro
Prov. . . . . Proverbios

1Re. . . . . . . 1.er libro de los Reyes
2Re. . . . . . . 2.º libro de los Reyes
Rom. . . . . . Epístola a los Romanos
Ruth. . . . . Ruth

Sab. . . . . Sabiduría
Sal. . . . . Salmos
1Sam. . . . . 1.er libro de Samuel
2Sam. . . . . 2.º libro de Samuel
Sant. . . . . Epístola de Santiago
Sof. Sofonías

Tob. Tobías
1Tes. . . . . . 1.ª Epístola a los Tesalonicenses
2Tes. . . . . 2.ª Epístola a los Tesalonicenses
1Tim. . . . . . . 1.ª Epístola a Timoteo
2Tim. . . . . . . 2.ª Epístola a Timoteo
Tit. . . . . Epístola a Tito

Zac. . . . . Zacarías

REFERENCIAS BÍBLICAS Y ABREVIATURAS

Referencias bíblicas

Núm. 35, 33 remite al libro de los Números, capítulo 35, versículo 33.
Tob. 3, 17; 12, 15 remite al libro de Tobías, capítulo 3, versículo 17 y capítulo 12, versículo 15.
Sal. 68, 22 y 24 remite al libro de los Salmos, Salmo 68, versículos 22 y 24.
2Sam. 7, 8-16 remite al segundo libro de Samuel, capítulo 7, versículos 8 a 16.

Abreviaturas

AT . . . . Antiguo Testamento
NT . . . . Nuevo Testamento
acad. acadio
aram. . . . . arameo
gr. . . . . griego
h. . . . . hacia
heb. hebreo
lat. . . . . latín
n. . . . . nacido
m. . . . . muerto
pág. página
sig. . . . . siguiente

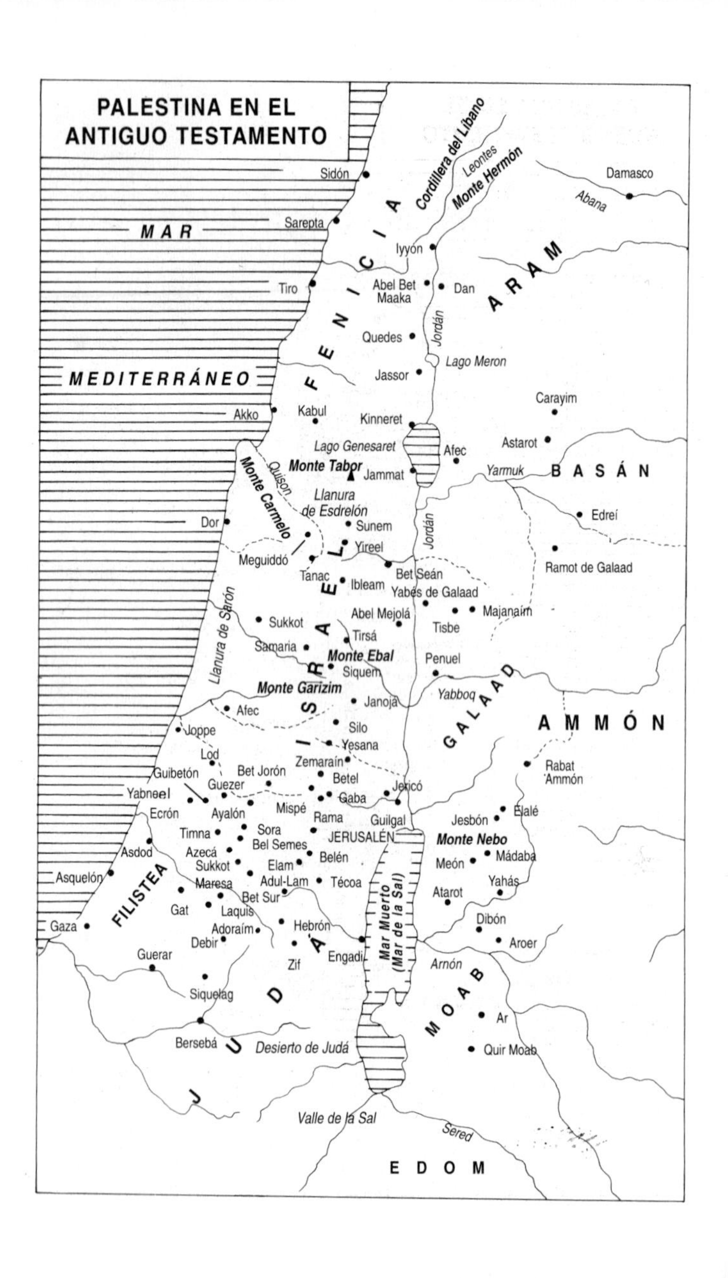

PALESTINA EN EL ANTIGUO TESTAMENTO
MAR MEDITERRÁNEO
Sidón
Sarepta
Tiro
Akko
Dor
Joppe
Asquelón
Gaza
Cordillera del Líbano
Leontes
Monte Hermón
Damasco
Abana
FENICIA
ARAM
Iyyón
Abel Bet Maaka
Dan
Quedes
Jordán
Lago Meron
Jassor
Carayim
Kabul
Kinneret
Astarot
Lago Genesaret
Afec
Monte Tabor
Jammat
Yarmuk
BASÁN
Monte Carmelo
Quisón
Llanura de Esdrelón
Sunem
Edreí
Yireel
Meguiddó
Tanac
Bet Seán
Ramot de Galaad
Ibleam
Yabés de Galaad
ISRAEL
Abel Mejolá
Majanaím
Sukkot
Tisbe
Tirsá
Samaria
Monte Ebal
Penuel
Llanura de Sarón
Siquem
Monte Garizim
Yabboq
GALAAD
Janojá
Afec
AMMÓN
Silo
Yesana
Lod
Zemaraín
Rabat Ammón
Guibetón
Bet Jorón
Betel
Yabneel
Guezer
Jericó
Gaba
Ecrón
Ayalón
Mispé
Elalé
Rama
Guilgal
Jesbón
Timna
Sora
JERUSALÉN
Monte Nebo
Asdod
Azecá
Bel Semes
Belén
Meón
Mádaba
Sukkot
Elam
FILISTEA
Maresa
Adul-Lam
Técoa
Yahás
Atarot
Gat
Bet Sur
Laquis
Mar Muerto (Mar de la Sal)
Dibón
Hebrón
Adoraím
Aroer
Debir
Engadi
Guerar
Zif
Arnón
MOAB
Siquelag
JUDÁ
Ar
Bersebá
Desierto de Judá
Quir Moab
Valle de la Sal
Sered
EDOM

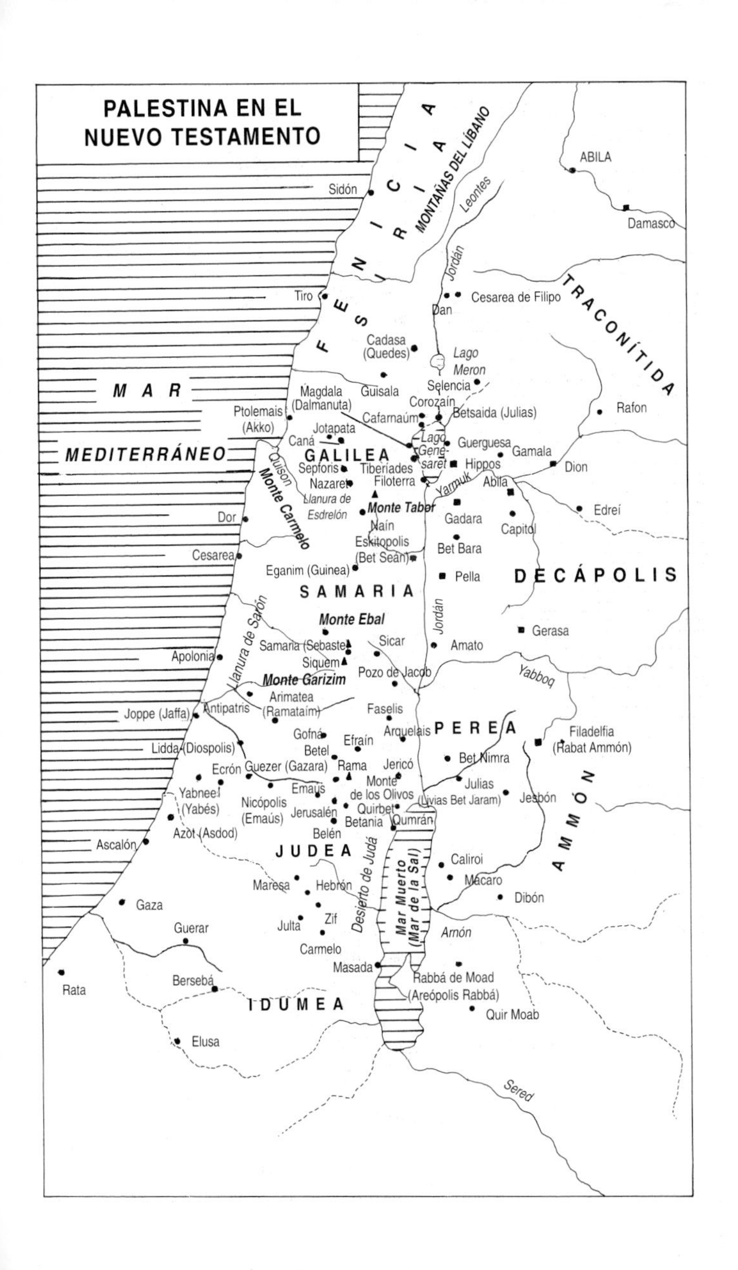

PALESTINA EN EL NUEVO TESTAMENTO
FENICIA
SIRIA
MONTAÑAS DEL LÍBANO
Leontes
ABILA
Damasco
Sidón
Tiro
Jordán
Cesarea de Filipo
Dan
TRACONÍTIDA
Cadasa (Quedes)
Lago Meron
Guisala
Selencia
MAR MEDITERRÁNEO
Magdala (Dalmanuta)
Corozaín
Betsaida (Julias)
Rafon
Ptolemais (Akko)
Cafarnaúm
Jotapata
Caná
Lago Genesaret
Guerguesa
Gamala
GALILEA
Quison
Séforis
Tiberíades
Hippos
Dion
Monte Carmelo
Nazaret
Filoterra
Yarmuk
Abila
Llanura de Esdrelón
Monte Tabor
Edreí
Dor
Naín
Gadara
Capitol
Eskitópolis (Bet Seán)
Bet Bara
Cesarea
Eganim (Guinea)
Pella
DECÁPOLIS
SAMARIA
Llanura de Sarón
Monte Ebal
Gerasa
Samaria (Sebaste)
Sicar
Amato
Apolonia
Siquem
Yabboq
Pozo de Jacob
Monte Garizim
Arimatea (Ramataím)
Antipatris
Joppe (Jaffa)
Faselis
Gofná
Arquelais
PEREA
Filadelfia (Rabat Ammón)
Efraín
Lidda (Diospolis)
Betel
Bet Nimra
Ecrón
Guezer (Gazara)
Rama
Jericó
Yabneel (Yabés)
Emaús
Monte de los Olivos
Julias (Livias Bet Jaram)
Jesbón
Nicópolis (Emaús)
Jerusalén
Quirbet
Betania
Qumrán
Azot (Asdod)
Belén
Ascalón
JUDEA
Desierto de Judá
Mar Muerto (Mar de la Sal)
Caliroi
AMMÓN
Maresa
Hebrón
Mácaro
Dibón
Gaza
Zif
Julta
Guerar
Arnón
Carmelo
Masada
Rata
Bersebá
Rabbá de Moad (Areópolis Rabbá)
IDUMEA
Quir Moab
Elusa
Sered

AARÓN

Hermano de Moisés*, fue el primer sacerdote de los hebreos. Permitió que estos adoraran al becerro de oro* (Éx. 4, 14; 28, 1; 32, 1).

♦ ***Lit.*** Pierre Emmanuel, *Tú,* 1978.

♦ ***Mús.*** Arnold Schönberg, *Moisés y Aarón,* ópera, 1957.

ABEL

Segundo hijo de Adán* y Eva*, asesinado por su hermano mayor, Caín*. Fue el primer pastor que ofreció a Dios el sacrificio de un cordero* (Gén. 4, 1). Es el prototipo de la víctima inocente; representa al justo perseguido por los perversos.

♦ ***Lit.*** La literatura ha tratado a menudo el asesinato de Abel, pero a los escritores les ha atraído mucho más el personaje de Caín. Salomon Gessner, *La muerte de Abel,* 1758.

♦ ***Icon.*** *La ofrenda de Abel:* mosaico, siglo VI, San Vital de Ravena; fresco, siglo XII, San Savino. Schnorr von Carosfeld, *La Biblia en imágenes,* 1852. *Caín mata a Abel,* siglo XII, catedral de Gerona. William Blake, *Adán y Eva descubren el cuerpo de Abel,* 1826, Londres. William Bouguereau, *El primer duelo,* 1888, Buenos Aires.

♦ ***Mús.*** Leonardo Leo, *La muerte de Abel,* oratorio, 1732.

ABNER

Nombre de un general del ejército del rey Saúl* (2Sam. 2). Durante la guerra que enfrentó a los partidarios de Saúl y a los de David*, fue ejecutado por traición.

♦ ***Lit.*** Jean Racine, *Atalía,* 1691. Racine toma el nombre de la historia bíblica y se lo da a un oficial que rechaza el culto a Baal* y apoya al sacerdote Joad* en la destitución de Atalía*. Se trata de un personaje ficticio. Es él quien pronuncia los primeros versos de la obra: «Sí, vengo a su Templo a adorar al Eterno.»

ABRAHAM

Abraham (ver Gén. 12-25) vivió a principios del segundo milenio a. C. Descendiente de un clan politeísta establecido en Ur de Caldea, recibió de Dios la orden de abandonar su patria y dirigirse a una región desconocida que habría de convertirse en la Tierra Prometida*.

Tras una breve estancia en Egipto, se estableció en Canaán* con su mujer Sara y su sobrino Lot.

Allí, formó una alianza con Dios y este le prometió la tierra para él y su descendencia. Como Sara era estéril, ella misma le pidió a Abraham que se uniera a su sierva Agar, quien le dio un hijo, Ismael*. Sin embargo, no será este el heredero anunciado.

Una nueva alianza* entre Dios y Abraham estableció la circuncisión* como perpetuo signo de dicha alianza.

Una vez más Dios se apareció a Abraham (Gén. 18, 1 y sigs.) bajo la forma de tres hombres que le anunciaron el próximo nacimiento de un hijo, a pesar de la avanzada edad de Sara. Para probarle, pasados unos años, Dios pidió al patriarca que sacrificara a ese hijo, Isaac*; pero, ante su fe y su obediencia, detuvo el sacrificio, y desde ese momento prohibió los sacrificios humanos.

Abraham, llamado «Padre de los creyentes» (Rom. 4), es el verdadero precursor de las tres religiones monoteístas: el judaísmo, el cristianismo y el islam.

El seno de Abraham

El seno de Abraham es el lugar de reposo de los justos, allí donde no existe el dolor, donde transcurre la espera que precede a una dicha más completa. La imagen aparece en la parábola del rico Epulón y el pobre Lázaro* (Lc. 16, 19).

Hijos de Abraham

A Abraham se le considera, con Isaac y Jacob, el precursor del pueblo elegido. Es el padre del pueblo al que se concedió la Tierra Prometida. La expresión «hijos de Abraham» (Mt. 3, 9;

Domenichino, *Sacrificio de Isaac por Abraham*,
Madrid, Museo del Prado

Lc. 13, 16; 19, 9...) no designa solamente una descendencia carnal: todos aquellos que viven la fe son también «hijos de Abraham» (Mt. 1, 1; Rom. 4).

♦ ***Lit.*** La historia del sacrificio de Isaac ha inspirado a multitud de escritores, superando, en la fantasía occidental, al tema del sacrificio de Ifigenia. En la Edad Media, numerosos misterios cuentan la historia de Abraham y resaltan los diversos aspectos de su drama. El Renacimiento también abunda en este tema. Citemos a Théodore de Bèze, *El sacrificio de Abra-*

ham, teatro, 1550. En Milton, *Paraíso perdido,* 1667, libro XII, el arcángel Miguel anuncia a Adán la misión de Abraham, hombre de fe que, al escuchar la palabra de Dios, abandonará su idólatra patria de Ur, en Caldea, con la misión de alcanzar la Tierra Prometida para su descendencia y convertirse en el padre de los creyentes.
Pascal, *Memorial,* 1654, opone el «Dios de Abraham, Dios de Isaac, Dios de Jacob» al «Dios de los filósofos y de los sabios», es decir, el Dios que ha establecido con los hombres un vínculo personal al Dios abstracto descubierto por la especulación intelectual.
Kierkegaard, *Temor y temblor,* 1943: ensayo sobre la angustia que engendra la situación del elegido ante Dios. Para Kierkegaard, la prueba a la que Abraham se somete es el punto álgido de la fe del creyente.
♦ ***Icon.*** *Abraham y los tres ángeles, o la hospitalidad de Abraham:* siglo XII, iglesia de San Zenón, Verona; siglo VI, San Vital, Ravena; Andrei Rublev, 1427, Moscú; Marc Chagall, 1954, Niza. *El sacrificio de Abraham:* Alonso Berruguete, escultura en madera, siglo XVI, Valladolid; Rembrandt, siglo XVII, San Petersburgo; Andrea del Sarto, siglo XVI, Museo del Prado. *Abraham conduciendo a los elegidos,* siglo XIV, catedral de Bourges. *Agar en el desierto,* Francisco Cozza, siglo XVII, Amsterdam; Camille Corot, 1835, Nueva York. Domenichino, *Sacrificio de Isaac por Abraham,* siglo XVII, Museo del Prado.
♦ ***Mús.*** *Abraham e Isaac:* Giacomo Carissimi, oratorio, siglo XVII; Igor Stravinsky, balada sagrada, 1964. *Rock my soul,* «meced mi alma en el seno de Abraham», espiritual negro.

ABSALÓN

Tercer hijo de David*, ordena matar a su hermanastro Amnón para vengar la violación de su hermana Tamar. Conspira contra su padre y su ejército sufre una gran derrota en el bosque de Efraín. Intenta huir en una mula, pero se le enreda el pelo en las ramas de un árbol y queda colgado. Joab, su primo, general de David, le mata a pesar de las órdenes de David (ver 2Sam. 13-18).

♦ ***Lit.*** John Dryden, *Absalón y Ajitofel,* 1681: poema satírico que adapta el texto bíblico a la situación política de la época. William Faulkner, *¡Absalón, Absalón!,* 1936: el personaje principal es un hombre violento, fundador de una familia. El odio racial, el incesto, el asesinato (al hijo del protagonista le mata su hermanastro), convierten la novela en una historia infernal.

♦ ***Icon.*** *La muerte de Absalón,* pavimento de mármol, siglo XV, catedral de Siena. Gustave Doré, *La Biblia,* 1866, París.

ACAB o AJAB

Séptimo rey de Israel (874-853 a. C.), hijo de Omrí (ver 1Re. 16-22). Influenciado por su esposa Jezabel, hija del rey de Sidón, comienza a adorar a Baal*. Se enfrenta con el profeta Elías y este lo maldice. Muere combatiendo a los arameos, en contra de la advertencia del profeta Miqueas.

♦ ***Lit.*** Jean Racine, *Atalía,* 1691. Herman Melville, *Moby Dick,* 1851: la madre del capitán Acab pone a su hijo un nombre bíblico que tiene mucho que ver con su sangriento destino.

♦ ***Cin.*** John Huston lleva la novela de Melville a la pantalla en 1956.

ADÁN

La palabra hebrea *adam* significa «hombre», en sentido colectivo (el género humano), y el Génesis (Gén. 1, 27) precisa que Dios creó «un hombre y una mujer». Gén. 2, 7 relaciona *adam y adamah* con el «suelo», la «tierra», para subrayar que el origen del hombre es el «barro del suelo». Pero más adelante, en el segundo texto de la creación*, la palabra adquiere un sentido más riguroso: para que el primer hombre no esté solo, Dios le concede una compañera, formada a partir de una de sus costillas; se llama *ishshah,* «mujer», porque ha salido de *ish,* «hombre». Después, Adán se convierte en el nombre del primer humano (Gén. 4, 25).

Dios sitúa a Adán en el jardín del Edén*, pero su mujer Eva* le incita a la desobediencia: ambos infringen la prohibición de comer del fruto del árbol* de la ciencia, y Dios les expulsa del Edén. A partir de entonces la primera pareja conocerá la dureza del trabajo, el sufrimiento y la muerte.

→ CAÍDA.

A través de estos textos llenos de imágenes y, a veces, aparentemente ingenuos, se ex-

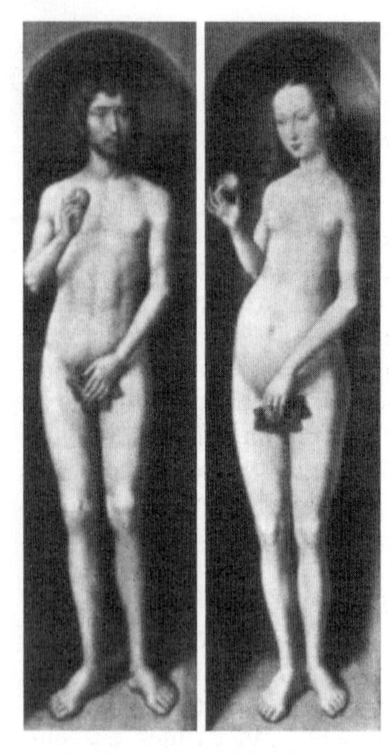

Memling, *Adán y Eva*, Viena, Museo de Arte

presa toda una reflexión sobre la condición humana.

En el conjunto del AT hay escasas referencias a Adán. El libro eclesiástico lo sitúa por encima de toda criatura viva (Ecl. 49, 16); el de la Sabiduría le llama «padre del mundo» y afirma que le protege la sabiduría de Dios (Sab. 10, 1).

En el NT Lucas se remonta hasta él en la genealogía de Jesús (... «Hijo de Set, hijo de Adán, hijo de Dios», Lc. 3, 38). Pablo subraya el contraste entre Adán, el hombre pecador, y Jesús, el nuevo Adán. El primero se separa de Dios: es la muerte; mediante el segundo se alcanza la resurrección, la vida (1Cor. 15, 45).→ DESPOJARSE DEL HOMBRE VIEJO, PECADO ORIGINAL.

♦ ***Lengua.*** *Ser o estar hecho un Adán.* Ser muy descuidado en el vestir.

♦ ***Lit.*** Los personajes de Adán y Eva constituyen el eje central de una abundante literatura apócrifa, en griego y en siriaco, correspondiente a los siglos I a IV d. C. Existen también versiones árabes y etíopes.

En el teatro medieval Adán aparece como el primer pecador: *Adán,* siglo XII. En el siglo XVI, Maurice Scève desarrolla un auténtico mito de Adán como «gran trabajador», «gran generador»: *Microcosmos,* 1562. En el siglo XVII, Lope de Vega escribe *La creación del mundo,* en el que trata los cuatro primeros capítulos del Génesis; comprende tres jornadas y en la primera describe la formación del mundo y el pecado de Adán. También es autor de *Las prisiones de Adán,* auto sacramental propio del teatro religioso del barroco.

Byron imagina un Adán que ahuyenta el peso de su responsabilidad sobre el destino de los hombres después del asesinato de Caín: *Caín,* 1821. En cuanto a Michel Tournier, concibió un sorprendente Adán originalmente bisexual: *El urogallo,* 1978, «La familia Adán».

♦ ***Icon.*** Jan van Eyck, *Adán,* retablo de *El cordero místico,* 1432, Saint Bavon, Gante. Miguel Ángel, *La creación del hombre,* 1509, Roma. *Adán y Eva:* Lucas Cranach, siglo XVI, Londres; Alberto Durero, 1507, Madrid; Memling, siglo XV, Viena. *El pecado original:* Paolo Ucello, 1450, Florencia; Tintoretto, 1564, Venecia. Tommaso Masaccio, *Adán y Eva expulsados del paraíso,* 1426, Florencia. Piero della Francesca, *La muerte de Adán,* siglo XV, Arezzo.

♦ ***Mús.*** *Adán,* siglo XII, drama semilitúrgico interpretado y cantado en latín, gregoriano y romance. Jean-François Le Sueur, *La muerte de Adán,* 1809.

ADONAY

En hebreo *adoni* significa «majestad», «mi señor»; *adonay* es un plural de majestad o de intensidad. Los hebreos, al reconocer la majestad de Dios* sobre ellos, le llaman «Adonay». Este término de respeto se convierte en nombre propio de Dios. Cuando el texto hebreo de la Biblia se lee en voz alta, sustituye al nombre impronunciable de YHVH (Yahvé*); con frecuencia se traduce por «Señor», como sucede en el texto griego *(kyrios).*

ADORAR

(Gr. *proskyno,* que tiene el significado doble de «prosternarse» y «adorar».) Cuando Satanás tienta a Jesús en el desierto, este le dice: «Al Señor tu Dios adorarás y a Él solo darás culto» (Mt. 4, 10). Estas palabras son una cita del AT (Dt. 6, 13), en la que «adorar» procede de la palabra hebrea «temer».

Cuando el hombre se da cuenta de la grandeza de Dios y de su misterio, no siente miedo, sino respeto y admiración, sentimientos que establecen la infinita distancia entre el hombre y Dios Santísimo. Ezequiel, ante la gloria* de Dios

(Ez. 1, 28), y Pablo, ante Cristo resucitado (Act. 9, 4), se arrodillan en un gesto de adoración. Solo Dios puede ser adorado en el sentido estricto del término.

♦ **Lit.** La obra de los místicos abunda en plegarias de adoración. Juan de la Cruz, *Cántico espiritual,* 1584; Fénelon, *Poemas,* 1685.

ADULTERIO

En la Biblia son adúlteros la mujer casada o prometida (es decir, desposada, en el sentido hebraico del término) que no respeta su compromiso, y el hombre que engaña a su mujer con una mujer casada. El Decálogo* (Éx. 20, 14) condena formalmente el adulterio, y en el caso de ser sorprendidos en flagrante delito ambos culpables son ejecutados (Lev. 20, 10). Si la culpable es la mujer, el marido puede limitarse a repudiarla.

El NT insiste en la condena del pecado de adulterio e incluso amplía su concepto, pues Jesús, después de haber citado el Decálogo, añade: «Todo el que mira a una mujer deseándola, ya adulteró con ella en su corazón» (Mt. 5, 27-28). Sin embargo, Jesús desafía a los escribas y fariseos* cuando se disponen a lapidar a una mujer adúltera: «El que de vosotros esté libre de pecado que arroje la primera piedra»; ante estas palabras se fueron retirando uno tras otro, comenzando por los más ancianos. Jesús, cuando se quedó solo con la mujer, le dijo: «Yo tampoco te condenaré; vete y no peques más» (Jn. 8, 2-11).

En el AT la noción de adulterio se extiende, por analogía, a las relaciones establecidas entre Dios y el pueblo que ha elegido y con el que se ha comprometido por la alianza (como recoge el libro del profeta Oseas). Cuando Israel se prosterna ante los ídolos o adora a otros dioses, se convierte en un pueblo adúltero y suscita los celos de su Dios. Los profetas Oseas, Jeremías y Ezequiel afirman que la idolatría es una forma de adulterio y critican duramente las infidelidades de Israel, a quien otorgan el calificativo de «prostituta».

→ FIDELIDAD.

♦ **Lit.** Alfred de Vigny, *Poemas antiguos y modernos,* 1837, «La mujer adúltera», inspirado en Jn. 8, 2-11. Selma Lagerlöf, *El anillo de Lö-*

wenskölds, 1939, «La inscripción en el suelo», relato.

♦ ***Icon.*** Pieter Bruegel, *Cristo y la mujer adúltera,* siglo XVI, Londres.

ÁGAPES

(Gr. *agape,* «amor».) Comidas fraternales de los primeros cristianos, sin duda ligadas a la eucaristía*; en 1Cor. 11, 17-34, Pablo establece la diferencia entre la comida que se toma habitualmente y la «comida del Señor», que exige una celebración común en la caridad. Actualmente se utiliza este término para designar una comida con la cual se celebra algún acontecimiento.

AGONÍA DE JESÚS

(Gr. *agon,* «combate, agitación del alma, ansiedad».) Después de la Cena*, Jesús se dirigió con sus apóstoles al huerto de Getsemaní*, al pie del monte de los Olivos. Se distanció unos pasos. Ante la proximidad de su muerte, le invadió una terrible angustia y pidió a Dios que le alejara aquel doloroso cáliz; según Lucas, un sudor de sangre cubrió su cuerpo y un ángel acudió a reconfortarle. Sus apóstoles se habían dormido (Mt. 26, 36; Mc. 14, 32-42; Lc. 22, 40-46). Esta lucha interior es el comienzo de la agonía de Jesús que proseguirá en la cruz*.

♦ ***Lit.*** Alejo Venegas, *Agonía del tránsito de la muerte*, 1536. Lope de Vega, *Romancero espiritual,* 1619, «A la oración del huerto»: nos presenta a un Jesús agónico antes de su muerte y en oración constante al Padre en el huerto de los Olivos. Blaise Pascal, *Pensamientos,* 1670, «El misterio de Jesús»: una meditación sobre la soledad de un Dios que sufre y busca «la compañía y el consuelo de los hombres... pero no los recibe porque sus discípulos duermen». Victor Hugo, *El fin de Satán,* 1886, «Comienzo de la angustia».

Alfred de Vigny, *El monte de los Olivos,* 1839, inspirado por el poeta alemán Jean Paul Richter *(Siebenkäs,* 1796): Vigny evoca su propia angustia religiosa a través de la que atribuye a Jesús; en vano, Jesús llama al Padre divino, «mudo, ciego y sordo» ante el grito de las criaturas, y sabe que su mensaje liberador será traicionado. Gérard de Nerval, *Las quimeras,* 1854, «Cristo en los Olivos»,

continuación de cinco sonetos también inspirados en Richter: en el huerto de los Olivos, el Señor, desesperado, intenta, antes de morir, revelar a sus discípulos la «nueva»: «Dios está ausente del altar en el que soy la víctima... / ¡Dios no está! ¡Dios ha desaparecido! / pero seguían durmiendo...»
La obra de Georges Bernanos multiplica las escenas de agonía: el héroe de *El diario de un cura rural,* 1936, es «el prisionero de la santa agonía». Max Jacob, *Últimos poemas,* 1945, «Agonía»: evoca su propia muerte, inminente, en el campo de concentración de Drancy donde fue internado.
♦ ***Icon.*** *La agonía en el huerto de los Olivos:* Andrea Mantegna, 1460, Tours; Giovanni Bellini, siglo XV, Londres; El Greco, siglo XVI, Budapest; Delacroix, 1826, Saint Paul-Saint Louis, París.
♦ ***Mús.*** Ludwig van Beethoven, *Cristo en el monte de los Olivos,* oratorio, 1801. Francis Poulenc, *Diálogo de carmelitas,* siglo XX, ópera basada en la obra de Bernanos. Hjelmar Borgstrom, *Jesús, Getsemaní,* siglo XX.
♦ ***Cin.*** Robert Bresson, *Diario de un cura rural,* 1950, película inspirada en la obra de Bernanos; *El proceso de Juana de Arco,* 1961: el cura de Ambricourt y Juana. Imágenes de la agonía de Cristo.

AGUA

Agua y vida

El agua es un símbolo universal de vida y de pureza. Las cosmogonías más diversas evocan las aguas primordiales, tal como lo expresa el relato de la creación en el Génesis: «El espíritu de Dios se cernía sobre la superficie de las aguas» (Gén. 1, 2).

Numerosos pasajes de la Biblia muestran lo indispensable que es el agua en la vida cotidiana. Pero también es un bien escaso en Palestina, por lo que hay que cavar pozos o cisternas para recoger el agua de lluvia, y construir sistemas de irrigación.

En el AT el pueblo de Dios, torturado por la sed en medio del desierto, pide a Moisés que le proporcione agua: «Lleva en tu mano el cayado, hiere la roca y saldrá de ella agua para que beba el pueblo» (Éx. 17). De este modo aparecen reunidos tres elementos fundamentales: la solicitud de Dios, la confianza del creyente y el don del agua o don de la vida.

Ya que el agua es sinónimo de vida en todas sus facetas, juega un importante papel en la curación de las enfermedades: el profeta Eliseo, por ejemplo, envió a un jefe arameo leproso, Namán, a bañarse en el Jordán. Este salió con la piel limpia y lisa porque había tenido fe en Dios, quien le había hablado por boca de Eliseo (2Re. 5). Este relato pudo ser interpretado en el cristianismo como la prefiguración del bautismo que «cura» del pecado.

Toda purificación es una forma de curación. La Ley de Israel prescribía el uso de aguas lustrales para purificar a los hombres y las cosas impuras (núm. 19) y se observaban ritualmente prescripciones de abluciones y lavados de copas, vajillas y ropas. Por último, los judíos conocían ritos de purificación, tanto física como moral, por inmersión en barreños de agua pura (a la entrada del Templo) o en las piscinas rituales (Qumrán).

En el NT, el evangelista Juan relata el encuentro, cerca de la ciudad de Samaria, de Jesús con una mujer que iba a sacar agua de un pozo. Jesús le pidió de beber y una vez aplacada su sed le anunció un agua de vida eterna: «El que beba del agua que yo le diere no tendrá jamás sed» (Jn. 4, 14). También en este pasaje el manantial de agua simboliza la vida divina otorgada al creyente.

→ SAMARIA.

El agua del bautismo

Asocia los dos valores, vida/muerte: se sumerge en el agua el hombre viejo (el hombre pecador) que muere, y sale de las aguas un hombre nuevo, limpio de todo pecado.

→ CREACIÓN.

El agua destructora

Símbolo ambivalente, el agua también puede destruir y producir la muerte, como lo hacen las aguas del diluvio*, aguas superiores que pasan por las compuertas del cielo que Dios ha abierto.

El mar*, los lagos, las grandes extensiones de agua, aterrorizan a los judíos, quienes no poseen la vocación marítima de otros pueblos, como los fenicios. Temen las tempestades, los naufragios, los maremotos. Las profundas aguas del lago Genesaret tragan, adoptando forma de cerdo, a los espíritus impuros que atormentan a un endemoniado curado por Jesús (Mc. 5, 12-13).

♦ ***Lit.*** Paul Claudel, *Cinco grandes odas,* 1910, «El espíritu del agua». Jean-Claude Renard, *Hechizo de las aguas,* 1961.

ÁGUILA

En la Biblia simboliza principalmente el poder y el orgullo. Ezequiel representa al rey Nabucodonosor como un águila de inmensa envergadura (Ez. 17). El águila figura, junto con el toro, el león y el hombre, en una visión del mismo profeta procedente del Apocalipsis* (Ez. 1, 5; Ap. 4, 7). Su poderoso vuelo y la facultad de poder mirar fijamente al sol, creencia establecida por el latino Plinio, contribuyeron a convertirla posteriormente en el símbolo del alma que posee la visión mística de Dios.
→ EVANGELISTAS.

El águila de Patmos*: perífrasis para designar al autor visionario del Apocalipsis, que, según la tradición, es Juan Evangelista.

♦ ***Lit.*** Victor Hugo, *Las contemplaciones,* 1855, VI, «Ibo»: se compara con el águila bíblica, ascendiendo hacia «la luz de Dios».

ALELUYA

(Heb. *hallelu-yah,* «alabad a Dios».) Aclamación litúrgica.→ HALLEL.

♦ ***Mús.*** Haendel, *El Mesías,* oratorio, 1742: con frecuencia, su aleluya se canta de forma independiente.

♦ ***Cin.*** King Vidor, *Hallelu-yah,* 1929, drama sobre los negros americanos: el protagonista, Zeke, se hace evangelista, bautiza en el río y predica en los dos trenes que van al infierno y al paraíso.

ALFA Y OMEGA

Primera y última letras del alfabeto griego. En el Apocalipsis*, Jesús declara: «Yo soy la alfa y la omega», que significa el comienzo y el fin, el primero y el último, el que goza de la gracia por excelencia.

♦ ***Lit.*** Ver la interpretación del inspirado paleontólogo Pierre Teilhard de Chardin, *El fenómeno humano,* 1955, epílogo: Dios, suprema finalidad que vive y piensa, es el punto Omega, «ya existiendo y actuando en lo más profundo de la masa pensante».

ALIANZA

(Heb. *Berit,* lat. *testamentum.)* Acuerdo mutuo entre dos o varias personas que implica derechos y deberes; queda fijado mediante la erección de monumentos (estelas) o mediante la redacción de documentos. Romper dicho acuerdo es un delito. Si uno de los dos miembros goza de una posición social privilegiada, el más débil obtiene de él, si es fiel a la alianza, protección y seguridad.

La alianza divina en el AT

Las alianzas establecidas por Dios con Israel le confieren una religión y una nacionalidad específicas que lo distinguen de los demás pueblos:

—alianza con Noé* después del diluvio.

—alianza con Abraham*.

—alianza con Moisés* y el pueblo elegido sellada en el Sinaí (o en el monte Horeb).

—alianza con David*.

—alianza interpretada por los profetas*: al pecar, Israel rompe la alianza establecida con Dios en el Sinaí; sin embargo, Dios se niega a aniquilar a Israel; quiere fundar, con la parte de Israel que le permanece fiel, una nueva alianza eterna que se extienda a los paganos. → ELEGIDO.

La nueva alianza en el NT

Para los cristianos, esta nueva alianza entre Dios y la humanidad se realiza plenamente en Jesús; está sellada con su sangre; con él se cumple la alianza del Sinaí. Durante la Cena*, Jesús toma la copa de vino y dice: «Bebed todos de él, porque esta es mi sangre, la sangre de la alianza» (Mt. 26, 27-28). La noción de alianza con Dios fundamenta la originalidad del judeo-cristianismo y se convierte en su eje central.→ TESTAMENTO.

♦ *Lit.* Racine, *Esther,* 1689: Esther y las doncellas de Israel suplican a Dios que recuerde la alianza con su pueblo, su promesa; le ruegan que socorra a los inocentes que van a ser masacrados.

ALMA

Nuestra cultura establece la diferencia entre el alma, elemento espiritual, y el cuerpo; en este sentido, es heredera de ciertas corrientes del pensamiento griego marcadas por el dualismo —un dualismo que incluso llega a representar al cuerpo como la prisión o el exilio del alma.

Por el contrario, la Biblia concibe al hombre como una unidad orgánica. La palabra *nephesh* –traducida habitualmente por «alma»–, significa, en primer lugar, «pecho», y de ahí procede el «soplo de vida», el ser vivo (Gén. 2, 7; Sal. 103, 1). A veces esta palabra sustituye simplemente a un pronombre personal (él, él mismo), pero en realidad se refiere a la persona, tanto en su identidad corporal como espiritual. El hombre es *nephesh,* pero también se dirá que es *basar* («carne») si se quiere insistir en su fragilidad.→ CARNE, CUERPO.

♦ ***Lengua.*** *Caérsele a alguien el alma a los pies.* Esta locución expresa decepción, disgusto o malestar por algo, e incapacidad para reaccionar ante ello.
Correr como alma que lleva el diablo. Muy rápidamente y con miedo.

♦ ***Lit.*** La literatura sobre el alma se remonta a la filosofía griega (Sócrates, Platón y Aristóteles, especialmente), otorgándole ya unas características que repercutirán notablemente en la concepción cristiana del alma. Escriben *Tratados sobre el alma* Aristóteles, san Agustín, santo Tomás. Tertuliano, *De anima* y *De resurrectione carnis,* h. 210: dos tratados en los que Tertuliano intenta conciliar la filosofía griega con el pensamiento judío. Gregorio de Nisa, *Diálogo sobre el alma y sobre la resurrección,* siglo IV: acerca de la inmortalidad del alma. El dualismo cartesiano opone, desde un punto de vista bíblico, el alma, «sustancia pensante», al cuerpo, «sustancia extendida». En el siglo XVI en España, con el florecimiento de la literatura mística, encontramos ejemplos de poesía con esta temática, como el romance que santa Teresa de Jesús escribe a su Esposo Cristo. En el siglo XVII, Lope de Vega escribió un romance dedicado al alma, aludiendo a su aprisionamiento en el cuerpo: «Llorando está afligida en una oscura prisión el alma...». También es autor del soneto *Dios, centro del alma,* y de autos sacramentales como *El viaje del alma* y *Las bodas del alma y el amor divino,* en los que recoge las influencias de Aristóteles, san Basilio, san Agustín o Beda el Venerable.

En el siglo XVIII, la crítica volteriana ironiza sobre nuestra impotencia por conocer el alma y sobre las disensiones de los filósofos a propósito de ella: *Micromégas,* 1752, y *Diccionario filosófico,* 1764. En el siglo XIX, numerosos poetas, como Lamartine, Baudelaire, Verlaine, cantan la aspiración mística del alma a la inmortalidad celestial.
Según Péguy, *Diálogo de la historia y del alma carnal,* 1909, lo esencial, actualmente, es recuperar «esa unión increíble... del espíritu y la materia, del espíritu y el cuerpo, del alma y la carne: esa increíble unión del alma carnal».
♦ ***Icon.*** Inicialmente, el símbolo del alma era una paloma; luego fue un niño, imagen del nacimiento a una vida nueva después de la muerte. Capiteles de la época románica: por ejemplo, *Lázaro y el rico Epulón,* Vézelay.
♦ ***Mús.*** Claude Debussy, *Pelléas et Mélisande,* 1895: se ha considerado a Pelléas como el representante del Espíritu Santo y a Mélisande como el alma que vuela desde el ser encarnado hacia la «colmena eterna» (según Anna Mandolfi).

ALTÍSIMO

Título divino frecuente en los salmos. Elyon, dios de un santuario cananeo, fue identificado con el Dios de Abraham. En el Génesis, Melquisedec*, sacerdote de Elyon (el Altísimo), bendice a Abraham* por «el Dios Altísimo creador del cielo y de la tierra» (Gén. 14, 18). Los apelativos «el Altísimo» y «el Eterno» (Gén. 21, 33) expresan la trascendencia y el poder de Dios.→ ADONAY, ÉL, ELOAH, SANTO.

AMÉN

Palabra hebrea que se utiliza con diferentes sentidos: consistencia, confianza, verdad. Decir *amén* es manifestar conformidad con lo que se acaba de decir. La traducción «así sea», que expresa deseo, no proporciona el sentido exacto del término.

♦ ***Lengua.*** *Decir amén a todo.* Aprobarlo todo, asentir a todo.
En un santiamén. En un instante. Muy deprisa. Santiamén es la unión de las dos últimas palabras de la bendición que da el sacerdote: «In nomine Patris, Filii, et Spiritus Sancti, Amen».

♦ ***Mús.*** La palabra *amén* con frecuencia ha sido utilizada como tema por compositores de música religiosa: Palestrina, Haendel, Cafaro...

AMOR

En el AT el verbo hebreo *ahab,* «amar», se utiliza habitualmente, sea cual sea el objeto designado: Dios, el prójimo, las riquezas. Los términos empleados para hablar del amor que Dios siente hacia su pueblo evocan una adhesión irreversible *(hesed)* y un amor lleno de ternura *(rahamim).* «Me uniré a ti en la adhesión y en el amor» (Os. 2, 21), dice Dios al hombre.

La oración de los salmos es la celebración de este amor, una llamada confiada a un Dios amoroso: «Como es la ternura de un padre por sus hijos, tierno es Dios para quien le teme» (Sal. 103). Ternura a la que responde el amor de Israel para con Dios: «Escucha, Israel —dice la Ley mosaica—, amarás a tu Dios con todo tu corazón, toda tu alma y todas tus fuerzas» (Dt. 6, 4).

La lengua griega llama *eros* (de ahí viene «erotismo») al amor-deseo, cuya forma última es para Platón la aspiración hacia lo Bello absoluto. El NT utiliza ágape* (que al parecer se desconocía antes del cristianismo) para designar el amor-ofrenda. Amor de Dios por su criatura, que llega hasta la ofrenda de su hijo: «Dios es amor», escribe Juan (1Jn. 4, 16); amor de los hombres a Dios y de los unos a los otros predicado por Jesús, que resume lo esencial del mensaje de la Ley y de los profetas en dos mandamientos: «Amarás al Señor tu Dios con todo tu corazón, con toda tu alma y toda tu mente: este es el principal y primer mandamiento». El segundo se le parece: «Amarás a tu prójimo* como a ti mismo» (Mt. 22, 37-38). Pablo escribirá a los corintios: «Si me falta el amor, no soy nada...» (1Cor. 13).

Según el lenguaje teológico, la caridad es una de las tres virtudes teologales (con la fe y la esperanza). La palabra «caridad», que solía tener el sentido limitado de limosna, significa «amor», y actualmente se ha adoptado en las traducciones habituales de la Biblia.

♦ ***Lengua.*** *Que no sepa tu [mano] izquierda lo que hace tu [mano] derecha* (Mt. 6, 3).

Jesús utiliza esta imagen para expresar la necesaria discreción de los que practican la caridad; no hay que hacer las ofrendas con ostentación.

♦ ***Lit.*** Desde el *Cantar de los Cantares,* el lenguaje de la poesía mística es el de la poesía amorosa. Santa Teresa de Jesús, *Castillo interior,* 1577. San Francisco de Sales, *Tratado del amor de Dios,* 1616: introducción a la vida mística, inspirado en santa Teresa de Jesús.

Pascal, *Pensamientos,* 1670: señala la preeminencia de la caridad sobre la verdad: «Se hace un ídolo de la verdad misma, porque la verdad fuera de la caridad no es Dios, y es una imagen y un ídolo a los que no hay que amar ni adorar» (582). «Todos los cuerpos juntos y todos los espíritus juntos, y todas sus producciones no valen lo que el menor movimiento de caridad; esto es de un orden infinitamente más elevado» (793).

Péguy, *El pórtico del misterio de la segunda virtud,* 1912: concibe la caridad como una madre ardiente, de gran corazón, y medita sobre el misterio de la caridad de Dios en relación con el hombre.

En lo que se refiere al ámbito judío, hay que remitirse a Pierre Haïat, *Antología de la poesía judía del mundo entero,* 1985.

AMÓS

Uno de los 12 profetas menores. Este labrador judío profetizó en el reino de Israel durante el reinado de Jeroboam II, en el siglo IX a. C. Se rebeló enérgicamente contra las injusticias y la idolatría.

ANA

Nombre de varios personajes femeninos del AT y NT, entre los que sobresalen: la madre del profeta Samuel, la mujer del viejo Tobías y una profetisa que, según el evangelista Lucas (Lc. 2, 36-37), asistió a la presentación* del niño Jesús en el Templo de Jerusalén.

Tal como expresa una tradición apócrifa, también es el nombre de la madre de María, esposa de Joaquín. Numerosísimas representaciones la muestran instruyendo a María, y a veces reúnen a las tres generaciones de la «Sagrada Familia»: Ana, María y Jesús.

♦ ***Icon.*** *La Virgen y santa Ana:* Leonardo da Vinci, 1499,

Museo del Louvre; escultura en madera, siglo XV, Semur-en-Auxois. Rembrandt, *Santa Ana,* 1631, Amsterdam.

ANÁS

Nombre del sumo sacerdote judío, suegro de Caifás, que interrogó a Jesús después de su detención (Jn. 18, 12-26).

ANATEMA

(Gr. *anathema,* «ofrenda votiva»; heb. *herem,* «dejar aparte», «prohibir para uso profano».) Esta palabra designa una regla que Israel tenía que observar durante la guerra santa: el botín, y a veces los enemigos vencidos, era consagrado a Yahvé y, por tanto, destruido. También se aplica al castigo de los idólatras. «Si está establecido que semejante abominación se ha cometido en medio de ti, tendrás que pasar por el filo de la espada a los habitantes de esta ciudad, la consagrarás al anatema, a ella y a todo lo que contiene» (Dt. 13, 13-19).

En los textos judaicos más recientes y en el NT, el anatema recae sobre los individuos: es la exclusión de la comunidad que entrega al culpable —el que ha mentido o el que no ha cumplido sus promesas— al juicio de Dios. En Act. 23, 12, los judíos enemigos de Pablo* se comprometen a hacer huelga de hambre hasta conseguir su muerte, y reclaman para sí los más terribles castigos de Dios (anatema) si faltan a su compromiso.

Los concilios eclesiásticos formularon anatemas hasta el Vaticano I (1869-1870). El Vaticano II (1962-1965) fue seguramente el primero que no pronunció ninguno.

Los musulmanes han mantenido en el anatema, entendido como maldición, toda su carga pasional.

ANCIANOS

Son los jefes de familia de un clan (Dt. 31, 28), hombres sabios cuyas opiniones son muy respetadas; una de sus funciones es administrar justicia. Durante la marcha por el desierto, Moisés formó una asamblea de 70 ancianos (Núm. 11, 16), institución que se convertirá posteriormente en el Sanedrín.

En el NT, los ancianos (gr. *presbuteroi)* pertenecen a la comunidad judía (Lc. 7, 3) o a la comunidad cristiana (Act. 15, 2). Al final de su tercer viaje,

Pablo se despide de los ancianos de Éfeso, responsables de la comunidad cristiana, y les anima a ser buenos guardianes (gr. *episcopoi)* de su Iglesia local (Act. 20, 17-28).→ SACERDOCIO/SACERDOTE.

ANDRÉS

(Gr. *andreios,* «varonil».) Uno de los 12 apóstoles*. Era hermano de Simón Pedro*, pescador como él en Cafarnaúm; al principio fue discípulo de Juan Bautista y después siguió a Jesús (Mt. 4, 18-20). Según la tradición, después de la muerte de Jesús se encargó de evangelizar Rusia. Se cree que murió en Patrás, Grecia, crucificado en una cruz en forma de X, que después se llamó «cruz de San Andrés».

♦ ***Lit.*** Bossuet, *Panegírico de san Andrés, apóstol,* predicado a los carmelitas del Faubourg Saint-Jacques en París, el 30 de noviembre de 1668. Paul Claudel, *Corona benignitatis anni Dei,* 1915, «San Andrés».

ÁNGEL

La palabra ángel deriva del griego *angelos,* traducido a su vez del hebreo *mal´ak,* que quiere decir mensajero. Los ángeles son espíritus que actúan como mensajeros de Dios.

Murillo, *Ángel de la guarda,* Sevilla, catedral

En el AT los ángeles forman alrededor del Dios único «el ejército del cielo» (1Re. 22, 19). Se les llama hijos de Dios (Sal. 29, 1) y servidores sagrados (Job 5, 1).

Los relatos bíblicos más antiguos hablan de un «mensajero de Dios», que en muchas ocasiones transmite las órdenes divinas en el Génesis. Semejante a Dios, hablando y actuando en su nombre y lugar, es enviado para proteger a Israel durante su paso por el mar Rojo (Éx. 14, 19); vela al siervo de Abraham (Gén. 24, 7), y a Jacob* (Gén. 48, 16). Dios envía ángeles terribles para misiones funestas, como el llamado ángel exterminador, que juega un papel decisivo en diversos episodios (Éx. 12, 29; 2Re. 19, 35). En los últimos libros del AT, los ángeles a veces reciben nombres que tienen relación con su misión: Rafael*, «Dios cura», cuida de Tobías* (Tob. 3, 17; 12, 15); Gabriel*, «Dios es fuerte», revela los secretos de Dios (Dan. 8); Miguel*, «¿quién es como Dios?», príncipe de todos, protege a Israel (Dan. 10, 13-21). Esta teología influye en el islam: es Gabriel el que transmite a Mahoma el mensaje divino; Miguel es el encargado de los bienes de este mundo; Azrael es el ángel de la muerte; miles de ángeles se aparecen al profeta durante su ascensión nocturna.

En el NT, a los nombres ya conocidos, Pablo añade el de arcángel* (1Tes. 4, 16). Los ángeles están íntimamente ligados a la vida terrestre de Cristo, como puede observarse en los pasajes de la encarnación (Lc. 1, 26), la Natividad (Lc. 2, 9-13), la tentación en el desierto (Mc. 1, 13), la agonía (Lc. 22, 43), la Ascensión (Act. 1, 10). Aseguran la protección de los humanos (Mt. 18, 10; Act. 12, 15), presentan a Dios sus plegarias y conducen al paraíso el alma de los justos (Lc. 16, 22). Miguel es el encargado de la custodia de la Iglesia naciente, como antes lo había sido de la de Israel. Cuando evoca el destino último de los hombres resucitados, Cristo dice que los elegidos serán como los ángeles de Dios, que no toman mujer ni marido y no pueden morir (Lc. 20, 36).→ QUERUBÍN, SERAFÍN, SATANÁS.

♦ ***Lengua.*** *Tener ángel.* Tener un atractivo especial que no se puede explicar.

♦ ***Lit.*** A través de la literatura, los ángeles han recibido diversas denominaciones: ángel bueno (el que no cayó en el pecado), ángel custodio (el que Dios tiene señalado a cada persona para guardarla) y ángel de las tinieblas o malo (diablo del infierno).

San Máximo, *Scholia*, siglo IV: establece nueve jerarquías de ángeles, seres incorpóreos e inteligentes. También recogen estas afirmaciones las obras de san Juan Damasceno, entre otros. San Agustín, *La ciudad de Dios,* 413-424: los ángeles son las primeras criaturas de Dios, cuya existencia solamente conocemos por la fe. Dante concede a los ángeles celestiales resplandecientes visiones: *Divina comedia,* 1307-1321, cantos 28 a 32. En la literatura francesa, el tema del ángel rebelde o caído prevalece ampliamente sobre el de los ángeles enviados por Dios. Sin embargo, los valientes caballeros del *Cantar de Roldán*, siglo XII, en el momento de morir, tienden a Dios su guante derecho y viene un ángel a llevar su alma al paraíso. En el siglo XVII, Lope de Vega les dedica sonetos y canciones: *Al ángel de la guarda.* Voltaire, *Zadig,* 1747: el ángel Jesrad revela al héroe los designios de la Providencia.

En el siglo XIX, los poetas imaginan ángeles alegóricos: como el ángel-Libertad, de Victor Hugo, creado de una pluma procedente del ala de Satán *(El fin de Satán,* 1866). Inventan ángeles enamorados de mortales (Lamartine, *La caída de un ángel,* 1838), o también seducidos por Lucifer «joven, triste y encantador», como Éloa, «nacida de una lágrima de Cristo» (Vigny, *Éloa,* 1824).

En el siglo XX, Cocteau imagina un ángel caprichoso disfrazado de vidriero, visitante de lo invisible *(Orfeo,* 1927). Claudel lleva a escena al ángel guardián de doña Proeza *(El zapato de raso,* 1924).

Por simplificación, el ángel se ha convertido, en ciertas expresiones, en el príncipe espiritual del hombre, oponiéndose a su elemento carnal, el «animal». «El hombre no es ni ángel ni bestia y la desdicha propone que quien quiera hacer de ángel haga de bestia». Pascal recuerda en este fragmento que el hombre no es ni un puro espíritu ni un simple cuerpo *(Pensamientos,* 1670).

♦ ***Icon.*** *El ángel sonriente,* estatua, siglo XIII, catedral de Reims. *Ángeles músicos,* siglo XV: Fra Angélico, Florencia; Hans Memling, Amberes. Mathias Grünewald, *El ángel de la Anunciación,* 1516, Colmar. Murillo, *Ángel de la guarda,* siglo XVII, catedral de Sevilla. Bernini, *El ángel de la corona de espinas,* estatua, 1669, Roma. Odilon Redon, *El ángel caído,* siglo XIX, Burdeos. Marc Chagall, *La caída del ángel,* 1947, Basilea.

♦ ***Mús.*** Prokofiev, *El ángel de fuego,* ópera, 1927.

♦ ***Cin.*** Wim Wenders, *El cielo sobre Berlín,* 1987: los ángeles vagan por la tierra desde la creación del mundo, desprovistos de sensaciones y de sentimientos, asistiendo a los desesperados y a los moribundos. Uno de ellos quiere conocer la verdadera vida; se convierte en hombre y descubre, maravillado, los sabores, los colores, el amor. Un himno a la vida.

ÁNGELUS

Oración recitada por la mañana, a mediodía y por la tarde, en la tradición católica, para recordar la Anunciación* del ángel Gabriel a María, madre de Jesús.

♦ ***Icon.*** Jean-François Millet, *El ángelus,* 1858, Museo del Louvre.

ANTICRISTO

Según las epístolas* de san Pablo y el Apocalipsis*, el enemigo de Dios o Anticristo solo puede imponerse por la fuerza o por la astucia, pero finalmente será exterminado por Cristo. No está encarnado en un personaje histórico, pero designa a los que se oponen a la instauración del Reino de Cristo (1Jn. 2, 18; Ap. 13; Mt. 24, 24; 2Tes. 2, 4).→ SATANÁS.

♦ ***Lit.*** ¡A cada cual su Anticristo! Por ejemplo: para Agrippa d'Aubigné, *Los trágicos,* 1616, el Anticristo es el papa, «el hijo mayor de Satanás» a los ojos de los reformados. Para Dostoievski, *Los hermanos Karamazov,* 1880, el gran inquisidor es la figura del Anticristo; encarna el catolicismo romano, el papa de los esbirros, pero también el socialismo ateo y el capitalismo moderno, que prometen a la gente la felicidad material a cambio de la libertad. Según Nietzsche, *El Anticristo,* 1888, el Anticristo no es otro que «Dios convertido en antítesis de la vida, en lugar de ser su transformación, su eterno consentimiento». Por su parte, Péguy, *La nota conjunta sobre M. Descartes,* 1914, ve en el dinero el Anticristo del mundo moderno.

♦ ***Cin.*** John Huston, *Sangre sabia,* 1979.

ANTÍOCO

Nombre de 13 reyes seléucidas (una de las dinastías griegas que se repartieron el imperio de Alejandro) que goberna-

Tiziano, *La Anunciación,* Venecia, iglesia de San Roque

ron en Asia Menor. Antíoco III (223-187 a. C.) fue rey de Siria y hubo de someterse a los romanos. Antíoco IV Epífanes (175-164 a. C.) ocupó Egipto y fue expulsado por los romanos. Su política de helenización a ultranza provocó la rebelión de los judíos, dirigida por los hermanos Macabeos.

ANUNCIACIÓN

Mensaje del ángel Gabriel a la Virgen María para comunicarle que va a ser madre de Jesús (Lc. 1, 26-38). La salutación del ángel es el origen de la oración avemaría: «Dios te salve, llena de gracia, el Señor es contigo; bendita tú eres entre todas las mujeres y bendito es el fruto de tu vientre». La tradición posterior añadió: «Santa María, madre de Dios, ruega por nosotros pecadores, ahora y en la hora de nuestra muerte». → AVEMARÍA, MARÍA.

♦ ***Lit.*** Paul Claudel, *La Anunciación a María,* 1912. Marie Noël, *El rosario de las alegrías,* 1930, «Anunciación». Pierre Emmanuel, *Evangeliario,* 1978, «Anunciación».

♦ ***Icon.*** *Anunciación:* Simone Martini, 1328; Fra Angélico, 1450, Florencia; Calvo Crivelli, 1482, Londres; Van der Weyden, siglo XV, Museo del Louvre; Donatello, estatua, 1440, Florencia; Martin Schongauer, siglo XV, Colmar; Tiziano, siglo XVI, San Roque, Venecia. Mathias Grünewald, *Retablo de Isenheim,* 1516, Colmar; Eugène Amaury-Duval, siglo XIX, Museo d'Orsay.

APOCALIPSIS

(Del gr. *apocaluptein,* «revelar».) Género literario en el que, en tiempos de crisis, para mantener la fe y la esperanza de los creyentes, los profetas* revelan el fin de la historia. Pesimista en un presente de pecado, desdicha y sufrimiento, el discurso apocalíptico es optimista respecto al futuro, que verá el advenimiento del Reino de Dios.

Algunos textos apocalípticos forman parte del AT (Is. 24-27, Dan. 10-12), pero este género literario desaparecerá paulatinamente, sobre todo en el período llamado intertestamentario, del siglo II a. C. al I d. C. Apocalipsis como el *Testamento de los doce patriarcas* o *El apocalipsis de las semanas* se consideran apócrifos*.

El Apocalipsis de Juan

Último libro del NT. Sin duda, fue escrito entre los años 95 y 100, probablemente no por el propio apóstol Juan, sino bajo su influencia. Cristo glorificado se aparece a Juan, exiliado en Patmos, y le encarga que escriba mensajes para las siete Iglesias de Asia Menor. El apóstol es llevado al cielo; allí ve a Dios en su trono, rodeado de la corte celestial y sosteniendo en la mano el libro de los siete sellos, que entrega al cordero inmolado. El cordero rompe los siete sellos y cada ruptura provoca una serie de apariciones. De los cuatro primeros surgen unos caballeros: el Parto arquero, entonces terror de los romanos, la Guerra, el Hambre y la Peste que, sobre pálidos caballos, arrasan la tierra (Ap. 6). Aparece también una mujer, madre de un hijo varón al que el dragón Satanás* quiere devorar; derrotado por Miguel* y el ejército de los ángeles, el dragón transmite su poder a la bestia que sostiene Babilonia, la gran prostituta (símbolo del imperio romano perseguidor de los cristianos, Ap. 17). Juan evoca después a la Nueva Jerusalén, la ciudad santa bajada del cielo, la morada de Dios con los hombres (Ap. 21).

En este apocalipsis cristiano, a Jesús se le reconoce como el Mesías*, se cumplen las promesas de Dios y la revelación queda concluida.→ JUICIO FINAL, PARUSÍA, REDENTOR/REDENCIÓN/RESCATE, SALVACIÓN.

♦ ***Lit.*** El género apocalíptico floreció en el siglo II a. C. con escritos de índole religiosa que tratan de los secretos divinos inaccesibles al hombre, atribuidos a personajes bíblicos y no incluidos en el canon de la Sagrada Escritura, como el Apocalipsis de Elías, el Libro de los Jubileos, la Asunción de Moisés, el Apocalipsis de Pedro o el de la Virgen María. En la antigüedad judeocristiana: Hermas, *El pastor,* hacia 140 d. C. El apocalipsis constituye una forma de interpretar la historia del mundo: a un presente o a un futuro próximo de desolación y cataclismos le sucederá una era de regeneración. Las obras apocalípticas suelen adoptar características épicas, con un decorado cósmico. Por ser el Apocalipsis de Juan un libro de difícil interpretación, son numerosas las obras literarias de comentarios, como los del Beato de Liébana.

Durero, *Los cuatro jinetes del Apocalipsis,* París, Biblioteca Nacional

Umberto Eco, *El nombre de la rosa,* 1980: el autor imagina que los asesinatos cometidos en el monasterio en 1327 siguen el orden de las predicciones de la apertura del séptimo sello (novela llevada al cine por Jean-Jacques Annaud). Por su belleza alegórica y la fuerza de sus visiones, el Apocalipsis ha alimentado la imaginación de muchos poetas, como William Blake, Alphonse de Lamartine o Victor Hugo. Encontramos acentos apocalípticos en Shelley, *Prometeo liberado,* 1820, drama cuyo acto IV muestra la desbandada de las fuerzas del mal, y en Wagner, *El crepúsculo de los dioses,* 1874, aunque, en muchos casos, estos autores se desligan del pensamiento bíblico, como D. H. Lawrence, que escribió *Apocalipsis,* 1931, porque odiaba la revelación, esperanza de los débiles.

Las convulsiones históricas —revoluciones, guerras gigantescas— suscitan regularmente un renacimiento literario de este género, completamente laicizado en la ciencia-ficción, entre otras manifestaciones.

♦ ***Icon.*** *Apocalipsis de Saint-Sever,* manuscrito iluminario, 1802. Tímpano, siglo XII, Moissac. Nicolas Bataille, tapices, 1387, Angers; Jean Lurçat, 1950, Assy. Correggio, *Visión de san Juan en Patmos,* 1524. Alberto Durero, *Apertura de los sellos según el Apocalipsis,* grabado, 1498. *Los cuatro jinetes del Apocalipsis:* siglo XV, Biblioteca Nacional, París; El Greco, 1614, Nueva York. William Blake, *La muerte sobre un caballo pálido,* 1805, Londres. Francis Danby, siglo XIX, Dublín. Arnold Böcklin, *La guerra,* 1896, Dresde. Edouard Goerg, *El Apocalipsis,* serie de grabados, 1943.

♦ ***Mús.*** Franz Schmidt, *El libro de los siete sellos,* 1937. Olivier Messiaen, *Cuarteto para el fin de los tiempos,* 1941; la tercera de las *Pequeñas liturgias,* 1944; *Colores de la ciudad celestial,* 1963, y *Cañones en las estrellas,* 1974. Pierre Henry, *Apocalipsis de Juan,* 1968. *Twelve gates to the City,* espiritual negro.

♦ ***Cin.*** Bergman, *El séptimo sello,* 1956, ilustra los dos sentidos de la palabra apocalipsis: fin del mundo, con hambre y peste en la Edad Media, y revelación escatológica análoga a la apertura del séptimo sello en el Apocalipsis de Juan. Francis Ford Coppola, *Apocalypsis now,* 1979: solo el sentido moderno de catástrofe se mantiene en esta película sobre la guerra americana en Vietnam.

APÓCRIFOS

Escritos que no han sido reconocidos como parte del «canon» de las Escrituras. Se conocen numerosos apócrifos del AT: el libro de Enoc, el cuarto libro de Esdras, el testamento de los doce patriarcas..., en general muy marcados por la corriente apocalíptica. También se conocen evangelios apócri-

Ribera, *La comunión de los apóstoles*, Nápoles, Museo Nacional de San Martino

fos: Evangelio de Tomás, Evangelio de Pedro..., que contienen antiguas tradiciones no desprovistas de valor, si bien se caracterizan por un gusto exagerado hacia lo fantástico.

En algunas ocasiones, los textos que la tradición protestante denomina apócrifos reciben el nombre de deuterocanónicos* en la tradición católica.

APÓSTOLES

(Gr. *apostolos*, «enviado», delegado oficial encargado de una misión.) En sentido estricto, son los 12 discípulos elegidos por Jesús para ser sus compañeros más cercanos, sus testigos ante el mundo y los predicadores de su evangelio*. Generalmente, el NT los denomina «los Doce». Son: Pedro*, Andrés*,

Santiago* y Juan*, los primeros en ser llamados; Felipe, Bartolomé, Mateo*, Tomás*, Santiago* el hijo de Alfeo, Tadeo (o Judas), Simón y Judas* Iscariote (Mc. 3, 17-19). Pedro siempre aparece en primer lugar. Judas, después de su traición, fue sustituido por Matías* (Act. 1, 15-26).

Respecto a Pablo*, después de la muerte de Jesús, toma el nombre de «apóstol de los gentiles», es decir, de los no judíos, a raíz de su conversión en el camino de Damasco.

En un sentido amplio, la palabra «apóstol» designa a aquel que transmite el mensaje del evangelio; actualmente, se aplica a todo el que defiende una idea o una causa justa.

♦ ***Lengua.*** *La levadura esponja la masa* (Lc. 13, 20-21). Del mismo modo que basta introducir un poco de levadura en tres medidas de harina para que suba la masa, así los 12 apóstoles, al anunciar el Reino de Dios, transformaron la tierra. En el lenguaje coloquial, la expresión se refiere a todos aquellos que, a pesar de su reducido número, consiguen que emerjan las ideas, los sentimientos, las pasiones, en un mundo que, sin ellos, permanecería inerte.

♦ ***Lit.*** Juan de Padilla, *Los doce triunfos de los doce apóstoles*, siglo XV: poema alegórico de gran simbolismo religioso y fuerza plástica. Paul Claudel, *Corona benignitatis anni Dei,* 1915, «El grupo de los apóstoles».

♦ ***Icon.*** *La peregrinación de los apóstoles,* escultura, siglo XII, Vézelay. Hugo van der Goes, *La muerte de la Virgen,* 1480, Brujas. *Los apóstoles:* Durero, 1526, Munich; El Greco, 1608, Toledo. Ribera, *La comunión de los apóstoles,* siglo XVII, Museo Nacional de San Martino. Eugène Burnand, *Los discípulos Pedro y Juan corriendo hacia el sepulcro,* 1898, París.

→ CENA, PENTECOSTÉS.

ARAMEO

La lengua de los pequeños clanes arameos cobró importancia cuando, hacia el año 500 a. C., se convirtió en la lengua oficial del Imperio persa, que entonces ejercía su dominio por todo el Oriente Medio, desde la India hasta Egipto. Los judíos de Palestina la utilizaron hasta el siglo II d. C. Es, pues, la lengua hablada en la época de Jesús. Algunos pasajes de libros bíblicos (Esdras* y Daniel*) están escritos en esta lengua semítica semejante al hebreo, que utiliza los mismos caracteres.

En el culto, como las lecturas en hebreo no se comprendían, se impusieron las traducciones al arameo, conocidas como *targumes,* de las que nos ha llegado un cierto número (algunos formaban parte de los manuscritos encontrados en Qumrán*). De ahí la importancia de la literatura antigua en lengua aramea. En el NT, Pablo termina su Epístola a los Corintios con estas palabras arameas: *marana tha,* «Ven, Nuestro Señor», que corresponde a la llamada final del Apocalipsis (Ap. 22, 20). La presencia de esta fórmula litúrgica aramea en el texto griego demuestra su arraigo en la tradición palestina.

ÁRBOL

El símbolo del árbol está relacionado de forma especial con el paraíso, lugar de felicidad donde hay plantados árboles de sabrosos frutos. El Génesis* menciona principalmente dos árboles: el árbol de la ciencia del bien y del mal (o del fruto prohibido, en Gén. 2, 9), y también el árbol de la vida. Tras haber comido del fruto del árbol de la ciencia, a pesar de la prohibición divina, el hombre descubre su desnudez, es decir, su debilidad. La Biblia latina supone que el árbol era un manzano, probablemente porque la palabra latina *malum* significa «el mal» y «la manzana», de ahí su representación en forma de manzano en numerosos cuadros. En cuanto al árbol de la vida, se trata de un tema común a diversas mitologías en las que simboliza a un tiempo la vida cósmica y la ascensión de lo visible a lo invisible. En el oasis paradisíaco de la Biblia, sus frutos procuran al hombre un alimento abundante, la vida en sí misma. Privado de este alimento por el pecado, el hombre volverá a tener acceso algún día, según el Apocalipsis* (22, 2), a los árboles de la vida que fructifican 12 veces al año y cuyas hojas curan a los paganos. Crecerán en el jardín de la ciudad celestial, allí donde la corrupción y el mal no penetran jamás. En la tradición judía, el árbol de la vida es la *Torá**.

El árbol es el símbolo de la fuerza, de la grandeza de un hombre, de un pueblo, de una ciudad, del Reino de Dios. Pero si no respetan la ley divina, el hombre, el pueblo o la ciudad no merecerán sino ser derribados.→ VID, MOSTAZA.

♦ ***Lit.*** En la literatura, el tema del árbol, muy utilizado, recurre la mayoría de las veces a la Biblia y a la fantasía colectiva. Citemos dos textos de inspiración bíblica. Jacques Bénigne Bossuet, *Sermón sobre la ambición,* 1662: desarrolla brillantemente la comparación de Babilonia con un cedro del Líbano: «Se elevó magnífico en su altura... y solo queda un tronco inútil». Para Paul Valéry, *Cármenes,* 1922, «Esbozo de una serpiente», el árbol de la ciencia es también el de la tentación: «Irresistible árbol de los árboles... Cuna del reptil soñador». No produce sino frutos de muerte.

Árbol de Jesé

Uno de los motivos preferidos de las vidrieras de las catedrales medievales es el árbol genealógico que une a Jesé, padre de David, con Jesús (Mt. 1).

♦ ***Icon.*** Vidrieras: siglo XII, Saint-Denis, Chartres; siglo XVI, Sens Autun, Beauvais.

Árbol de la cruz

Al árbol del fruto prohibido, origen del mal, el cristianismo opone el árbol de la cruz que, gracias al sacrificio de Jesús, devuelve al hombre su verdadera vida: el amor divino como savia vigorosa. Por ello, en la iconografía cristiana aparece la imagen de la cruz cubierta de hojas.
→ CRUZ/CRUCIFIXIÓN.

ARCA

La misma palabra latina *arca,* «cofre», traduce dos términos hebreos: uno *(aron)* designa el arca de la alianza, y otro *(tévah),* la cuna de Moisés y el arca de Noé.

Arca de la alianza

Especie de cofre de madera que contenía las tablas de la Ley (Éx. 25, 10-22). Se transportaba con la ayuda de unas tablas de madera, bajo un toldo sagrado cubierto de piel de carnero. La tienda que contiene el arca es la morada de Dios y el arca es el signo visible de su presencia entre su pueblo. Por ello, el arca es sagrada y nadie debe tocarla (ver 1Sam. 5). David la llevó a Jerusalén, ciudad que acababa de conquistar

(2Sam. 6), y Salomón construyó el templo para guardarla. La descripción que proporciona el Éxodo (Éx. 37, 1-9) corresponde al arca del Templo de Salomón, situada bajo las alas desplegadas de los querubines. Arca y alas estaban recubiertas de una lámina de oro. El arca desapareció tras la destrucción de Jerusalén en 587 a. C.

♦ ***Icon.*** Fresco, siglo III, Dura-Europos. Bajorrelieve, siglo III, sinagoga de Cafarnaúm. Mosaico, siglo IX, Germigny. Vidriera, siglo XII, Saint-Denis. Tímpano, siglo XII, Notre-Dame, París.

♦ ***Cin.*** Steven Spielberg, *En busca del arca perdida,* 1981: un arqueólogo, que además es un aventurero, organiza una expedición a Egipto para buscar el arca de la alianza de los hebreos, también codiciada por los nazis.

Arca de Noé

Es un barco construido por orden de Dios, en el que Noé reúne a dos representantes, macho y hembra, de cada especie viva. Este es el medio dispuesto por Dios para salvar a la creación del diluvio que su cólera había desencadenado (Gén. 6, 19-22).

El arca de Noé, Biblia de Ávila (manuscrito), Madrid, Biblioteca Nacional

El arca de Noé simboliza la protección que Dios, en la tempestad, concede a los justos: es la cuna de una nueva vida después de la prueba. También es interesante relacionar este barco con la cuna de papiro abandonada en el Nilo donde la hija del faraón encontró a Moisés, después de que el soberano egipcio ordenara la ejecución de todos los hijos varones de los hebreos (Éx. 2).→ DILUVIO.

♦ ***Lit.*** Supervielle, *El arca de Noé,* 1938: recopilación de cuentos, algunos de los cuales están inspirados en la Biblia.

♦ ***Icon.*** *El arca de Noé,* ilustración de la Biblia de Ávila, Biblioteca Nacional, Madrid; mosaico, siglo XIV, San Marcos, Venecia; escultura, siglo XIII, catedral de Bourges; Paolo Ucello, 1450, Florencia; Miguel Ángel, 1512, Roma. Jacopo Bassano, *La construcción del arca,* siglo XVI, Marsella. Vidriera, siglo XVII, París. Jean Lurçat, *El canto del mundo,* tapiz, 1957, Angers.

♦ ***Mús.*** Benjamin Britten, *El arca de Noé,* 1957: basado en un misterio del siglo XIV. Erich Sternberg, *El arca de Noé,* 1960.

ARCÁNGEL

Es decir, «jefe» (en gr. *arkhos)* de los ángeles. La tradición cristiana nombra a tres: Miguel* (Dan. 10, 13; Ap. 12, 7), Rafael* (Tob. 3, 17) y Gabriel* (Dan. 8, 16; Lc. 1, 26); para la tradición judía hay más.→ ÁNGEL.

♦ ***Lit.*** Edgar Quinet, *Ahasverus,* 1833: en el prólogo, los arcángeles interpretan ante Dios y los santos una obra que representa la historia del mundo pasado.

♦ ***Icon.*** → GABRIEL, MIGUEL, RAFAEL.

ARCILLA

El trabajo de la arcilla se remonta a una época muy antigua. Pisada, mezclada con arena o con piedra caliza triturada, los alfareros la trabajaban en el torno, confeccionando objetos de utilidad y figurillas de hombres o animales. La Biblia compara al Dios creador con el alfarero y al hombre con una vasija de arcilla (Job 10, 8; Is. 64, 7; Jer. 18, 6).

♦ ***Lit.*** Pierre Emmanuel, *Babel,* 1952: imagen del Dios-alfarero trabajando la arcilla del Génesis (Gén. 1, 7) y de Jeremías (Jer. 18): «El hombre, eso en manos del alfarero que se ha vuelto loco y se empeña en hacer de nada su obra maestra».

ASCENSIÓN

(Del lat. *ascendere,* «subir».) Subida de Jesús al cielo, morada de Dios, y fiesta conmemorativa celebrada por las distintas Iglesias; para los cristianos, Cristo resucitado entra en la gloria* de Dios.

Durero, La *Ascensión del Señor,* grabado

Al final de los evangelios, Marcos y Lucas relatan que Jesús, tras conducir a sus discípulos fuera de Jerusalén, se separó de ellos y fue llevado a los cielos (Mc. 16, 19; Lc. 24, 51). En los Hechos de los Apóstoles, Lucas sitúa la Ascensión al cuarto día después de Pascua, en el monte de los Olivos; una nube oculta a Jesús* de los ojos de sus discípulos (Act. 1, 6).

♦ ***Lit.*** San Agustín (354-430), *Sermón para la Ascensión:* «La resurrección del Señor es nuestra esperanza; la Ascensión del Señor es nuestra glorificación».

Apollinaire, *Alcoholes,* 1913, «Zone»: compara a Jesús subiendo al cielo con los modernos aviadores; «los diablos en los abismos levantan la cabeza para mirarle», mientras «los ángeles revolotean alrededor del bello acróbata».

♦ ***Icon.*** *La Ascensión de Jesús:* Fra Angélico, 1440-1447, Florencia; Mantegna, finales del siglo XV, Florencia; Durero, *La Ascensión del Señor,* grabado, siglo XV; Rembrandt, 1636, Munich; José María Sert, 1930, Vic, Cataluña.

♦ ***Mús.*** Olivier Messiaen, *La Ascensión,* meditación sinfónica, 1933.

ASUERO

Rey aqueménida de Persia, Jsayarsa I (485-465 a. C.) es conocido por el nombre griego de Jerjes, y en la Biblia por el nombre hebreo latinizado de Asuero (Esd. 4, 6). Famoso por sus luchas contra los griegos (victoria de las Termópilas, derrota de Salamina), reprimió una rebelión en Egipto y otra en Babilonia. En su ciudadela de Susa se casó con la judía Esther*, que sustituyó a la orgullosa Vasti y descubrió la conspiración del primer ministro Amán para exterminar al pueblo judío (Est. 4, 8).

♦ ***Lit.*** Jean Racine, *Esther,* 1689.

ASUNCIÓN

(Lat. *assumptio,* de *assumere,* «elevar».) Ascenso de la Santa Virgen al cielo. El dogma católico fue definido por el papa Pío XII en 1950 a partir de tradiciones que no aparecen en la Biblia. Del mismo modo que María fue eximida del pecado original* por su inmaculada concepción, también lo fue de la tumba por su asunción. Los protestantes rechazan este dogma.

El Greco, *Asunción de la Virgen,* Chicago, Art Institut

♦ ***Icon.*** La Virgen se eleva por encima de los fieles y la corte celestial espera su llegada: Correggio, 1430, Parma; Tommaso Masolino, 1435, Nápoles; Tiziano, 1518, Venecia; El Greco, 1608, Toledo y Chicago; Rubens, 12 lienzos, siglo XVII, Bruselas, Viena, Amberes; Charles-Antoine Bridau, escultura del coro, 1773, catedral de Chartres.

♦ ***Mús.*** *Assumpta est Maria,* misa: Palestrina, siglo XVI; Marc Antoine Charpentier, siglo XVII.

ATALÍA

Hija de Acab* y de Jezabel, reina de Jerusalén. En el siglo IX a. C., el pueblo judío está dividido en dos reinos: Israel y Judá. Israel olvida su fidelidad a Yahvé para adorar a dioses profanos y Acab, padre de Atalía, construye en Samaria un templo dedicado a Baal*. En la misma época, las familias reales de los dos reinos rivales protagonizan una serie de masacres. Durante una de ellas, a Jezabel, madre de Atalía, la echan a los perros. Su hija, entonces, extermina a la raza de David y se hace con el poder, reinando en Jerusalén entre 841 y 835. Joás, único superviviente de la matanza, pudo derrocarla con el apoyo de la casta sacerdotal. El sumo sacerdote Joad ordenará la ejecución de Atalía, así como la destrucción de los ídolos (2Re. 11; 2Cr. 22-23).

♦ ***Lit.*** Esta sangrienta historia inspiró a Racine el tema de su tragedia *Atalía*, 1691; Jean-Baptiste Moreau escribió la música de los coros, y François Adrien Boieldieu la volvió a escribir en 1810.

♦ ***Mús.*** Haendel, *Atalía,* oratorio, 1733.

ATAR/DESATAR

Estos verbos antinómicos, que pertenecen al lenguaje rabínico (ver JUDAÍSMO), se utilizaban para indicar la admisión en la ciudad de Dios o la exclusión de dicha ciudad; posteriormente, se aplicaron a las decisiones doctrinales o jurídicas con el sentido de «defender» (atar) o «permitir» (desatar). Estos poderes son los que Jesús confiere, en primer lugar, a Pedro: «Yo te daré las llaves* del Reino* de los cielos y cuanto atares en la tierra será atado en los cielos y cuanto desatares en la tierra será desatado en los cielos» (Mt. 16, 19). Más adelante, en el Evangelio según san Mateo, Jesús se dirige a todos sus discípulos* para conferirles el mismo poder en los mismos términos (Mt. 18, 18).

AVEMARÍA

«Dios te salve María, llena eres de gracia;

bendita tú eres entre todas las mujeres y

bendito es el fruto de tu vientre, Jesús.

Santa María, Madre de Dios, ruega por nosotros

pecadores, ahora y en la hora de nuestra muerte. Amén».

→ ANUNCIACIÓN, ÁNGELUS.

♦ ***Lit.*** «Dios te salve, María», este comienzo de la tradicional oración de los católicos aparece como estribillo de «La oración», texto de Francis Jammes, *La Iglesia cubierta de hojas,* popularizado por la interpretación cantada de Georges Brassens (1953). Aparece en las estrofas que Aragon dedicó a los prisioneros de Auschwitz (Museo Grévin, 1946).

♦ ***Icon.*** Petrus Christus, *La Virgen en el árbol seco,* 1452, Lugano: las letras «A» simbolizan las avemarías que cuelgan de las ramas del árbol.

♦ ***Mús.*** *Ave María:* Palestrina, misa para seis voces, siglo XVI; Schubert y Gounod, melodías, siglo XIX.

♦ ***Cin.*** Jean-Luc Godard, *Yo te saludo María,* 1986.

AYUNO

Abstinencia, total o parcial, de alimentos y bebidas, y a veces también de relaciones sexuales.

En el AT el ayuno formaba parte de los ritos de penitencia (Lev. 23, 27; Jl. 1, 14; Jon. 3, 5) y de duelo (2Sam. 1, 12). También, cuando la comunidad se veía en peligro, practicaba el ayuno para obtener la victoria (Jue. 20, 26; 1Sam. 14, 24). Del mismo modo, David ayunó antes de la muerte del hijo de Betsabé*, no en señal de duelo, sino para lograr que el niño viviera (2Sam. 12, 16-23).

Los profetas denunciaron el carácter hipócrita del ayuno (Is. 58, 3-12), mientras el hombre permaneciera insensible ante las injusticias, la miseria y la opresión.

Según el NT, los fariseos* y los discípulos de Juan Bautista ayunaban celosamente dos veces a la semana. Jesús ayunó antes de emprender su misión y permitió que sus discípulos ayunaran a su muerte (Mc. 2, 18-20), pero en secreto, practicándolo solamente bajo la mirada de Dios, sin ostentación hipócrita (Mt. 6, 16-18). En la tradición musulmana el principal ayuno es el del Ramadán.

ÁZIMO

(Gr. *a,* privativo, y *dzume,* «levadura».) Se dice del pan sin levadura, no fermentado. Los judíos consumen estos panes, llamados *matsot,* durante las fiestas pascuales, en recuerdo de la huida de Egipto: el pueblo, guiado por Moisés, salió a toda prisa sin esperar a que la masa subiera (Éx. 12, 39). Jesús, durante la Cena*, sin duda utilizó este mismo pan. Los cristianos de las Iglesias latina, armenia y maronita comulgan con hostias* de pan ázimo.

B

BAAL

(Heb. *ba'al,* «esposo, amo y propietario».) Nombre dado a Adad, dios de la tormenta, por los semitas occidentales. Aportaba la fértil lluvia y el rayo destructor.

En la Biblia, Baal designaba a todos los falsos dioses. Después de una larga sequía impuesta por Dios, el profeta Elías* convocó a los profetas de Baal en el monte Carmelo para demostrar a los hebreos que Baal no existía. Efectivamente, la víctima sacrificada por los falsos profetas no ardió, mientras el fuego de Dios consumió el holocausto previamente rociado con agua por orden de Elías. Tras probar la existencia de su Dios, Elías mandó degollar a los 450 profetas de Baal (1Re. 13, 20-40).

♦ ***Icon.*** El Baal de Ugarit, escultura, principios del segundo milenio, Museo del Louvre.

BABEL

(Heb. *Babel;* gr. *Babylon.)* La descripción bíblica de la torre de Babel se inspira en las pirámides de plantas superpuestas llamadas zigurat, de las cuales se han encontrado algunos vestigios en Mesopotamia. Tras descubrir la cocción del ladrillo, los hombres quisieron construir una ciudad dominada por una torre tan alta como el cielo. Para castigar su orgullo, Dios los dividió mediante la multiplicidad de lenguas y los dispersó (Gén. 11, 9). La etimología popular que proporciona el texto bíblico hace de «Babel» la confusión de lenguas, mientras Babilonia significa la puerta del dios.

→ PENTECOSTÉS.

Además de ser el castigo por la falta colectiva, este episodio se puede interpretar como una condena a la civilización urbana.

Bruegel, *La torre de Babel,* Viena, Museo de Arte

♦ ***Lengua.*** *Esto parece la torre de Babel.* Expresión utilizada cuando todo el mundo habla al mismo tiempo.

♦ ***Lit.*** Dante, *Divina comedia,* 1307-1321, «El infierno», canto 31: alrededor del pozo del noveno círculo del infierno están agrupados los traidores; entre ellos Nemrod, que al intentar levantar la torre de Babel sembró la discordia. Jorge Luis Borges, *Ficciones,* 1942, «La biblioteca de Babel»: Roger Caillois afirma que esta biblioteca es la muestra del simbolismo no bíblico del laberinto, real o metafórico, material, moral o cerebral. Pierre Emmanuel, *Babel,* 1952: el hombre quiere igualarse a Dios mediante su proyecto de construir el mundo y será castigado por su desmesura.

♦ ***Icon.*** *La torre de Babel:* pintura mural, siglo XII, Saint-Savin; Pieter Bruegel, 1563, Viena; Hippolyte Flandrin, 1862, Saint-Germain-des-Prés, París. *Construcción de la torre,* mosaico, siglo XIII, San Marcos, Venecia.

♦ ***Mús.*** Anton Rubinstein, *La torre de Babel,* oratorio, 1872. Igor Stravinsky, *Babel,* cantata, 1944.

BABILONIA

(Ac. *Bab-ilu,* «puerta del dios».) Antigua ciudad situada a orillas del Éufrates. Fundada probablemente hacia el tercer milenio por los sumerios, adquiere importancia bajo la I dinastía (2225-1925 a. C.) y especialmente bajo el reinado de Hammurabi. Después fue destruida y reconstruida por los caldeos, y bajo el reinado de Nabucodonosor* la belleza de sus edificios la convierte en una de las maravillas del mundo (Koldervey sacó a la luz las ruinas de sus construcciones a principios del siglo XX).

Nabucodonosor toma Jerusalén, la destruye y destierra a sus habitantes. Isaías* ya había anunciado a Ezequías* que un día las riquezas de su palacio serían llevadas a Babilonia. El exilio dura 50 años (587-538 a. C.). Durante este período, Jeremías* invita a los exiliados a no escuchar a los falsos profetas, a no venerar a los dioses de los babilonios. La caída de Babilonia, con frecuencia anunciada por los profetas como el castigo de Dios para vengar a su pueblo oprimido (Jer. 50-51), tiene lugar en 539 a. C., cuando Ciro de Persia cerca la ciudad. El regreso de los judíos a Judea es una réplica de la liberación de Egipto.

Babilonia es el símbolo de los imperios que se oponen a Dios y a su pueblo, y el rey Nabucodonosor, prototipo del orgullo y del sacrílego. Es la «gran prostituta», aliada del Anticristo*. En el Apocalipsis* (Ap. 18, 9-24), Roma recibe el nombre de «la gran Babilonia»; será aniquilada por su idolatría y sus persecuciones.→ EXILIO.

♦ ***Lit.*** San Agustín, *La ciudad de Dios,* 413-424: en el libro XIX, el autor latino compara las dos ciudades, Babilonia, la profana, y Jerusalén, la sagrada.

♦ ***Icon.*** Degas, *Semíramis construyendo una ciudad,* 1861, París.

♦ ***Mús.*** Rossini, *Ciro en Babilonia,* oratorio, 1812.

♦ ***Cin.*** Griffith, *Intolerancia,* 1916: en la segunda parte de esta película Babilonia es invadida por las tropas de Ciro. Hermanos Taviani, *Buenos días, Babilonia,* 1986: los protagonistas descubren América, la moderna Babilonia. La acción transcurre, en parte, durante el rodaje de *Intolerancia* de Griffith.

BALAAM

Profeta* a quien el rey de Moab, Balaq, ordena dirigirse a su reino desde Mesopotamia para maldecir a los israelitas. Muy reticente a obedecer al rey, Balaam se pone en camino hacia Moab, aunque advirtiendo que no obedecerá más que a Dios. El texto bíblico, en un relato lleno de símbolos, cuenta que Dios, descontento al verle marchar, pone un ángel en su camino y hace que su asno, asustado, se niegue por tres veces a avanzar. Al llegar al palacio de Balaq, el profeta bendice a los israelitas a los que debía maldecir (Núm. 22-24).

♦ ***Icon.*** *Balaam y su asno:* siglo XII, Saint-Andoche de Saulieu; Rembrandt, siglo XVII, París.

BALTASAR

Regente de Babilonia*, fue destronado y asesinado por Ciro en 539 a. C. El libro de Daniel* cuenta que, durante un festín, Baltasar mandó traer, para divertirse, los vasos sagrados antaño tomados del Templo de Jerusalén por Nabucodonosor. Entonces vio cómo una mano trazaba en la muralla misteriosos caracteres: *Mené, Tégel, Parsin* («Medido, Pesado, Dividido»). El profeta Daniel interpretó su sentido: anunciaban su muerte y el reparto de su reino (Dan 5). → FESTÍN (DE BALTASAR).

Baltasar también es el nombre tradicional de uno de los magos que, con Melchor y Gaspar, acudió a Belén a adorar al niño Jesús.→ EPIFANÍA.

♦ ***Lit.*** Michel Tournier, *Melchor, Gaspar y Baltasar,* 1980.

BARRABÁS

Malhechor o jefe de la resistencia contra los romanos, fue encarcelado. Con ocasión de la fiesta de Pascua*, Pilato propuso la liberación de un prisionero, Jesús* o Barrabás. Entonces la muchedumbre, presionada por los sumos sacerdotes, eligió a Barrabás (Mt. 27, 15-17).

♦ ***Lit.*** Christopher Marlowe, *El judío de Malta,* 1630: Barrabás, el protagonista, es el primer judío importante del teatro inglés. A pesar de su amor al dinero, la resistencia que opuso a los cristianos le convierte en un ser digno de respeto; al final de la obra se transforma en un asesino sediento de venganza.

Michel de Ghelderode, *Barrabás,* teatro, 1928. Pär Lagerkvist, *Barrabás,* 1950: el autor imagina la biografía del personaje bíblico; el protagonista busca la fe sin poder encontrarla.

♦ ***Cin.*** *Barrabás:* Alf Sjöberg, 1952; Richard Fleischer, 1961, basada en la obra de Lagerkvist.

BARUC

Discípulo y seguidor del profeta Jeremías (siglo VII a. C.). Las biblias cristianas le atribuyen una amplia recopilación que refleja los sentimientos de los judíos de la diáspora*, especialmente de la comunidad de Alejandría (siglo III a. C.).

BAUTISMO

(Gr. *baptizein,* «sumergir».) Se trata de una inmersión en el agua, sumergirse en la muerte para renacer a una vida purificada. En las Iglesias cristianas el rito evolucionó, sustituyendo la inmersión total por un poco de agua vertida en la frente.

Angers, *Bautismo de Cristo,* Orense, relieve de la antigua sillería del coro del monasterio de Montederramo

Actualmente, el bautismo significa la entrada en la comunidad de la Iglesia.→ SAL, SEÑAL DE LA CRUZ, SACRAMENTO.

Bautismo de Jesús*

Jesús acudió al Jordán para que Juan le bautizara. Al principio Juan se negó a hacerlo: «Soy yo el que necesita ser bautizado por ti y tú vienes a mí» (Mt. 3, 13). Jesús insistió: al recibir el bautismo de manos de Juan, asumía su solidaridad con los hombres pecadores. Los cuatro evangelistas relatan la teofanía* que siguió al bautismo de Jesús: el espíritu de Dios descendiendo sobre Jesús en forma de paloma* (Lc. 3, 22).

Bautismo de Juan Bautista

Juan Bautista bautizaba en el Jordán a todos los que acudían a él: el bautismo que otorgaba era un rito purificador que debía ir acompañado de una conversión moral; pero tenía también un valor profético: anunciaba la llegada del Mesías* que, más grande que Juan, bautizaría «en el Espíritu Santo y en el fuego» (Mt. 3, 11).

Bautismo de los discípulos de Jesús

Jesús no bautizó a sus discípulos, pero después de su resurrección les dio orden de bautizar a todas las naciones «en el nombre del Padre, y del Hijo y del Espíritu Santo» (Mt. 28, 18-20). Después de Pentecostés*, los cristianos practicaron el bautismo como un rito natural (Act. 2, 38-41). En los primeros tiempos se impartía por inmersión colectiva y era entendido como un baño de renacimiento (lo encontramos en las expresiones populares de: «recibir el bautismo del fuego, del aire...»).

♦ ***Lit.*** En el siglo XVII, Lope de Vega es autor de varias obras en las que hace continuas alusiones al bautismo como único medio de que disponían moros y judíos para integrarse en la comunidad cristiana: *El bautismo del príncipe de Marruecos.* Voltaire, *Cartas filosóficas,* 1734, «Los cuáqueros», y *Cándido,* 1767: parodia del rito bautismal.

♦ ***Icon.*** *El bautismo de Cristo:* baptisterio de los ortodoxos, siglo V, Ravena; Piero della Francesca, 1448, Londres; Gérard David, 1508, Brujas; Joachim Patinir, siglo XVI, Viena; Juan de Angers el Mozo, relieve, siglo XVI, Montederramo, Orense; Jean-Baptiste Lemoine, estatua, siglo XVIII, Saint-Roch, París; Georges Rouault, 1911, París.

BECERRO DE ORO

→ ÍDOLO/IDOLATRÍA.

♦ ***Icon.*** *La adoración del becerro de oro:* Beccafumi, pavimento, siglo XVI, catedral de Siena; Nicolas Poussin, *Los israelistas adorando el becerro de oro,* siglo XVII, Londres.

BELÉN

(Heb. *bet lehem,* «casa del pan».) Aldea de Judea, a ocho

Poussin, *Los israelitas adorando el becerro de oro.* Londres, National Gallery

kilómetros de Jerusalén, famosa porque Jesús nació en ella, como su antepasado David.

♦ ***Icon.*** Pieter Bruegel, *El empadronamiento de Belén,* 1566, Bruselas.

BENJAMÍN

Último de los 12 hijos de Jacob*, costó la vida a su madre Raquel*. Esta le había puesto el nombre de Ben-Oni: hijo de mi desgracia. Su padre se lo cambió por el de Benjamín: hijo de mi diestra, es decir, hijo de mi felicidad. Es, con José*, el hijo preferido de Jacob (Gén. 35; 43-45).

En una época de hambre, el patriarca manda a sus hijos a Egipto a buscar grano, pero se queda con Benjamín. El poderoso gobernador del faraón acepta entregar víveres a los extranjeros y retiene a uno de los hermanos como rehén, exigiendo ver también al más joven de los hijos de Jacob. Entonces Benjamín acompaña a sus hermanos mayores en su segundo viaje de aprovisiona-

Fra Angélico, *El beso de Judas*, Florencia, Galería Artística y Moderna

miento. Al final, el gobernador revela a los hijos de Jacob que él no es otro que su hermano José, al que antaño vendieron a un caravanero por celos. José colma a Benjamín de regalos y manda que toda su familia se traslade a Egipto.

La tribu que lleva el nombre de Benjamín, aunque pequeña, ocupa una posición esencial: Jerusalén* está en su territorio. Es una tribu de espíritu combativo, que será pacificada por David mediante la coacción. El primer rey de Israel, Saúl, es un benjamita.

♦ ***Lengua.*** En el lenguaje coloquial, la expresión *el benjamín de la familia* designa al hijo más joven.

BESO DE JUDAS

En Getsemaní, Judas da un beso a Jesús como señal para que sus cómplices le prendan. El «beso de Judas» es el beso de la traición (Mt. 26, 48).

→ PRENDIMIENTO DE JESÚS.

♦ **Lengua.** *Dar el beso de Judas.* Gesto aparentemente amistoso, pero que en realidad es falso o hecho por compromiso.

♦ ***Icon.*** Mosaico, siglo VI, San Apollinare Nuovo, Ravena. Capiteles, siglo XII: Saint-Nectaire, Chartres, Saint-Gilles-du-Gard. Giotto, 1305, Padua. *El beso de Judas:* Fra Angélico, siglo XV; Van Dyck, siglo XVII, Madrid.

BETANIA

Aldea situada en la ladera oriental del monte de los Olivos, a cinco kilómetros de Jerusalén, actualmente El-Azariye. Jesús tenía amigos allí. En casa de Simón el leproso (Mc. 14, 3), una mujer se acercó a Jesús con un frasco de alabastro que contenía un maravilloso perfume y se lo echó por la cabeza durante la comida; este gesto provocó una gran indignación en los discípulos, quienes censuraron semejante despilfarro. También vivían en Betania Lázaro* y sus hermanas, Marta* y María*.

Según Juan (Jn. 11), Jesús resucitó a Lázaro en Betania, donde llevaba tres días enterrado.

BETSABÉ

Una noche, desde la terraza de su palacio, el rey David* vio a una mujer bañándose. La deseó y durmió con ella. Pero la mujer estaba casada con un mercenario al servicio de David llamado Urías el Hitita. David envió a este último a un puesto peligroso para que encontrara la muerte. Efectivamente, el soldado pereció y David se casó con Betsabé, que fue la madre de Salomón (2Sam. 11-12).

♦ ***Lit.*** Torgny Lindgren, *Betsabé,* 1985: cómo ser una de las mujeres del poderoso rey David y participar en el poder.

♦ ***Icon.*** *David y Betsabé,* tapiz, 1520, Bruselas. Rembrandt, *Betsabé en el baño,* 1564, Museo del Louvre. Chagall, *David y Betsabé,* 1956, Niza.

BIBLIA

→ LA BIBLIA, pág. XVII

♦ **Lengua.** *La Biblia en verso.* Expresión que alude a una explicación, un texto, etc., muy extenso, aburrido y difícil de comprender. El dicho es resultado de la labor emprendida por el abogado y poeta José María Canilla (1839-1911), que se propuso poner en verso la Biblia.

La Ley y los profetas. Expresión que reúne lo esencial de la revelación de Dios y de sus prescripciones (Mt. 7, 12; Rom. 3, 21). Actualmente se refiere a lo que se admite sin discusión.

♦ ***Lit*→.** LA BIBLIA Y LA LITERATURA ESPAÑOLA, pág. 459.

Los primeros textos literarios cristianos basados en la Biblia están agrupados bajo el nombre global de patrística: escritos de los Padres de la Iglesia. A partir del siglo II d. C., los escritores de la Antigüedad, griegos y latinos, y después, desde el siglo IV, sirios y armenios, se dedicaron a la exégesis y al comentario del AT y del NT. Entre ellos, Tertuliano, Orígenes, Arnobio, Lactancio, san Ambrosio y san Agustín ejercieron una considerable influencia en la Edad Media y también posteriormente.

Los autores judíos, por su parte, llevaron a cabo a lo largo de los siglos una importante actividad de explicación de la Ley y de los profetas. La España árabe vio el apogeo, en los siglos XI y XII, de la literatura hebraica medieval: Moisés Maimónides (1135-1204) es el filósofo que mejor expresa el judaísmo ortodoxo. → TALMUD, JUDAÍSMO.

En España, en el siglo XVI, el cardenal Cisneros dirigió la edición de la Biblia Políglota Complutense, en latín, griego y hebreo, edición posteriormente revisada por Antonio de Nebrija (1441-1522). También colaboraron en ella Juan de Vergara, Pablo de Zamora, López de Zúñiga y Alfonso de Alcalá, entre otros. Consta de seis volúmenes en tamaño folio, estampados entre 1514 y 1517. → LA BIBLIA Y LA LITERATURA ESPAÑOLA, pág. 459.

El nacimiento de la crítica histórica y filosófica en el siglo XVII (Richard Simon y Spinoza) suscitó, en los escritores posteriores, un interés por la cronología de los hechos mencionados en la Biblia y la investigación de los autores de los libros bíblicos, como así lo demuestra la inclusión en la *Enciclopedia,* 1751-1772, de las voces «Biblia», «canon», «cronología sagrada», o la obra de Voltaire, *La Biblia por fin explicada,* 1776. Los conservadores acusaron de impiedad a los que ponían en duda la literalidad de las afirmaciones del Pentateuco*, mientras los racionalistas determinaban la caducidad del mensaje bíblico en los tiempos modernos. Durante el siglo XIX se produce el renacimiento de la inspiración bíblica en la literatura. A los escritores les influye, de modo muy diverso, el auge del orientalismo, el progreso de las ciencias históricas y las reflexiones políticas sobre la historia de la humanidad.

En el siglo XX, Paul Claudel recupera la tradición patrística y medieval de los comentarios e interpretaciones de la Biblia. Más recientemente, Élie Wiesel no reserva al piadoso público judío sus meditaciones directamente inspiradas en la Biblia y la tradición judía: *Celebración bíblica,* 1975, y *Celebración hassídica,* 1976.

Para una teoría de la Biblia como «fuente» o «código» de la literatura, consultar la obra de Northrop Frye, *El gran código,* 1984.

Por último, la traducción de la Biblia ha sido el pretexto de auténticas obras literarias: en Inglaterra, *La Biblia autorizada,* 1604-1611; en Alemania, Lutero contribuyó, con su traducción, a elaborar el alemán moderno (1534). En nuestros días, los poetas siempre se han visto tentados por este ejercicio fascinante, como Jean Grosjean, *Apocalipsis,* 1962, y Henri Meschonnic, *Los cinco rollos,* 1970.

♦ ***Icon.*** Gustave Doré, *La Biblia,* 1866: obra compuesta por 240 grabados.

♦ ***Mús.*** Giacomo Carissimi, *Historias bíblicas,* siglo XVII: 18 historias escritas en latín. Marc Antoine Charpentier, *Historias sagradas,* siglo XVII: 24 historias. Johann Kuhnau, *Ideas musicales para una historia bíblica en seis sonatas,* 1700. Antonin Dvorak, *Cantos bíblicos,* 1894. Darius Milhaud, *Cantata bíblica,* 1965. Es la Biblia que cantan los espirituales negros. Marguerite Yourcenar explica que los cantantes negros han conseguido su lirismo gracias a las grandes cadencias de la traducción inglesa.

♦ ***Cin.*** John Huston, *La Biblia,* 1966: superproducción que ilustra el AT desde la creación hasta el sacrificio de Abraham. Marcel Carné, *La Biblia,* 1975: desde la creación del mundo hasta la resurrección de Jesús; película inspirada en los mosaicos de Monreale, en Sicilia, y dominada por la figura del Pantocrátor.

BIENAVENTURANZAS

(Lat. *beatitudo,* «dicha», palabra creada por Cicerón a partir de *beatus,* «dichoso, bienaventurado».) Al iniciar su Sermón de la Montaña (Mt. 5, 1-11; ver también Lc. 6, 20-26), Jesús, mediante sentencias solemnes y paradójicas, proclama «bienaventurados» a aquellos que el mundo considera desdichados, ingenuos o fracasados:

«Bienaventurados los pobres...

Bienaventurados los mansos...

Bienaventurados los que lloran...

Bienaventurados los que tienen hambre y sed de justicia...

Bienaventurados los misericordiosos...

Bienaventurados los limpios de corazón...

Bienaventurados los pacíficos...

Bienaventurados los que padecen persecución por la justicia...» (Mt. 5, 3-10).

→ POBRE/POBREZA.

♦ ***Lit.*** En las primeras páginas del *Lazarillo de Tormes,* novela picaresca española del siglo XVI, hay una alusión paródica a la octava bienaventuranza: «Bienaventurados los que padecen persecución por la justicia» (refiriéndose a un ladrón encarcelado). André Gide, *Los nuevos alimentos,* 1935: el autor interpreta la tercera bienaventuranza de esta forma: «La primera palabra de Cristo es para aceptar la tristeza incluso en la alegría: "bienaventurados los que lloran..." y entiende muy mal esta palabra el que no ve en ella sino un estímulo para llorar». Luc Estang, *Las Bienaventuranzas,* 1945. Pierre Emmanuel, *Jacob,* 1970, «Las Bienaventuranzas».

♦ ***Mús.*** César Franck, *Las Bienaventuranzas,* oratorio, 1891.

BLASFEMIA

(Gr. *blasphemia,* «palabra de mal agüero».) Blasfemar es pronunciar una palabra o cometer una acción injuriosa para Dios. Blasfemo es el que maldice el nombre de su Dios, el que lo invoca para mantener una mentira: «No tomarás en falso el nombre de Yahvé» (Éx. 20, 7); la Ley de Moisés castigaba esta falta con la muerte por lapidación (Lev. 24, 10-16). También es blasfemo el que emplea en vano el nombre de Dios: por respeto, los judíos dejaron de pronunciarlo.

De blasfemo acusó a Jesús el sumo sacerdote cuando compareció ante él (Mc. 14, 61-64): a los ojos de los judíos, Jesús realmente se había declarado culpable de reivindicar un rango divino.

♦ ***Lit.*** Molière, *Don Juan,* 1665, III, 2: el protagonista ofrece un luis de oro al pobre con la condición de que consienta en jurar, en este caso blasfemar, y maldiga a Dios por la miseria en que le deja a pesar de sus plegarias; el pobre se niega a cometer semejante pecado. Lautréamont, *Los cantos de Maldoror,* 1869. Rimbaud, *Poesías,* 1871, «El hombre justo».

BODAS

Recibían este nombre los festejos que acompañaban el traslado de la esposa a casa del marido, cuya duración solía ser de siete días (Gén. 29, 27; Jue. 14, 12; Tob. 10, 7). Los tiempos mesiánicos eran imaginados como el festín* de bodas en el que habría abundancia de todo.

En el NT, a Cristo se le describe como el esposo; él representa los esponsales de Dios con su pueblo. Los 600 litros de agua de las bodas de Caná*, destinados a la purificación ritual judía, se convierten en un vino abundantísimo y excelente: es un signo para los discípulos que empiezan a descubrir la personalidad de Jesús y una confirmación de las palabras de Andrés: «Hemos hallado al Mesías» (Jn. 1, 41). → FIDELIDAD, MATRIMONIO.

BOOZ

El libro de Ruth nos cuenta la historia de una familia de Belén* a la que el hambre llevó hasta la tierra de Moab. El hombre y sus dos hijos murieron allí. La mujer, Noemí, volvió a su casa acompañada de una de sus nueras, Ruth, que no quiso abandonarla y que incluso adoptó su religión. Booz, pariente de Noemí, acogió y protegió a la extranjera, le permitió espigar en sus campos y le dio mucho más de lo que la Ley concedía a los desposeídos. Más tarde actuó como *goel* («rescatador», el pariente cercano al que correspondía el deber de no permitir que se enajenara el patrimonio familiar), y volvió a comprar el campo que había pertenecido al marido de Noemí. Por último, ejerciendo el levirato*,

Booz se casó con Ruth, con quien tuvo un hijo, Obed, padre de Jesé, a su vez padre de David.

El libro de Ruth intenta demostrar que la confianza en el Dios de Israel siempre se ve recompensada. El relato, imbuido de un espíritu universalista, insiste en el hecho de que una mujer extranjera sea la antepasada del rey David. Booz y Ruth, la moabita, también aparecen en la genealogía de Jesús (Mt. 1).

♦ ***Lit.*** Victor Hugo, *La leyenda de los siglos,* 1859, «Booz dormido»: «poema de paz bíblica, patriarcal, nocturna», escribe Péguy, comentándolo amorosamente en *Victor-Marie, Comte Hugo,* 1910.
♦ ***Icon.*** *Ruth y Booz:* Nicolas Poussin, en *El verano,* 1660, Museo del Louvre; Aert de Gelder, siglo XVII, Budapest.
♦ ***Mús.*** Jean-François Le Sueur, *Ruth y Booz,* 1835.
♦ ***Cin.*** Henry Koster, *La historia de Ruth,* 1960.

C

CÁBALA

(Heb., «tradición, enseñanza recibida».)

Corriente intelectual mística originaria de Oriente que llegó a Europa hacia el siglo XI, extendiéndose durante los siglos XII y XIII por Languedoc (Narbona, Lunel) y más tarde por Cataluña (Gerona). El objetivo de la cábala era el acceso al conocimiento del mundo divino, concebido como un conjunto de 10 energías o poderes *(sefirot)* emanados de Dios, que actuaron como intermediarios para la creación del mundo perceptible. La enseñanza teórica iba acompañada de un método de meditación incorporado a la oración cotidiana, cuya finalidad era la contemplación de Dios.

En el transcurso de su evolución se manifestaron diversas tendencias en el seno de la cábala. La de Gerona (Ezrah, Salomón, Azriel, Moisés y Maimónides) estaba influida por la filosofía neoplatónica de la época. *El libro de los esplendores,* recopilación de enseñanzas cabalísticas más conocido por el nombre de *Zohar,* redactado hacia 1280 por Moisés de León, marcó fuertemente la evolución posterior de la doctrina.

En los siglos XV y XVI, varias recopilaciones intentan presentar una aproximación racional a las enseñanzas cabalísticas. La más conocida es el *Pardes Rimmonim,* «El jardín de las granadas», redactada por Moisés Cordovero (1522-1570).

Cuando los judíos fueron expulsados de España, los refugiados trasladaron su actividad a Tierra Santa, y Safed se convirtió en el centro cabalista más importante, bajo la autoridad de Isaac Luria (1534-1572). Muy influida por el sufrimiento padecido por los exiliados, la doctrina de Luria acusaba una fuerte tendencia mesiánica, de tal forma que la mayoría de sus tesis giraban en torno a la redención prometida. Las enseñanzas de Luria fueron transmitidas por sus discípulos (Hayyim Vital), perpetuándose hasta nuestros días. Aún existen centros de estudio de la cábala en Israel y Estados Unidos.

La cábala cristiana

Hebraístas cristianos del Renacimiento, como Pico de la Mirandola (1463-1494) en Italia, Reuchlin (1455-1522) en Alemania y Guillaume Postel (1510-1581) en Francia, se iniciaron en el estudio de los textos de la cábala. Sin embargo, llevaron a cabo un acercamiento meramente personal: su preocupación principal era encontrar en los textos judíos los fundamentos de las doctrinas cristianas, especialmente la de la Trinidad. Como el protestantismo reconocía la Biblia como la única autoridad en materia de enseñanza, ignoró la cábala.

Tardíamente se ha empleado el término cábala, en sentido despectivo, para designar todo un conjunto de operaciones sospechosas, entre las que se incluían las prácticas de magia negra.

♦ ***Lengua.*** *Cabalístico.* Adjetivo derivado de cábala; en sentido figurado significa misterioso, incomprensible. La cábala judía a menudo expresó sus especulaciones sobre los atributos y nombres de Dios en forma de dibujos, incomprensibles para los no iniciados. *Hacer cábalas sobre algo o alguien.* En sentido figurado, significa tramar un complot o idear maniobras secretas contra algo o alguien.

♦ ***Lit.*** Isaac Bashevis Singer, *Un día de placer,* 1969: en un capítulo dedicado a los recuerdos de infancia, el autor evoca la fascinación que ejercía sobre él la cábala, y la prudencia de los adultos que prohibían su lectura antes de la edad de 40 años.

CAFARNAÚM

Pequeña ciudad de Galilea, a orillas del lago Tiberíades. Jesús la convirtió en patria adoptiva y centro de acción cuando inició su vida pública. Predicó en su sinagoga (Jn. 6, 22-55) y efectuó curaciones, especialmente la de un paralítico: la casa

Rafael, *La curación del paralítico*, Londres, Museo Kensington

donde se encontraba Jesús estaba tan llena de gente que tuvieron que introducir al enfermo por el tejado (Mc. 2, 1-12). Pero pronto, al entusiasmo le sucedieron la desconfianza y la hostilidad: entonces Jesús abandonó Galilea y se trasladó a Judea.

♦ ***Icon.*** Rafael, *La curación del paralítico,* siglo XVI, Museo Kensington, Londres.

CAÍDA

La caída de los ángeles rebeldes

El Apocalipsis* evoca el combate de Miguel contra el dragón; aquel a quien llamamos diablo* o Satanás* fue precipitado a la tierra junto a sus ángeles, caída que simboliza la victoria de Dios sobre las fuerzas del mal (Ap. 12, 7-10).

«La caída del hombre»

Los cristianos utilizan esta expresión para designar las consecuencias del pecado de Adán*, considerado como el primer hombre: por su desobediencia, tuvo que abandonar el paraíso* terrenal, mundo de armonía e inocencia.

El texto bíblico (Gén. 3) no utiliza la palabra «caída», ni tampoco «pecado».→ REDEN-

TOR/REDENCIÓN/RESCATE, SALVADOR.

♦ ***Lit.*** El tema literario procede fielmente del Génesis y simboliza la degradación unida al pecado. Es simétrico al de la elevación (Lamartine, Baudelaire).
La caída de los ángeles rebeldes.
Milton, *Paraíso perdido,* 1667. Lamartine, *La caída de un ángel,* 1838. Victor Hugo, *El fin de Satán,* 1886.
La caída del hombre.
Lamartine, *Primeras meditaciones poéticas,* 1820, «El hombre»: «El hombre es un dios caído que se acuerda del cielo». Camus recupera la noción de degradación en su novela *La caída,* 1966, aunque la separa de su contexto bíblico.

CAIFÁS

Yerno de Anás*, sumo sacerdote de los judíos entre los años 18 y 36. Era presidente del Sanedrín y aconsejó que Jesús fuera eliminado para preservar el orden público (Jn. 11, 48). Como colaborador activo del procurador romano Pilato, Caifás se hizo cargo del proceso contra Jesús (Mt. 26, 57-66), y del de los apóstoles Pedro y Juan, después de Pentecostés (Act. 4, 6-21).→ TEMPLO DE JERUSALÉN.

♦ ***Lengua.*** *Rasgarse las vestiduras.* Escandalizarse, mostrar indignación ante un hecho. Antiguamente (y en la actualidad entre algunos pueblos de Asia y África) era una manifestación de duelo. Entre los hebreos, también significaba escándalo o sorpresa. Es lo que hizo Caifás cuando oyó las palabras de Cristo.
♦ ***Lit.*** Victor Hugo, *El fin de Satán,* 1886: menciona a Caifás en «El patíbulo» y «Herodes y Caifás».

CAÍN

Hijo mayor de Adán* y Eva*. Su nombre hebreo *gayin* significa «herrero» en algunas lenguas semitas, pero el Génesis relaciona este nombre con el verbo *ganah,* «obtener»: Eva parió a Caín y dijo: «He recibido de Yahvé un varón» (Gén. 4, 1).

Caín era agricultor y ofreció el producto de sus cosechas a Dios, quien, sin embargo, prefirió las ofrendas de su hermano menor Abel*, que era pastor. Celoso, Caín mató a Abel, convirtiéndose de este

Caín y Abel, tapiz, Madrid, Palacio Real

modo en el primer asesino de la humanidad. Entonces Dios le condenó a la vida errabunda, aunque siempre lo protegió. Cuenta la tradición que después del nacimiento de Enoc, su hijo, se dedicó a edificar ciudades (Gén. 4, 1-24).→ PECADOR

♦ ***Lengua.*** *¿Acaso soy el guardián de mi hermano?* (Gén. 4, 9). Expresión que procede del episodio criminal protagonizado por Caín. Significa que nos negamos a asumir la responsabilidad de los actos del prójimo.
Pasar las de Caín. Soportar muchos sufrimientos. Esta expresión alude a las penas que pasó Caín tras asesinar a su hermano Abel.
Ser más malo que Caín. Muy

malo en su forma de actuar o en sus cualidades.

♦ ***Lit.*** Hasta el siglo XIX, de acuerdo con la tradición, la figura de Caín es, ante todo, la de un asesino, un ser culpable, opuesta a la de Abel, el puro. En la segunda parte de *Adán,* siglo XII, Caín, campesino avaro, se niega a pagar el diezmo y, después de morir asesinado, es conducido al infierno. Para Agrippa d'Aubigné, *Los trágicos,* 1616, Caín representa al verdugo de los hugonotes.

La imagen de Caín evoluciona en el siglo XVIII. Víctima de la duda para Klopstock *(La muerte de Adán,* 1757), Caín personifica, para Hugo, el culpable perseguido por el remordimiento (*La leyenda de los siglos,* 1859, «La conciencia»): «Tenía miedo de todo y todo tenía miedo de él».

Después de Byron, *Caín,* 1821, para Baudelaire, *Las flores del mal,* 1857, «Abel y Caín», Caín pertenece a la raza de los rebeldes, de aquellos que se rebelan contra el orden del mundo, considerado como injusto; en esta misma idea incide Leconte de Lisle, *Poemas bárbaros,* 1862, «Caín». En el siglo XX, Michel Tournier, *El Urogallo,* 1978, «La familia Adam», presenta la confrontación entre Caín y Abel como una imagen del enfrentamiento entre pastores y campesinos, nómadas y sedentarios, oposición que termina con la victoria de Caín. En España, el personaje de Caín ha inspirado gran variedad de obras y autores, como las poesías de Ángel Guimerá (1849-1924), los poemas de Juan Alcover (1854-1926), etc.

♦ ***Icon.*** *La ofrenda de Caín y Abel,* fresco, siglo XII, Saint-Savin. *Caín y Abel,* tapiz, Madrid. Rubens, *Caín matando a Abel,* 1610, Londres. Prudhon, *La Justicia y la Venganza persiguiendo el crimen,* 1808, Museo del Louvre. Gustave Doré, *La Biblia,* 1866, París.

♦ ***Mús.*** Darius Milhaud, *Caín y Abel,* 1942.

♦ ***Cin.*** Gérard Benhamou, *Adán o la sangre de Abel,* 1977.

CÁLIZ

Copa que utilizaban los romanos para beber, de forma y material diversos, y, posteriormente, copa que se usa en el servicio litúrgico. La copa de metal precioso o de material noble utilizada para la celebración de la misa (culto católico) y de la Santa Cena (culto protestante) contiene el vino eucarístico.

Por referencia a la plegaria de Jesús en Mt. 26, 42: «Padre mío, si este cáliz no puede pasar sin que yo lo beba, hágase tu voluntad», actualmente la palabra designa una prueba cruel, un dolor agudo: *beber el cáliz de la agonía* (Lamartine).→ EUCARISTÍA, SANGRE.

♦ ***Lengua.*** *Apurar el cáliz hasta las heces.* Soportar un sufrimiento hasta sus últimas consecuencias.

♦ ***Lit.*** El cáliz de la Última Cena debió de ser transportado a Occidente por José de Arimatea*, según una de las versiones de la leyenda medieval del Santo Grial.

Acerca del mito del Grial, destaca la obra de Chrétien de Troyes, *El cuento del Grial,* 1181. En este relato, el Rey Pescador hallado por el héroe Perceval solo se alimenta de «la hostia que contiene el Grial», objeto enigmático. Seguramente de origen celta, se asoció al copón, a la copa que contenía la sangre de Cristo cuando estaba en la cruz, a la «escudilla en la que Jesús comió el cordero el día de Pascua con sus discípulos» *(Búsqueda del Santo Grial,* siglo XIII). La búsqueda del Grial se convirtió en el símbolo de una búsqueda del absoluto místico.

♦ ***Mús.*** Richard Wagner, *Parsifal,* 1882: esta obra recupera una versión germánica del mito del Grial, atribuida a Wolfram von Eschenbach, de principios del siglo XIII («Hechizo del Viernes Santo»).

♦ ***Cin.*** Eric Rohmer, *Perceval el galés,* 1978. Syberberg, *Parsifal,* ópera filmada, 1982.

CALVARIO

Del latín *calvariae locus,* «lugar de la calavera», traducción del arameo *golgotha,* colina donde tuvo lugar la crucifixión de Jesús. «El calvario de Cristo» designa el martirio de Jesús en el monte Calvario. En este sentido, la palabra evoca un sufrimiento largo y penoso.

♦ ***Lit.*** En toda la Edad Media, la Pasión de Cristo, ocurrida en el lugar denominado Calvario o Gólgota, inspiró infinidad de obras, especialmente los autos religiosos llamados «misterios», que alcanzaron gran éxito popular.

El Siglo de Oro español (siglos XVI y XVII) mantuvo el Calva-

rio como tema de numerosas obras, como *Camino de perfección,* 1563, de santa Teresa de Jesús. La mística y la ascética españolas lo trataron constantemente, en prosa y en verso: fray Luis de León, fray Luis de Granada, san Juan de la Cruz. Lope de Vega, *Romancero espiritual,* 1619: dedica algunos romances a los diferentes episodios que sucedieron camino del monte Calvario: al Ecce Homo (romance VIII), a la cruz a cuestas (romance IX), a Cristo en la cruz (romance XII), etc.
Victor Hugo, *El fin de Satán,* 1886, «El patíbulo». Jacinto Verdaguer, *Idilios y cantos místicos,* siglo XIX. Miguel de Unamuno, *El Cristo de Velázquez,* 1920: extenso poema en endecasílabos blancos que reúne una serie de comentarios líricos suscitados por la contemplación de este cuadro.

♦ ***Icon.*** Calvarios bretones esculpidos: siglo XV, Tronoen; Pleyben, 1555; Saint-Thégonnec, 1610. Veronés, *El calvario,* siglo XVI, Museo del Louvre. Paul Gauguin, *El calvario bretón,* 1889, Bruselas. Calvarios barrocos germánicos: 1664, Arzl, Tirol; siglo XVII, Schöntal, Wurttemberg; 1714, Bamberg; 1734, Fulda. Calvario, 1747, Budapest.
♦ ***Mús.*** Pierre Calmel, *María en el Calvario,* oratorio, siglo XX: basado en un texto de Péguy.
♦ ***Cin.*** Julien Duvivier, *Gólgota,* 1935: drama político y racial.

CAM

Segundo hijo de Noé*. Después del diluvio, Noé, hombre del campo, plantó un viñedo. Un día se embriagó y se desnudó mientras dormía. Cam vio la desnudez de su padre y le hizo burla ante sus hermanos Sem* y Jafet. Estos cubrieron a su padre con un manto. Al despertar, Noé se enteró de lo que había pasado y maldijo a Cam y a su descendencia: «¡Maldito sea Canaán! ¡Que sea para sus hermanos el último de los esclavos!» (Gén. 9, 25). En el siglo XIX algunos atribuyeron a Cam el origen de la raza negra y de este modo justificaron su racismo mediante argumentos pretendidamente bíblicos.

♦ ***Lit.*** Victor Hugo, *El fin de Satán,* 1886, «El hijo de la risa infame»: el autor lo convierte en el antepasado de Nemrod, legendario fundador de la dinastía babilónica y «primer rey del reino de la espada».

CAMELLO

El camello de Arabia, de una sola giba, es la bestia de carga ideal en el desierto. La reina de Saba, por ejemplo, acudió a visitar al rey Salomón con «camellos cargados de plantas aromáticas, oro y piedras preciosas» (1Re. 10). Los judíos no podían consumir la carne de este animal impuro, como tampoco la de burro y la de cerdo (Dt. 14, 7-8). La piel del camello servía para confeccionar ropas bastas, como las que llevaba Juan Bautista (Mc. 1, 6).

El camello figura en ciertas expresiones gráficas: Mateo relata una invectiva de Jesús contra los hipócritas que «coláis un mosquito y os tragáis un camello» (Mt. 23, 24), y contra los ricos a los que resultará difícil entrar en el Reino de los cielos (Mt. 19, 24).

♦ **Lengua.** *Meterse por el ojo de una aguja.* Ser muy astuto. La expresión se refiere a la afirmación de Jesucristo: «Más fácil es que un camello pase por el ojo de una aguja que el que un rico entre en el Reino de los cielos» (Mt. 19, 24).

CAMINO DE DAMASCO

Alusión al famoso episodio de la conversión de Pablo* (Act. 9). Cuando se dirigía a Damasco con un grupo armado en busca de los cristianos, a quienes los judíos fieles consideraban disidentes impíos, Pablo, que aún se llamaba Saulo, se vio sorprendido por un repentino resplandor. Una luz cegadora envolvió al grupo de perseguidores, mientras una voz procedente del cielo decía: «Saulo, Saulo, ¿por qué me persigues?» Entonces perdió la vista. Conducido a la ciudad, se convirtió al cristianismo y fue bautizado. Tras recobrar la vista, empezó a proclamar su creencia en la resurrección de Jesús.

♦ **Lengua.** *Encontrar el camino de Damasco.* Esta expresión ha pasado a designar un cambio radical en las ideas, un giro completo, una conversión, que se produce en ocasiones después de una especie de iluminación.

♦ ***Lit.*** Victor Hugo, *William Shakespeare,* 1864: entre los dirigentes de la humanidad el autor incluye a san Pablo: «El camino de Damasco es necesario para la marcha del progreso. Caer en la verdad y alzarse como un hombre justo, una caída-transfiguración, es algo sublime. Es la historia de san Pablo, y a partir de él será la historia de la humanidad. El progreso tendrá lugar a través de una serie de deslumbramientos».

♦ ***Icon.*** → PABLO.

♦ ***Cin.*** Max Glass, *El camino de Damasco,* 1953: reconstrucción pretenciosa de este episodio bíblico, que traiciona los textos.

CANÁ (BODAS DE)

Cierto día, Jesús es invitado a un banquete de bodas en Caná, pequeña ciudad de Galilea. Durante la comida, su madre se da cuenta de que a los anfitriones les falta vino para sus invitados. María pide a su hijo que intervenga. Entonces Jesús manda, discretamente, que llenen de agua seis tinajas: a todos les sorprende la excelencia del vino que les sirven (Jn. 2, 1-12). Este milagro, así como el de la multiplicación de los panes, fue inmediatamente interpretado como un símbolo de la eucaristía*.→ BODAS.

♦ ***Lit.*** Jacob, *Poemas de Morvan el Gaélico,* 1953, «Bodas de Caná».

♦ ***Icon.*** *Las bodas de Caná:* Veronés, 1563, Museo del Louvre; Murillo, 1650, Birmingham; Abraham Bosse, siglo XVII, París; Julius Schnorr von Carosfeld, 1819, Hamburgo.

♦ ***Cin.*** David Griffith, *Intolerancia,* 1916: una secuencia, las bodas de Caná, evoca la dicha de los amores bendecidos por Dios. Luis Buñuel, *La vía láctea,* 1969.

CANAÁN

(Heb., «región de la púrpura».) Este territorio se extendía desde el sur de Fenicia (Tiro* y Sidón) hasta el desierto del Negueb. Los antiguos habitantes estaban agrupados en clanes (Gén. 10, 15-18); de entre ellos, los más citados son los amoritas, guergeseos, jebuseos, cananeos, fereceos y jeteos (Dt. 7, 1; Jos. 3, 10). La región de Canaán hacia la que Abraham* se pone en camino (Gén. 11, 31), donde establece a su familia y donde viven Isaac y Jacob, es la Tierra Prometida* que los israelitas deben conquistar en reñida lucha con sus habitantes.

Este enfrentamiento es consecuencia de la maldición de Noé sobre Canaán, hijo de Cam, y de la bendición de Sem,

Veronés, *Las bodas de Caná,* París, Museo del Louvre

antepasado de Israel (Gén. 9, 24-26). A pesar de los anatemas* lanzados por los israelitas contra los cananeos y sus ciudades, estos subsisten y se llevan a cabo numerosos matrimonios mixtos, así como prácticas idólatras (Jue. 3, 5-6; Esd. 9, 1-2); las advertencias ponen de manifiesto que así sucedió (Éx. 34, 15-16; Lev. 18, 3; Dt. 7, 4-6).→HEBREOS.

♦ ***Lit.*** Apollinaire, *La canción del malquerido,* 1909: evoca Canaán como la región bendecida que ha dejado de existir: «Vía láctea, oh hermana luminosa / blancos arroyos de Canaán». Los dioses cananeos (Baal, Astarté, etc...) inspiraron poemas a dos poetas judíos: Saúl Tchernikhovski y Jonathan Ratosh, siglo XX. Claude Vigée, *Canaán de exilio,* 1962, y *Cosecha de Canaán,* 1967. ♦ ***Icon.*** Gustave Doré, *La Biblia,* 1866, «La derrota de los amoritas».

CANANEA

Mujer, no judía, de la región de Canaán (a veces, se ha traducido por Fenicia); no se desanima ante la aparente dureza de Jesús y le pide la curación de su hija. El maestro admira su fe y accede a su súplica (Mt. 15, 22; Mc. 7, 26).

CANDELABRO DE SIETE BRAZOS

Objeto de oro para el culto que Moisés colocó en el interior del santuario (Éx. 25, 31-40); tenía que permanecer encendido ante Dios constantemente. El candelabro original fue sustituido por otros en el transcurso de las desdichas que sufrió el Templo*. El que regaló Herodes el Grande, colocado en el «lugar santo» (Heb. 9, 2), fue seguramente el mismo que se llevó Tito en 70 d. C.

En el Apocalipsis, los candelabros de oro son el símbolo de las siete Iglesias de Asia (Ap. 1, 12).

♦ ***Lit.*** Stefan Zweig, *El candelabro enterrado,* relato, 1937: el autor imagina que el candelabro del Templo de Salomón robado por Tito va a parar a Bizancio en el año 534, y allí un judío intenta recuperarlo. ♦ ***Icon.*** En el arco del triunfo de Tito, alzado en Roma en el año 81, el candelabro figura entre los objetos saqueados. Para los judíos, el candelabro es símbolo de esperanza, pero también es un motivo decorativo que suele colocarse sobre las puertas de entrada de las casas, en el pavimento de las sinagogas (Hammam-Lif, siglo IV, Túnez) y sobre los sarcófagos y las lápidas sepulcrales.

CANON DE LAS ESCRITURAS

(Gr. *kanon,* «regla, norma».) Conjunto de los libros que han sido reconocidos como inspirados por Dios y aceptados por una comunidad religiosa. La catalogación se ha elaborado muy detenidamente, a veces después de muchas dudas respecto a ciertos textos.

El canon judío, también llamado palestino (que será adoptado por los protestantes), fue establecido por la Academia de Yabnéss (o Jamna) hacia finales del siglo I d. C.; solo incluye los libros en hebreo.

El canon católico y ortodoxo siguió la selección de los Setenta*, y recoge algunos libros más redactados en griego.

Para el NT se seleccionaron progresivamente 27 libros, los primeros a finales del siglo II d. C. *(Canon de Muratori).* La carta de Atanasio, en 367, fija una relación definitiva. Aunque algunos libros (Heb., Judas,

Ap., Jue.) fueron desechados por Lutero en el siglo XVI, actualmente figuran en las ediciones protestantes.→ APÓCRIFO, DEUTEROCANÓNICO, LA BIBLIA (pág. XVII).

CANTAR DE LOS CANTARES

Himno al amor humano. En cinco poemas de apasionado lirismo, el amado y la amada cantan la belleza del otro, su perfume, y lo comparan con las plantas (Cant. 6, 11), los frutos, las piedras preciosas (Cant. 6, 11), los montes del Líbano y del Carmelo. Se buscan a través de los jardines para unirse en dichosos abrazos: «Ponme como un sello en tu corazón, como un sello en tu brazo. Porque el amor es fuerte como la muerte» (Cant. 8, 6).

En una época en que la mujer es la sierva del hombre, estos cantos que celebran el amor mutuo expresan una gran ternura. Atribuidos al rey Salomón, probablemente son una recopilación de antiguos poemas de amor cantados en bodas y veladas. El jardín de los Cantares es como un segundo Edén*, lugar de amor donde los cinco sentidos alcanzan su culminación. Interpretado como una alegoría, el poema simboliza para los judíos el amor de Dios hacia su pueblo y de Israel por su Dios. Los cristianos ven en él la unión de Cristo y de la Iglesia, así como el diálogo entre el alma y Dios.

♦ ***Lit.*** El *Cantar de los Cantares* ha sido fuente de inspiración para los poemas de amor místico: san Juan de la Cruz, *Cántico espiritual,* 1584; Paul Claudel, *El padre humillado,* 1916: la protagonista se expresa como la amada durante la búsqueda de su esposo.

♦ ***Icon.*** Gustave Moreau, *El Cantar de los Cantares,* 1853. Marc Chagall, *Mensaje Bíblico,* 1956, Niza: el autor dedica al *Cantar de los Cantares* cinco lienzos en los que predomina el color rosa.

♦ ***Mús.*** *Cantar de los Cantares:* Monteverdi, Palestrina, Arthur Honegger (obra coral), Daniel Lesur. Darius Milhaud, *Cantata nupcial,* 1937. Hilding Rosenberg, *Quinta sinfonía,* 1944.

CAÑA

En la Biblia aparecen al menos siete términos que designan diversas especies de cañas. La caña acuática (alga, carrizo, cañavera) crecía a orillas del Nilo y también en el agua salada, de ahí el nombre hebreo de mar de las Cañas, que más tarde se confundió con el mar* Rojo.

Las cañas abundan en los pantanos, ocultando al hipopótamo (Job 40, 21).

El viento agita las cañas, demasiado frágiles para representar un punto de apoyo (2Re. 18, 21; Is. 36, 6; Ez. 29, 6-7). También la caña simbolizó a Egipto: «la caña rota» que defrauda la confianza de Israel en tiempos de miseria.

Puesta en manos de Jesús por los soldados, la caña es signo de realeza irrisoria, como la corona de espinas* (Mt. 27, 29).

♦ ***Lengua.*** *Las cañas se vuelven lanzas.* Esta expresión se utiliza cuando queremos referirnos al cambio que sufre algo que resultaba beneficioso y ahora es perjudicial. La frase se remonta a un romance del siglo XVI titulado *Las guerras civiles de Granada,* escrito por Ginés Pérez de Hita.

CAOS

El poema del Génesis describe la tierra creada por Dios al principio como «informe y vacía» (en heb. *tohou wabohou).* Este desierto vacío rodeado de tinieblas es el caos (Gén, 1). La propia palabra pertenece al vocabulario griego que opone el caos al cosmos, como también se oponen el mundo informe y el mundo organizado que surgirá de él. → CREACIÓN.

♦ ***Lengua.*** El término *caos* se utiliza en el lenguaje coloquial para designar un gran desorden.

♦ ***Lit.*** Rabelais, *Cuarto libro de Pantagruel,* 1552: señalemos, entre los viajes fantásticos de Pantagruel, su estancia en las islas de Tohu y Bohu.

CARISMA

(Gr. *kharisma,* de *kharis,* «gracia».) Palabra muy utilizada por el apóstol Pablo*: Israel recibió los dones de Dios (carismas) exentos de «arrepentimiento», es decir, para siempre (Rom. 11, 29); para el cristiano, este don gratuito es «la vida eterna en nuestro Señor Jesucristo» (Rom. 6, 23).

Esta palabra también tiene un sentido más restringido: «cada cual recibe de Dios un don particular» (1Cor. 7, 7).

«Hay diversidad de dones, pero uno mismo es el Espíritu» (1Cor. 12, 4). Todos son concedidos «para común utilidad» (1Cor. 12, 7).

Actualmente, diversos grupos religiosos conceden mucha importancia a ciertos carismas (don de curación, don de lenguas) que fueron conocidos por los cristianos de Corinto. San Pablo insiste en la preeminencia de la caridad sobre todos estos «carismas» (1Cor. 12, 31; 13, 8).

CARMELO (MONTE)

Punto más elevado de la formación calcárea próxima al Mediterráneo a la que da nombre, cuya altura supera los 500 metros. Constituye una barrera natural y protege del encallamiento a la bahía de San Juan de Acre. Allí se encontró un «hombre del monte Carmelo», cuya datación se remonta a la época paleolítica.

Baal* recibió culto al aire libre en este lugar donde sus sacerdotes se enfrentaron al profeta Elías, quien invocó a Yahvé la consecución de un milagro para probar que su Dios era el único Dios (1Re. 18, 19-43). Los profetas reconocieron la majestad y la fertilidad de esta montaña que su propio nombre expresa: Carmelo en hebreo significa «vergel» (Is. 35, 2; Jer. 46, 18; 50, 19).

La esposa del Cantar de los Cantares compara la cabeza de su amado con la cima del monte (Cant. 7, 6).

Los ascetas que vivían en el monte Carmelo durante la época de las cruzadas fueron los fundadores de la orden del Carmelo.

♦ ***Lit.*** Chateaubriand, *Itinerario de París a Jerusalén,* 1806: los peregrinos llegan a Tierra Santa por mar, y lo primero que divisan es el monte Carmelo, «como una mancha redonda bajo los rayos del sol»; su visión produce «temor y respeto».

CARNE

En el AT el término *basar* («carne») designa el cuerpo vivo, el hombre entero. El pensamiento hebraico no separa el cuerpo del alma, pues considera que esta se encuentra en la sangre; en el NT «la carne y la sangre» designan al ser humano (Jn. 1, 14).

El libro de la Sabiduría* y Pablo*, influenciados por la filosofía griega, consideran que la carne es una prisión para el alma, sometida a las pasiones y esclava del pecado*, de donde proviene su desprecio por ella. «El espíritu está pronto pero la carne es flaca», decía Mateo (Mt. 26, 41). Pero, contrariamente a los griegos, para quienes la carne estaba condenada a la muerte sin remedio, los cristianos recuperan la posterior idea judía de una resurrección de la carne, es decir, del hombre total.

→ CUERPO, ENCARNACIÓN.

♦ ***Lengua.*** *Echar carne a las fieras.* Alimentar un rumor o una situación de violencia para desviar la atención de lo que es realmente importante. Esta frase se hizo famosa tras la publicación de un artículo de Émile Zola (1840-1902) en el que defendía a Alfred Dreyfus (1859-1935), acusado de ser espía alemán.

Obra de la carne. Expresión que se refiere tanto a la unión sexual (Mc. 10, 8) como al parentesco que se establece a través de la carne: la familia, los «lazos de sangre».

♦ ***Lit.*** Los textos literarios de inspiración bíblica o seudobíblica utilizan la palabra con multitud de connotaciones. La más habitual tiene un sentido despectivo: barro, debilidad, sexualidad, culpabilidad, mortalidad. «Vergonzosas ataduras de la carne y del mundo. / Por qué no me abandonáis si yo os he abandonado» (Corneille, *Poliuto,* 1643). La otra se refiere a la solidez de nuestra dimensión terrestre con la promesa de la eternidad, especialmente significativa en la obra de Péguy: «El cuerpo y el alma son como dos manos juntas», para el poeta de la tierra carnal.

Según la moral cristiana, la carne es uno de los enemigos del alma, juntamente con el mundo y el demonio. De ahí la prohibición de comer carne durante la Cuaresma, recordando la Pasión de Cristo. Así, en el siglo XV, Juan Ruiz, Arcipreste de Hita, parodia el enfrentamiento de la carne con el alma en la batalla de Don Carnal y Doña Cuaresma en el *Libro de buen amor* (1343). En el siglo XVI, santa Teresa de Jesús recomienda a sus monjas no caer en los excesos de los siglos pasados, rechazando el consumo de carne de animales.

La obsesión por la «carne» que lleva al hombre a los extravíos sexuales es un tema reiterado en obras de marcada sensibilidad puritana: Hawthorne, *La letra escarlata,* 1850.

CAUTIVIDAD EN BABILONIA

La Biblia relata dos deportaciones colectivas: la de las tribus del Norte después de la caída de Samaria, en 721 a. C., y la de los habitantes del reino de Judá, entre 606 y 586 a. C., desterrados a Babilonia* por Nabucodonosor. Algunos cautivos se pusieron al servicio del rey de Asiria y otros se dedicaron a la artesanía y el comercio. Este período fue una época muy fecunda en el terreno literario: Salmos (especialmente el 137), Lamentaciones, libro de Ezequiel, segundo libro de Isaías, «tradiciones sacerdotales».

Ciro, rey de Persia, conquistó Babilonia y puso fin al cautiverio de los israelitas en 538 a. C.→ EXILIO.

♦ ***Mús.***→ NABUCODONOSOR.

CELEMÍN

Antigua medida de capacidad para los sólidos (ocho litros, aproximadamente). Jesús menciona este objeto cuando compara su enseñanza con una lámpara que no se debe ocultar bajo un celemín (Mc. 4, 21).

♦ ***Lengua.*** *Poner la lámpara bajo el celemín.* Significa ocultar las cualidades de alguien.

CELOSO

Epíteto que se aplica a Dios: «tu Dios es fuego abrasador, es un Dios celoso» (Dt. 4, 24); este calificativo traduce la palabra hebrea *qana,* que también significa «afanoso». Los celos son los cuidados especiales con que se rodea a los que se ama para protegerlos del enemigo. Pero esa forma de amor también es exigente y posesiva; no tolera la infidelidad de Israel, tentada por los cultos idolátricos (Jer. 7).

→ CÓLERA, VENGADOR.

♦ ***Lit.*** Racine, *Atalía,* 1691, IV, 6: «¿Dónde están los dardos que lanzas, Gran Dios, en tu justa irritación? / ¿Acaso ya no eres el Dios celoso? ¿Acaso ya no eres el Dios de la venganza?»

CENA

(Lat. *cena,* «comida de la tarde».) Así se denomina la úl-

Ribalta, *Santa Cena,* Valencia, Colegio del Corpus Christi

tima comida que Jesús tomó con sus apóstoles la víspera de su muerte, para celebrar la Pascua. Según san Juan (13, 1-30), durante esta cena Jesús lavó los pies a sus discípulos para darles ejemplo y un mandato de humildad y de caridad fraterna. Según los cuatro evangelistas, Jesús, en su transcurso, anunció la traición de Judas.

Mateo, Marcos, Lucas y Pablo (este último en 1Cor. 11, 23-25) relatan, antes o después del diálogo entre Jesús y Judas, la institución de la eucaristía*: Jesús tomó pan, pronunció la bendición ritual, lo partió y se lo dio a sus apóstoles diciendo: «Tomad y comed, este es mi cuerpo». Luego tomó una copa, dio gracias y lo ofreció diciendo: «Esta es mi sangre, la sangre de la alianza* que será derramada por muchos». Según Lucas y Pablo, añadió: «Haced esto en memoria mía». Los cristianos conmemoran estas palabras y estos gestos en diversos ritos: los protestantes, mediante la fracción del pan en la Santa Cena, los católicos, durante la misa*, y los ortodoxos, en el Santo Sacrificio, pues se trata de una comida simbólica y fraternal.

♦ ***Lit.*** La mesa alrededor de la cual se reunían los caballeros de la Tabla Redonda está muy relacionada con la de la Cena. Durante ella, Jesús lavó los pies a sus apóstoles: Lope de Vega, *Romancero espiritual,* 1619, «Lavatorio del falso apóstol».

Evocada por Victor Hugo en *El fin de Satán,* 1866, «Después de la Pascua», Prévert parodia de modo divertido e irreverente este episodio en *Paroles,* 1964, «La cena».

♦ ***Icon.*** *La Última Cena:* Leonardo da Vinci, 1497, Milán; Martín Schongauer, siglo XV, Colmar; Tintoretto, 1547, Madrid, y 1594, Venecia; Emil Nolde, 1909, Seebull; Salvador Dalí, 1955, Washington. *Cristo lavando los pies de san Pedro:* Pietro Lorenzetti, 1320, Asís; Ford Maddox Brown, 1851, Londres. Ribalta, *Santa Cena,* siglo XVI, Valencia.

♦ ***Mús.*** Wagner, *La Cena de los apóstoles,* 1843.

♦ ***Cin.*** Luis Buñuel, *Viridiana,* 1961: parodia de la Cena.

CENÁCULO

(Lat. *cenaculum,* «comedor».) Este es el nombre que recibe en Jerusalén la estancia en la que Jesús celebró la última Pascua con sus apóstoles (Mc. 14, 14-16). Sin duda, fue la misma sala en la que se reunieron después de su muerte, donde Jesús se les apareció y donde recibieron, después de la Ascensión*, el Espíritu de Pentecostés* (Act. 2, 1).

♦ ***Lit.*** «El cenáculo»: nombre dado al grupo de jóvenes románticos que colaboraron durante 1823 y 1824 en la *Musa francesa.* Se reunían en el salón de Charles Nodier en el Arsenal, y, más tarde, a partir de 1827, en casa de Victor Hugo.

CEÑIRSE LOS LOMOS

Entre los hebreos era habitual el uso de ceñidor, que servía para ajustar la túnica a la cintura mientras se trabajaba o cuando se realizaba un viaje.

Los hebreos celebran la Pascua* con los lomos ceñidos y calzados con sandalias, preparados para el éxodo* (Éx. 12, 11).

Jesús, durante la Cena*, se levantó de la mesa para lavar los pies a sus discípulos: «Tomando una toalla, se la ciñó» (Jn. 13, 4).

La expresión reviste, además, un sentido espiritual: Dios dijo a Job: «Ciñe tus lomos como un valiente, voy a interrogarte» (Job 40, 7), y a Jeremías* cuando fue llamado al servicio profético: «Te ceñirás los lomos» (Jer. 1, 17), es decir, deberás estar siempre dispuesto a partir y a servir. Jesús pide a sus discípulos que hagan vigilia: «Tened ceñidos vuestros lomos y encendidas las lámparas como hombres que esperan a su amo» (Lc. 12, 35).

CERDO/PUERCO

Para los judíos, como para otros pueblos de la cuenca mediterránea, el cerdo es un animal que inspira repugnancia.

Comer carne de cerdo es absolutamente contrario a la Ley mosaica; el escriba Eleazar prefirió morir (2Mac. 6, 18) antes que ingerirla.

Jesús declara que no hay que echar perlas a los puercos porque podrían pisotearlas (Mt. 7, 61).→ PERLA.

El hijo pródigo es enviado al campo a cuidar cerdos (Lc. 15, 15): ¡la mayor degradación!→ HIJO (PRÓDIGO).

Según Marcos 5, 11, cuando Jesús hubo expulsado a los espíritus impuros que poseían a un desdichado, estos entraron en unos cerdos que estaban en la montaña; entonces, la piara se precipitó al lago y se ahogó.

Actualmente, la prohibición de consumir carne de cerdo todavía subsiste entre judíos y musulmanes.

♦ ***Lengua.*** *Echar margaritas a los puercos.* Ofrecer cosas de calidad a quien no está preparado para apreciarlas (la *margarita* es una perla de mucho valor).

Engordar para morir. Expresión que se aplica a quien disfruta de bienes o de una situación privilegiada efímera. La frase alude directamente al cerdo, porque se le engorda para obtener más carne una vez que está muerto.

CÉSAR

Sobrenombre de la *gens* Julia, muy famoso a partir de Julio César (100-44 a. C.). César Augusto es el título oficial de todos los emperadores romanos. Para poner a prueba a Jesús, los fariseos le preguntaron si era lícito pagar el impuesto al César. Después de mirar la efigie y el texto de un denario, respondió afirmativamente: «Dad al César lo que es del César y a Dios lo que es de Dios», negándose a confundir y a oponer el poder temporal y el poder espiritual (Mt. 22, 17).→ OCUPACIÓN ROMANA DE PALESTINA.

CHIVO EXPIATORIO

El Levítico nos relata el ritual de la expiación: Aarón* culpa a un chivo, elegido al azar, de las faltas de los israelitas y lo manda al desierto, tierra en la

El Greco, *La curación del ciego,* Parma, Pinacoteca

que Dios no ejerce su acción fecundadora (Lev. 16, 5-10).

♦ ***Lengua.*** *Ser el chivo expiatorio.* Actualmente, esta locución se utiliza para referirse a la persona que paga por las culpas cometidas por otros.

♦ ***Lit.*** William Faulkner, *El ruido y la furia,* 1949, y *Parábola,* 1954.

♦ ***Icon.*** Holman Hunt, *El chivo expiatorio,* 1854, Port Sunlight.

CIEGO

La ceguera se consideraba como un castigo de Dios. Aunque la Ley judía recomendaba socorrer a los ciegos, estos solían verse reducidos a la mendicidad. Raramente se curaban, y cuando así sucedía, era interpretado como un gran milagro. A Tobit le curó su hijo Tobías gracias al ángel Rafael (Tob. 11, 13). Jesús, luz del mundo, devuelve la vista a los ciegos y de ese modo demuestra su poder sobre el mal (Mc. 10, 46).

♦ ***Lengua.*** *Dar palos de ciego.* Actuar sin saber lo que se hace, a tientas. Esta expresión alude a la inconsciencia de quien actúa como si no viera lo que hace.
♦ ***Lit.*** En el siglo XVI, Lázaro, protagonista de *Lazarillo de Tormes,* desde niño entra al servicio de un ciego de alma ruin, prototipo de ciego con «ceguera moral», que castiga con suma crueldad las travesuras del chico. A esta ceguera espiritual se alude en toda la poesía mística. Por el contrario, Gustavo Adolfo Bécquer, en su leyenda «Maese Pérez el organista» (1858-1863), presenta a un ciego que encarna la bondad y la dulzura. Charles Baudelaire, *Las flores del mal,* 1856, «Los ciegos»: inspirado en el cuadro de Bruegel. André Gide, *Sinfonía pastoral,* 1919: la heroína, una ciega, revela con su presencia la ceguera moral y la hipocresía de los demás personajes.
♦ ***Icon.*** Pieter Bruegel, *La parábola de los ciegos,* 1568, Museo del Louvre: un ciego que guía a ciegos... El Greco, *La curación del ciego,* 1570, Parma. *Jesús cura a los ciegos de Jericó:* mosaico, siglo VI, San Apollinare Nuovo, Ravena; capitel, siglo XII, Saint-Lazare d'Autun; Nicolas Poussin, siglo XVII, Museo del Louvre.
♦ ***Cin.*** Jean Delannoy, *La sinfonía pastoral,* 1946: basada en la novela de Gide.

CIELO

En la Biblia, el cielo es firmamento, sólida bóveda que separa el mundo de abajo de las aguas superiores, cuya invasión diluvial es destructora. El sólido techo, iluminado por astros luminosos, reposa sobre unas columnas que se unen a los pilares de la tierra clavados en las profundidades.

Altura inaccesible para el hombre, el cielo es el lugar simbólico de la transcendencia divina: «Padre nuestro que estás en los cielos». Al Dios bíblico se le designa a veces con el metafórico término de «Altísimo»: el cielo es su morada (Gén. 14, 18). En los Macabeos y el Evangelio de Mateo, sobre todo, la palabra cielo sustituye al nombre de Dios que los judíos evitaban pronunciar por respeto a la majestad divina.

La Biblia asocia a la imagen del cielo las del rayo y los relámpagos*, símbolos del poder divino (Sal. 29); pero el hombre debe guardarse de confundir al creador con sus obras y rendir culto a los astros del cielo.

Bajo la influencia tardía de Grecia y del pensamiento astronómico, el cielo adquirió otro valor en el mundo cristiano: el de una maravillosa armonía, una perfección absoluta concebida por una inteligencia divina. La esfera celestial y el curso regular de los astros ofrecen al hombre la imagen de un destino regular, ordenado, luminoso, que contrasta con el desorden y la oscuridad de nuestras vidas en la tierra. Tal sería el significado de la cúpula de las iglesias bizantinas y románicas.

El Reino de los cielos

Es la morada de los elegidos, el paraíso. Los cristianos utilizan indistintamente los términos «paraíso» o «cielo» para evocar la dicha perfecta de permanecer con Dios eternamente después de la muerte. El término «paraíso» recuerda al maravilloso jardín del Génesis. «Subir al cielo» remite al episodio de la Ascensión* de Jesús (Lc. 24, 50; Act. 1, 6).

♦ ***Lengua.*** *Clamar al cielo.* Expresión que se utiliza para referirse a algo que es injusto, que merece reprobación.

Estar en el séptimo cielo. Expresión que alude a un estado de paz y felicidad.

Tocar el cielo con las manos. Alcanzar la máxima felicidad.

Ver el cielo abierto. Encontrar la solución de un problema o llegar a su fin una desgracia.

♦ ***Lit.*** En los textos místicos, la visión del cielo estrellado inspira el deseo de romper los lazos que nos encadenan a la tierra para alcanzar la armonía universal: fray Luis de León, *Noche serena,* siglo XVI.

Los autores románticos utilizan la imagen del cielo para simbolizar el ideal al que aspira el hombre. Algunos, bajo la influencia de Swedenborg (*Las maravillas del cielo y del infierno,* 1758), creen en «una correspondencia de todas las cosas del cielo con las del hombre». Esta teoría iluminista inspira a Balzac, *Séraphita,* 1835, y a Baudelaire, *Las flores del mal,* 1857, «Elevación». Escéptico, Mallarmé, *El cielo,* 1866, no atribuye al cielo sino una «serena ironía» respecto a nuestros impulsos hacia la perfección.

CIERVO/CIERVA

Ciervos, ciervas y gacelas son animales apreciados por su

belleza y su gracia; esta es la razón por la que figuran en algunos textos bíblicos (2Sam. 22, 34; Sal. 18, 34). Por otra parte, Jeremías evoca el amor materno de la cierva (Jer. 14, 5).

La Biblia también convierte a la cierva en la imagen del justo sediento del manantial de agua viva que es la palabra de Dios: «Así como una cierva anhela las corrientes aguas, así te anhela a ti mi alma, Oh, Dios» (Sal. 42).

CIRCUNCISIÓN

Escisión ritual del prepucio practicada en los niños judíos y musulmanes. En la Biblia es el signo de la alianza* entre Dios y Abraham (Gén. 17, 11). Para obedecer a Dios, Abraham circuncidó a Isaac «el octavo día» después de su nacimiento (Gén. 21, 4). Lo mismo hizo con su hijo Ismael. Conforme a la Ley (Lev. 12, 3), Jesús también fue circuncidado al octavo día de su nacimiento (Lc. 2, 21). La Iglesia primitiva abandonó esta práctica. Para Pablo la circuncisión no debe practicarse en el cuerpo: «es la del corazón, la que surge del Espíritu y no de la palabra», como ya lo enseñaban los profetas (Jer. 4, 4).

♦ ***Icon.*** Puerta de bronce, siglo XI, Benevento. Mantegna, 1468, Florencia. Luca Signorelli, siglo XV, Londres. Giovanni Bellini, 1510, Londres. Philippe Quentin, 1635, Dijon. Zurbarán, 1639, Grenoble. El Guercino, siglo XVII, Lyon.

CIRO II EL GRANDE

Hijo de Cambises y fundador del imperio persa aqueménida sobre las ruinas del imperio medo (550-530 a. C.). Después de la conquista de Lidia, Ciro atacó las colonias jónicas de Asia Menor y luego se apoderó de Babilonia*, donde liberó a los judíos cautivos. Prosiguió su marcha hacia el este, imponiendo el dominio persa en toda la región comprendida entre el Caspio y la India. Hizo partícipes a las poblaciones conquistadas de la prosperidad del imperio.

El profeta Isaías* anunció al pueblo exiliado la llegada de un liberador (Is. 41), y más tarde designó a Ciro como el instrumento de Dios, el pastor, el ungido (Is. 45, 1). Ciro favoreció la reconstrucción del Templo de Jerusalén y devolvió los vasos sagrados que estaban en poder de Nabucodonosor (Esd. 1, 1-5; 1, 7).

CISMA

(Gr. *skhima,* «división».) Según el AT, a la muerte de Salomón* el reino de Israel se escindió en dos: Roboam, hijo de Salomón, fue designado rey en Judá*, pero Jeroboam se alzó contra él en la asamblea de Siquem* y convirtió a esta ciudad en la capital de Israel (1Re. 12). Jeroboam trasladó el culto de Dios al templo de Bétel, para evitar que el pueblo acudiera a Jerusalén con motivo de las fiestas, lo que provocó el cisma religioso.

En el NT, las palabras de Jesús propician divisiones entre su auditorio: «Y se originó un desacuerdo en la multitud por su causa» (Jn. 7, 43). Pablo llama a los corintios a la unidad: «Y no haya entre vosotros cisma, antes seáis concordes en el mismo pensar y en el mismo sentir» (1Cor. 1, 10).

Solo en épocas posteriores al NT la palabra «cisma» adoptará el significado de ruptura con la Iglesia.

CIUDAD

En la tradición del mundo occidental, cuyas raíces proceden de la antigua Grecia, la palabra designa la creación excelente y característica del genio humano: el hombre da forma a su mundo y formula las leyes a las que, libre y responsable, se somete.

En su significado teológico, la palabra no designa la obra del hombre, sino la que Dios diseñó para el mundo, materializada en la construcción de Jerusalén*.

Jerusalén es la ciudad por excelencia porque Dios habita en ella, porque en ella se encuentra el Templo*, porque es el signo intangible de la salvación prometida a Israel y, a través de Israel, a todos los pueblos. Algún día, la ciudad será el lugar donde todos los hombres encontrarán a Dios (Is. 60-62).

En el NT, la ciudad es el Reino* de Dios, también llamado la nueva Jerusalén, la Jerusalén celestial (Heb. 12, 22; Gál. 4, 26; Ap. 3, 12), la ciudad del Dios vivo (Heb. 12, 22) o la ciudad por venir (Heb. 13, 14), que tiene sólidos cimientos porque Dios es su arquitecto y constructor. El Reino sería lo que Jerusalén no hacía más que anunciar mediante figuras obtenidas de la realidad terrenal para reflejar la realidad divina. Los cristianos esperan esta ciudad y siempre están caminando hacia ella.

♦ *Lit.* La ciudad por excelencia, Jerusalén, con sus vicisitudes, siempre está presente en el centro de la obra de escritores de origen judío: Élie Wiesel, Isaac Bashevis Singer, David Schahar...→ JERUSALÉN.

San Agustín, *La ciudad de Dios,* 413-424, es el origen de una oposición entre la ciudad terrenal y la ciudad celestial: «Dos amores han construido dos ciudades. El amor de sí mismo hasta el desprecio de Dios, la ciudad terrenal. El amor de Dios hasta el desprecio de sí mismo, la ciudad celestial». Las dos ciudades están imbricadas aquí abajo y la doble ciudadanía del cristiano engendra dificultades en la vida política, que el ideal de un Estado cristiano permitirá evitar. La ciudad celestial equivale a la denominación genérica de «cielo», lugar a donde aspira llegar todo místico. Así nos lo describe santa Teresa de Jesús en su *Camino de perfección,* 1563, o en sus *Moradas del castillo interior,* 1577. En el siglo XVII, Lope de Vega cuenta entre sus comedias la titulada *La ciudad sin Dios.* Entre la producción en prosa hay que citar a sor María de Jesús de Ágreda, *Mística ciudad de Dios*, 1670: bellísima vida de la Virgen.

El esquema de las dos ciudades, la ciudad santa, Jerusalén, y la ciudad maldita, Babilonia, se introduce en la poesía, permite leer los acontecimientos históricos. Rimbaud, *Poesías,* 1871, «La orgía parisina»: presenta París como la «ciudad elegida», la ciudad santa establecida en Occidente y, al mismo tiempo, «la puta París», la «roja cortesana».

Combinando la utopía platónica de una ciudad perfecta y la de las primeras comunidades cristianas, mencionada en los Hechos de los Apóstoles, las ciudades utópicas establecen los proyectos de la comunidad ideal en la tierra: Tomás Moro, *Utopía,* 1516. Péguy, *El diálogo de la historia y del alma carnal,* 1909, imagina la Iglesia como la ciudad nueva, temporal y carnal a la vez, en la que Jesús es el primer ciudadano «en fecha naturalmente y en derecho, en razón, en derecho y en hecho, en orden, en jerarquía, en dignidad, en eminencia», una ciudad que prefiguraba temporalmente la ciudad antigua, ciudad en la que todos los cristianos son conciudadanos.

CIZAÑA

La palabra designa convencionalmente el conjunto de las malas hierbas, y en especial una pequeña gramínea cuyas semillas pueden cubrirse de una especie de moho embriagador (lat. *ebriacum*). La cizaña es el símbolo de los pecadores.

Según una parábola de Jesús, un hombre sembró buena semilla en su campo, pero sus sirvientes descubrieron que el trigo estaba ahogado por la cizaña sembrada durante la noche por un enemigo. A pesar de todo, el propietario ordenó que no se eliminara demasiado pronto la mala hierba para evitar así que el buen grano fuera también arrancado. La separación se haría en el momento de la cosecha (Mt. 13, 24-30).

♦ ***Lengua.*** *Sembrar cizaña.* Locución que expresa la acción de crear discordia, malmeter.

Separar la buena semilla de la cizaña. Hacer una selección entre los individuos.

CÓLERA

El AT y el NT condenan la cólera humana que engendra multitud de males: «El que presto se enoja hará locuras» (Prov. 14, 17). Sin embargo, la Biblia valora la «justa cólera» de Moisés* y de Elías* contra la idolatría (Éx. 16, 20; 1Re. 18, 40). El texto bíblico se atreve a hablar de la cólera de Dios porque su amor por el hombre es un amor apasionado que no puede dejarle impasible ante el pecado. Del mismo modo, Jesús, lleno de celo por la santidad del Templo, expulsa a los comerciantes mediante un gesto simbólico (Jn. 2, 13-17).→ MERCADERES DEL TEMPLO.

Día de cólera

Mientras el pueblo de Israel espera que Dios le manifieste gloriosamente su favor en la tierra, el profeta Amós* le advierte que el día de Dios no será día de cólera contra los hipócritas y los egoístas (Am. 5, 18). El día de cólera es, al mismo tiempo, objeto de esperanza para los justos y de terror para los pecadores. Durante el exilio, el pueblo judío espera ese día como el de su restauración política y religiosa: Dios castigará por sus crímenes a todos los habitantes de la tierra (Is. 26, 20-21). Los evangelistas aluden al tema e identifican la ruina de Jerusalén con el fin del mundo

(Mt. 24). Sin embargo, al leitmotiv de la cólera de Dios responde, como contrapunto, otra afirmación: Dios es lento para la cólera (Sal. 103, 8); el hombre que ama a Dios no puede ser como el esclavo que vive en el temor al castigo: «No hay temor en el amor» (1Jn. 4, 1). → CELOSO, JUICIO FINAL, VENGADOR.

♦ ***Lit.*** Lactancio, *De ira Dei,* siglo III: Dios no es impasible, es capaz de «encolerizarse» porque es justo y por propia bondad. Lope de Vega, *Romancero general,* 1604-1614, «¿Cuándo cesarán las iras?». John Steinbeck, *Las uvas de la ira,* 1939: el autor toma el título de la imagen apocalíptica del ángel que vendimia a las naciones paganas y las vierte en la tina de la cólera de Dios (Ap. 14, 19-20). Pierre Emmanuel, *Día de cólera,* 1942: recopilación de poemas escritos durante la Segunda Guerra Mundial, contienda que provocó el exterminio de millones de hombres. Dámaso Alonso, *Hijos de la ira,* 1944.

♦ ***Mús.*** *Dies irae,* canto litúrgico de la misa llamada «Réquiem»; la música procede del siglo XIII y dio lugar a importantes variaciones orquestales. El texto se inspira en el profeta Sofonías (1, 14-18) y en los oráculos sibilinos, literatura judía del primer siglo de nuestra era.
Penderecki, *Dies irae,* siglo XX, oratorio dedicado a la memoria de las víctimas de Auschwitz.

♦ ***Cin.*** Carl Dreyer, *Dies irae,* 1940: al final, ¿quién se salvará? Ambigua respuesta de este poema visual de luz y sombra.

COLOSO CON LOS PIES DE BARRO

En un sueño, el rey Nabucodonosor, soberano de Babilonia, vio cómo una inmensa estatua de oro y bronce se alzaba ante él. Tenía los pies de barro cocido y se vino abajo cuando recibió el impacto de una piedrecita (Dan. 2).

♦ ***Lengua.*** *Ser un coloso con los pies de barro.* Decir esto de alguien o de algo significa que su poder es solo aparente.

CONDENADO/ CONDENACIÓN

(Lat. *damnare,* «condenar».) En el lenguaje coloquial,

el término «condenado» adquiere el sentido de tener que padecer los eternos suplicios del infierno*», y «condenación» se identifica con la condena a sufrir tales suplicios. El texto hebraico de la Biblia no incluye ninguna expresión equivalente. La representación de los suplicios de los condenados es un tema iconográfico ampliamente tratado.→ JUICIO FINAL.

♦ ***Lit.*** Dante, *Divina comedia,* 1307-1321: el poeta, conducido por Virgilio, atraviesa los nueve círculos del infierno.
Agrippa d'Aubigné, *Los trágicos,* 1616, libro VII, «Juicio»: al terminar el Juicio final, Dios sitúa a su izquierda a los condenados al infierno para un sufrimiento sin fin.
Tirso de Molina, *El condenado por desconfiado,* drama sacro, 1635: un ermitaño es condenado al infierno por haber dudado un instante del poder de Dios, mientras un bandido se salva por un instante de arrepentimiento.
A mediados del siglo XIX el concepto de «condenación» cobró un carácter laico: los «condenados» son aquellos para quienes la vida en la tierra es un «infierno»: los rechazados, los réprobos, los excluidos de la sociedad. En 1871, para una composición musical de Pierre Degeyter, Eugène Pottier escribió la letra de *La Internacional,* que se convirtió en el himno revolucionario internacional: «Arriba, condenados de la tierra». → INFIERNO/INFIERNOS.

CONFESIÓN

La confesión de la fe es la proclamación ante el mundo de las maravillas de Dios. Puede ser colectiva, como en las alabanzas de los salmos y en el *shema Israel**, o personal, cuando se realiza en el secreto del corazón. En ocasiones conduce al martirio.

El credo* del cristiano es una confesión en la que se proclama lo esencial de su fe. La expresión «confesión de los pecados» deriva de la precedente: cuando proclama la grandeza de Dios, el hombre admite que es un pecador.→ PENITENCIA.

♦ ***Lit.*** San Agustín, *Confesiones,* 397-401: el término tiene el doble sentido de «alabanza» y «penitencia».

CORÁN

Nombre dado por los musulmanes a la revelación proclamada por Mahoma entre 610 y 632 de nuestra era (en árabe, *koran* significa «proclamación» o «recitación»). Los seguidores de Mahoma se esforzaban por memorizar el Corán y lo escribían con grafismos sencillos en soportes muy diversos. Aísa, mujer de Mahoma e hija de Omar, califa de 634 a 644, contribuyó a realizar una primera recopilación de las distintas revelaciones, reunidas en Sourates. Sus 114 capítulos están clasificados por orden de longitud decreciente. Con el perfeccionamiento de la escritura árabe, el texto del Corán, con algunas variaciones, se difundió en los grandes centros de vida religiosa: Basora, Damasco y, más tarde, Bagdad.

Para el musulmán, el Corán es la expresión árabe de la Palabra de Dios, anteriormente transmitida a Abraham*, Moisés* y Jesús*, y por fin a Mahoma, a través del ángel Gabriel*.

La iniciación de los musulmanes a la lectura y la escritura se realiza mediante el estudio y la recitación del Corán.

→ ISLAM.

CORDERO

El pueblo hebreo era en su origen un pueblo de nómadas que vivía de la ganadería; durante mucho tiempo siguió siendo un pueblo ganadero, después de instalarse en Palestina. En la Biblia, el cordero es una figura de la máxima importancia: símbolo universal de dulzura, inocencia y docilidad, el cordero (o la oveja) representa al israelita que pertenece al rebaño de Dios (Is. 40, 11): «Como un pastor [el Señor] lleva a pacer a su rebaño... / Lleva a los corderillos en su seno, / conduce a un lugar de reposo a las ovejas madres».

Encontramos la misma imagen en los Evangelios de Lucas y de Juan.

El cordero pascual

Es la víctima del sacrificio por excelencia. Su sangre en las puertas protegió a los hebreos cuando Dios mató a todos los primogénitos de Egipto (Éx. 12, 21-27). Durante la Pascua*, el cordero debe comerse en familia, en una misma casa y sin que se rompa uno solo de sus huesos (Éx. 12, 46).

Jesús, el cordero de Dios

Al ver a Jesús, Juan Bautista exclama: «Este es el cordero de Dios que quita el pe-

El cordero y los cuatro «viventi», Códice del Beato de Liébana, Madrid, Museo Arqueológico

cado del mundo» (Jn. 1, 29). Jesús, cuando elige morir en el mismo momento en que se sacrifica el cordero pascual, se convierte en el nuevo cordero pascual que, con su sangre, establece la nueva alianza* entre Dios y los hombres; cuando está en la cruz no se rompe ninguno de sus huesos (Jn. 19, 33-36): «Como una oveja, [Jesús] fue conducido al matadero; / como un cordero mudo ante el esquilador, / así, sin abrir la boca» (Act. 8, 32, invocando a Is. 53, 7).

Este cordero sacrificado se convertirá en el cordero glorioso, vencedor de la muerte y de las fuerzas del mal, todopoderoso, el juez que evoca el Apocalipsis*.

Con este sentido debe interpretarse la iconografía cristiana, que a menudo representa a Jesús como un cordero celestial llevando una cruz e intercediendo por los hombres.→ PASCUA.

♦ ***Icon.*** *El cordero y los cuatro «viventi»,* miniatura del Códice del Beato de Liébana, siglo VIII, Madrid. Jan van Eyck, *El cordero místico,* retablo, 1432, Saint-Bavon, Gante.

CORONACIÓN DE LA VIRGEN

Según una antigua tradición, la Virgen María*, después de su Asunción*, fue coronada en el cielo por su hijo Jesús.

♦ ***Icon.*** Tímpanos, siglo XII, Senlis, Mantes, Notre-Dame de Longpont, Chartres, Bourges, Estrasburgo. Pintura: Fra Angélico, siglo XV, París; Enguerrand Charonton, 1453, Villeneuve-lès-Avignon; Rafael, siglo XVI, Roma; Veronés, 1555-1558, Venecia; Velázquez, 1651, Madrid.

COSECHA

El comienzo de la cosecha estaba marcado por la fiesta* de los Ázimos y su terminación, por la de Pentecostés*. Se ofrecían al Templo* las primicias y el diezmo de la cosecha.

En la Biblia, la cosecha-mies, imagen de los beneficios recibidos, va unida a la acción de sembrar: «No siembres en surcos de injusticia y no la cosecharás al séptuplo» (Eclo. 7, 3); «El que siembra con largueza, con largueza cosechará» (2Cor. 9, 6); «Uno siembra y el otro cosecha» (Jn. 4, 37); «Los que en llano siembran, en júbilo cosechan» (Sal. 126). La cosecha es, pues, el símbolo de las consecuencias de los actos humanos. Las acciones de los hombres serán contabilizadas por un juez soberano.

♦ ***Lengua.*** *Siembran vientos y recogerán tempestades* (Os. 8, 7). Inicialmente aplicada a los

Rafael, *Coronación de la Virgen*, Roma, Pinacoteca del Vaticano

israelitas que se entregaban a los cultos de los falsos dioses para su desgracia, en la actualidad la locución significa «comportarse como el aprendiz de brujo».

♦ ***Lit.*** Las imágenes de siembras y cosechas abundan en la literatura. Muchas de ellas no tienen origen bíblico, sino que provienen de las mitologías egipcia y griega.

Entre los autos sacramentales del barroco español (siglo XVII), destaca *La siega*, de Lope de Vega: se inspira en la parábola del sembrador (Mat. 13, 24-30). También se reconoce la influencia bíblica en: Balzac, *La búsqueda del absoluto,* 1834: «De todas las semillas confiadas a la tierra, la sangre vertida por los mártires es la que produce la más rápida cosecha»; Hugo, *La leyenda de los siglos,* 1859, «Booz dormido»: «...y Ruth se preguntaba / qué dios, qué cosechador del eterno verano / al marcharse había echado con negligencia / esta hoz de oro en el campo de las estrellas».

Péguy, *Eva,* 1913: «Dichosos los que han muerto por la tierra carnal / dichosas las espigas maduras y el trigo cosechado».

Pierre Emmanuel, *Himno de la libertad,* 1942: «Por encima de los tiranos roncos de mutismo / por encima del orden irrisorio de los tiranos / están las inmensas cosechas del devenir».

CREACIÓN

Todos los pueblos poseen en su tradición una historia de los orígenes del mundo (cosmogonía). Para la Biblia, la cosmogonía no se forma a partir de la teogonía (origen de los dioses), porque Dios es eterno e increado.

El Génesis ofrece dos relatos de la creación del mundo y del hombre que presentan diferencias bastante apreciables (Gén. 1-2, 4a, y Gén. 2, 4a-25, respectivamente). Solo el primero de ellos es claramente una cosmogonía, porque expone la aparición de la luz, la separación de las aguas y de la tierra, y la arquitectura del universo. Probablemente sufrió la influencia de las cosmogonías mesopotámicas, que pudieron ser conocidas durante el exilio en Babilonia.

El relato de Gén. 1 describe las distintas etapas que culminaron con el nacimiento del hombre, estableciendo, de este modo, el comienzo de la historia:

1. creación de la luz y del día como unidad de tiempo;
2. disposición de la arquitectura general del universo;
3. separación de la tierra y de las aguas;
4. creación de las plantas;
5. creación de las estrellas y de los astros;
6. formación de los seres vivos, del hombre y de la mujer a semejanza de Dios.

Esta organización es resultado de la Palabra divina: «Dios dijo: "Que la luz sea hecha" y se hizo la luz». Se realiza por su voluntad todopoderosa y libre.

Escrito en una época en que el sábado* es importante, el relato presenta la creación del mundo en seis días, pues el séptimo lo utilizó Dios para descansar. Los autores atribuyeron a la creación la ley que regía su modo de vida con un propósito religioso y no científico; sería, pues, inútil querer hacer coincidir los «días» del Génesis con las eras geológicas.

El segundo relato describe la creación del hombre con el barro del suelo, y la de la mujer con la carne del hombre. Evoca el paraíso-Edén* de los cuatro ríos y, por último, plantea el problema del origen del mal y de nuestra condición humana, afirmando, como el primer relato, la existencia de un Dios único que confía al hombre todo lo que ha creado para que sea su morada.

La visión bíblica expresa un optimismo moderado en lo que respecta a los límites humanos; invita a creer en un Dios bueno que quiere un mundo lleno de vida, pues los hombres están destinados a ser los amos de la tierra. →ADÁN, CAOS, EVA.

♦ ***Lengua.*** *Creced y multiplicaos.* Esta fórmula de invitación a la vida es una simplificación de Gén. 1, 28: «Dios bendice al hombre y a la mujer y les dice: sed fecundos, multiplicaos...».

De menos nos hizo Dios. Expresión que se utiliza para dar a entender que no hay nada imposible.

♦ ***Lit.*** Desde el punto de vista filosófico, la creación del mundo y del hombre fue un tema tratado ya en la escuela cristiana de Alejandría: Orígenes, *De principiis,* siglo III. San Basilio, *Hexameron,* siglo IV: comentario sobre la obra de los seis días. San Gregorio de Nisa, *Tratado de la creación del hombre,* siglo IV.

El espíritu bíblico optimista (la creación es una bendición) es un aspecto común a cierto número de obras: Maurice Scève, *Microcosmos,* 1562; G. du Bartas, *La semana* o *Creación del mundo,* 1578; Milton, *Paraíso perdido,* 1667, libro VII, y, más próximo a nosotros, Jules Supervielle, *La fábula del mundo,* 1938.

Para Lope de Vega, *La creación del mundo y el primer pecado del hombre,* hacia 1630, la creación del mundo comienza con la historia del hombre, que nació dichoso, cayó y fue salvado por Cristo. En el siglo XVIII, los filósofos discuten, apelando a la razón, la idea de una creación en siete días. Aunque se mantiene «en una duda respetuosa» en lo que se refiere a la revelación, Rousseau escribe: «La idea de creación me confunde y me sobrepasa; la creo en tanto puedo concebirla; pero sé que él ha formado el universo y todo lo que existe, que él lo ha hecho todo, lo ha ordenado todo» *(Emilio,* 1762, «Profesión de fe del vicario saboyano»).

El tema de un creador que desde el origen condenó al hombre a la desdicha está presente en la literatura del siglo XIX a partir de lord Byron. «¿Qué crimen hemos cometido para merecer nacer?», se pregunta Lamartine en 1818. También Iván Karamazov (Dostoievski, *Los hermanos Karamazov,* 1880). Rieux, el personaje de Camus *(La peste,* 1947), exclama: «Rechazaré hasta la muerte esta creación en la que los niños son torturados».

Valéry sugiere la idea de que el mundo no puede ser sino imperfecto, que toda creación es una ruina: *Cármenes,* 1922, «Esbozo de una serpiente».

♦ ***Icon.*** *La creación del mundo:* Lorenzo Ghiberti, puertas de bronce, siglo XV, baptisterio de Florencia; El Bosco, hojas exteriores del tríptico *El jardín de las delicias,* siglo XVI, Museo del Prado; Rafael, galerías descubiertas del Vaticano, 1508, Roma; capilla Saint-Gonéry, siglo XVI, Plougrescant. Schnorr von Carosfeld, *La Biblia en imágenes,* 1852.

♦ ***Mús.*** Joseph Haydn, *La creación,* oratorio, 1790: inspirado en el *Paraíso perdido* de Milton. Darius Milhaud, *La creación del mundo,* 1923. Mauricio Kagel, *La decreación del* *mundo,* 1980: parodia en la que un dios malvado castiga a los mortales.

♦ ***Cin.*** Jean Eiffel, *La creación del mundo,* dibujos animados. Pierre Alibert, *Génesis,* 1974: dibujos animados para niños.

CREDO

(Lat., «creo».) El credo, también llamado «símbolo», representa una de las formulaciones breves de la fe cristiana que utiliza la Iglesia.

El credo cristiano se recita durante la misa dominical. Por una parte, se identifica con el símbolo de los apóstoles, así llamado porque durante mucho tiempo se creyó que el texto había sido redactado por ellos el día de Pentecostés* (en realidad, su versión actual data del siglo IX); por otra, con el símbolo de Nicea-Constantinopla, el nombre de los dos concilios ecuménicos (Nicea, 325; Constantinopla, 381) que redactaron la mayor parte del texto.

El NT incluye numerosas fórmulas breves en las que se enuncia la fe en Jesús Señor y Salvador (Act. 8, 37); dichas fórmulas constituirían posteriormente, el núcleo del credo.

♦ ***Lengua.*** *En menos que se reza un credo.* Con rapidez.

CRISMÓN

Monograma de Cristo que aparece frecuentemente en los monumentos cristianos antiguos. Está formado por las letras griegas *khi* y *rho,* que son las dos primeras de la palabra *Christos.*

CRISTIANISMO

El origen del cristianismo se encuentra en las enseñanzas de Jesús* de Nazaret, tal como las comunidades primitivas lo establecieron en los evangelios*. Los cristianos ven en Jesús más que un profeta: es el enviado que instaura el Reino* de Dios.

Después de la muerte de Cristo*, sus discípulos reúnen en torno a su nombre a los que creen en su resurrección; poco a poco van descifrando los signos de la presencia de Dios y buscan en las Santas Escrituras los pasajes relacionados con su carácter mesiánico. Al principio, los cristianos actúan como una secta judía más y, aunque se separan paulatinamente del judaísmo abandonando la circuncisión e integrando a los no judíos, durante un cierto tiempo continúan participando en las oraciones de la sinagoga. La caída de Jerusalén, en el año 70, y la posterior crisis judía marcan el punto de ruptura entre el naciente cristianismo y el judaísmo.

Los Hechos de los Apóstoles* y las epístolas*, especialmente las cartas de Pablo, aportan un testimonio sobre la vida de estos primeros grupos cristianos, sobre sus interrogantes y sus esperanzas: ¿Qué es la resurrección? ¿La vida eterna? ¿Cuándo llegará el Reino definitivo de Dios? ¿Hay que vivir retirados del mundo o tratar de introducir en la sociedad el mensaje de Jesús? La elaboración teológica de la fe cristiana se lleva a cabo a través de las respuestas que Pablo y los evangelistas aportan a estas preguntas; Pablo desarrolla una reflexión ética importante basada en la libertad de conciencia individual y en la caridad.

Mediante complejas controversias sobre la Trinidad*, la divinidad de Jesús, la gracia*, etcétera, que jalonan los primeros siglos de la era cristiana, la Iglesia definió su credo, especialmente en el concilio de Nicea reunido en 325, durante el reinado de Constantino. Al mismo tiempo, el cristianismo se institucionaliza adoptando la forma de una sociedad jerarquizada dotada de sus propias doctrinas y ritos (oración del padrenuestro*, bautismo*, eucaristía*).

Las progresivas diferencias culturales entre Oriente y Occidente provocan una separación entre la ortodoxia grecobizantina y la tradición latina (1054). Posteriormente, diversos movimientos de reforma agitan a las comunidades cristianas, ponen en tela de juicio el papel de la jerarquía eclesiástica y recomiendan la vuelta a los orígenes.

La pobreza y la sexualidad están en el corazón de los debates morales de la Edad Media. La reforma más importante tiene lugar en el siglo XVI, cuando las tesis de Lutero y Calvino provocan la aparición del protestantismo.

Lutero afirma la autoridad soberana de la Biblia en materia de fe y propone la lectura personal del libro entre los fieles. «Todo protestante es papa con una Biblia en la mano» (Boileau, *Diatriba XII,* 1711). En cambio, frente a los protestantes, el catolicismo insiste en la autoridad de la Iglesia y la importancia de la tradición en la transmisión del mensaje cristiano.→ EVANGELIO, MESÍAS, REDENTOR/REDENCIÓN/RESCATE.

♦ ***Lengua.*** *Hablar en cristiano.* De forma comprensible. Esta expresión se utilizaba para aludir a lo incomprensibles que resultaban las hablas de judíos y musulmanes para los cristianos españoles.

CRISTO

(Gr. *Christos,* «ungido, consagrado por una unción»; traducción del heb. *mashiah,* que derivó en «mesías».)

En el AT, los reyes y los sumos sacerdotes recibían la unción, que les otorgaba una autoridad que procedía directamente de Dios.

En el NT, la palabra *christos* (nombre o adjetivo) designa exclusivamente a Jesús*: Cristo, el Cristo, Jesucristo, es decir, el ungido de Dios, el Mesías. En raras ocasiones se emplea en los evangelios. El mismo Jesús recomienda a sus discípulos que no digan a nadie que él es el Cristo, pues teme que los judíos quieran convertirle en su rey y en el jefe de una posible liberación nacional. Sin embargo, antes de su Pasión*, al sumo

Cristo, terracota, San Petersburgo, Museo del Ermitage

sacerdote que le pregunta si es el Cristo, el Hijo de Dios, Jesús responde: «Yo soy» (Mc. 14, 61-62). A menudo también encontramos el nombre de «Cristo» aplicado a Jesús en los Hechos de los Apóstoles*, en Pablo y en el Apocalipsis*; en estos casos se asocia con su gloria de resucitado: «Dios le ha hecho Cristo y Señor a este Jesús a quien vosotros habéis crucificado» (Act. 2, 36). El término se hizo habitual entre los cristianos para nombrar a Jesús. El propio nombre de «cristianos» proviene de Cristo; aparece hacia el año 40, al principio como un apodo, para nombrar a los discípulos de Jesús en Antioquía (Act. 11, 26), poniendo de manifiesto que constituían una comunidad diferente al judaísmo.→ MESÍAS.

♦ ***Lengua.*** *Armarse la de Dios es Cristo.* También *Armarse la de Dios* o *Armarse un Cristo.* Organizarse un gran escándalo. Esta locución tiene su origen en el concilio de Nicea (325), cuando se debatió la naturaleza humana de Jesucristo.
♦ ***Lit.*** →JESÚS.
♦ ***Icon.*** *Cristo bendiciendo,* mosaico, 912, Santa Sofía, Estambul. *Cristo,* escultura en terracota, San Petersburgo. *Cristo glorioso:* fresco, 1123, Tahull, Barcelona; vidriera, siglo XI, Estrasburgo; esculturas, siglo XII, tímpanos de Autun, Conques, Vézelay, Beaulieu, Chartres, Moissac. *Cristo todopoderoso (pantocrátor),* mosaicos, siglo XII, Sicilia, Monreale, Cefalú, Palermo. Giovanni Bellini, *Cristo muerto llorado por dos ángeles,* siglo XV, Venecia. Holbein, *Cristo muerto,* 1521, Basilea (en *El idiota* de Dostoievski, Hipólito medita ante este cuadro). Jean Delville, *El Hombre-Dios,* 1903, Brujas.
♦ ***Mús.*** Franz Liszt, *Christus,* 1867. Anton Rubinstein, *Cristo,* 1895. Gustav Mahler, *Tercera sinfonía,* 1896. Francis Poulenc, *La Ascensión,* siglo XX.
♦ ***Cin.***→ JESÚS.

Cristo con la cruz a cuestas. → PASIÓN.

♦ ***Icon.*** Los pintores representaban a Jesús llevando la cruz en medio de una multitud hostil: Simone Martini, siglo XIV, París. En el siglo XV: Michel de Wolghemut, Compiègne; El Bosco, Gante; Mathias Grünewald, Karlsruhe. Tintoretto, siglo XVI, Venecia. Rubens, *La subida al Calvario,* 1637, Bruselas.

CRUZ/CRUCIFIXIÓN

La cruz (lat. *crux)* está formada por dos piezas de madera colocadas una atravesando la otra. Para los romanos, el suplicio de la cruz era la pena capital que estaba reservada a los esclavos y a los rebeldes; era, pues, infamante. Al condenado se le clavaban las muñecas (no las manos) y los pies. La muerte sobrevenía por asfixia progresiva.

Gauguin, *Cristo amarillo,* Buffalo, Allbright-Knox Gallery

Jesús, por orden del procurador romano de Judea, Poncio Pilato, y a instancias del Sanedrín*, la autoridad suprema de los judíos, fue condenado al suplicio de la cruz, siendo crucificado en el Gólgota*. Alzaron su cruz entre las de dos malhechores —los dos ladrones—. Su agonía fue relativamente breve: crucificado a la tercera hora (nueve de la mañana), o, según Juan, a la sexta hora, expiró hacia la novena hora (tres de la tarde), después de haber lanzado un gran grito. Junto a él se encontraban María*, su madre, María de Magdala*, las santas mujeres* y el apóstol Juan* (Jn. 19, 25).

Según Juan, los soldados romanos no tuvieron que romperle las piernas para acortar su agonía porque ya estaba muerto cuando llegaron, pero uno de ellos le atravesó el costado con la lanza y de él salió sangre y agua (Jn. 19, 31-35). → CORDERO, CALVARIO.

La cruz, instrumento de un suplicio infamante, se ha convertido para los cristianos en el signo de la redención* de los hombres por Jesús. → SALVADOR.

♦ ***Lengua.*** *Hacerse cruces o de cruces.* Mostrar gran sorpresa ante algo. Esta expresión hace referencia a la costumbre de santiaguarse para invocar protección ante un hecho extraño.

Llevar la cruz a cuestas (Jn. 19, 17). Soportar duras pruebas del mismo modo que Jesús llevó su cruz.

♦ ***Lit.*** Lactancio, *Institutionum Divinarum Epitome (Compendio de las instituciones divinas),* h. 305: el autor defiende el misterio de la ignominiosa muerte de Jesús en la cruz, un escándalo para los paganos.

La cruz es un tema frecuentemente tratado, tanto en la literatura religiosa como en la profana. En teatro, desde los siglos XI y XII, en toda Europa se popularizó la escenificación de los «misterios» de la vida de Cristo, en representaciones en lengua vulgar romance denominadas autos.

En el siglo XVII, Lope de Vega compuso arrodillado ante el crucifijo cuatro soliloquios impregnados de gran sentimiento y emoción. También en su *Romancero espiritual,* 1619, incluye varios romances dedicados a la cruz. Pedro Calderón de la Barca, *La devoción de la cruz,* 1623-1625: comedia religiosa escrita en su juventud, llena de impetuosas pasiones, en la que el protagonista se salva por su respeto a la cruz. Poniendo el acento en el valor redentor del sufrimiento, Bossuet, *Sermón sobre la Pasión,* 1661, invita a los cristianos a compartir la cruz de Jesús: «Vamos, cristianos, a la cruz, allí podremos sumergirnos en el diluvio de la sangre de Jesús».

La imagen de Cristo en la cruz obsesiona a los románticos. Para muchos de ellos, el dolor diviniza a Jesús. Musset, *La confesión de un hijo del siglo*, 1836: «El dolor te ha hecho Dios». Para Victor Hugo, la Pasión se convierte en una apoteosis: «El crucifijo se vuelve blanco y Jesucristo azul» *(Las contemplaciones,* 1856, 1, 29). En cambio, para Lamartine el crucifijo no es sino un fetiche, una reliquia familiar *(Nuevas meditaciones,* 1823, «El crucifijo»). De la «cruz de ébano» de Musset, «el cadáver celestial» cayó al polvo y con él la fe del poeta *(Rolla,* 1833).

Joris Karl Huysmans, *Allá abajo*, 1891: Durtal encuentra en algunas obras de arte cristianas una mediación entre sus gustos artísticos y sus impulsos místicos; evoca especialmente al Cristo de Mathias Grünewald, «la obra maestra del arte que requiere... sublimar el infinito desamparo del alma». Paul Claudel, *Un poeta contempla la cruz,* 1938. Albert Camus, traducción en 1953 de *La devoción de la cruz,* de Calderón, 1633, obra histórica y religiosa.

♦ ***Icon.*** *Crucifixión:* Masaccio, 1426, Nápoles; Antonello da Messina, siglo XV, Amberes; Mathias Grünewald, retablo, 1516, Issenheim, Colmar; Veronés, siglo XVI, París; Ernst Stöhr, 1914, Viena; Graham Sutherland, 1947, Roma; Paul Delvaux, 1952, Bruselas. El Greco, *Jesús despojado de sus vestiduras,* 1577, Munich. Rubens, *La lanzada,* 1620, Amberes. Van Dyck, *Cristo en la cruz,* 1630, Génova. Rembrandt, *Las tres cruces,* grabado, siglo XVII, París. Pierre-Paul Prudhon, *La crucifixión,* siglo XIX, Museo del Louvre: uno de los cuadros más copiados en Francia en el siglo XIX. Gauguin, *Cristo amarillo,* 1888, Buffalo. Salvador Dalí, *El Cristo de san Juan de la Cruz,* 1951, Glasgow.

♦ ***Mús.*** Las siete palabras de *Cristo en la cruz:* Heinrich Schütz, siglo XVIII; Haydn, 1796.

♦ ***Cin.*** Pier Paolo Pasolini, *Mamma Roma,* 1962: el hijo de la prostituta, encarnada por

Anna Magnani, muere, víctima crucificada, en una cama de hospital.

CUARESMA

(De «cuadragésima», del lat. *quadragesima,* «cuadragésimo día».) Para los católicos es un período de penitencia que conmemora el tiempo que Jesús pasó en el desierto antes de iniciar su vida pública. La disciplina de la Cuaresma (ayuno y abstinencia de comer carne) se ha ido suavizando poco a poco; actualmente se pone más énfasis en el espíritu de solidaridad.→ AYUNO.

♦ ***Lit.*** *Los combates de Cuaresma y Carnal* (la carne en todos los sentidos del término) es un tema frecuentemente tratado en las literaturas francesa y española de la Edad Media. Arcipreste de Hita, *Libro de buen amor,* siglo XIV: un pasaje burlesco describe la lucha de Don Carnal y Doña Cuaresma, figuración del combate entre la sensualidad y la fe. Rabelais, *Cuarto libro de Pantagruel,* 1552: el autor recupera este tema, que se había convertido en un asunto folclórico, con el personaje alegórico de Quaresmeprenant, que encarna el ascetismo triste frente a la dicha de vivir de los estúpidos. Durante la Cuaresma los predicadores pronuncian sermones; en el terreno literario sobresalen los de Bossuet en París, ante distintas audiencias: Cuaresma de los franciscanos, 1660 (audiencia mundana); Cuaresma de los carmelitas, 1661 (audiencia recogida); Cuaresma del Louvre, 1662 (el rey y su corte) y Cuaresma de Saint-Germain, 1666.

♦ ***Icon.*** Pieter Bruegel, *Combate de Carnaval y Cuaresma,* 1559, Viena.

CUERPO

(Heb. *basar,* literalmente «carne».) En el AT no aparece el dualismo de origen griego que opone el cuerpo al espíritu. El relato de la creación muestra a Dios animando con su aliento al cuerpo humano (Gén. 2, 7). → ALMA.

El hombre, llamado a la santidad moral, también tiene que someter su cuerpo a ritos de pureza ligados al culto de Dios. Algunas reglas de pureza conciernen al nacimiento, las relaciones sexuales, la enfermedad, la muerte: recuerdan que Dios es el amo de la vida (Lev. 11-18).

En el NT, Jesús, al tomar un cuerpo de carne, viene a manifestar expresamente el amor de Dios por su pueblo. Antes de morir, ofrece su vida a los hombres durante la Cena pascual, cuando corta el pan y dice: «Tomad y comed, este es mi cuerpo» (Mt. 26, 26). Según Pablo (1Cor. 6, 19), el cuerpo del hombre es el «Templo del Espíritu* Santo». Esta concepción prohíbe el laxismo moral, el desenfreno, así como la depreciación estoica del cuerpo, que está destinado a la resurrección.

Aunque simbólico, el lenguaje bíblico es muy concreto. Muchas veces se emplean términos que se refieren al cuerpo humano para hablar de Dios, como las expresiones «la faz de Dios», para hablar de su mirada, «el brazo de Dios», para significar su poder, o el «olfato de Dios», para expresar su cólera, lo que no permite realizar una representación humana de Dios.

La Epístola a los Corintios aplica a la Iglesia el simbolismo del cuerpo: del mismo modo que un cuerpo está formado de varios miembros aunque es solo uno, así los cristianos son solidarios como miembros de un mismo cuerpo en Jesús: «Si padece un miembro, todos los miembros padecen con él» (1Cor. 12- 26).
→ EUCARISTÍA, ENCARNACIÓN

Cuerpo glorioso

Expresión no bíblica utilizada para hablar de un cuerpo humano que ya no pertenece al mundo terrenal.

♦ ***Lit.*** Charles Péguy, *Mystère de la charité de Jeanne d'Arc,* 1912: «Todos los santos contemplan a Jesús sentado a la derecha del Padre. Y está en el cielo su cuerpo de hombre, su cuerpo humano glorioso, pues así subió el día de la Ascensión*», afirma Jeannette.

♦ ***Mús.*** Olivier Messiaen, *Los cuerpos gloriosos,* 1939.

CUMPLIR LAS ESCRITURAS

(Lat. *complere,* «cumplir, realizar, consumar».) En el AT, después de una promesa de Dios viene la espera de su realización. El profeta Daniel* examina atentamente las Escrituras y cuenta los años que «tienen que cumplirse» antes de la liberación del pueblo, según la Palabra de Dios al profeta Jeremías* (Dan. 9, 2).

Para los evangelistas* del NT, el AT es un tiempo de preparación porque las Escrituras se cumplen y llegan a su plenitud (gr. *pléroun)* con la llegada de Jesús*. Al relatar la entrada solemne de Jesús en Jerusalén, el evangelista Mateo recuerda las palabras del profeta Zacarías*: «He aquí que tu rey viene a ti, humilde y montado en un asno...». Y concluye: «Esto sucedió para que se cumpliera lo dicho por el profeta» (Mt. 21, 4), expresión que vuelve a aparecer 10 veces en este evangelio.
Por su parte, Juan evangelista subraya que la muerte de Jesús en la cruz es una culminación, el cumplimiento perfecto (gr. *téleiun);* Jesús muere diciendo: Todo está acabado (Jn. 19, 30).

♦ ***Lit.*** Jean Michel, *Misterio de la Pasión*, 1486: al final de esta obra hay un diálogo entre Jesús y su madre. María sabe que su hijo va a morir como han anunciado los profetas; quiere conseguir de él cierto alivio para los sufrimientos de ambos y se lamenta de su negativa: «A mis maternales súplicas solo das duras respuestas». Jesús interrumpe bruscamente el diálogo: «Las Escrituras tienen que cumplirse».

D

DALILA

Mujer de la que se enamoró Sansón*. Sobornada por los filisteos, arrancó a Sansón el secreto de su fuerza, que residía en sus largos cabellos. Mandó que le cortaran el pelo y Sansón, sin fuerza, fue entregado a sus enemigos (Jue. 16, 4-20).

♦ ***Lit.*** Alfred de Vigny, *Los destinos,* 1864, «La cólera de Sansón»: «La mujer, más o menos, siempre es Dalila». ♦ ***Icon.*** *Sansón y Dalila:* Rubens, siglo XVII, Londres; Solomon J. Solomon, siglo XIX, Liverpool. Rembrandt, *El triunfo de Dalila,* siglo XVII, Frankfurt.

Rembrandt, *El triunfo de Dalila,* Frankfurt, Museo Staedel

♦ ***Mús.*** *Sansón y Dalila:* Étienne Méhul, ópera, 1807; Camille Saint-Saëns, 1877.

DANIEL

La Biblia presenta a Daniel como a un joven de Judea desterrado a la corte de Babilonia durante los reinados de Nabucodonosor, Baltasar, Darío y Ciro. Dotado de excepcional clarividencia, puede interpretar los sueños (el coloso de pies de barro, el gran árbol) o las visiones (durante el festín de Baltasar). Como los grandes del reino le tienen envidia, es arrojado al foso de los leones, pero logra salir sano y salvo de él y recibe muchos honores. Su trayectoria recuerda a la de José* en la corte del faraón. Las visiones de Daniel aparecerán en el Apocalipsis*.

El libro de Daniel se compuso durante la persecución de Antíoco* Epífanes, con objeto de alentar a los judíos perseguidos con el edificante ejemplo de Daniel y sus compañeros. Los últimos capítulos, escritos en griego, son deuterocanónicos*.

Miguel Ángel, *El profeta Daniel,* Roma, Capilla Sixtina

♦ ***Lit.*** *Daniel,* siglo XII. Victor Hugo, *La leyenda de los siglos,* 1859, libro II, «Los leones».

♦ ***Icon.*** *El libro de Daniel,* manuscrito ilustrado con miniaturas, ocupa el lugar inmediato al *Apocalipsis* de Saint-Sever, siglo XI. *Daniel en el foso de los leones,* capitel, siglo XII, claustro de Moissac. Miniatura del *Libro de horas de Enrique II,* 1547, Biblioteca Nacional, París. *El profeta Daniel,* estatuas: Claus Sluter, 1404, pozos de la cartuja de Champmol, Dijon; Miguel Ángel, siglo XVI, Capilla Sixtina, Roma; Bernini, 1661, Roma; Aleijadinho, siglo XVIII, Congonhas do Campo, Brasil. Britton Rivière, *Daniel en el foso de los leones,* siglo XIX, Liverpool.

♦ ***Mús.*** Darius Milhaud, *Los milagros de la fe*, siglo XX: Daniel frente a Nabucodonosor, Baltasar y Darío.

DANZA

La danza fue una forma de expresión religiosa muy importante para los israelitas, que ejecutaban bailes rituales en el Templo (Sal. 87, 7; 149, 3; 150, 4); cuando el arca* fue devuelta triunfalmente a Jerusalén, David y su familia la acompañaron danzando (2Sam. 6; 1Cr. 13, 8). Las danzas eran indispensables en la celebración de la fiesta de la Vendimia (Jue. 21, 19) o después de una victoria (Éx. 15, 20; Jue. 11, 34). Acompañaban fiestas y festines: cuando regresó el hijo* pródigo, bailaron y mataron a un becerro (Lc. 15, 25). En el cumpleaños de Herodes* Antipas, Salomé bailó para él (Mc. 6, 22).

♦ ***Icon.*** Gustave Moreau, *La danza de Salomé,* dibujo, 1876, París.

Danza macabra

El término aparece en el siglo XIV; posteriormente, en el siglo XV, designa un tipo de danza en que la muerte, representada por esqueletos, se lleva a los vivos, tanto ricos como pobres. La epidemia de peste negra y las incesantes guerras explican la angustia ante la muerte que expresa el arte religioso.

♦ ***Icon.*** Frescos, siglo XV, La Chaise-Dieu. Esculturas, siglo XVI, osario de Sizun, Finisterre. Hans Holbein el Joven, *Los simulacros de la muerte,* grabados, 1538, Lyon.

DAVID

Rey de Israel de 1010 a 970 a. C., aproximadamente, era hijo de Jesé, antepasado de Jesús (ver 1Sam. 16 a 1Re. 2). En vida del rey Saúl*, David recibe en Belén la unción que hace de él el rey elegido por Dios (1Sam. 16). Admitido como músico en la corte, se reconoce su valor cuando mata con una honda al gigante filisteo Goliat. A pesar de ser amigo de Jonatán*, hijo de Saúl, y de su boda con Micol, hija del rey, los celos del soberano le persiguen y huye al destierro.

A la muerte de Saúl, David es proclamado rey por las tribus del Sur, y más tarde las del Norte se unen a él. Elige Jerusalén como capital, y en esta ciudad deposita el arca de la alianza. Durante su reinado consigue la victoria definitiva sobre los filisteos y agranda el territorio de Israel.

David es un hombre valiente, magnánimo y lleno de piedad. Sin embargo, su pasión adúltera por Betsabé* es denunciada por el profeta Natán. El final de su vida se ve ensombrecido por la rebelión de su hijo Absalón. Antes de morir, corona rey a Salomón, el hijo nacido de Betsabé.

Poeta y músico, David compuso, según la tradición, 73 salmos. Con él se estableció definitivamente la realeza, de forma que el trono de Israel se convirtió en el «trono de David». Fue a él a quien Dios hizo la promesa: «Fijaré un lugar para mi pueblo de Israel... Nadie volverá a perturbarlo y los malvados dejarán de oprimirlo» (2Sam. 7, 10). Para Pedro y los cristianos, Jesús cumplió la promesa divina, pues instauró el Reino celestial gracias a su victoria sobre la muerte (Act. 2, 29).

♦ ***Lit.*** David es un personaje que recibe distintos tratamientos en obras dramáticas de valor literario desigual: contradictorio en los dramas religiosos de la Edad Media (*Misterio del Antiguo Testamento,* siglo XV); al servicio de un militantismo religioso en la obra de Louis Desmazures, *Tragedias santas,* siglo XVI; caricaturizada en la tragicomedia de Voltaire, *Saúl,* 1763; piadosa en el drama de Klopstock, *David,* 1767; compleja y rica en la obra de Alfieri, *Saúl,* 1783; patética en la de Gide, *Saúl,* 1903. En el siglo XVII, Lope de Vega cuenta entre sus comedias con *David perseguido*, y también es autor de un auto sacramental, *Las hazañas del sagrado David.*

La obra literaria no conserva sino algunos aspectos de la figura bíblica, pero en la música adquiere un dimensión mítica.

♦ ***Icon.*** *David y Goliat,* fresco, 1123, Tahull, Barcelona. *David:* Donatello, escultura, 1440, Florencia; Miguel Ángel, escultura, 1504, Florencia; tapiz, 1520, Bruselas; Bernini, escultura, 1623, Roma; Caravaggio, siglo XVII, Viena; Orazio Gentileschi, Roma; Guido Reni, Museo del Louvre. Rembrandt, *Saúl y David,* siglo XVII, La Haya. Georges Rouault, *El viejo rey,* 1936, Pittsburgh.
♦ ***Mús.*** Josquin des Prés, *Planxit autem David,* motete a

Caravaggio, *David,* Viena, Museo de Arte

cuatro voces, siglos XV-XVI. Clément Janequin, *Dos salmos de David,* siglo XVI. Heinrich Schütz, *Veintiséis salmos de David,* siglo XVII. *David y Jonatán:* Carissimi, siglo XVII; Marc Antoine Charpentier, drama sacro, 1688. Domenico Scarlatti, *Davidis pugna et victoria,* siglo XVIII. Haendel, *Saúl,* 1739: sobre un texto literario de Jennes, de inspiración bíblica. Mozart, *David penitente,* 1785. Arthur Honegger, *El rey David,* oratorio, 1921. Erich Sternberg, *Historia de David y Goliat,* 1927. Igor Stravinsky, *Sinfonía de los salmos,* 1930. Darius Milhaud, *David,* 1955. Penderecki, *Salmos de David,* 1952-1958. David es el tema de numerosos espirituales negros, por ejemplo: *Little David, play on your harp.*

♦ ***Cin.*** Henry King, *David y Betsabé,* 1951. Bruce Beresford, *El rey David,* 1984: reconstrucción, partiendo de textos bíblicos, de la vida de David a través de escenas sucesivas, unas veces espectaculares y otras rozando el ridículo.

DÉBORA

(Heb., «abeja».) Profetisa que posee la confianza de los israelitas y regula sus litigios. En su época (siglo XII a. C.), Israel sufre la opresión de los cananeos. Ella ordena a Baraq que avance con valentía contra el rey de los cananeos (Jue. 4). Después de la victoria, entona un canto que, probablemente, es el texto más antiguo de la Biblia. Los guerreros, triunfantes, bendicen el poder de Dios: «Y sean los que te aman como el sol cuando nace con toda su fuerza» (Jue. 5, 31).

DECÁLOGO

(Gr. *deka,* «diez» y *logos,* «palabra».) «Diez palabras» o «diez mandamientos» dados por Dios a los hebreos en el desierto a través de Moisés*. Texto escrito sobre unas tablas de piedra (Éx. 24, 12) llamadas «tablas de la Ley». La Biblia no utiliza la palabra «decálogo», pero enuncia los preceptos de la alianza* con Dios (Éx. 20, 2-17; Dt. 5, 6-12). Las dos versiones comienzan con esta solemne fórmula: «Yo soy el Señor tu Dios que te ha sacado de la tierra de Egipto, de la casa de la servidumbre». Continúa la enumeración:

«No tendrás más Dios que a mí.

No te harás imagen de escultura...

Seis días trabajarás, pero el séptimo es sábado de Yahvé...

No tomarás el nombre de Yahvé, tu Dios, en falso...

Honra a tu padre y a tu madre...

No matarás.

No adulterarás.

No robarás.

No dirás falso testimonio contra tu prójimo.

No desearás a la mujer de tu prójimo» (Dt. 5).

Lo esencial de la Ley de Dios y de la ley de los hombres se presenta en 10 artículos, claramente condensado si se compara con los demás códigos antiguos, como el de Hammurabi.

El Decálogo es el fundamento de la moral judía y cristiana. También el Corán* se inspiró en él.

♦ ***Lit.*** Como fundamento de la moral cristiana aparece, directa o indirectamente, en multitud de obras de contenido ético- filosófico, que nos hablan de la Ley de Dios, la ley natural y la ley humana, como las de santo Tomás de Aquino o las *Etimologías,* de san Isidoro de Sevilla (siglo VII). En el siglo XVII, Lope de Vega, *La defensa en la verdad,* y *Di mentira, sacarás verdad.* André Gide, *Los alimentos terrestres,* 1897: el autor se subleva contra los mandamientos de Dios que «entristecieron su alma».

♦ ***Cin.*** Cecil B. de Mille, *Los diez mandamientos,* 1956: espectacular película cuyos objetivos eran esencialmente comerciales. Krzysztof Kieslowski, *No matarás,* 1988.

DEDICACIÓN

(Del lat. *dedicare,* «dedicar».) Consagración de un edificio destinado al culto.

Fiesta* judía, *Hanuká,* que se celebra en diciembre y recuerda la purificación del Templo de Jerusalén en 160 a. C., después de la profanación de Antíoco Epífanes (1Mac. 4, 36-38; Jn. 10, 22).

♦ ***Lit.*** Es frecuente encontrar obras literarias relativamente breves conmemorando la dedicación de un edificio religioso: Lope de Vega, *Al Santísimo Sacramento en su fiesta...,* 1608, y *A la Virgen de la Almudena,* 1623.

DEMONIO

Etimológicamente, la palabra griega *daimon* designa, en singular, un ser divino, especialmente un dios protector; en plural, seres inferiores, espíritus malignos.

El AT se hace eco de las

Maestro de Arguis, *La leyenda de san Miguel,* detalle de *El juicio de las almas,* Madrid, Museo del Prado

creencias populares que divinizan los poderes ocultos que existen detrás de los males de la humanidad, pero sin dejar de subrayar el dominio de Dios.

El NT hereda estas creencias, por ejemplo, en el modo de expresar los males, a los que alude indistintamente con los términos «posesión demoníaca» y «enfermedad». Jesús «cura» o «expulsa a los demonios» (Lc. 8, 27).

Así, en la literatura cristiana el demonio habita en el hombre, personifica el mal, convirtiéndose en sinónimo de diablo*, de Satanás, mientras en la literatura griega el demonio es «la voz interior», guía de nuestras acciones, como lo era el demonio de Sócrates. → LUCIFER, SATANÁS.

El judaísmo tardío desarrolla una verdadera demonología, centrada especialmente en el ejército de Satanás, legión de demonios que atormentan a los hombres.

♦ **Lengua.** *El demonio de mediodía.* Tentación que el ser humano puede experimentar durante su madurez en los ámbitos de los sentidos y del sentimiento. La expresión procede del salmo 91: «No tendrás que temer los espantos nocturnos ni las saetas que vuelan de día».

♦ ***Lit.*** En las obras literarias, el demonio recibe distintas denominaciones: diablo, en general, y como su príncipe o jefe Luzbel, Lucifer, Satán, Satanás. Las alusiones y citas contra el demonio por encarnar el espíritu del mal son frecuentes en la literatura mística y ascética del siglo XVI español: santa Teresa de Jesús, *Camino de perfección,* 1563, y *Moradas del castillo interior,* 1577. En el barroco: Antonio Mira de Amescua, *El esclavo del demonio,* 1612; Luis Vélez de Guevara, *El diablo cojuelo,* 1641: el protagonista es un diablillo que satiriza los aspectos grotescos de la sociedad; Quevedo, *Política de Dios, gobierno de Cristo, tiranía de Satanás,* 1626.

Ya en el siglo XIX, Espronceda, *El diablo mundo,* 1840: poema de fondo simbólico donde el autor intenta dar forma poética a una serie de problemas metafísicos, como Dios, el hombre, el sentido de la vida y la muerte, etcétera.

La literatura desarrolla ampliamente el tema de las posesiones diabólicas, ya sean colectivas, en los fenómenos de brujería (Michelet, *La bruja,* 1862), o individuales (Bernanos, *Bajo el sol de Satán,* 1928). Según Baudelaire, los demonios son interiores: «En nuestros cerebros bulle un pueblo de demonios» *(Las flores del mal,* 1857, «Al lector»). Dostoievski, *Los endemoniados,* 1873, cita a Lc. 7, 32-36 para explicar el título de la novela, del que ofrece una interpretación en el capítulo VII: el mundo moderno es presa de los demonios, del ateísmo, del nihilismo, etcétera, concepción que encontramos en algunas obras del siglo XX, como Bernanos, *Monsieur Ouine,* 1946.

♦ ***Icon.*** Los demonios son representados con cuernos y garras en las distintas versiones del *Juicio final,* en las que atormentan a los condenados, así como en las escenas de *Descenso de Cristo a los infiernos.* Luca Signorelli, *El Juicio final,* finales del siglo XV, Orvieto. El Bosco pinta demonios mucho más monstruosos, mezcla de animales diversos: *El carro de heno* y *El jardín de las delicias,* siglo XVI, Museo del Prado, o en *El Juicio final,* Brujas. Maestro de Arguis, *La leyenda de san Miguel,* detalle de *El juicio de las almas,* 1450, Museo del Prado.

♦ ***Cin.*** Roman Polanski, *La semilla del diablo,* 1968. Ken Russell, *Los diablos,* 1971: adaptación del ensayo de Huxley, *Los diablos de Loudun.* Alan Parker, *El corazón del ángel,* 1987.

DENARIO

Pieza de moneda romana, de 3,86 gramos de plata, aproximadamente, que llevaba la efigie y la inscripción del emperador. Servía para pagar el impuesto en la época de Jesús (Mt. 22, 20). El denario correspondía al salario de un trabajador agrícola (Mt. 20, 2).

DESCANSO

Descanso del séptimo día.

→ CREACIÓN, SÁBADO.

Descanso eterno

El Apocalipsis* representa la felicidad del paraíso como el descanso de los que mueren en paz con Dios (Ap. 14, 13), de ahí la locución «descanso eterno» para evocar, por eufemismo, la muerte.→ RÉQUIEM.

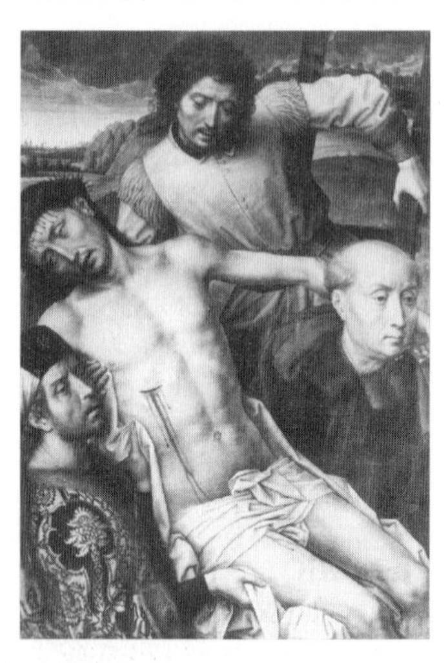

Memling, *Descendimiento,* Granada, Capilla Real

DESCENDIMIENTO DE LA CRUZ

José de Arimatea, notable judío miembro del Sanedrín*, reclamó a Pilato el cuerpo de Jesús crucificado para cumplir con la ley judía que prohibía que el cuerpo de un ajusticiado quedara clavado en el madero durante la noche, especialmente si era sábado (Dt. 21, 22). Lo desclavó de la cruz y lo envolvió en un sudario antes de meterlo en un sepulcro (Mt. 27, 58).

♦ ***Icon.*** Alrededor del cuerpo de Cristo bajado de la cruz, los artistas han representado a la Virgen a punto de desfallecer, sostenida por san Juan, a las santas mujeres, a José de Arimatea y a sus ayudantes. *Descendimiento de la cruz:* Rogier van der Weyden, siglo XV, Madrid; Memling, siglo XV, Granada; Alberto Durero, 1500, Munich; Louis Bréa, 1515, Niza; Juan de Juni, siglo XVI, Segovia; Rubens, 1614, Amberes; Rembrandt, 1633, Munich; Johan Thorn Prikker, 1892, Otterloo; Lovis Corinth, siglo XX, Colonia.

♦ ***Cin.*** André Malraux, *L'Espoir, Sierra de Teruel,* 1939: la escena en la que un aviador muerto y otro herido son sacados del armazón de su aparato simboliza el «descendimiento de la cruz».

DESCENSO DE JESÚS A LOS INFIERNOS

Según la cosmología judía, el universo está compuesto por tres espacios superpuestos: los cielos, la tierra y «los infiernos» (Flp. 2, 10). Los infiernos* (traducción del hebreo *seol)* están situados en el nivel más bajo, el más alejado de la presencia divina, y son la estancia de los muertos; también allí se encuentran, según unos, los ángeles caídos, los demonios encadenados (libro de Enoc*); según otros, los espíritus hostiles. Los cristianos situarán allí las almas de los justos que esperan la llegada de Jesús para poder entrar en la ciudad celestial.

Los evangelios no hablan explícitamente del descenso de Jesús a los infiernos entre su muerte y su resurrección, pero Pablo (1Cor. 15, 20), Pedro —en una de sus epístolas* (1Pe. 3, 19)— y Juan —en el Apocalipsis* (Ap. 1, 18)— hacen alusión a él, y numerosos pintores se inspirarán en este tema.

El descenso de Jesús a los infiernos viene a demostrar su autoridad sobre el universo entero, su poder liberador para las almas y su victoria sobre el mal y la muerte.

♦ ***Lit.*** Elzéar de Sabran, *Arrepentimiento,* 1817: Cristo tendrá que descender a los infiernos para salvar al ángel Ithuriel, al que Satanás arrastró en su rebelión. Alexandre Soumet, *La divina epopeya,* 1840: Jesús, el Hijo de Dios, descendió a los infiernos para sufrir una segunda pasión por la redención de los condenados; Satanás es el primero en arrepentirse y será él quien consuele a Jesús durante las «tres horas del nuevo Getsemaní».

♦ ***Icon.*** *Anástasis* (gr., «ascenso»... al paraíso, de los que están en el limbo): mosaicos, siglo XI, Dafni, Grecia; frescos, siglo XIV, Kariye Jami, Estambul; pintura sobre madera, siglo XIV, Saint Clement d'Ohrid; Andrea da Firenze, frescos, 1437, Santa Maria Novella, Florencia; Tintoretto, siglo XVI, San Cassiano, Venecia.

DESIERTO

El desierto es, al mismo tiempo, una realidad geográfica y un símbolo muy importante en la religión de Israel y en el cristianismo de los primeros siglos.

En la Biblia, el simbolismo del desierto es doble: el Éxodo, los Números, el Deuteronomio, insisten en las dificultades y las tentaciones que los hebreos encontraron durante los 40 años de su travesía por el desierto; el NT también lo convierte en el lugar de la tentación (Lc. 4, 1 y s.) y el ámbito de los demonios (Mt. 4, 1-8).

Pero este temible lugar es también el del encuentro con Dios a partir de la revelación a Moisés en el Sinaí*. Para los profetas, el desierto representa

Morelli, *Cristo en el desierto,* Roma, Galería Nacional

el ideal de pureza y fidelidad originales, antes de que en Canaán se sucumbiera a la seducción de la vida fácil y la idolatría (ver Os. 2, 16-17).

El desierto supondrá una experiencia espiritual importante en la descendencia del profeta Elías (ver 1Re. 19, 4), y más tarde en los ermitaños cristianos. En la Edad Media, estos ermitaños (del griego *eremos,* desierto), hombres santos que vivían en lugares retirados e inhóspitos, selvas la mayoría de las veces, se convierten en los personajes tradicionales de cuentos y leyendas, paladines de la lucha contra el diablo.

♦ ***Lengua.*** *Estar donde Cristo dio las tres voces.* Esta expresión se utiliza para indicar que algo está muy lejos. Se refiere al desierto, donde Jesús hizo penitencia y fue tentado por el demonio.

Predicar en el desierto. Hablar sin ser escuchado. La expresión, que se remonta al profeta Isaías (una voz clama en el desierto: «Abrid el camino de Yahvé»), en el NT es atribuida a Juan Bautista, según la puntuación de los Setenta y de la Vulgata («voz que clama en el desierto...»), que difiere del original hebreo.

♦ ***Lit.*** En gran parte, la obra de Edmond Jabès es una meditación sobre la experiencia del desierto: *El libro de las preguntas,* 1963, y *El libro de las semejanzas,* 1976-1980.

♦ ***Icon.*** Morelli, *Cristo en el desierto,* siglo XIX, Roma.

DESPOJARSE DEL HOMBRE VIEJO

Pablo utiliza esta expresión al dirigirse a los adultos recién bautizados: «Tenéis que abandonar vuestra antigua forma de vida y despojaros del hombre viejo... para renovaros... y revestir al hombre nuevo que ha sido creado por Dios, en la justicia y la santidad...» (Ep. 4, 22-24).→ ADÁN.

Pide a los convertidos que renuncien al mal hacia el que se sentían atraídos antes de su bautismo*, para llegar a ser hombres nuevos («revestir» hace alusión al traje blanco que se ponían en el bautismo).

DEUTEROCANÓNICO

Calificativo que designa aquellos libros que fueron admitidos por la Iglesia católica en el canon* de las Escrituras, después de largas discusiones. Los judíos, y posteriormente los protestantes, limitaron los textos canónicos (del gr. *kanon*, «regla, norma») a los textos conservados en hebreo (o en arameo). Los católicos admiten, además, un cierto número de textos conservados solamente en griego, y que nos han sido transmitidos por la versión de la Biblia llamada de los Setenta*. Los protestantes los llaman apócrifos* y, aunque a veces incluyen estos textos en su Biblia, mantienen la distinción respecto de los textos canónicos. En algunos de estos escritos se ha recuperado el original hebreo.

DEUTERONOMIO

(Gr. *deuteronomion,* «segunda ley».) Quinto libro del Pentateuco*. Contiene los discursos de Moisés*, explica el significado de los acontecimientos del éxodo* y del Sinaí* y pide fidelidad al pueblo de la alianza*. Termina con la bendición de Moisés a las 12 tribus y el relato de su muerte en el monte Nebo. El origen de este libro se puede encontrar en el reino del Norte. Llevado a Jerusalén tras la caída de Samaria (721 a. C.), sin duda se trata del libro descubierto en el Templo (2Re. 22, 8-10) que inspiró la reforma del rey Josías (640-609 a. C.).

DIABLO

(Gr. *diabolos,* «calumniador», traducido del hebreo *satan.)* En el NT se convierte en la personificación del mal, el tentador (Lc. 4, 1), el demonio por excelencia (Mt. 25, 41). A partir del siglo XI, el diablo ocupa un lugar cada vez más importante en la mentalidad religiosa y muchos fenómenos perturbadores (enfermedad mental, perversiones, brujería) se atribuyen a la posesión diabólica. Aunque la Iglesia subraya la subordinación del diablo a Dios, la tendencia maniquea que opone el uno al otro como dos fuerzas iguales subsiste de forma más o menos explícita.→ ANTICRISTO, DEMONIO, SATANÁS.

♦ ***Lengua.*** *Correr como alma que lleva el diablo.* Muy rápidamente y con miedo.

♦ ***Lit.*** En la Edad Media *(Adán,* siglo XII), el diablo es el tentador que engatusa a los hombres y desune a la primera pareja humana por rebelarse contra Dios.

El tema del pacto con el diablo (que dio lugar al mito de Fausto) no encuentra su fuente de inspiración en la Biblia: Rutebeuf, *El milagro de Teófilo,* siglo XIII.

Representado bajo una forma monstruosa o burlesca, el diablo pasa a formar parte del folclore internacional y se convierte en objeto de parodia (Molière, *La escuela de las mujeres,* 1662); también puede aparecer gracioso y simpático (Luis Vélez de Guevara, *El diablo cojuelo,* 1641, adaptado por Lesage, 1707; Frédéric Soulié, *Las memorias del diablo,* 1838).

El diablo como figura fantástica sufre toda clase de metamorfosis: Cazotte, *El diablo enamorado,* 1767; Nodier, *La cañada del hombre muerto;* Balzac, *Estudios filosóficos,* 1835, «Melmoth reconciliado».

El personaje de Mefistófeles (Goethe, *Fausto,* 1808-1832) se sitúa por encima de estas simples categorías: al mismo tiempo es diablo medieval, don Juan luciferiano y destino ancestral.

Henri Pichette, *Las epifanías,* 1948: a un diablo seductor, hastiado y donjuán, proyección de un deseo de poder y destrucción, el poeta opone la creación poética como verdadera fuerza liberadora. Consultaremos con interés las obras de Bernard Teyssèdre: *Nacimiento del diablo* y *El diablo y el infierno,* 1985: el diablo, en el siglo XX, es «el otro», en nosotros y fuera de nosotros.

Los avatares del diablo en el siglo XX aparecen representados principalmente en el cine.

♦ ***Icon.*** El diablo es un personaje terrorífico: Durero, *El caballero, la muerte y el demonio,* grabado, 1513. Urs Graf, *El ermitaño y el espectro del diablo,* grabado, 1512. Goya, *Escenas de brujería,* 1798: muestra al «Gran Macho cabrío», que no tiene nada de bíblico.

♦ ***Mús.*** Hector Berlioz, *La condenación de Fausto,* 1846. Charles Gounod, *Fausto,* ópera, 1859. Peter Benoit, *Lucifer,* 1866. Krzysztof Penderecki, *Los diablos de Loudun,* ópera, 1969. Maurizio Kagel, *La traición oral,* 1983: «verdadera epopeya musical del diablo», según el autor.

♦ ***Cin.*** René Clair, *La belleza del diablo,* 1930. Marcel Carné, *Les visiteurs du soir,* 1942.

DIÁCONO

(Gr. *diakonos,* «servidor».) En un sentido amplio, esta palabra del NT se traduce por servidor o ministro. Pero también designa una función específica: cuando Pablo escribe a los filipenses, se refiere a los diáconos como a aquellos que ejercen alguna función en la Iglesia y, por tanto, tienen responsabilidades; a Timoteo le precisa las cualidades de los diáconos y las diaconisas (1Tim. 3, 8-13).

Poco a poco, en la Iglesia católica, el diaconato se convierte en una etapa previa al sacerdocio. Actualmente, se confiere a hombres que pueden estar casados y que aceptan una misión: son diáconos permanentes.

DIÁSPORA

La palabra griega *diáspora* designa tanto el exilio de las comunidades judías fuera de Israel como el conjunto de dichas comunidades.

La dispersión está relacionada con los exilios sufridos por el pueblo de Israel después de la toma de Samaria en 721 a. C. o la de Jerusalén en 586 a. C., ya que no todos los judíos volvieron a Israel. Numerosas comunidades estaban instaladas en Babilonia* y Egipto en el siglo IV a. C. La de Alejandría, muy helenizada, mandó traducir la Biblia al griego (traducción de los Setenta), en el siglo III a. C. Las deportaciones de prisioneros de guerra por Pompeyo (63 a. C.), Tito (70 d. C.) y Adriano (135 d. C.) establecieron otras comunidades en Roma y en torno a la cuenca mediterránea. A partir del año 135, dejó de hablarse de diáspora: todos los judíos se habían dispersado porque la ciudad de Jerusalén les estaba prohibida. Desde la creación del Estado de Israel, el 15 de mayo de 1948, se ha vuelto a utilizar el término diáspora para designar a los 12 millones de judíos que viven fuera del Estado hebreo, que agrupa a tres millones.

Por extensión, otros pueblos, como los armenios, también utilizaron el término.

DILUVIO

La primera versión de este mito aparece en la tradición babilónica. Seguramente, su origen se remonta a las impresionantes inundaciones del Éufrates. Como en la Biblia, un hombre construye un arca* y se cobija en ella con su familia y toda clase de especies animales. Pero el relato bíblico (Gén. 6-9) es monoteísta y pertenece a la serie de textos que giran en torno a la idea de alianza* entre Dios y el hombre. Según la Biblia, Dios nunca destruiría el mundo arbitrariamente. A pesar de su cólera, provocada por la maldad de los hombres, salva al justo Noé*, personaje central del relato, al que aconseja y protege. El arco iris será la señal de la nueva alianza que Dios establece con todos los seres vivos.

♦ ***Lengua.*** Como el Génesis sitúa míticamente el diluvio en los comienzos de la humanidad, la expresión *eso se remonta al diluvio* significa que algo se refiere a un período antiquísimo, sin fecha. El adjetivo *antediluviano* designa una era muy anterior: ¡antes del diluvio!

♦ ***Lit.*** Chateaubriand, *El genio del cristianismo,* 1802, «El diluvio». Byron, *Cielo y tierra,* 1822: «misterio» sobre el diluvio. Alfred de Vigny, *Poemas antiguos y modernos,* 1837, «El diluvio»: Dios, en su cólera, sepulta ciegamente a los buenos y a los malos. Rimbaud, *Las iluminaciones,* 1874, «Después del diluvio»: el poeta reclama nuevos diluvios para que desaparezca un mundo decepcionante. Victor Hugo, *El fin de Satán,* 1886, «La primera página»: ni siquiera el diluvio puede ahogar definitivamente el mal. El espíritu malvado ha impedido que se ahogaran los «gérmenes del crimen».

♦ ***Icon.*** *El diluvio,* mosaico, siglo XIII, San Marcos, Venecia;

El diluvio, ilustración del *Libro de horas de Bedford*, Londres, Museo Británico

ilustración del *Libro de horas de Bedford,* Londres;Hans Baldung (también llamado Grien), siglo XVI, Bamberg; Miguel Ángel, 1512, Capilla Sixtina; John Martin, 1826, Yale. Paolo Ucello, *La retirada de las aguas,* 1446, Florencia.

♦ ***Mús.*** Gaetano Donizetti, *Il diluvio universale,* 1830, basado en Byron. Camille Saint-Saëns, *El diluvio,* 1876. Igor Stravinsky, *Diluvio,* oratorio, 1963.

DIOS

(Lat. *deus.)* En la Biblia, Dios aparece como si se tratara de una persona. Todos se dirigen a él llamándole por uno de sus nombres: Adonay*, Él*, Eloah*, Elohim*, el Santo* de Israel, el Altísimo*, el Eterno. Pero para Israel su verdadero nombre, revelado a Moisés, es YHVH, nombre sagrado que está prohibido pronunciar. En el NT, a Dios se le llama Señor y Padre.→ YAHVÉ.

El Dios de la Biblia es un ser personal muy diferente a los dioses antropomórficos de las religiones politeístas. Toda la Biblia afirma con fuerza la unicidad de Dios: «Antes de mí, no había dios alguno y ninguno habrá después de mí. Yo, yo soy Yahvé, y, fuera de mí, no hay salvador» (Is. 43, 10-12). Las tres religiones vinculadas a la Biblia (judaísmo, cristianismo, islam) son monoteístas.→ SHEMA ISRAEL.

El Génesis muestra a Dios como el creador de todo lo que existe. La Biblia en su conjunto le concibe como el «Poder de Jacob» (Gén. 49, 24), amo del universo y del tiempo que interviene en la historia de los hombres, y como el «Vivo» (1Re. 17, 1), que «no dormirá, ni dormitará» (Sal. 121, 4) y que es la fuente de agua viva (Jer. 2, 13). Las Escrituras también hablan de Dios como el Santo, el Santo de Israel o el tres veces Santo, lo que significa el Transformado, el Separado, el Indecible, aquel cuya faz* no puede contemplar el hombre sin morir (Éx. 33, 20).

En el transcurso del tiempo, primero en el AT y después en el NT, se reafirma la imagen de un Dios-Padre: al principio su paternidad se limita de forma privilegiada al pueblo que él ha elegido, Israel (Éx. 4, 22), aún a pesar de sus faltas (Is. 64, 8). Después del exilio (Is. 56, 7) y en el NT (Mt. 21, 13), se amplía a toda la humanidad, judíos y no judíos. Dios aparece también como un Dios-Madre, por ejemplo, en Is. 49, 15: «¿Puede la mujer olvidarse del fruto de su vientre, no compadecerse del hijo de sus entrañas?», y en Os. 11, 8. Por último, es un Dios de amor y ternura que se revela poco a poco a través de los profetas y los salmistas (Sal. 103, 13), y en el NT mediante Jesús, que hace de esta revelación el centro de su mensaje (1Jn. 4, 16: «Dios es Amor»).→ AMOR.

Según la interpretación que la mayoría de las Iglesias cristianas ofrece del NT, este Dios de amor es un Dios trinitario: Dios es único, pero es un Dios en tres «personas»: el Padre, el Hijo, Verbo* del Padre encarnado en Jesús, y el Espíritu Santo. Entre estas tres personas existe un amor tan perfecto que, aunque son tres, son una.→ TRINIDAD.

♦ **Lengua.** *Armarse la de Dios es Cristo.* También *Armarse la de Dios* o *Armarse un Cristo.* Organizarse un gran escándalo. Esta locución tiene su origen en el concilio de Nicea (325), cuando se debatió la naturaleza humana de Jesucristo.

Como Dios manda. Esta expresión pondera la legalidad o

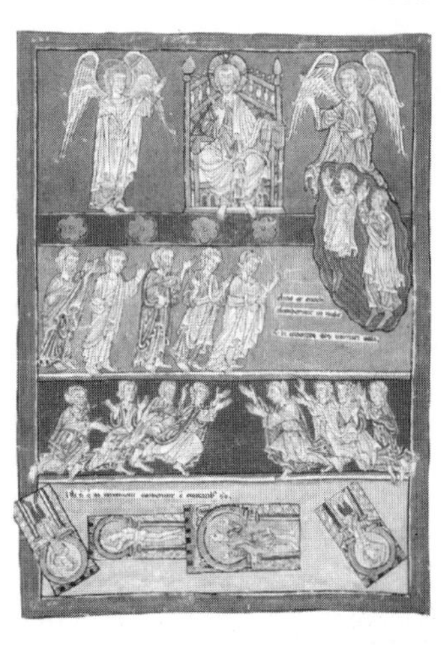

Dios entronizado; ascensión de Elías, Códice del Beato de Liébana, Madrid, Museo Arqueológico

la adecuación de algo. Actualmente ha perdido su originario sentido religioso.

Dejado de la mano de Dios. Abandonado a su suerte, como si solo la intervención divina pudiera remediar el abandono. Se aplica más a cosas que a personas.

El dedo de Dios. Designa la intervención de Dios en los acontecimientos del mundo.

La mano de Dios, el brazo de Dios. Expresiones que aluden al poder divino.

Sentarse a la derecha de Dios. Significa hacerlo en el lugar de honor, a la derecha del amo de la casa.

♦ ***Lit.*** La Edad Media ofrece de Dios una imagen de creador y de padre. Toda la literatura del mester de clerecía español está impregnada del «teocentrismo» característico de la época. Jorge Manrique, *Coplas a la muerte de su padre,* 1476. El teatro religioso medieval mantuvo la idea de la muerte como unión definitiva con Dios: Micael de Carvajal, *Auto de las Cortes de la Muerte*, terminado en 1535 por Luis Hurtado de Toledo.

Ya en el siglo XVI, en España escribieron sobre el mismo tema diversos autores: Diego Sánchez de Badajoz, *Farsa de la muerte,* 1530; Sebastián de Horozco, *Coloquio de la muerte con todas las edades y estados* siglo XVI; fray Luis de León, *De los nombres de Cristo,* tratado en prosa, 1583. Entre los escritores de tendencia ascética destacan: fray Diego de Estella, *Meditaciones del amor de Dios*, 1578; fray Juan de los Ángeles, *Triunfos del amor de Dios,* 1590, *Diálogos de la conquista del espiritual y secreto reino de Dios,* 1595, y *Lucha espiritual y amorosa entre Dios y el alma,* 1600. Dios juzga a los hombres, por lo que ellos confían en su misericordia y temen su justicia: Arnoul Gréban, *Misterio de la Pasión,* siglo XV. La literatura del siglo XVI es, unas veces, militante (Agrippa d'Aubigné, *Los trágicos;* Ronsard, *Himnos y discursos)*, y otras, escéptica (Michel de Montaigne, *Ensayos,* libro III).

Este escepticismo inspira, en parte, la corriente libertina del siglo XVII: Théophile de Viau, Cyrano de Bergerac. Pascal se esfuerza por convencer a los espíritus fuertes de la existencia de Dios *(Pensamientos,* 1670: la apuesta es la desproporción del hombre) y habla de un Dios «sensible en el corazón». Bossuet, por su parte, reafirma la acción de Dios en la historia.

Lope de Vega, *Dios hace justicia a todos,* obra dramática, siglo XVII. Calderón de la Barca, trata el tema de Dios en numerosos autos sacramentales de carácter filosófico y teológico: *El gran teatro del mundo,* 1633, y *La vida es sueño,* 1673.

En el siglo XVIII, el escepticismo se radicaliza frente a la literatura de los textos bíblicos, tal como lo manifiestan Voltaire, en su *Diccionario filosó-*

fico, y Bayle. Voltaire rechaza la idea del Dios «providencia» *(Cándido,* 1767) para considerarlo solamente como el supremo arquitecto del universo. Surge un materialismo ateo (La Mettrie, Diderot), y Rousseau, por su parte, quiere creer en un Dios que le justifique y le consuele.

En el siglo XIX se produce, en ocasiones a través del redescubrimiento de la Edad Media, un regreso a las fuentes del cristianismo (Chateaubriand, *El genio del cristianismo),* pero, al mismo tiempo, los poetas recrean su propia imagen de Dios (Lamartine, Vigny, Hugo, especialmente en el poema épico titulado *Dios,* publicado en 1891).

En el siglo XX es característico el violento contraste entre los escritores creyentes (Péguy, Claudel, Bernanos, Pierre Emmanuel...) y aquellos para quienes, después de Nietzsche, la muerte de Dios es evidente (Beckett, Artaud, Bataille...): algunos siguen luchando con gran convicción contra el «viejo cadáver» (los surrealistas, Sartre, Prévert). Entre los autores españoles la búsqueda de Dios resurge en Unamuno, *La agonía del cristianismo,* 1925, y Dámaso Alonso, *Hombre y Dios,* 1955, entre otros. Pierre Haïat, *Dios y sus poetas,* 1987, antología.

♦ ***Icon.*** Dios como padre no fue representado en Occidente hasta el siglo XI; entonces, se le otorga el aspecto de un emperador coronado, más tarde aparece vinculado al Hijo crucificado, y a partir del siglo XII a la paloma del Espíritu Santo. Se habla ya del trono de gracia: Maestro de Flémalle, *La Trinidad,* Frankfurt.

En el siglo XIV, la Trinidad se representa a veces con una cabeza de tres rostros sobre un solo cuerpo. Inmediatamente se prohibió esta figura por su antinaturalidad, pues Dios había creado al hombre a su imagen. En el siglo XV, con frecuencia encontramos tres personas iguales: el Padre anciano, cuyo pelo blanco es el color de la eternidad; el Hijo adulto y el Espíritu Santo joven. Rafael y Miguel Ángel representaron, seguramente de forma no deliberada, la imagen del Padre como Júpiter —«Buenísimo, Grandioso» pero terrible—, el cual se convirtió en el benévolo anciano de la iconografía piadosa hasta el siglo XIX. *Dios,* vidriera, siglo XII, Chartres. *Dios entronizado. Ascen-*

sión de Elías, ilustración del Códice del Beato de Liébana, Madrid. Michel de Wohlgemuth, *Crónicas de Nuremberg,* 1498, «Dios creando a Adán». Rafael, *La visión de Ezequiel,* 1518, Florencia. William Blake, *El anciano de los días,* 1795, Manchester. Rodin, *La mano de Dios,* 1898.

El espíritu racionalista de los siglos XVII y XVIII prefirió el triángulo equilátero, signo de perfección con o sin ojo divino, a la forma humana. Mediante un texto de 1745, el papa Benedicto XIV se mostró tajante acerca de la legitimidad de las imágenes de Dios, recordando que es un espíritu puro.

♦ ***Mús.*** Olivier Messiaen, *Cuarteto para las visiones del amor. Tres pequeñas liturgias de la presencia divina,* 1964. Pierre Henry, *Dios,* 1977: basado en el poema de Victor Hugo. Los innumerables *Te Deum:* Marc Antoine Charpentier, Lully, Delalande, Purcell, Clérambault, Haydn, Berlioz, Bruckner, Gounod.

DISCÍPULO

(Lat. *discipulus,* «alumno».) El discípulo es aquel que sigue voluntariamente a un maestro para formarse con sus palabras, sus gestos y/o sus escritos.

Esta palabra se utiliza muy raramente en el AT, salvo en los textos de Isaías, que habla de «sus discípulos» (Is. 8, 16). En la época de Jesús, designa a los que siguen la enseñanza de un rabí*.

Los evangelistas llaman «discípulos» a todos los que siguen los pasos de Jesús. En un sentido restrictivo, se trata de los Doce, de los apóstoles*.

En el Evangelio según san Juan se refiere al «discípulo al que amaba Jesús» (Jn, 13, 22), que la tradición identifica con el propio Juan y en quien cada cristiano puede reconocerse.

♦ ***Lengua.*** *El que no está conmigo está contra mí* (Mt. 12, 30). Expresión de rechazo hacia los tibios, los indecisos, los corazones divididos.

♦ ***Lit.*** Pierre Emmanuel, *Tú,* 1978, «Sígueme»: hoy como ayer «la voz me atrae a mi pesar».

DOCTORES

Los doctores de la Ley eran maestros que transmitían el saber que concernía a dicha Ley.

Valdés Leal, *Jesús disputando con los doctores,* Madrid, Museo del Prado

Lucas cuenta una anécdota de la infancia de Jesús en la que intervienen los doctores. Cuando Jesús era niño, iba todos los años a Jerusalén con sus padres para las fiestas* de Pascua. Al regresar de una de las fiestas, José y María perdieron de vista a su hijo, que entonces tenía 12 años, entre la multitud de grupos de viajeros, muy numerosos, que se desplazaban para la ocasión. Angustiados, finalmente lo encontraron en el Templo, sentado entre los doctores, a los que su inteligencia había subyugado. «¿No sabíais que es preciso que me ocupe de las cosas de mi padre?», respondió Jesús cuando sus padres le preguntaron por la causa de su proceder. Y los evangelistas añaden que la respuesta les pareció extraña (Lc. 2, 41).

♦ ***Lengua.*** *Doctores tiene la Santa Madre Iglesia.* Se utiliza esta expresión cuando alguien confiesa que no es la persona más adecuada para decidir sobre algo. Probablemente su origen se encuentre en la frase «doctores tiene la Santa Madre Iglesia que os sabrán responder», que aparece en el catecismo del Padre Astete (1608).
♦ ***Lit.*** Pierre Emmanuel, *Tú,* 1978, «Jesús y los doctores».
♦ ***Icon.*** *Jesús en medio de los doctores:* Duccio di Buoninsegna, 1318, Siena; Alberto Durero, 1505, Roma. Valdés Leal, *Jesús disputando con los doctores,* siglo XVII, Museo del Prado. *El Salvador hallado en el Templo:* Holman Hunt, 1860, Birmingham; Georges Rouault, 1893, Colmar.

DRAGÓN

Animal fabuloso, generalmente representado con garras de león, alas y cola de serpiente. En el Apocalipsis de Juan representa a Satanás*, contra el que luchan Miguel y sus ángeles y al que arrojan a la tierra. Transmite su poder a la bestia (el imperio romano; Ap. 12; 13; 16; 20).→ LEVIATÁN.

♦ ***Icon.*** *El Apocalipsis de san Juan,* grabados, 1498. Rafael, *San Miguel vence al dragón,* 1518, Museo del Louvre. A san Miguel* se le representa a menudo venciendo al dragón del Apocalipsis. San Jorge se enfrenta a otro dragón, que no es Satanás: Paolo Ucello, 1460, Londres; Carpaccio, San Giorgio degli Schiavoni, 1507, Venecia.

E

ECCE HOMO

Las palabras «he aquí el hombre» fueron pronunciadas por el procurador Poncio Pilato cuando presentó a Jesús a la muchedumbre después de haberle juzgado (Jn. 19, 5).

♦ ***Lit.*** Victor Hugo, *El fin de Satán,* 1886, «Ecce Homo». Nietzsche, *Ecce Homo:* autorretrato de «Dionisos el Crucificado» como genio. Aragon, *La Diana francesa,* 1944, «La canción del francotirador»: compara la Francia de la Resistencia con el Cristo ultrajado.

♦ ***Icon.*** Jesús ha sido flagelado; está coronado de espinas, lleva los hombros cubiertos por un manto rojo y en la mano una caña a modo de cetro: un rey de los judíos irrisorio. El *Ecce homo,* generalmente, está ante la muchedumbre: Quentin Matsys, principios del siglo XVI, Madrid; Durero, grabado, 1505, París; Tiziano, 1548, Venecia; Caravaggio, 1604, Génova. A veces Cristo está solo: escultura, siglo XVI, catedral de Viena; Constantin Meunier, escultura en bronce, siglo XIX; Georges Rouault, 1939, París. Los *Cristo de piedad, Cristo ultrajado,* los *Jesús triste* esculpidos en Polonia, *El hombre de los dolores,* son muy parecidos al *Ecce Homo.*

♦ ***Cin.*** Carl Dreyer, *La pasión de Juana de Arco,* 1928: el rostro de Juana en la hoguera evoca al «Cristo ultrajado» de los pintores. También el de Manfredi, el militante comunista que muere torturado en *Roma, ciudad abierta* de Roberto Rossellini, 1945. Luis Buñuel, *Nazarín,* 1958: el sacerdote que ha colgado los hábitos se convierte en objeto de burla, como lo fue Jesús.

ECLESIASTÉS o QOHELET

(Heb. *qahal,* «asamblea»; en gr. *ekklesia,* de donde procede «iglesia».) Es uno de los libros sapienciales, falsamente atribuido a Salomón (el sabio por excelencia). En realidad es obra de un «hombre de la asamblea» *(qohelet)* y fue redactado hacia el siglo III a. C.

Las primeras palabras del libro, que vuelven a aparecer al final, son «Vanidad* de vanidades, todo es vanidad» (Ecl. 1, 2). Este libro es el más pesimista y deprimente de todo el AT. Ocupa un lugar decisivo en el pensamiento hebraico en un momento en que las promesas tradicionales sobre la recompensa de los justos y el castigo de los impíos se tambalean.

♦ ***Lit./Mús.***→ VANIDAD.

EDÉN

Nombre de un lugar sin localización geográfica precisa. «Dios plantó un jardín en Edén, en Oriente» (Gén. 2, 8). El Edén es la morada bienaventurada de la que Adán* y Eva* fueron expulsados después de su desobediencia (Gén. 3, 24).→ CREACIÓN, PARAÍSO.

♦ ***Lengua.*** *Edénico.* Adjetivo que alude a una situación ideal.

♦ ***Lit.*** *El primer Edén o Edén bíblico.*

Milton, *Paraíso perdido,* 1667: sitúa el Edén en la cima llana de un páramo escarpado. Hace de él una descripción en la que se armonizan el espíritu de la Biblia y los sueños del Renacimiento: jardín primaveral, florido, luminoso, odorífero, en el que cantan el ruiseñor y los ángeles invisibles. En el centro, el árbol de la vida, con su fruto de oro vegetal, y a su lado el árbol de la ciencia.

Victor Hugo, *La leyenda de los siglos,* 1859, «La consagración de la mujer»: recrea un paraíso de inocencia y fraternidad impregnado de panteísmo: «El ser resplandecía. Uno en Todo. Todo en Uno». «La naturaleza reía, ingenua y gigantesca».

Péguy, al principio de *Eva,* 1913, evoca el primer jardín: «el propio Dios tan joven como eterno... Veía con mirada paternal... Al mundo levar anclas al borde de aquel viaje».

El Edén recuperado.

En la Edad Media los jardines idílicos son lugares cerrados donde los cinco sentidos alcanzan su culminación (poesía cortesana). Llega el tiempo de los navegantes: van a buscar el Edén perdido muy lejos, a una región exótica en la que el hombre ignora el pecado (Bernardin de Saint-Pierre, *Paul et Virginie,* 1788), o ¿acaso puede restaurarse en el seno de la naturaleza (Jean-Jacques Rousseau, *Julia o la nueva Eloísa,* 1761: el jardín de Julia en Clarens)?

EFFATA o EFFATÁ

(Gr. *ephphatha;* transcripción del aram. *etfataj,* «ábrete».) Marcos cuenta cómo Jesús curó a un sordomudo metiéndole los dedos en los oídos e impregnándole la lengua con su saliva. Dijo *effata* «y se abrieron sus oídos y se le soltó la lengua» (Mc. 7, 34).

EFRAÍN

Hijo de José*. Nacido en Egipto, fue adoptado por Jacob*, que le prefirió a su primogénito Manasés (Gén. 48, 1-20). Antepasado epónimo de la tribu que da su nombre al territorio que ocupa. Dicha tribu lo aumentó mediante conquistas, llegando a ser tan importante que en el siglo XIII era sinónimo de Israel (reino del Norte) (Jos. 16, 5-10; Jer. 31, 18-20; Is. 11, 13).

EGIPTO

País situado en el curso inferior del Nilo, en el extremo sudoeste del creciente fértil, Egipto se estructura como un imperio a partir del tercer milenio a. C. Pasa a formar parte de la historia bíblica en la época patriarcal, cuando Abraham se instala en él (Gén. 12, 10; 13, 1). Jacob* envía allí a sus hijos para buscar provisiones en épocas de hambre; en Egipto encuentran a su hermano José, al que habían vendido hacía años y que se ha convertido en ministro del faraón. Jacob también se instala allí (Gén. 46, 6-27) y sus descendientes se multiplican en esta tierra (Éx. 1, 6-7).

El país se convierte en tierra de opresión bajo los faraones hicsos, entre 1720 y 1552 a. C. (Éx. 1, 8-14), y Dios ayuda a su pueblo a salir de él guiado por Moisés* y Aarón* (Éx. 3, 10-12), multiplicando los signos y los prodigios, como las plagas* (Éx. 7-12), hacia 1250 a. C.

Sin embargo, durante el éxodo, los hebreos añorarán aquella tierra de abundancia (Núm. 11, 4-6) y, después de instalarse en Canaán, Israel se verá tentado en numerosas ocasiones de establecer una alianza política con Egipto (2Re. 18, 21-24). En esos momentos los profetas recuerdan que este centro de cultura y sabiduría en realidad es un peligro de contaminación idolátrica (Lev. 18, 3; Esd. 9, 1): Dios se alzará contra el orgullo egipcio (Ez. 32, 12-15).

En varias ocasiones los egipcios controlaron la totalidad o parte de Palestina: de 2030 a 1720, de 1550 a 1070 y, por fin, de 304 a 197 a. C. A partir del siglo IV a. C. una importante colonia judía se instaló en Elefantina y en Alejandría (2Mac. 1, 1-10; Act. 2, 5-10). Los romanos se apoderaron de Egipto tras la derrota de Marco Antonio, esposo de Cleopatra VII Filopátor, en Accio, en el año 31 a. C., y José llevó allí a María y al niño Jesús para protegerlos de la crueldad de Herodes.→ HUIDA A EGIPTO.

♦ ***Mús.*** Haendel, *Israel en Egipto,* oratorio, 1739.

ÉL

Es el nombre semítico más antiguo de la divinidad. Sin duda, significa «poder». Los hebreos lo utilizan como apelativo para su Dios, hablan del «Él, de Abraham» o del «Él, de Isaac» para designar al Dios que estableció una alianza con sus padres.

Encontramos esta misma raíz «él» en algunos nombres propios: Elías (mi Dios), Eliseo, Daniel (mi juez: Dios), Gabriel (el valor de Dios), Miguel (¿quién es como Dios?), Rafael (el Dios que cura), Emmanuel (Dios con nosotros), etc.→ ADONAY, ALTÍSIMO, ELOAH, ELOHIM, JEHOVÁ, SANTO, YAHVÉ.

ELEGIDO

Se califica como «elegido» a la persona, comunidad o colectividad designada por Dios para desarrollar una vocación o efectuar una misión.

En el AT, la elección de Israel significa que Dios elige a un pueblo que habrá de pertenecerle: esta idea de elección va estrechamente unida a la de alianza* (Dt. 14, 2). Entre su pueblo, también Dios elige a algunos individuos: los patriarcas, Moisés y Aarón, los levitas, los reyes (Gén, 12-22; 11, 26-37; 1Sam. 3; 16, 1-13). No se expone ninguna razón para justificar la elección, porque Dios es amo y libre. Sin embargo, la elección confiere responsabilidades.

En el NT, la palabra se aplica a los apóstoles*, elegidos por Jesús para anunciar el Reino de Dios (Lc. 6, 13; 9, 57-61). Al propio Jesús se le llama «elegido de Dios» (Lc. 9, 35).

Según Pedro, los cristianos herederos de la promesa y de la alianza se convierten en el «pueblo elegido» (1Pe. 2, 9).→ ALIANZA, GRACIA.

♦ ***Lengua.*** *Muchos son los llamados y pocos los elegidos* (Mt. 22, 14). Se dice, por ejemplo, a propósito de un concurso, de una carrera, donde participan muchos pero terminan pocos.

♦ ***Lit.*** Dante, *Divina comedia,* 1307-1321: Beatriz conduce al poeta desde la montaña del purgatorio* hasta el paraíso* de los elegidos. Agrippa d'Aubigné, *Los trágicos,* 1616, VII, «Juicio»: al término del Juicio final, Dios coloca a su derecha a los elegidos; a partir de entonces, el juez se convierte en su hermano y les invita a «triunfar para siempre en el reino eterno de victoria y de paz». Massillon, *Sermón sobre el reducido número de los elegidos,* siglo XVIII: contiene una impresionante evocación del Juicio final. Numerosas obras literarias otorgan a la elección divina un carácter ambivalente: es promesa de grandeza pero también de sufrimiento. Así la viven Moisés y Josué en Vigny, *Poemas antiguos y modernos,* 1837; según la obra de Wiesel, Singer y muchos otros autores, marca definitivamente al pueblo judío. El Mesías es la figura del elegido por excelencia: Gabriel García Tassara (1817-1875), *Himno al Mesías.* En el Romanticismo se agudiza el problema suscitado en la literatura barroca sobre la libertad del hombre y la elección de este por parte de Dios: Calderón de la Barca, *La vida es sueño*, 1635, y *El gran teatro del mundo,* 1633: en esta obra, se trata la idea de la vida como una representación teatral en la que los hombres desempeñan el papel asignado y elegido por Dios. Espronceda, *Don Álvaro o la fuerza del sino*, 1835, y *El desengaño en un sueño,* 1842.

Sartre, *El diablo y Dios,* 1951: «Un elegido es un hombre al que el dedo de Dios arrincona contra una pared»; esta frase ilustra la incompatibilidad de la existencia de Dios con la libertad humana.

ELI, ELI, LEMA SABACHTANI

Según Mt. 27, 46 y Mc. 15, 34, durante su agonía en la cruz Jesús exclamó con fuerte voz estas palabras, que significan «Dios mío, Dios mío, ¿por qué me has abandonado?» Algunos de los asistentes, al escuchar la palabra «Eli», creyeron o fingieron creer, para burlarse de Jesús, que imploraba la ayuda o la aparición del profeta Elías, precursor de Cristo. Estas palabras de Jesús parecen una confesión de fracaso y desesperación. En realidad, son el comienzo del salmo* 22, que termina en un canto de confianza en Dios: es, al mismo tiempo, el grito de desamparo y la acción de gracias* del justo* doliente. Sin duda, Jesús al morir prosiguió en silencio la recitación.→ CRUZ/CRUCIFIXIÓN.

Las palabras que Cristo pronunció en la cruz fueron: *Eli, Eli, lema sabachtani* («Dios mío, Dios mío, ¿por qué me has abandonado?»: Salmo 22; Mt. 27, 46; Mc. 15, 34); «Padre, en tus manos encomiendo mi espíritu» (Lc. 23, 34); dirigiéndose a María, su madre, y a Juan: «Mujer, he ahí a tu hijo; hijo, he ahí a tu madre» (Jn. 19, 26-27); «Tengo sed» (Jn. 19, 28; ver Sal. 69, 22), y «Todo está consumado» (Jn. 19, 30).

♦ ***Lit.*** Charles Péguy, *El misterio de la caridad de Juana de Arco,* 1912: «El justo lanzó el clamor eterno... el grito que sonará siempre, eternamente siempre, el grito que no se apagará eternamente jamás». Jean Grosjean, *Los profetas,* 1955, «Las lamentaciones».

♦ ***Mús.*** Heinrich Schütz, *Las siete palabras de Cristo en la cruz,* siglo XVII. J. S. Bach, cantata BWV 56: *«Ich will kreuztab gerne tragen»,* siglo XVIII. Haydn, *Las siete palabras de Cristo en la cruz,* 1796. Charles Tournemire, *Siete poemas corales para las siete palabras de Cristo,* obra para órgano, 1937.

♦ ***Cin.*** Bergman, *Los comulgantes,* 1962: el sacristán recuerda al pastor la angustia de Jesús al acercarse su muerte y su grito: «Eli, Eli...», frente al silencio de Dios.

ELIACÍN

(Heb. *elyaqin,* «Dios es la realización».) En la Biblia es el nombre de varios personajes secundarios. Racine llama así a Joás*, el único que pudo salvarse de la masacre de la familia real ordenada por Atalía*.

ELÍAS

(Heb. *eliyah* o *eliyaou,* «mi Dios es Yah».) Este profeta de Israel (ver 1Re. 17; 2Re. 2) es uno de los personajes más populares de la Biblia: un ciclo de relatos sobre su persona y sus milagros fue incluido en el primer libro de los Reyes y al principio del segundo.

Elías vive en el reino del Norte en tiempos de Acab (874-853) y de su esposa Jezabel, que adoraba a Baal. Por orden de Dios hace que cese la lluvia durante tres años y se retira al torrente de Querit, donde los cuervos le proporcionan alimento. Durante una época de hambre, una viuda de Sarepta (entre Tiro y Sidón) le alimenta con el último puñado de harina y las pocas gotas de aceite que le quedan para ella y su hijo. A la mujer nunca más se le agotaron las provisiones.

Elías desafía al rey Acab, que acepta convocar en el monte Carmelo* a los israelitas y a los sacerdotes de Baal*. Tras la ejecución de los profetas idólatras y por miedo a la reina Jezabel, huye al desierto, pero Dios le ordena volver para ungir

Ribera, *El profeta Elías,* Nápoles, iglesia de San Martín

a Jehú como rey de Israel y a Eliseo* como su sucesor antes de elevarse al cielo en un carro de fuego (2Re. 2, 11). Esta ascensión es el origen de una mística relativa a las ascensiones de las almas hacia Dios.

El regreso de Elías fue anunciado por los profetas para épocas mesiánicas, hasta el punto de que en el NT algunos confundieron a Jesús con Elías (Mc. 6, 15).

En el momento de la transfiguración* de Jesús (Mt. 17), Moisés y Elías son testigos de la gloria anticipada de Cristo.

♦ ***Icon.*** Rubens, *Elías alimentado por los cuervos,* 1625, París. Ribera, *El profeta Elías,* siglo XVII, Nápoles. Gianbattista Piazetta, *Elías alzado en un carro de fuego,* siglo XVIII, Washington.
♦ ***Mús.*** Felix Mendelssohn-Bartholdy, *Elías,* oratorio, 1847.

ELISEO

Discípulo de Elías* que recibe dos veces el espíritu profético (del mismo modo que el hijo mayor recibe el doble de la herencia de su padre); tras ponerse el manto de su maestro, se convierte en su auténtico sucesor.

El ciclo de Eliseo (ver 2Re. 2-13) relata cierto número de milagros, especialmente una multiplicación de los panes, la resurrección del hijo de una viuda y la curación de un leproso, Namán, jefe del ejército del rey de Siria, que se convirtió a Yahvé.

ELOAH

Término que significa «Dios» en hebreo, en arameo y en árabe *(Ilha - Allah - Al Ilah:* el Dios). Aparece frecuentemente en el libro de Job.→ ADONAY, ALTÍSIMO, ÉL, ELOHIM, JEHOVÁ O JEHOVÁH, SANTO, YAHVÉ.

ELOHIM

Es el nombre que más a menudo se utiliza en la Biblia hebraica para designar a Dios. En realidad es el plural de Eloah*, «Dios». Este plural de excelencia y abstracción significa «la divinidad».→ ADONAY, ALTÍSIMO, ÉL, JEHOVÁ O JEHOVÁH, SANTO, YAHVÉ.

♦ ***Lit.*** Como consecuencia de una transformación de su significado, debida, seguramente, a la influencia de religiones orientales, Elohim se convierte para Gérard de Nerval, *Viaje a Oriente,* 1851, y *Aurelia,* 1855, en un plural lleno de multiplicidad: los Eloim, genios primitivos, de la raza de Caín, hijos del fuego. Adonay o Jehová sería uno de ellos.

EMAÚS

Lugar en el que Judas Macabeo obtuvo una victoria sobre Nicanor (1Mac. 3, 40) y donde Báquides edificó una fortaleza (1Mac. 9, 50). Jesús resucitado se apareció allí a dos discípulos;

Rembrandt, *La cena de Emaús,* París, Museo del Louvre

después de haber caminado con él, le reconocieron por la fracción* del pan (Lc. 24, 13-31). La localización de esta aldea, de la que Lucas nos informa que se encuentra a 60 estadios de Jerusalén (12 kilómetros), ha sido muy discutida.

♦ ***Lit.*** Pierre Emmanuel, *Jacob,* 1970, «Emaús»: «Bendito sea tu Verbo que en cada encuentro renueva Emaús».

♦ ***Icon.*** *La cena de Emaús:* Caravaggio, 1600, Londres; Rembrandt, siglo XVII, Museo del Louvre. Rembrandt, *Los peregrinos de Emaús,* 1629 y 1648, París.

♦ ***Mús.*** *Peregrinus,* drama litúrgico, siglo XII: incluye un episodio sobre Emaús.

EMBALSAMAR

Un antiguo rito israelita consistía en asistir a los cadáveres (embellecimiento funerario, quemar perfumes junto al cuerpo...) antes de llevarlos a la sepultura. El embalsamamiento es de origen egipcio (Gén. 50, 2-3 y 26); posteriormente, los judíos adoptaron la costumbre de lavar los cuerpos de los difuntos, perfumarlos con esencias balsámicas y envolverlos en una tela blanca que ataban con bandas.

Eso hicieron con Lázaro, quien al ser resucitado por Jesús salió de la tumba y apareció «con los pies y las manos atados con bandas y la cara envuelta en un sudario» (Jn. 11, 44).

Del mismo modo, cuando los amigos de Jesús hubieron bajado su cuerpo de la cruz «le rodearon de bandas impregnadas de aromas según es costumbre sepultar entre los judíos» (Jn. 19, 38-40).

EMMANUEL

(Heb. *immanou el,* «Dios con nosotros».) Nombre del hijo prometido por Isaías* a Acaz, rey de Judá* (736-716 a. C.), como signo de salvación frente a sus enemigos: «He aquí que la virgen grávida da a luz un hijo y le llama Emmanuel» (Is. 7, 14).

El evangelista Mateo identifica el nacimiento de Jesús*, hijo de María*, con la realización última de esta promesa (Mt. 1, 22-23), y al propio Jesús con el Emmanuel prometido por Dios.

ENCARNACIÓN

(Del lat. *caro, carnis,* «carne».) Acción de encarnar. Para la tradición judía, Dios es invisible e inaccesible. Según la fe cristiana, Dios se encarnó en la persona de Jesús, Cristo o Mesías, Hijo único de Dios, se hizo hombre y asumió plenamente la condición de hombre, incluida la muerte, sin dejar de ser Dios; los cristianos hablan de él como de «Dios hecho hombre», o como del «Verbo* encarnado». Judíos y musulmanes rechazan la creencia en la divinidad de Jesucristo.

♦ ***Lit.*** San Juan de la Cruz, *Romanzas,* siglo XVI: expone su concepción personal de la encarnación. Charles Péguy, *Victor-Marie, Comte Hugo,* 1910, y *Eva,* 1913: «Lo sobrenatural es carnal en sí mismo»; Jesús es «el fruto de un vientre materno» y asume la humanidad carnal. Pierre Jean Jouve, *Noces,* 1931, «Vrai corps». Jorge

Bassano, *Adoración de los magos,* Viena, Museo de Arte

Luis Borges, *Obra poética,* 1925-1965, «Juan, 1, 14».

ENOC

Patriarca bíblico anterior al diluvio; hijo de Caín, constructor de ciudades (Gén. 4, 17), o, según otra genealogía, descendiente de Set (Gén. 5, 18), que «caminó con Dios» y fue elevado por él, como después lo sería Elías*. La tradición bíblica le dedica numerosos elogios (Eclo. 44, 15; 49, 14) y bastantes apócrifos* insinúan estar bajo su patrocinio.

ENTRAÑAS

En la antropología hebraica es el lugar de la ternura, del amor maternal y de la emoción. Referida a Dios, la palabra «entrañas» alude al amor casi maternal que Dios siente por su pueblo (Is. 63, 15; Os. 11, 8).

EPIFANÍA

(Gr., «Aparición».) Tres «magos», a los que se aparece una estrella, viajan desde Oriente hasta Jerusalén para adorar a Jesús, rey de los judíos. A pesar de la petición de Herodes, regresan sin avisarle (Mt. 2, 1-13). La tradición les ha dado los nombres de Melchor, Gaspar y Baltasar. La Epifanía constituye el reconocimiento de los derechos mesiánicos de Jesús de Nazaret por los no judíos, la manifestación de Jesús en el mundo pagano. Una tradición posterior habló de los reyes magos, sin duda para extremar la gloria de Jesús.

♦ ***Lengua.*** *El día de Reyes.* Este es el nombre familiar de la fiesta de la Epifanía.

♦ ***Lit.*** Fénelon, *Sermón sobre la Epifanía,* 1685: la difusión del evangelio llega a los confines de Oriente. José María de Heredia, *Los trofeos,* 1893, «Epifanía».

♦ ***Icon.*** La visita de los reyes magos al portal de Belén es motivo para que los pintores representen personajes orientales suntuosamente vestidos: mosaico, siglo VI, San Apollinare Nuovo, Ravena. *Adoración de los magos:* Dierick Bouts, siglo XV, Museo del Prado; Fra Angélico, siglo XV, Florencia; Pieter Bruegel, 1564, Londres; Rubens, 1624, Amberes; Bassano, siglo XVI, Viena.
Adoración de los reyes magos y *Despertar de los magos,* capiteles, siglo XII, Saint-Lazare, Autun. Jean Fouquet, *El Libro de horas de Étienne Chevalier,* siglo XV, «Encuentro con los reyes magos».

♦ ***Mús.*** Luciano Berio, *Epifanía,* 1961.

EPÍSTOLAS

La palabra proviene del gr. *epistole,* «cartas». Con este nombre se denomina al conjunto de cartas formado por las 13 que Pablo* dirigió a diferentes destinatarios, la Epístola a los Hebreos —anónima, pero a menudo atribuida al mismo redactor, si bien desde la Antigüedad se cuestionó dicha atribución—, y siete epístolas católicas, es decir, destinadas a toda la Iglesia.

Epístola a los Hebreos

Es una especie de tratado metódico destinado a los cristianos de origen judío, a quienes el autor muestra la superioridad de Cristo sobre los sumos sacerdotes de la antigua alianza: superior a los ángeles y a Moisés, Cristo es el verdadero sumo sacerdote de una nueva alianza.

Epístolas de Pablo

Algunas son muy personales: a Filemón, a Tito y a Timoteo. Las demás van dirigidas a una comunidad, o incluso a varias: dos a los tesalonicenses, dos a los corintios, una a los gálatas y una a los romanos. Hay también cartas a los filipenses, a los colosenses y a los efesios.

Estas epístolas incluyen una enseñanza doctrinal centrada en la persona de Jesús y en su mensaje de salvación*. A los corintios, que estaban muy helenizados, para lograr que acepten la «locura de la cruz» y la resurrección de la carne; a los gálatas y a los romanos para explicarles la relación existente entre la Ley de Moisés y la obra de Cristo. Pablo expone a los colosenses y a los efesios la dimensión cósmica de la salvación que Cristo ha propiciado, salvación que es ofrecida tanto a los paganos como a los judíos.

En el aspecto moral, el apóstol Pablo lanza frecuentes llamadas a la unidad en la caridad mutua.

Por último, las epístolas nos hablan de la personalidad de su autor, de su agitada existencia al servicio de su misión religiosa, así como de las diversas polémicas que afectaban a las jóvenes comunidades.

Las epístolas católicas

Sus autores son Santiago, Pedro (2), Judas y Juan (3). La primera carta de Pedro evoca la turbulencia de las persecuciones e invita a los hombres a llevar su cruz con valor. Santiago compone una lección de moral, bastante tradicional en la Biblia, atacando a los ricos. Juan, en la primera epístola, recupera el tema del Cristo-Luz, del Dios de amor que es el del cuarto evangelio, y se enfrenta a los «herejes» que se niegan a admitir la encarnación, es decir, la realidad humana de un Dios hecho hombre.

ESAÚ

(Heb., «velludo».) Hijo de Isaac y de Rebeca, nacido antes que su gemelo Jacob*. Hábil cazador y, por ello, preferido por Isaac, a cambio de un plato de lentejas cede a Jacob, que era ganadero, su derecho de primogenitura (Gén. 25, 29-34) y la correspondiente bendición. Se casa con mujeres de Canaán, se enemista con su hermano, aunque luego se reconcilian (Gén. 33, 1-16), y se instala en la región de Seír. A Esaú se le identifica con Edom, antepasado de los edomitas, que mantuvieron numerosos conflictos con los israelitas. Es rechazado por Dios, mientras Jacob se beneficia del favor divino.→ PRIMOGÉNITO.

♦ ***Icon.*** Corneille de Lyon, *Esaú cediendo a Jacob su derecho de primogenitura,* siglo XVI, Orleans.

ESCAMAS

Según los Hechos de los Apóstoles (9, 18), Saulo, después de su encuentro con Cristo en el camino de Damasco, se quedó ciego durante tres días. El cristiano Ananías le impuso las manos e, inmediatamente, cayeron de sus ojos una especie de escamas. Pablo recobró la vista y recibió el bautismo.

ESCÁNDALO

(Del gr. *skandalon,* «trampa colocada en el camino, obstáculo, escollo».) En la Biblia se utiliza, principalmente, para designar la piedra del camino que hace tropezar y caer (Lev. 19, 14), y en el ámbito de la moral, el acontecimiento o la acción que provoca una falta (Ez. 44, 12; 18-30). El propio Dios puede ser motivo de caída y es calificado de obstáculo (Is. 8, 14). En este mismo sentido, Jesús es obstáculo, escándalo para los creyentes y para los incrédulos, y motivo de caída para los discípulos. Por otra parte, Jesús también condena al hombre que crea la ocasión de pecar: «¡Ay de aquél por quien viene el escándalo!» (Mt. 18, 6-7; ver también Mt. 13, 41).

ESCATOLOGÍA

(Gr. *eskhatos,* «último».) La Antigüedad, en general, admite la eternidad del mundo. En cambio, la escatología admite el fin del mundo.

En el AT, desde que regresan del exilio, en el siglo VI a. C., los judíos esperan una renovación del universo, «con cielos nuevos y una tierra nueva» (Is. 65, 17). Esta esperanza se expresa en los apocalipsis*: el de Isaías (24) o el de Daniel* (10-12).

En el NT, el discurso de Jesús denominado «escatológico» (Mt. 24) mezcla tres temas: la destrucción de Jerusalén, el fin de este mundo y el glorioso advenimiento del Hijo* del hombre. Las imágenes de carácter apocalíptico no precisan ni la época ni cómo se produciría el fin del mundo.

ESCLAVO/ESCLAVITUD

Estado de un individuo cuyo amo puede disponer de él como si fuera de su propiedad.

En el AT, una sola palabra hebrea designa al esclavo y al sirviente *(ebed)*. Aunque es difícil distinguir «esclavitud» y «servicio remunerado», no hay duda de que la esclavitud existía en Israel, especialmente para los prisioneros de guerra. De hecho, así lo manifiestan numerosos textos: los derechos de los esclavos (Éx. 21, 20 y 26-27); la posibilidad de la liberación (séptimo año jubilar); la prohibición de reducir a la esclavitud a los compatriotas; la indicación sobre tratar bien a los propios esclavos: «¿Solo tienes un esclavo? Trátalo como a un hermano...» (Eclo. 33, 32).

En el NT, el marco histórico corresponde al mundo grecorromano, donde existe la esclavitud y el amo tiene derecho de vida y muerte sobre sus esclavos. Pero Pablo* proclama una conmoción espiritual: «No hay esclavo ni hombre libre... todos sois uno en Cristo Jesús» (Gál. 3, 26); incluso escribe a Filemón para invitarle a recibir como «a un hermano muy querido» a un esclavo huido (Flm. 16).

Por otra parte, toda persona puede liberarse a sí misma de la esclavitud del pecado y del temor: «No habéis recibido el espíritu de siervos para recaer en el temor, antes habéis recibido el espíritu de adopción...» (Rom. 8, 15).

♦ ***Mús.*** Los espirituales negros compuestos por los esclavos en Estados Unidos toman pasajes del Éxodo y del libro de Daniel, entre otros, para expresar la esperanza de la liberación de los oprimidos: «Así habló el Señor, dijo el viejo Moisés, / ¡Deja marchar a mi pueblo! / Había sufrido tanto que no podía más...» / *(Desciende, Moisés)*.

ESDRAS

Descendiente de Aarón*, era uno de los escribas encargados de los asuntos judíos en la corte del rey persa Artajerjes (siglo V a. C.). Desarrolló una intensa actividad para conseguir la restauración de la comunidad judía en Jerusalén, en el siglo V a. C., tras el regreso del exilio en Babilonia. Aparece en el libro bíblico que lleva su nombre (capítulo 7) y en el de Nehemías, donde procede a una lectura solemne de la Ley (capítulo 8).

ESPADA

Arma de bronce y después de hierro. Desde el reinado de

David, todos los combatientes llevan una espada en la cintura, en el lado derecho (2Sam. 20, 8). En la época de Jesús, debido a la inseguridad de los tiempos, muchos hombres van armados, como los que prenden a Jesús y también los mismos apóstoles (Mt. 26, 47). Para los romanos, la espada es símbolo de autoridad, del derecho de vida y de muerte ejercido por el emperador (Rom. 13, 4).

En sentido figurado, la espada es la guerra (Jer. 5, 12; Ez. 7, 15), el castigo divino (Is. 34, 5-6); puede volverse contra los príncipes y el pueblo de Israel para castigarlos por sus crímenes (Ez. 21). La espada también es la fuerza decisiva de la palabra de Dios (Heb. 4, 12; Ap. 1, 16).

Espada de dolor

Cuando María va a presentar a su hijo al Templo, el anciano Simeón le predice que una espada de dolor le atravesará el corazón (Lc. 2, 35).

♦ ***Lengua.*** *Defender a capa y espada.* Con todos los medios, por una causa justa. Probablemente su origen se encuentre en la simbología del teatro clásico, donde la capa y la espada representaban el honor.
Estar entre la espada y la pared. Encontrarse en una situación complicada, de difícil salida, porque hay que elegir entre dos opciones.
Quien toma la espada a espada morirá. Jesús condena el desencadenamiento de la violencia y, cuando van a prenderle, detiene a los discípulos que se disponen a usar sus armas para defenderle (Mt. 26, 52).

♦ ***Icon.*** La espada representa la palabra de Dios, por lo que sale de su boca en las miniaturas y vidrieras medievales. El ángel la enarbola para expulsar a Adán y Eva del paraíso después del pecado. → ADÁN. En el Apocalipsis, Juan muestra al Hijo del hombre con una espada entre los dientes, porque Cristo es la palabra de Dios vivo: Nicolas Bataille, *Tapiz del Apocalipsis,* 1373-1387, Angers.

ESPERANZA

Confianza sin reserva en un Dios que mantiene las promesas hechas a su pueblo en las sucesivas alianzas* establecidas con él. La esperanza de Israel se va centrando, paulatinamente, en la llegada del Mesías*, que liberará definitivamente a su pueblo e instaurará una era de paz universal.

En tiempos de los Macabeos*, engendrada por la fe de los mártires, existe la esperanza en la resurrección* individual después de la muerte, a la que sigue una vida de beatitud completamente diferente de la del *seol* (Dan. 12, 2; 2Mac. 12, 44-45). Para los cristianos, la llegada de Jesús, resucitado de entre los muertos, Salvador del mundo, colmó e incluso sobrepasó las espectativas de Israel. El objeto de su esperanza es participar en su resurrección (1Tes. 4, 13-19), su regreso en el final de los tiempos y la definitiva instauración del Reino* de Dios.

A menudo, la esperanza es representada con los rasgos de una mujer junto a sus dos compañeras: la fe* y la caridad. Forman el grupo de las tres virtudes llamadas teologales (que atañen al propio Dios).

♦ ***Lit.*** *Esperanza religiosa.* La de los judíos que preguntan a Dios, se rebelan contra él, se arrepienten y vuelven a esperar en él, a lo largo de su historia: Shalom Aleichem, *Un violín en el tejado,* 1925: el pobre lechero Tévié se dice a sí mismo: «Lo más importante de todo es la esperanza: un *viá* (un judío) tiene que esperar, y seguir esperando, y esperar siempre». La de los cristianos: Péguy, *El pórtico del misterio de la segunda virtud,* 1911: sorprende hasta al mismo Dios «esta muchachita esperanza de aspecto insignificante. / Esta muchachita esperanza. / Inmortal».
Esperanza deísta es la de Victor Hugo, *Las contemplaciones,* 1856, «Lo que dice la Boca de Sombra», donde alcanza una dimensión cósmica: «¡Esperad, esperad, esperad, miserables! Dios es el gran amante; / y los globos, al abrir su siniestra pupila / hacia las inmensidades de la aurora eterna / giran lentamente».
Desesperanza.
Arnoul Gréban, *La Pasión,* 1450: Desesperanza es un personaje alegórico que procede del «infierno profundo»; porque la desesperación encierra a los hombres tras un muro infranqueable e impide la acción liberadora del arrepentimiento. Tirso de Molina, *El condenado por desconfiado,* 1636: obra que gira en torno a la predestinación y la esperanza: el prota-

gonista acaba desconfiando de la misericordia de Dios. Lope de Vega, *Rimas sacras,* 1614, y *Romancero espiritual,* 1619.

ESPIGA

La espiga es, naturalmente, el símbolo de la cosecha de cereales, como se muestra en el sueño del faraón (Gén. 41, 5-27).

Según Dt. 23, 26, al pasar por un campo estaba permitido coger varias espigas y frotarlas para comer sus granos, aunque sin segarlas con una hoz (Mt. 12, 1; Lc. 6, 1).

♦ ***Icon.*** En el arte cristiano, la espiga de trigo simboliza el pan —el cuerpo de Cristo, por tanto—, así como el racimo de uvas designa la sangre de Cristo en la eucaristía*.

ESPINAS

En Palestina crecen numerosas plantas espinosas. En los textos es difícil distinguirlas, pues existen 17 palabras hebreas que pueden designarlas. La escasez de leña obliga a utilizarlas para hacer fuego (Is. 10, 17), y simbolizan toda clase de sufrimientos, incluidos los que originan las malas personas (Os. 2, 8; Ez. 28, 24). En una

Tiziano, *La coronación de espinas,* Munich, Pinacoteca

parábola evangélica (Mc. 4, 18-19), representan a la codicia que ahoga la Palabra de Dios, del mismo modo que la zarza ahoga la buena semilla.

Después de que Pilato pronunciara su condena, los soldados de la cohorte «tejieron una corona de espinas y se la pusieron a Jesús en la cabeza» (Mt. 27, 29; Mc. 15, 17). Esta corona es tan humillante como cruel, si se la compara con la corona de oro de los reyes y la de laurel de los vencedores.

♦ ***Icon.*** La Sainte Chapelle fue construida por san Luis, rey de Francia, en 1248 para guardar las reliquias de la corona de espinas y de la verdadera cruz. *La coronación de espinas:* El Bosco, comienzos del siglo XVI, Londres; Tiziano, 1544, Museo del Louvre y Munich; Antoon van Dyck, 1632, Museo del Prado; Alfred Manessier, 1950, París. Francisco de Zurbarán, *El niño Jesús hiriéndose con la corona de espinas,* 1640, Cleveland.

ESPÍRITU/ESPÍRITU SANTO

(Del lat. *spiritus,* traducción del gr. *pneuma* y del heb. *ruah,* palabras que significan «hálito», «viento» o «espíritu».) En el AT, el hálito del hombre procede de Dios (Gén. 2, 6) y vuelve a Dios en el instante de la muerte (Job 34, 14). Devolver la *ruah* a las manos de Dios es confiarle el tesoro de la vida, el ser.

El Espíritu de Dios es una fuerza que transforma las personalidades humanas de jueces, reyes y profetas (Is. 61, 1). El pueblo de Israel es llamado a recibir este espíritu (Ez. 39, 29), que ya se llama Espíritu Santo (Is. 63, 10-11). La Palabra de Dios y su Espíritu actúan al mismo tiempo: la primera se deja oír y conocer desde el exterior; el Espíritu de Dios, invisible, se revela misteriosamente al espíritu humano. La Biblia habla de él mediante símbolos: el viento, el agua, el fuego...

Según los evangelios, el Espíritu Santo hace de Jesús el Hijo de Dios desde el seno de su madre (Lc. 1, 35). Presentado por Juan Bautista como aquel que bautizará en el Espíritu Santo y el fuego (Mt. 3, 11), Jesús actúa en el Espíritu Santo a lo largo de su vida y promete enviarlo a los suyos cuando esté junto al Padre (Jn. 14, 16).

El NT presenta la acción del Espíritu como la fuerza que empuja a los apóstoles hasta los confines de la tierra (Act. 1, 8), y transforma tanto a los paganos como a los judíos. Para el creyente y la comunidad es fuente de vida, de oración y de unidad.→ PENTECOSTÉS, TRINIDAD.

♦ ***Lengua.*** *El viento sopla donde quiere* (Jn. 3.8). La inspiración divina es imprevisible.

Por obra del Espíritu Santo. Por un medio misterioso y eficaz, tal como actuó el Espíritu

Santo en la concepción virginal de Jesús.

♦ ***Lit.*** *Veni creator Spiritus,* himno en latín cantado especialmente en Pentecostés. San Basilio, *Tratado del Espíritu Santo,* siglo IV. Santa Teresa de Jesús, *Moradas del castillo interior,* 1577: a su parecer existe alguna diferencia entre el alma y el espíritu, aunque es todo uno; *Cuentas de conciencia,* 1560: el espíritu es lo superior de la voluntad, y *Meditaciones sobre los Cantares,* 1566-1567: el Espíritu Santo como medianero entre Dios y el alma. San Juan de la Cruz, *Cántico espiritual,* 1584. Claudel, *Corona benignitatis anni Dei,* 1915, «Himno de Pentecostés», y *Cinco grandes odas,* 1910, «El Espíritu y el agua»: el Espíritu y el hálito creador que presidió el nacimiento de la tierra y del hombre. Continúa liberando a la vida del caos, maravillando el alma para llevarla en presencia de Dios. Es «el amor que está más allá de cualquier palabra». Teilhard de Chardin, *Himno del universo,* 1961, «El poder espiritual de la naturaleza», 1919: el Espíritu se va desprendiendo progresivamente de la materia; es el fin más que el origen: «Oh, qué bello es el Espíritu cuando se eleva, engalanado con los impulsos terrenales. / Báñate en la naturaleza, Hijo del hombre. / Sumérgete en ella, pues ella te llevará a Dios».

ESTEBAN

(Del gr. *stephanos,* «corona».) Judío convertido de Jerusalén, sin duda de origen griego, que fue elegido por los apóstoles como primer diácono* para asegurar la administración de la comunidad cristiana. Algunos judíos, envidiosos de su sabiduría, llevaron falsos testimonios contra él ante el Sanedrín*. Entonces Esteban recordó la historia de Israel y las persecuciones de las que tanto los profetas como el Justo (Jesús) habían sido víctimas (Act. 7, 1-53). Su lapidación, aprobada por Saulo, marca el inicio de la persecución de los cristianos, en el año 34 d. C.

♦ ***Icon.*** *La historia de san Esteban,* tapiz, 1490, París. Vittore Carpaccio, *Esteban predicando en Jerusalén,* 1518, París. *San Esteban,* escultura de madera, San Petersburgo. Annibale Carracci, *El martirio de*

San Esteban, escultura de madera, San Petersburgo, Museo del Ermitage

san Esteban, siglo XVI, Museo del Louvre. Delacroix, *Los discípulos de Esteban recogiendo su cuerpo,* 1853, Birmingham.

ESTHER

(En la tradición rabínica, «la oculta».) Heroína del libro del mismo nombre, que se asemeja a un cuento popular. Esther es una bella judía que vive en Susa y se convierte en la esposa de Asuero. A petición de su tío y padre adoptivo, Mardoqueo, ejerce su influencia para evitar el genocidio judío que proyecta el visir Amán. Este último es asesinado y los judíos celebran durante dos días su liberación: es la fiesta* de *Purim.* El libro de Esther es el más importante de los «cinco rollos» (cinco breves escritos que se leen solemnemente durante ciertas fiestas judías): Cantar de los Cantares, Ruth, Lamentaciones, Eclesiastés y Esther.

♦ ***Lit.*** En la Edad Media, diversos misterios están inspirados en Esther, especialmente una parte del *Misterio del Antiguo Testamento,* siglo XV. La misma fuente de inspiración constituye para Antoine de Montchrétien, *Amán o la verdad, elegía dramática,* 1601. Sin duda, Racine conocía este texto: la tragedia *Esther,* 1689, fue escrita para las muchachas pensionistas de Saint-Cyr, a petición de Madame de Maintenon: a través de la valiente y dulce Esther, Dios cumple sus designios. En España, Lope de Vega, *La bella Esther,* 1610, presenta a una heroína que es el ingenuo instrumento de la Providencia divina. En Italia, Federico della Valle, *Esther,*

1627, hace de ella un personaje muy humano.

♦ ***Icon.*** Antoine Coypel, *Esther delante de Asuero,* siglo XVII, París. Théodore Chassériau, *La toilette d'Esther,* 1846, París.

♦ ***Mús.*** Mario Castelnuovo Tedesco, *The book of Esther,* 1962.

♦ ***Cin.*** Raoul Walsh, *Esther y el rey,* 1960.

ESTIGMA

(Lat. *stigma,* «marca».) En el vocabulario religioso actual, los estigmas son las llagas que aparecen en las manos, los pies, la cabeza o el corazón, y reproducen las cinco llagas de Jesús crucificado. San Francisco de Asís (1182-1226) fue el primer «estigmatizado», al que siguieron otros místicos.

Para Pablo, la palabra «stigmata» designaba, en un sentido más amplio, los malos tratos y torturas que había sufrido por Jesús; eran la señal de su unión con él: «Por lo demás, que nadie me moleste, que llevo en mi cuerpo las señales del Señor Jesús» (Gál. 6, 17).

ESTRELLA

En el antiguo Oriente, todo astro representaba a un dios.

Estrella de David

Esta figura, compuesta de dos triángulos equiláteros imbricados para formar una estrella de seis puntas, no aparece hasta la Edad Media. En la tradición cabalística adquiere complejos significados que van unidos a la tradición aristotélica de los cuatro elementos: fuego, agua, aire y tierra; también recibe los nombres de «escudo de David» y «sello de Salomón».

Estrella de Jacob

«Álzase de Jacob una estrella» (Núm. 24, 17): término que parece evocar al rey David y también al Mesías.

Estrella de la mañana

Símbolo de poder y de belleza (Is. 14, 12; Ap. 2, 28).

Estrella de los magos

Según las creencias astrológicas de la Antigüedad, la aparición de un cometa o de un nuevo astro se interpretaba como el anuncio de un acontecimiento importante. En el momento del nacimiento de Jesús, unos magos orientales vieron alzarse en el cielo un astro desconocido, y guiados por él llegaron a Belén (Mc. 2).

♦ ***Lit.*** Con el nombre de *Maris Stella,* Estrella del mar, los cristianos evocan a la Virgen en numerosos himnos integrados en la liturgia románica a partir del siglo XIII.
El simbolismo de la estrella (una luz brillante en las tinieblas) es tan universal que resulta difícil encontrar en los textos un origen claramente bíblico. Los poetas no eluden aproximar las diferentes tradiciones: Victor Hugo, *Los castigos,* 1853, «Stella».
O. V. de Lubicz Milosz, *Últimos poemas,* 1924-1937, «Salmo de la estrella de la mañana».
♦ ***Cin.*** Ermanno Olmi, *Cammina, Cammina,* 1983: obra impregnada de espiritualidad.

EUCARISTÍA

(Gr., «acción de gracias»; cf. en gr. moderno *eucharisto,* «¡gracias!».) Durante la última cena que compartió con sus apóstoles la víspera de su muerte, Jesús dio gracias* a Dios y ofreció el pan y el vino diciendo: «Tomad y comed, este es mi cuerpo; tomad y bebed, esta es mi sangre».

Poco a poco, el término sirvió para designar la conmemoración ritual por los cristianos de la última comida, la Cena*, y especialmente la consagración y el reparto del pan y del vino.→ FRACCIÓN DEL PAN, HOSTIA, MISA.

EVA

(Heb. *Havvah,* interpretada como una forma del verbo *hayan,* «vivir».) Según el segundo relato de la creación del Génesis*, es el nombre que Adán* pone, después de la caída*, a la mujer que Dios ha creado de una de sus costillas para que sea su compañera: «El hombre llamó Eva a su mujer para ser la madre de todos los vivientes» (Gén. 3, 20).→ SERPIENTE, TENTACIÓN.

♦ ***Lit.*** La Eva de la literatura es la mujer considerada en su relación con el hombre y con la humanidad. Esta figura femenina presenta importantes variaciones, dependiendo de si el autor permanece fiel a los textos del Génesis (Supervielle) o si elabora un sincretismo personal (Van Lerberghe).
A través de las obras medievales, Eva simboliza la gracia, pero también la debilidad; es el instrumento de la caída del hombre: *Adán,* siglo XII.

La figura de Eva se va enriqueciendo poco a poco: tanto en Lope de Vega *(La creación del mundo y el primer pecado del hombre,* hacia 1630), como en Milton *(Paraíso perdido,* 1667), Eva manifiesta su deseo de independencia. Y aunque la Eva de Milton es más débil que Adán, se muestra como la mujer perfecta: jardinera, invitada de los ángeles y, sobre todo, enamorada, representa, a la vez, el amor carnal y el espiritual, por lo que es elogiada ante Adán por el ángel Rafael: «Es la escalera por la que puedes subir al amor celestial».

Eva es la imagen maternal: «Serás llamada la madre del género humano», dice el ángel a Eva cuando acaba de ser creada en el *Paraíso perdido;* ella anuncia a María, la nueva Eva. Según Victor Hugo, *La leyenda de los siglos,* 1859, «La consagración de la mujer», Eva, culpable de un pecado desconocido, no tuvo derecho, por su naturaleza, al mismo respeto que Adán hasta el día en que se le «apareció más augusta» que el hombre: «Y, pálida, Eva sintió que su seno se agitaba». Péguy, *Eva,* 1913: el autor medita largamente sobre Eva «expulsada del primer jardín»: «Os amo tanto, oh, tú, la primera mendiga, la primera sometida a la ley de la muerte». También a esta Eva fuera del Edén alude Marie-Jeanne Durry, *El octavo día,* 1949-1967, y *Edén,* 1970: la aventura humana comienza, movida por el amor. Muy personal es la visión de Eva que da Charles van Lerberghe, *La canción de Eva,* 1904: «Los que tientan a la mujer son el joven dios Amor, Venus y las fuerzas personificadas de la naturaleza: en la naturaleza, Eva descubre la muerte y también la ausencia de Dios: "No existe. Ya no existe", canta en su triunfo, el cual orquesta las grandes ideas nietzscheanas de la muerte de Dios y de la inocencia universal». (Pierre Albouy).

♦ ***Icon.*** Gislebertus, *La tentación de Eva,* 1130, Autun. Jan van Eyck, *Eva,* en el retablo de *El cordero místico,* 1432, Saint-Bavon, Gante. Michel de Wohlgemuth, *La creación de Eva,* 1498. *Eva:* Lucas Cranach, siglo XVI, Florencia; Alberto Durero, 1507, Museo del Prado. William Blake, *Dios bendice a Eva,* 1800, Boston.

♦ ***Mús.*** Jules Massenet, *Eva,* 1875. Georges Migot, *Eva y la serpiente,* 1945.

EVANGELIO

(Lat. *evangelium;* gr. profano *euangelion,* «buena nueva».) En el lenguaje familiar, el evangelio es un escrito que cuenta la vida de Jesús. En realidad, la palabra griega significa, principalmente, un anuncio dichoso, como podía ser la victoria sobre el enemigo o la paz romana.

En el AT, Isaías* recibe la misión de «predicar la buena nueva a los abatidos» (Is. 61, 1). En el NT, Jesús adopta esta palabra (Lc. 4, 16-21) y se presenta como el mensajero de la buena nueva (Mt. 4, 23). Con este sentido, «evangelio» está siempre en singular: es el feliz anuncio de la venida de Dios en la persona de Jesús.

En el transcurso del siglo II, cuando se elabora el canon* de las Escrituras, las comunidades cristianas reciben cuatro textos a los que llaman «evangelios»: los evangelios según Mateo*, Lucas*, Marcos* y Juan*, cada uno con su estilo propio y sus opciones teológicas. No son biografías de Jesús, sino cuatro testimonios sobre su persona, en quien los evangelistas ven a aquel que cumple las Escrituras.

♦ ***Lengua.*** *De simplicidad evangélica o bíblica.* Algo muy fácil de entender.
No es palabra del evangelio. Es decir, no es una afirmación segura o indiscutible.

EVANGELISTAS

En el NT, designa simplemente a los que anuncian el evangelio* en el sentido de «buena nueva». Pero, desde finales del siglo II, el término se refiere exclusivamente a Mateo, Marcos, Lucas y Juan, los autores de los evangelios canónicos.

Con frecuencia, los primitivos monumentos del cristianismo muestran a Cristo en un montículo del que salen cuatro ríos, símbolo de los cuatro evangelistas. Más tarde fueron representados por cuatro emblemas: Mateo, un muchacho, porque su evangelio comienza con la genealogía de Jesús; Marcos, un león, animal del desierto, porque comienza su obra con la predicación de Juan Bautista en el desierto; Lucas, un toro, animal de los sacrificios, porque su evangelio

Rubens, *Los cuatro evangelistas*, Sarasota (Florida), Museo Ringling

comienza en el templo; Juan, un águila* que vuela muy alto, porque su evangelio se inicia con consideraciones teológicas.

Estos símbolos proceden de la visión de Ezequiel (Ez. 1, 10), recuperada en el Apocalipsis (Ap. 4, 7-8). A Ezequiel se le aparecen cuatro animales con cuatro alas y cuatro caras cada uno: una de león, otra de toro, otra de hombre y otra de águila (Ez. 1, 4-13). Su aspecto recuerda a ciertas estatuas de los palacios babilónicos.

♦ ***Lit.*** Victor Hugo, *Toda la lira,* 1893, «Los evangelistas», poema.

♦ ***Icon.*** Los cuatro evangelistas, los cuatro seres vivos de la visión de Ezequiel*, se representan rodeando al Cristo glorioso del Apocalipsis: escultura, siglo XII, Chartres y Moissac. En raras ocasiones figuran los cuatro evangelistas en el mismo cuadro: *Los cuatro evangelistas:* Jacob Jordaens, siglo XVII, Amberes; Rubens, siglo XVII, Sarasota, Florida.

EXILIO

Este término designa el destierro a Babilonia después de que Nabucodonosor* tomara Jerusalén en 586 a. C. El rey, la aristocracia y los artesanos fueron desterrados (Jer. 39, 1-14). Ya en 605, Nabucodonosor eligió a varios jóvenes y los puso a su servicio (Dan. 1, 1-3). Los exiliados practicaron la artesanía y el comercio. Algunos se negaron a volver a Palestina en 538, cuando Ciro, rey de Persia, que había vencido al imperio babilonio, les ofreció esa posibilidad (Esd. 1-2).

Los posteriores exilios provocaron en la mayoría de los israelitas una gran preocupación por preservar su identidad, así como el constante deseo de regresar.→ CAUTIVIDAD EN BABILONIA.

♦ ***Lit.*** Robert Garnier, *Los judíos,* tragedia lírica, 1583: lamento del coro de jóvenes judíos, temerosos de la venganza de Nabucodonosor y del destierro a Babilonia.

Las incertidumbres de la vida política en el siglo XIX hacen revivir el tema hebraico del exilio lejos de la patria (Chateaubriand, Hugo), que se relaciona con la caída del hombre expulsado del paraíso. Lamartine: «El hombre es un dios caído que se acuerda de los cielos» *(Meditaciones poéticas,* 1820, «El hombre»); Lamennais: «El hombre es un exiliado en la tierra y su verdadera patria está en el cielo» *(Palabras de un creyente,* 1834). Sobre este tema se han escrito varias novelas históricas: Estébanez Calderón, *Cristianos y moriscos,* 1838: sobre la expulsión de los moriscos de Castilla en tiempos de los Reyes Católicos, evocando el exilio de los judíos en Babilonia.

El tema doloroso del exilio ha inspirado gran parte de la literatura judía de todos los tiempos (cf. Péguy, *Nuestra juventud,* 1910: «Estar en otro lugar... la gran vocación de este pueblo... un pueblo para el que la piedra de las casas siempre será la tela de las tiendas»), y se configura como eje central en los autores del siglo XX: Élie Wiesel, Nelly Sachs, Stefan Zweig (ver Pierre Haïat, *Antología de la poesía judía,* 1985, sección «De la vida errante al exilio»). Claude Vigée, *El poema del regreso,* 1962.

♦ ***Icon.*** Bajorrelieve, siglo VII, palacio de Senaquerib en Nínive, Londres. David Roberts, *La marcha de los hebreos,* siglo XIX, Birmingham.

ÉXODO

(Gr., «salida».) En el siglo XIII a. C., los hebreos, conducidos por Moisés*, abandonaron Egipto*, donde estaban cautivos, y se trasladaron a Canaán. Escaparon de los soldados del faraón y habitaron en el desierto durante 40 años.

El libro del Éxodo, segundo libro del Pentateuco*, cuenta la salida de Egipto de los israelitas. Evoca su esclavitud, el nacimiento y la vocación de Moisés, las plagas* de Egipto y el paso del mar Rojo. La marcha por el desierto introduce los dos relatos de la alianza* que enmarcan el episodio del becerro de oro, sobre el que se ofrece una minuciosa descripción del santuario erigido, su disposición y su mobiliario. Incide, especialmente, en la liberación de la esclavitud y en la alianza de Dios con su pueblo por mediación de Moisés (ver mapa, pág. 149).

♦ ***Lit.*** Théophile Gautier, *El misterio de la momia,* 1858: el autor recupera algunos episodios del libro bíblico del Éxodo.

EXTERMINADOR

Mensajero encargado de las venganzas divinas (Éx. 12, 23). Este ángel* asola Egipto, preservando las casas de los hijos de Israel marcadas con la sangre del cordero pascual.

♦ ***Lit.*** Camus, *La peste,* 1947: el padre Paneloux pronuncia un sermón sobre las plagas enviadas por Dios para obligar al pueblo a reflexionar: «Contemplad al ángel de la peste, bello como Lucifer y resplandeciente como el propio mal, alzándose por encima de los tejados...».

♦ ***Cin.*** Luis Buñuel, *El ángel exterminador,* 1962.

EZEQUIEL

De familia sacerdotal, y también él sacerdote, Ezequiel es uno de los cuatro grandes

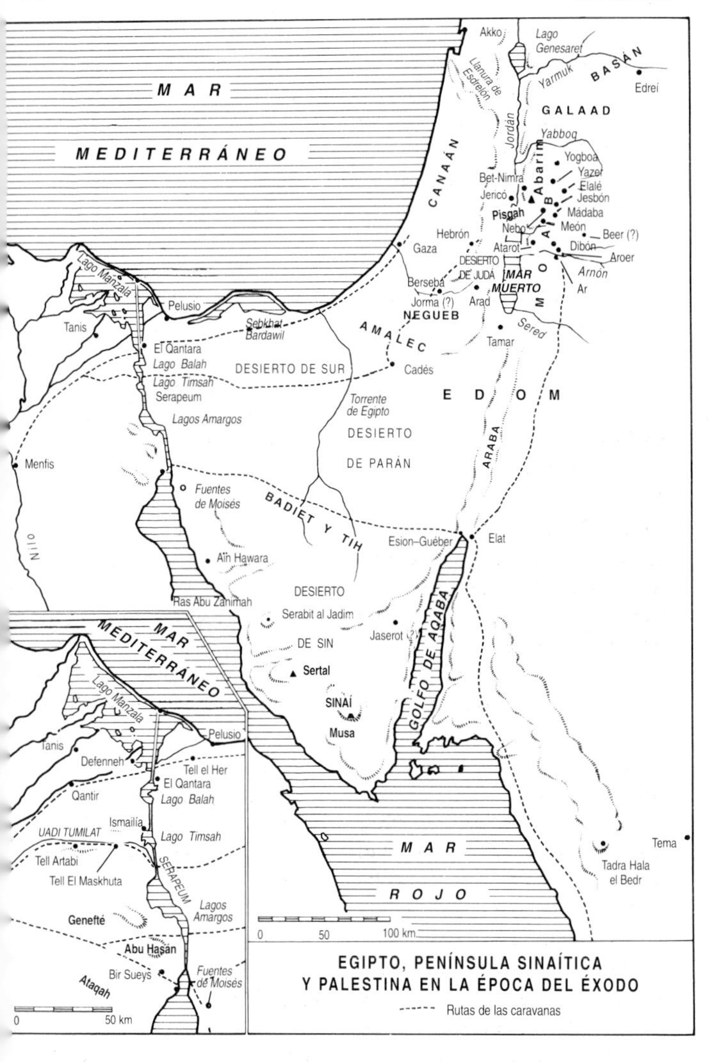

EGIPTO, PENÍNSULA SINAÍTICA Y PALESTINA EN LA ÉPOCA DEL ÉXODO

------ Rutas de las caravanas

Rafael, *La visión de Ezequiel,* Florencia, Galería del Palacio Pitti

profetas. Fue desterrado a Babilonia* con el rey Yoyaquín, en 597. Alterado por el exilio, pasa del mutismo (3, 26) a una repentina exuberancia verbal (6, 11). Al ser preguntado por la proximidad del regreso a Jerusalén*, el profeta anuncia la cercana ruina de la ciudad (8) y denuncia la idolatría que amenaza al pueblo (14, 4-11). Tras la ruina de Jerusalén en 587, se encuentra ante un pueblo desesperado al que anuncia el castigo de las naciones enemigas (Tiro, rica y orgullosa, y el cocodrilo egipcio, entre otros, 25-28), el regreso a su tierra y la reconstrucción del santuario de Dios.

Su texto abunda en visiones grandiosas: el carro de cuatro ruedas que transporta animales fabulosos, cuyas alas sostienen el trono de Dios (1, 4-27); los huesos secos que reviven (37); el nuevo Templo y el río que brota de él (40-48).

Ezequiel, como los demás profetas, denuncia la idolatría (20,7), recuerda la Ley e insiste en el reconocimiento de Dios mediante los signos mostrados a Israel. Pero es el único que explica la responsabilidad individual de los pecadores: las faltas de los padres impuros no recaerán sobre los hijos justos. También critica la injusticia de los ricos.

Su lectura de la historia de Israel es muy pesimista (Ez. 16, 20-23; 36, 16-20) y disuade de cualquier esperanza política nacida de la derrota de Babilonia o basada en el apoyo egipcio. Pero, al explicar la destrucción de Jerusalén y el exilio, Ezequiel reestructura el pensamiento de sus contemporáneos en torno a un Dios exigente.

♦ ***Icon.*** *La resurrección de los muertos, visión de Ezequiel,* 245 d. C., sinagoga de Dura-Europos. Rafael, *La visión de Ezequiel,* 1510, Florencia: representa el carro de Dios. Valerius de Saedeleer, *Ezequiel,* grabado, siglo XIX, París.

♦ ***Mús.*** Olivier Messiaen, *Le Livre d'orgue,* 1951: evocación de las visiones de Ezequiel. *Ezequiel saw the wheel,* espiritual negro.

F

FARAÓN

(Egipcio *per-aa,* «la casa grande», en el sentido de corte real.) Este nombre común designaba al rey del antiguo Egipto.

FARISEO

(Heb. *perushim,* «los separados».) En fechas cercanas al inicio de la era cristiana, los judíos se dividieron en varios grupos político-religiosos: saduceos*, esenios de Qumrán*, zelotes y fariseos (los más numerosos). Estos, organizados en pequeñas fraternidades, reunían a gran número de escribas y doctores* de la Ley. Insistían en el estudio de la *Torá* y eran estrictamente fieles a las observancias legales, distinguiéndose de los saduceos por respetar la «*Torá* oral», mientras que estos se atenían exclusivamente a los textos escritos. Después de la toma de Jerusalén por los romanos (70 d. C.), los fariseos constituyeron el núcleo del judaísmo rabínico que garantizaba la salvaguardia de las tradiciones religiosas, a pesar de la pérdida de la independencia política.

Aunque había numerosos puntos en común entre su doctrina y la de Jesús, los fariseos se oponían a la Iglesia cristiana naciente. Los evangelistas (sobre todo Mateo) ofrecen una visión muy negativa de ellos: son «hipócritas» y están más apegados a la letra de la Ley que a su espíritu (ver Mt. 23, 13-32).

♦ ***Lengua.*** El término *fariseo* ha conservado, injustamente, un sentido despectivo, y es utilizado para designar una ostentación hipócrita de virtud y piedad que nada tiene que ver con el verdadero espíritu fariseo. ♦ ***Lit.*** François Mauriac, *La farisea,* 1941: el fariseísmo de una burguesa provinciana de principios del siglo XX, que, segura de su perfección, se inmiscuye en el alma de los demás para imponerles su rígida ley, convencida de que es la de Dios. Ella es la acusada del proceso que Mauriac instruye contra la religión de su infancia.

FAZ

Faz de Cristo o Santa Faz

El rostro de Cristo era el rostro de un hombre. Sin embargo, según Mateo, Marcos y Lucas, un día «se transfiguró» delante de Pedro, Santiago y Juan: «Su rostro resplandeció como el sol» (Mt. 17, 1); su faz humana se había revestido de la gloria de Dios.

→ TRANSFIGURACIÓN.

Según una tradición apócrifa, una de las mujeres que siguieron a Jesús durante su ascenso al Calvario*, llamada Verónica*, avanzó hacia él, tomó un lienzo y le enjugó el sudor y la sangre que le corrían por el rostro; los rasgos de su cara quedaron reflejados en el lienzo, conocido como el «velo» de la Verónica.

Después de la muerte de Jesús, sus discípulos le envolvieron en una sábana y le cubrieron la cabeza con un sudario. En Turín se conserva un sudario, impropiamente llamado «el santo sudario», que tiene las huellas de un hombre ajusticiado. Muchos cristianos pretenden reconocer en él a Jesús muerto, pero según las últimas investigaciones (realizadas con carbono 14) el sudario parece datar de la Edad Media.

→ SUDARIO.

Faz de Dios

En un sentido estricto, el cara a cara del hombre con Dios es imposible, pues la gloria* de Dios es demasiado resplandeciente: «Tú no puedes ver mi faz», dice Dios a Moisés*, «porque el hombre no puede verme y vivir» (Éx. 33, 19; Is. 6, 5).→ GLORIA.

Pero la «faz» de Dios es también su presencia invisible en el santuario de Jerusalén y, en un sentido más amplio, en medio de su pueblo. «Buscar la faz» de Dios es querer conocerle, vivir en su presencia (Sal. 27, 8-9; 42, 3) y según su Ley (Os. 5, 15).

♦ ***Lengua.*** *Taparse la cara* (Éx. 3, 6). Gesto de temor ante la trascendencia divina. En el lenguaje coloquial, negarse a aceptar una realidad sorprendente (a menudo se utiliza con sentido irónico).

Tener cara de pocos amigos. Con aspecto de enfado.

Tener más cara que espalda. Ser alguien muy descarado o atrevido.

♦ ***Lit.*** René Guy Cadou, *Hélène ou le Règne végétal,* 1951: «Me embarco completamente solo hacia la faz resplandeciente de Dios». Pierre Emmanuel, *Jacob,* 1970, «Verbo Rostro»: «Faz del Cristo Único / jamás acabo de descifrar / en tus labios nuestra santísima identidad».

♦ ***Icon.*** *Icono de la Santa Faz,* siglo XII, Moscú. Georges Rouault, *La Santa Faz,* 1933, París.

FE/FIEL

Actualmente, la palabra «fe» significa «creencia en Dios»; pero para el hombre de la Biblia la hipótesis de un posible descreimiento en el sentido moderno no existía. En la Biblia, la fe es la adhesión inquebrantable del hombre, a pesar de las adversidades, a la palabra y a la voluntad divinas. Tener fe, ser fiel, es aceptar para toda la vida el compromiso recíproco de la alianza.

Conforme a la etimología latina *(fides,* «palabra dada»), es fiel el que se compromete mediante una palabra dada a otro. Por tanto, Dios es el primer fiel, pues no retira la promesa de amor que ha hecho a su pueblo. El primer modelo del hombre creyente es Abraham*, al que justifica su fe. Pablo, en la Epístola a los Romanos, desarrolla ampliamente el tema de la salvación* mediante la fe.

El infiel, en cambio, traiciona sus promesas; es inconstante, como un esposo que comete adulterio. Ezequiel compara a la Israel impía con una esposa que se prostituye de forma desvergonzada (Ez. 16). Como el marido, Dios hará que se avergüence, pero perdonará lo que ha hecho. Impíos e infieles son, pues, los hombres que se entregan a otros cultos que no son el del Dios de Abraham y que no observan los mandamientos del Decálogo*.

A la fe va unida la confianza: «Hombres de poca fe», dice Jesús a sus inquietos discípulos durante una tempestad (Mt. 8, 26).

El creyente confía en la eficacia de la oración basada en la promesa hecha por Jesús: «Pedid y se os dará, buscad y encontraréis» (Mt. 7, 7).

♦ **Lengua.** *La fe mueve montañas.* La fe hace milagros. Esta expresión procede de Mt. 17, 20-21.
Ser como santo Tomás. No creer sino en hechos probados o que uno ha podido comprobar por sí mismo (Jn. 20, 28). → TOMÁS. El lenguaje coloquial opone a esta actitud *tener la fe del carbonero,* que se puede calificar como de credulidad ingenua. La frase proviene del cuento que narra la explicación que un carbonero dio a un teólogo acerca del misterio de la Trinidad.
Solo nos salva la fe. Expresión de origen protestante que alude a la salvación mediante la fe y/o las obras (Sant. 2, 14).
♦ **Lit.** *Fe y razón.*
El pensamiento filosófico, tanto cristiano como judío, ha meditado sobre las relaciones existentes entre la razón y la fe. Clemente de Alejandría, *Stromata,* siglo II d. C. (el título del tratado evoca un tapiz, una mezcla), se esfuerza por mostrar su compatibilidad y construir una filosofía cristiana. San Basilio, *Homilía sobre la fe,* siglo IV. La fe de san Agustín no aspira sólo a sentir sino sobre todo a comprender: *De libero arbitrio ad Valentinum,* 426-427. Esta cuestión también la tratan santo Tomás y san Anselmo, entre otros. Moisés Maimónides, *Guía de perplejos,* siglo XII.
Santa Teresa de Jesús mantiene la máxima de san Pablo: «de poco vale la fe sin obras»: *Cuentas de conciencia,* 1560, *Camino de perfección,* 1563, *Meditaciones sobre los Cantares,* 1566-1567, y *Fundaciones,* 1570. Para Montaigne y Pascal, Dios no puede ser objeto de demostración; la fe no se alcanza mediante razonamiento. Montaigne, *Ensayos,* 1580-1588, «Apología de Raymond Sebond», II, 12: si el hombre no puede tener un conocimiento seguro, no juzgará a Dios con la razón, pues el ser difiere radicalmente de la naturaleza humana. Pascal, *Pensamientos*: «La fe es diferente de la prueba: una es humana, la otra es un don de Dios». «El que siente a Dios es el corazón y no la razón. Eso es la fe». En el siglo XVII, Lope de Vega, *Triunfo de la fe en los reinos de Japón por los años de 1614 y 1615,* obra en prosa, 1618.

El racionalismo del siglo XVIII busca a Dios de otro modo y no a través de la fe. El Dios que admite —actitud deísta— es el autor de la naturaleza: «El universo me inquieta y no puedo pensar que este reloj exista y no haya relojero» (Voltaire, *Las cábalas,* sátira en verso, 1772).

Nos burlamos de la adhesión a una revelación oscura; la fe es incompatible con la razón: «La fe consiste en creer no lo que es verdad, sino lo que es falso a nuestro entendimiento» (Voltaire, *Diccionario filosófico,* 1764, «Fe»).

En el siglo XIX en España, Armando Palacio Valdés, *La fe,* 1892: en torno al problema de la verdadera religiosidad.

En el siglo XX, Emilia Pardo Bazán, *La quimera,* 1905: defensa de la salvación de un alma por la fe y del triunfo de los valores espirituales, y *La sirena negra,* 1908: la protagonista se convierte finalmente a la fe católica, librándose de la atracción morbosa hacia la muerte.

Fe, ¿creencia gracias a lo visible o sumida más allá de lo visible?

Rousseau *(Emilio,* 1762, «Profesión de fe del vicario saboyano») intenta armonizar las «luces» naturales con su sentimiento interior, que él llama fe: «Contemplad el espectáculo de la naturaleza; escuchad la voz interior; todos proclaman la existencia del Ser Supremo.» Chateaubriand hablará el mismo lenguaje para acercar a Dios a sus contemporáneos *(El genio del cristianismo,* 1802). Según él, el Ser Supremo y el Dios con el que sueña la fe ancestral no son sino un único y mismo Dios. Sin embargo, Musset constata que la fe no ha sido validada por la prueba del escepticismo y el racionalismo *(Rolla,* 1833).

De ahí la paradoja de la sorprendente declaración de Péguy, *El pórtico del misterio de la segunda virtud,* 1911: (el que habla es Dios): «La fe es evidente... la fe no me sorprende... Resplandezco de tal modo en mi creación... en todas mis criaturas». Texto que parece contradictorio con la experiencia mística de la fe en la noche: «No verte es verte. Tu presencia me ciega», declara Pierre Emmanuel, *Jacob,* 1970.

Pero ¿cómo expresar la experiencia del creyente? «Las lenguas están cansadas de explicar, las ideas de los inteligentes quedan rezagadas» (Jehudá Haleví, siglos XI y XII).

♦ ***Cin.*** Carl Dreyer, *La pasión de Juana de Arco,* 1917, y Robert Bresson, *El proceso de Juana de Arco,* 1962: dos meditaciones sobre el misterio de la fe.

FENICIOS

Pueblo semita establecido a orillas del Mediterráneo, desde el monte Carmelo hasta el golfo de Alejandreta, los fenicios fueron los herederos de la civilización cananea del segundo y tercer milenios. Fundaron ciudades reales: Arvad, Biblos, Sidón, Tiro. Vivían de la artesanía y el comercio, instalaron colonias en Chipre, el mar Egeo, el Mediterráneo occidental hasta la península Ibérica, y fundaron Cartago, en 814 a. C. Su alfabeto fue adoptado por los pueblos vecinos (hacia 1350 a. C.), y sus artesanos, que eran muy admirados, participaron en la construcción del Templo de Jerusalén (Hiram de Tiro). Muy influidos por la civilización helenística desde el siglo IV, fueron incorporados a la provincia romana de Siria en 64 a. C.

FÉNIX

(Gr. *phoinix,* «rojo».) En la mitología egipcia, pájaro fabuloso que vivió varios siglos: ardía en una hoguera y luego renacía de sus cenizas. El salmo 103, al hablar del águila, alude claramente al mito del fénix (Sal. 103, 5). Este solía ser el símbolo de Jesús, muerto y resucitado.

♦ ***Lit.*** Apollinaire, *Alcools,* 1913, «Zone»: para celebrar una especie de apoteosis crística llegan pájaros delegados de los distintos continentes y las distintas religiones; entre ellos, el fénix, «la hoguera que se engendra a sí misma», que acompaña a Jesús en su Ascensión*.

FESTÍN

Festín de Baltasar

Daniel* describe el festín de Baltasar* y sus cortesanos en la Babilonia* asediada por los persas (Dan. 5). Para beber utilizaron copas procedentes del saqueo de Jerusalén. Durante el banquete apareció una mano misteriosa y escribió en la pared extrañas palabras. El rey llamó a un sabio hebreo, Daniel, que tradujo la inscripción aramea: *Mene, Tegel, Parsin* —comúnmente transcrita como *Mané, Thecel, Phares*—:

«Medido, Pesado, Dividido», y explicó: «Dios ha medido tu reino: llega a su fin; te ha pesado y te ha encontrado demasiado ligero; ha dividido tu reino entre los medos y los persas». Esa misma noche Baltasar fue asesinado, lo que supuso la caída del imperio babilónico. El relato de Daniel pertenece al género literario apocalíptico.

♦ ***Lit.*** Calderón, *La cena del rey Baltasar,* 1634: obra religiosa en la que una serie de personajes alegóricos (Idolatría, Vanidad, Muerte) dialogan con Baltasar y el profeta Daniel.
♦ ***Icon.*** Gustave Doré, *La Biblia,* 1866, «Daniel interpreta la inscripción...».
El festín de Baltasar: capitel, siglo XII, Vézelay; escultura, siglo XIII, catedral de Amiens; John Martin, siglo XIX, Toronto.
♦ ***Mús.*** William Walton, *El festín de Baltasar,* oratorio, 1931.

Símbolo del festín

Isaías anuncia que Dios prepara para todos los pueblos un inmenso festín que significará la llegada de la época mesiánica (Is. 25, 6). El NT recupera esta imagen de salvación ofrecida a todos (Mt. 8, 11).

La parábola* del festín (Lc. 14) muestra a un padre de familia que invita a un banquete a multitud de amigos y ninguno acude aludiendo a diversos pretextos. Furioso, el dueño de la casa manda llenar el comedor de pobres, ciegos y lisiados: son ellos los que accederán a la plenitud de vida a la que Dios invita al hombre.

El NT menciona dos famosos festines: aquel en que Herodías pide a Herodes la cabeza de Juan Bautista y el de las bodas de Caná*, que inaugura la vida pública de Jesús.
→ REINO/REINADO, HAMBRE.

FIAT

(Lat., tercera persona del subjuntivo de *fieri,* «ser hecho»: «Que sea hecho».) Cuando el ángel Gabriel* le anuncia que dará a luz un hijo al que Dios otorgará el trono de David, María* responde: «Hágase en mí según tu palabra» —en la Vulgata*: *«Fiat mihi secundum verbum tuum»* (Lc. 1, 26-38)—; con estas palabras, acepta convertirse en la madre de Jesús.
→ ANUNCIACIÓN.

♦ ***Lengua.*** La fórmula abreviada *«fiat»* significa la aceptación de la voluntad de Dios; decir *fiat* es aceptar.

FIDELIDAD

(Raíz lat. *fides,* «fe, confianza».)

En el AT, el término traducido por «desposados» designa a los jóvenes casados que todavía no cohabitan y aún no han consumado su matrimonio, pero cuya infidelidad se consideraría, sin embargo, como adulterio.

En este sentido, Lucas habla de María como de una virgen «desposada» con un hombre llamado José (Lc. 1, 26-27).

Por la alianza*, Dios se comprometió con el pueblo de Israel. Cuando este pueblo se prosterna ante los ídolos, sus «amantes», se convierte en adúltero. Entonces Dios le castiga y le conduce al desierto para que entre ellos vuelva a comenzar la historia de amor: «Seré tu esposo para siempre, y te desposaré conmigo en justicia, en juicio, en misericordia y piedad, y yo seré tu esposo en fidelidad». (Os. 2, 31-22).→ BODAS.

FIESTAS RELIGIOSAS

Fiestas cristianas

*Navidad**: el nacimiento de Jesús, fijado el 25 de diciembre para cristianizar la fiesta del sol y ajustarla al solsticio de invierno.

*Epifanía**: primera manifestación de Jesús en el mundo pagano a los magos de Oriente que acuden a adorarle; para los ortodoxos es una fiesta solemne.

*Pascua**: la resurrección de Jesús.

*Ascensión**: la subida de Jesús al cielo, 40 días después de Pascua.

*Pentecostés**: el descenso del Espíritu Santo sobre los apóstoles, 50 días después de Pascua.

Estas tres últimas fiestas cambian de fecha como también sucede con las fiestas judías, con las que solo coinciden en raras ocasiones.

Todos los Santos: fiesta de todos los santos* de la Iglesia.

Fiestas judías

*Pascua** (heb. *pesah)* es la principal fiesta judía (una antigua fiesta nómada); conmemora la liberación de los hebreos* de la esclavitud y su salida de Egipto conducidos por Moisés.

En Canaán, los hebreos celebraban tres fiestas agrícolas:

la fiesta de los Ázimos (cosecha de cebada), unida a la fiesta de Pascua después de la reforma de Josías;

la fiesta de las Semanas o Pentecostés (heb. *shavou'ot,* cosecha de trigo), a la que se vinculó la conmemoración de la teofanía del Sinaí y de la promulgación de la Ley;

la fiesta de la Cosecha (vendimia) *o de los Tabernáculos* (heb. *soukkot),* en recuerdo de la estancia de 40 años en el desierto, antes de la entrada en la Tierra Prometida (Éx. 23, 14).

A ellas se añadieron después:

Ros ha-saná: el Año Nuevo, que coincide con el equinoccio de otoño, seguido de 10 días «temibles» durante los cuales Dios juzga a los hombres, y que acaban con el *Yom Kippur,* día del Gran Perdón.

Simhat Torá: la dicha de la *Torá;* marca el comienzo del ciclo de la lectura semanal de los cinco libros de la Ley, que ocupa todo el año.

Hanuká: la fiesta de la consagración, que conmemora la inauguración del culto y la purificación del Templo tras la victoria de Judas* Macabeo sobre los ejércitos de Antíoco* Epífanes, en el año 164 a. C.

Purim: celebra la liberación de los judíos de Persia de las intrigas de Amán; la historia de esta liberación se narra en el libro de Esther.

Todas estas fiestas (así como el *sabbat* semanal) comienzan a celebrarse la víspera por la noche.→ SÁBADO.

Fiestas musulmanas

Id-Al-Seguir: celebra la ruptura del ayuno del Ramadán.

Id Al-Kabir: clausura la gran peregrinación a La Meca; también se llama la fiesta del cordero: el animal es degollado y comido en familia en memoria del que Abraham*, padre de los creyentes, sacrificó en lugar de su hijo Isaac*.

Akura: la fiesta de los muertos.

Mulud: el aniversario del profeta Mahoma.

Todas estas fiestas modifican la fecha de celebración según el calendario lunar.

FILACTERIAS

(Gr. *phylacterion,* «lo que protege»; heb. *tephillin,* con la misma raíz que *tephillah,* «oración».) Estuches que guardan un pequeño pergamino sobre el que están escritos diversos versículos bíblicos; los judíos piadosos los llevan en los brazos y en la frente durante la oración, en cumplimiento de la orden bíblica (Dt. 6, 8): «Átatelos a tus manos para que te sirvan de señal, póntelos en la frente entre tus ojos». En Mt. 23, 5, Jesús reprocha a los escribas y a los fariseos* que «ensanchan sus filacterias», pero no son fieles al espíritu de la Ley de Dios.

FILISTEOS

«Pueblo del mar» de origen cretense (no semita), que invadió Egipto hacia 1175 a. C., pero, posteriormente, fue desplazado hacia Canaán, donde fundó las ciudades de Gaza, Asquelón, Asdod, Gat y Ecrón (la pentápolis). Los filisteos dieron su nombre a esta región costera: Filistea, denominación que después se extendió bajo su forma latinizada de «Palestina» a todo el país.

Poseían el monopolio del hierro (1Sam. 13, 19-20), por lo que estaban bien armados y cosecharon numerosos éxitos contra Israel en la época de los jueces y en los comienzos de la realeza (siglos XI-X a. C.): también lograron apoderarse del arca* de la alianza (1Sam. 4-6).

El episodio más conocido de la lucha contra los filisteos es la batalla del joven David* contra el gigante Goliat, si bien los enfrentamientos fueron continuos: Saúl intentó, en vano, librarse de su yugo y murió en combate con sus tres hijos (1Sam. 31, 8); por su parte, David y Salomón supieron mantenerlos a raya. Los filisteos se convirtieron después en los vasallos de los asirios y los babilonios, antes de ser incorporados al imperio persa y luego helenístico.

Su civilización, brillante, dejó un cierto número de vestigios. Adoraban especialmente a tres divinidades: Dagón, Astarté y Baal Zebul.

FIRMAMENTO

Término que procede del latín de la Vulgata*. Se formó a partir de una raíz que significa «firmeza, estabilidad». Según el Génesis, el cielo*, el firmamento, como una sólida bóveda, separa las aguas de arriba de la tierra, lo que posibilita la vida (Gén. 1, 6).→ CREACIÓN.

FLAGELACIÓN

La flagelación era un castigo previsto por la Ley hebraica (Dt. 25, 1-3): se ejecutaba con un látigo de tres correas y se podían dar 40 golpes como máximo. También era un castigo infligido por los romanos a los soldados y a los esclavos: entonces se empleaba un látigo de cuerdas provistas de huesecillos o bolas de metal. Antes de una crucifixión se solía flagelar al condenado para debilitarle y disminuir su resistencia. Por ello, Poncio* Pilato mandó flagelar a Jesús (Mt. 27, 26).

♦ ***Icon.*** *La flagelación de Jesús:* Holbein, 1495; Sebastiano del Piombo, 1525, Roma. Velázquez, *Cristo después de la flagelación contemplado por el alma cristiana,* 1628, Londres. William Bouguereau, *La flagelación,* 1880, La Rochelle. Georges Desvallières, *Cristo en la columna,* 1910, Saint-Germaine-en-Laye.

FRACCIÓN DEL PAN

Durante la última Cena que Jesús tomó con sus apóstoles, cortó el pan y se lo dio diciendo: «Tomad y comed, este es mi cuerpo» (Mt. 26, 26). En el NT, la fracción del pan designa la reunión en la que los cristianos, en recuerdo del gesto de Jesús, reparten entre ellos el pan consagrado (Act. 2, 42).

→ CENA, EUCARISTÍA, MISA.

FRUTO

El término hebreo *peri* y el griego *karpos* designan en la Biblia todos los productos comestibles de los árboles o las plantas leñosas (Gén. 4, 3). Pero a menudo estos términos se emplean en sentido figurado: los hijos son los frutos de las entrañas (Lc. 1, 42); las palabras, los frutos de los labios (Is. 57, 18). Los actos humanos producen sus frutos, buenos o malos (Jer. 17, 10).

♦ ***Lengua.*** *Al árbol se le conoce por sus frutos.* Expresión inspirada en Mat. 12, 33: «Porque el árbol por los frutos se conoce», es juzgar una decisión, una acción, una ideología de acuerdo con sus resultados.

FUEGO

El fuego ocupa un lugar privilegiado en la simbología bíblica. Raras veces aparece referido a los usos cotidianos (en la lumbre, el brasero, el patio o bajo la marmita). Lo que despierta la imaginación de los hebreos es el fuego de la tormenta, admirado en su doble efecto: el rayo que destruye y la tormenta que trae la benefactora lluvia.

El fuego se convierte en signo de Dios, en decorado de sus manifestaciones. Dios estableció la alianza con Abraham utilizando una antorcha encendida (Gén. 15, 17). Se aparece a Moisés a través de la zarza ardiente (Éx. 3, 2). En el desierto, precede al pueblo por la noche, en forma de columna de fuego (Éx. 13, 21). Se revela en medio del fuego a Isaías y a Ezequiel, y Elías es conducido hacia Dios en un carro de fuego (2Re. 2, 11).

Signo de Dios, el fuego es purificador de la mancha: el ángel pasa un carbón ardiendo por los labios del joven Isaías el día de su vocación (Is. 6, 6-7); Israel es purificado por el fuego del exilio (Is. 48, 10). Los autores de los salmos conocen el valor purificador del fuego (Sal. 26, 2), así como los apocalípticos, que ven en el fuego la imagen del juicio discriminatorio de Dios (Ap. 20, 9-10 ; 14-15): el fuego eterno, inextinguible, está destinado a consumir lo que no ha podido ser purificado.

Este tema, tomado del AT, es frecuente en los evangelios.

El fuego también es símbolo del Dios que libera e ilumina. En Pentecostés (Act. 2, 1-4), los discípulos recibieron un don muy especial. En la estancia en la que estaban rezando se produjo un ruido semejante al del viento y unas «lenguas» parecidas a llamas se posaron sobre sus cabezas: el Espíritu Santo entró en ellos y recibieron la facultad de hablar en otras lenguas. → INFIERNO/INFIERNOS, GEHENA, PENTECOSTÉS.

♦ ***Lengua.*** *Echar leña al fuego.* Agravar una situación muy complicada.

♦ ***Lit.*** El fuego del infierno es la representación más habitual de los suplicios que esperan al gran pecador. Milton, *Paraíso perdido,* 1667: los ángeles rebeldes son precipitados al «fuego que castiga». Molière, *Don Juan,* 1665: al final, Don Juan es quemado por un fuego invisible y cae a un abismo del que salen grandes llamas.

Los que son juzgados como herejes son condenados al fuego: Agrippa d'Aubigné, *Los trágicos,* 1616, IV, «Fuegos»:

evoca la larga serie de los martirios protestantes.

Siguiendo a san Agustín, los autores franceses del siglo XVII conciben la gracia como un fuego divino que libera al hombre de las pasiones y los deseos, incluso de los más legítimos.

Corneille hace decir a Poliuto, que ha sido tocado por la gracia: «Eres tú, oh fuego divino que nada puede apagar / el que me va a permitir ver a Pauline sin temerla». *(Poliuto,* 1643, IV, 3). Los místicos comparan el fuego nocturno con la iluminación que produce el encuentro con Dios: Pascal, *Pensamientos,* 1670, «Memorial».

Para traducir la unión de amor con Dios, san Juan de la Cruz utiliza la metáfora de la llama: *La llama de amor viva,* 1584. Se utiliza la misma metáfora en el lenguaje culterano, y también Racine para hablar del amor humano.

El amor de Dios es el fuego purificador que destruye el pecado: Verlaine, *Cordura,* 1881: «Mi amor es el fuego que destruye para siempre / la carne insensata...».

Hayim Nahrame Bialik, *El rodillo de fuego,* siglo XX, pone bajo el signo del fuego la fuerza terrorífica del Dios de los ejércitos «sentado tranquilo y terrible en un trono de fuego en medio de un mar de llamas. Su manto es de un rojo flameante y su estrado está formado de rojas brasas».

♦ ***Icon.***→ NUBES.

G

GABRIEL

(Heb., «hombre de Dios».) Revela los secretos de Dios, explica a Daniel sus visiones (Dan. 8, 16; 9, 21), anuncia el nacimiento de Juan Bautista a Zacarías y de Jesús a María (Lc. 1, 19 y 26-37).

→ ÁNGEL, ARCÁNGEL.

♦ ***Icon.*** Principalmente, la figura de Gabriel aparece en las *Anunciaciones*: Filippino Lippi, siglo XV, Nápoles. Representado como un hombre muy joven por los pintores italianos, a veces cobra los rasgos de un hombre imperioso (Mathias Grünewald, 1516, en Colmar). En el mundo hispánico, en los siglos XVI y XVII, Gabriel aparece vestido con traje de corte portando un arcabuz. Las miniaturas turcas le muestran guiando a Mahoma en su viaje místico de La Meca a Jerusalén (siglo XVI, Estambul).

GALILEA

Región septentrional de la tierra de Israel, situada entre el Mediterráneo y el lago de Genesaret*, entre 500 y 1.200 metros de altitud. Fue el territorio de las tribus de Zabulón y Neftalí. Las guerras y los destierros mezclaron los pueblos y prueba de ello es su sobrenombre de «Galilea de las Naciones» (Is. 8, 23-9, 1). Muy abierta a las influencias paganas, los judeos la miraban con desprecio. En la época de Jesús formaba parte de la tetrarquía de Herodes* Antipas; entonces su capital era Tiberíades.

Jesús vivió su juventud en Galilea, allí escogió a sus apóstoles (Mt. 4, 18) y predicó la buena nueva. También allí se apareció a sus discípulos cuando resucitó (Mt. 26, 32).

GEDEÓN

Quinto de los 12 jueces que aparecen en el libro de los Jueces* (ver Jue. 6-8). Originario de la tribu de Manasés, Dios le envía a liberar a Israel de la opresión madianita (tribu nómada del Sinaí). Paladín de Yahvé contra Baal*, cuyo altar destruye, lleva a cabo una auténtica guerra santa, pues es el propio Dios quien le da la victoria.

Gedeón tiene la sabiduría de rechazar la realeza que entonces le ofrecen y morirá dichoso, tras haber tenido 70 hijos.

Después de su muerte, durante el reinado de su hijo Abimelec, Israel volverá a caer en la idolatría.

GEHENA

(Heb. *Ge-hinnom.)* Barranco al sur de Jerusalén donde se hallaba el «quemadero» en el que, según un rito cananeo condenado por la Biblia (Lev. 18, 21; 2Re. 16, 3; 21, 6, etcétera), se sacrificaba a niños utilizando el fuego. El nombre de «gehena» acabó por significar lugar de tortura, y se identificó con la propia tortura de los pecadores después de la muerte: «Serpientes, raza de víboras, ¿cómo escaparéis al juicio de la gehena?», exclama Jesús (Mt. 23, 33).
→ INFIERNO/INFIERNOS.

♦ ***Lengua.*** *Allí donde no hay sino llanto y crujir de dientes.* De este modo habla Jesús del lugar al que, en el fin del mundo, serán arrojados los culpables de iniquidad (Mt. 13, 42). En el lenguaje coloquial, la amenaza de la gehena sirve de advertencia a los malvados.

GENEALOGÍA

El Génesis (Gén. 10, 11) resume, en forma de genealogía, la concepción que existía de la unidad de toda la humanidad: los hombres descienden de los tres hijos de Noé y se extienden por la superficie del mundo conocido entonces, donde crean las diversas naciones con sus respectivas lenguas. Otro relato introduce la historia de la torre de Babel.

El AT incluye numerosas genealogías, especialmente todo el principio del primer libro de las Crónicas, donde la genealogía de David (1Cr. 2, 10) le convierte en pariente de Moisés y Aarón (Núm. 3, 14); el libro de Ruth, por su parte, afirma que esta, una extranjera, es antepasada de David (Ruth 4, 18-22).→ BOOZ.

En el NT Mateo comienza su evangelio con una genealogía de Jesús partiendo de su antepasado Abraham; Lucas, por su parte, se remonta a Adán (Mt. 1, 1; Lc. 3, 23-38). Sus dos relaciones tienen pocos nombres en común.

♦ *Lit.* Rabelais, *Pantagruel,* 1542, capítulo 1: es una parodia de las genealogías antiguas; la ascendencia de su héroe es anterior al diluvio pero, ironiza el autor, «¿cómo es posible que así sea si en el diluvio todo el mundo pereció?». Lope de Vega, *Pastores de Belén,* 1612: se remonta hasta los orígenes de Jesús, repasando su genealogía desde Adán hasta José, su padre.
Péguy, *Victor-Marie, Comte Hugo,* 1910, desde un punto de vista completamente distinto, medita sobre la genealogía descendente de Mateo y sobre la genealogía ascendente de Lucas, que va desde Jesús hasta Adán *qui fuit Dei* (hijo de Dios); se regocija al comprobar hasta qué punto Dios ha respetado en la encarnación de su hijo las leyes de la herencia humana: «Hay que reconocerlo, la línea carnal de Jesús es espeluznante. Pocos hombres, otros hombres, seguramente tuvieron tantos antepasados criminales y tan criminales. Especialmente tan carnalmente criminales. En parte es lo que proporciona a la encarnación todo su valor».
→ ENCARNACIÓN

GENESARET o QUENERET

(Semejante al heb. *kinnor,* «harpa».) Lago o mar de Galilea*, situado a 210 metros por debajo del nivel del Mediterráneo. Genesaret se encontraba al nordeste de la Tierra Prometida (Jos. 12, 3), en una región abierta a las influencias extranjeras. Herodes* Antipas fundó allí una ciudad llamada Tiberíades*. Sus aguas, con abundantes peces (Lc. 5, 1), y sus tempestades (Lc. 8, 22) se describen en los evangelios. Jesús caminó por sus orillas en múltiples ocasiones y anduvo sobre sus aguas (Mt. 14, 24-33).

GÉNESIS

(Gr. *genesis,* «origen».) Primer libro del Pentateuco* *(Torá)* y de toda la Biblia, el Génesis es el comienzo de un amplio conjunto que cuenta cómo Dios formó a un pueblo para que fuera su testigo entre todas las naciones.

La primera parte relata los orígenes del mundo y de la humanidad (creación*, paraíso* y tentación*, diluvio* e historia de Noé*, torre de Babel*).

La segunda parte es el relato de los orígenes de Israel: la historia de los patriarcas (Abraham*, Isaac*, Jacob) y de José*. Es el tiempo de las promesas de Dios, de la preparación del pueblo que nacerá del éxodo. El libro del Génesis contiene una larga historia que no termina hasta después del exilio. Las antiguas tradiciones, al principio orales y actualizadas sin cesar, se entremezclan para elaborar la redacción final.

El texto no debe leerse como una exposición histórica, sino como la afirmación de los designios de Dios en el tiempo de los hombres. Los autores extrajeron ciertos elementos (diluvio, torre de Babel...) de las tradiciones politeístas del Próximo Oriente, pero sólo constituye un marco en el que se expresa la fe en el Dios único, creador del cielo y de la tierra.→ CREACIÓN.

GENTILES

(Lat. *gentilis.)* El adjetivo *gentilis,* «que pertenece a la misma familia, a la misma nación», fue utilizado para designar, en la época de la decadencia romana, a los extranjeros, a los bárbaros que no eran romanos.

En la Biblia, el término designa a los paganos, a los no judíos, cuya traducción proviene del hebreo *goyim**.

GETSEMANÍ

(Aram., «lagar de aceitunas».) Después de la Cena*, Jesús y sus apóstoles se dirigieron a un huerto cerrado situado a las afueras de Jerusalén, en las laderas del monte de los Olivos: el huerto de Getsemaní. → AGONÍA DE JESÚS.

♦ ***Icon.*** El Greco, *La oración del huerto,* siglo XVI, Londres.

GLORIA

La gloria de Dios es el propio Dios, el resplandor de su santidad, y no la fama, que es el sentido actual de la palabra.

En el AT, la luz* y el fuego* son imágenes que la expresan: la nube* luminosa que guía a los hebreos por el desierto y el fuego brillante sobre el Sinaí son sus manifestaciones. La gloria de Dios que invade el Templo* deslumbra a Isaías* (Is. 6), sigue a los exiliados a Babilonia (Ez. 9-11) y se revela en las intervenciones

El Greco, *La oración del huerto,* Londres, National Gallery

de Dios en favor de su pueblo, como el paso del mar* Rojo (Éx. 15) o el don del maná..., y en las teofanías*, donde el hombre descubre el resplandor del ser mismo de Dios.

En el NT, la gloria de Dios se manifiesta en la persona de Jesús. Desde su nacimiento, los ángeles cantan: «Gloria a Dios» (Lc. 2, 9). El Evangelio de Juan insiste en la revelación de la gloria de Dios a través de Cristo, incluso en su pasión (Jn. 12, 20): «Hemos visto su gloria, gloria como de Unigénito del Padre...» (Jn. 1, 14). Se trasluce especialmente en la escena de la transfiguración* (Lc. 9, 28 y sigs.).

Glorificar a Dios es reconocer quién es, en sí mismo y para los hombres. Todas las criaturas bendecidas por Dios en Cristo están destinadas a proclamar «la alabanza de su gloria», según el himno con el que comienza la Epístola de Pablo a los Efesios (Ef. 1, 3-14).

Gloria (lat. «glorie»): fórmula de alabanza que glorifica a Dios. La doxología (del gr. *doxa,* «gloria») cristiana trinitaria se inserta en la liturgia. Durante la misa, el gloria comienza así: «Gloria a Dios en las alturas» (Lc. 2, 9) (lat., *Gloria in excelsis Deo).*

♦ ***Lengua.*** *Saber a gloria.* Ser algo de gran provecho para una persona, aunque inicialmente solo aludía al sabor de la comida. La *gloria* es símbolo de la máxima aspiración de una persona.
Y aquí paz, y después, gloria. Esta expresión se utiliza para indicar resignación ante un problema o para poner fin a una disputa. Era una fórmula habitual de los sacerdotes de los siglos XVIII y XIX para sustituir al *amén* con que finalizaban los sermones.
♦ ***Icon.*** Muchas veces los pintores rodeaban a las personas divinas y a los santos con una aureola luminosa en forma de rayos de sol, llamada gloria: Fra Angélico, *Juicio final*, detalle, siglo XV, Florencia.
♦ ***Mús.*** Antonio Vivaldi, dos *Gloria,* siglo XVIII. Giacomo Puccini, *Messa di Gloria*, 1879. Francis Poulenc, *Gloria,* 1960.

GOG

Personaje que a veces se identifica con Giges, rey de Lidia. Para Ezequiel (38-39), este «príncipe de Magog» es el prototipo del bárbaro conquistador que procede del norte. En una visión apocalíptica, el profeta describe la encarnecida batalla que lleva a cabo contra el pueblo de Dios y anuncia la paz eterna que seguirá a su derrota.

En el NT, Gog y Magog son dos reyes que simbolizan las naciones paganas que lucharán contra la ciudad de Dios (Ap. 20, 7-10).

GÓLGOTA

(Aram., «cráneo».) Lugar donde Jesús fue crucificado; en aquella época estaba situado fuera de las murallas de Jerusalén.→ CALVARIO, CRUZ/CRUCIFIXIÓN, PASIÓN.

GOLIAT

En el transcurso de la lucha entre los filisteos y el ejército de Saúl*, el gigante Goliat, protegido con una coraza de bronce, desafía a los israelitas. El joven pastor David, que lucha contra él en nombre del Dios de Israel, le abate de una pedrada lanzada con su honda y luego le corta la cabeza, consiguiendo así la victoria de Israel (1Sam. 17, 4 y sig.).→ DAVID.

GOYIM

El plural hebreo *goyim* se aplica a las naciones paganas con un matiz de desprecio. La traducción griega de los Setenta* transcribe *ethnikoi,* y la Vulgata*, *gentilis,* es decir, «naciones», de donde proviene el término «gentiles».

GRACIA

(Lat. *gratia,* «favor, gracia, perdón, reconocimiento».)

Acción de gracias

Oración que expresa agradecimiento por el don recibido y la alabanza.→ EUCARISTÍA, MAGNÍFICAT.

La gracia

En el NT, la palabra «gracia» (gr. *charis)* resume y caracteriza la nueva era instaurada por la llegada de Jesucristo, para distinguirla de la época de la antigua alianza que estaba dominada por la Ley (Rom. 6, 14; Jn. 1, 17). La gracia es un don exclusivo de Dios que recapitula a todos los demás. En el AT, dar y perdonar, propagar su ternura, su bondad y sus bendiciones, eran rasgos característicos de Dios (cf. heb. *hesed).* La llegada de Jesucristo pone de manifiesto la magnitud de la generosidad divina, que incluye la entrega de su propio hijo (Rom. 8, 32), en quien la gracia, la verdad (ver Jn. 1, 17) y la justicia residen generosamente, como en María, «llena de gracia» (Lc. 1, 28).

En la teología cristiana la gracia es un don de Dios que permite a los hombres participar en su vida, ahora y después de la muerte. A lo largo de los siglos, en las comunidades cristianas ha habido arduos y encarnecidos debates a propósito de la gracia.

En el siglo XVI, Erasmo y Lutero defienden posturas distintas sobre la salvación. Para el humanista holandés, el hombre colabora en su propia salvación: *De libero arbitrio,* 1524. Lutero, en cambio, concibe la salvación como un don exclusivo de Dios, es decir, la «salvación por la gracia»: *De servo arbitrio,* 1525. Calvino, *La institución de la religión cristiana,* 1541, afirma que Dios, en su soberana libertad, concede la gracia a los que quiere salvar y se la niega a los demás, que serán condenados*: es la doctrina de la predestinación, declarada herética por la Iglesia católica.

En el siglo XVII, en Francia, el debate llega a su apogeo y enfrenta a jansenistas y jesuitas. Los jansenistas se referían al *Augustinus* publicado en 1640 por Jansenio, obispo de Ypres: según ellos, la gracia no se concede a todos los hombres; Dios, en su total libertad, puede negársela incluso a los justos*, y Jesús no murió sino para asegurar la salvación de un reducido número de elegidos* (sin duda, es lo que significan los brazos en V —y no totalmente abiertos— de Jesús, en los crucifijos de inspiración jansenista).

Por su parte, los jesuitas, y principalmente el jesuita español Molina, sostenían una argumentación menos catastrofista: todo cristiano, si es fiel a la práctica de los sacramentos y de la oración y a las virtudes, puede merecer la gracia de Dios y obtener la salvación. De este modo, el molinismo quería conciliar la afirmación de la libertad humana y la de la todopoderosa eficacia de la gracia divina.

Entre los jansenistas y los jesuitas, los tomistas (dominicanos discípulos de santo Tomás de Aquino) defendían una postura intermedia: Dios concede a todos los hombres una gracia suficiente, pero solamente algunos poseen la gracia eficaz necesaria para que la gracia suficiente produzca sus frutos.

Los debates entre expertos se iniciaron a partir del siglo V d. C. entre san Agustín y Pelagio, y prosiguieron en el siglo XVIII a pesar de la bula papal *Unigenitus* (1713), que condenaba la doctrina jansenista. A raíz de dichos debates, a los cristianos se les planteaba una importante cuestión: ¿cómo conciliar en la obra de la salvación la libertad humana y la omnipotencia divina?

♦ ***Lit.*** San Agustín, *Las confesiones,* 398. Juan Calvino, *La institución de la religión cristiana,* 1541. Pascal, *Les provinciales,* 1657, carta IV. John Bunyan (escritor místico inglés), *La afluencia de la gracia,* 1666, y *El viaje del peregrino,* 1684. Paul Claudel, *Cinco grandes odas,* 1910, «La musa que es la gracia»: diálogo del poeta con la musa que se va convirtiendo poco a poco en la gracia.

♦ ***Cin.*** Los protagonistas de las películas de Robert Bresson, incluso en su agonía, están abiertos a la gracia, como el cura de Ambricourt en el *Diario de un cura rural,* 1950, basada en la obra de Georges Bernanos.

GRANO

«Si el grano de trigo no cae en la tierra y muere, quedará solo; pero si muere, llevará mucho fruto. El que ama su alma la pierde, pero el que aborrece su alma en este mundo, la guardará para la vida eterna» (Jn. 12, 24). Jesús compara su muerte con la del grano en la tierra que produce después una abundante cosecha.

♦ ***Lengua.*** *Ir al grano.* Fijarse en lo más importante. El origen de esta expresión se encuentra en la separación del grano y la paja (lo que no sirve) cuando se recoge el trigo.
No ser grano de anís. Tener una cosa más importancia de la que parece. El grano de anís es muy pequeño y se utiliza frecuentemente en comparaciones para referirse a lo más pequeño.

♦ ***Lit.*** André Gide, *Si la semilla no muere,* 1919.

GUSANO

Símbolo de lo rastrero, débil y despreciable. El justo abandonado por Dios, que pide sin obtener respuesta, se llama «gusano y no hombre» (Sal. 22, 7), «oprobio del género humano».

El gusano también simboliza la descomposición: fuego y gusanos se unen para destruir los cadáveres lanzados al valle de la Gehena*, que se convirtió después en el basurero de Jerusalén. Metafóricamente, la conciencia de los pecadores condenados al suplicio eterno del remordimiento es semejante a las inmundicias de la gehena «donde ni el gusano muere, ni el fuego se apaga» (Mc. 9, 48).

H

HABACUC

Profeta contemporáneo de Jeremías (finales del siglo VII - principios del siglo VI). Prorrumpe en imprecaciones contra el opresor (asirios o caldeos) y se muestra escandalizado por el silencio de Dios «cuando el impío devora» al hombre justo (Hab. 1, 13), pero mantiene su esperanza en la intervención de Dios «contra el pueblo que nos acosa».

♦ ***Lit.*** Édouard Roditi, «Habacuc», siglo XX, poema citado por Pierre Haïat, *Antología de la poesía judía,* 1985.

HALLEL

(Heb. «alabanza».) El *Hallel* es un conjunto de salmos de alabanza recitados en determinadas fiestas, especialmente el pequeño *Hallel,* salmos 113 a 118, y el gran *Hallel,* salmo 136. Jesús y sus apóstoles, al final de la Cena*, cantaron el *Hallel* (Mt. 26, 30; Mc. 14, 26).

HAMBRE

El hambre es una plaga que la Biblia menciona con mucha frecuencia; se produce por la sequía, la aridez del suelo, el granizo, la plaga de la langosta, las epidemias o las guerras (Jer. 14, 1-6; Jl. 1). Es un castigo del cielo (Sal. 105, 16). En el Apocalipsis, las plagas (hambre, peste, guerra, invasión de fieras salvajes) anuncian el derrumbamiento del imperio romano (Ap. 6).

Además de los períodos de hambre propiamente dicha, los hebreos tuvieron carestía de alimentos en el desierto tras su salida de Egipto. En algunos momentos añoraron el tiempo de cautividad, en el que al menos podían comer pan y carne (Núm. 11). Por el contrario, la Biblia traduce en visiones de abundancia las promesas de Dios como liberador (Jl. 2, 19-26; Is. 25, 6), y el advenimiento del Reino*.→ FESTÍN.

HARNERO

Especie de cesto o de gran pala que permite sacudir los granos para limpiarlos, separándolos de la paja y los residuos. Se utiliza como metáfora del juicio y del castigo de los malos (Is. 41, 16; Jer. 15, 7; 51, 2).

En el evangelio, Juan Bautista anuncia al pueblo la llegada de aquel que cribará, recogerá el grano y quemará la paja (Lc. 3, 17). Este tema es semejante al de la buena semilla y la cizaña* y al de la cosecha de la tierra en el Apocalipsis (Ap, 14, 14-16).→ JUICIO FINAL.

♦ ***Lengua.*** *Separar la buena semilla de la cizaña.* Seleccionar entre los individuos.

HEBREO

Es una de las lenguas semíticas, junto con las de Mesopotamia, el arameo, el árabe, etc. Llamada «lengua de Canaán» o «judea», el hebreo es la lengua del AT. También se la conoce a través de un cierto número de inscripciones y textos no bíblicos (manuscritos de Qumrán, libros apócrifos). Para escribirla, inicialmente se utilizó el alfabeto fenicio, que es solo consonántico; después se sustituyó por el alfabeto actual (escritura cuadrada), derivado de la escritura oficial en la época persa. La notación de las vocales del texto bíblico efectuada por los «masoretas» data de los siglos VII a IX d. C.

Progresivamente, el hebreo fue sustituido por el arameo, que se extendió primero por las capas más altas de la población (Is. 36, 11), y luego, después del exilio, se impuso como lengua de relación en todo el Oriente persa. Sin embargo, el hebreo sobrevivió como lengua de los textos sagrados en la liturgia, y durante toda la Edad Media en la literatura culta (teología, mística, filosofía, poesía, ciencias).

La supervivencia del hebreo hasta la época contemporánea ha favorecido el renacimiento de la lengua y permitido su institución como lengua oficial del Estado de Israel. El hebreo moderno *(ivrit)* no difiere del hebreo antiguo ni en la escritura ni en la estructura (construcción a partir de raíces trilíteras). Es la lengua de los antepasados, enriquecida con términos creados para responder a las necesidades de la vida moderna.

♦ ***Lengua.*** *Jurar en hebreo.* Decir palabras malsonantes. Blasfemar. La expresión proviene de la época de los Reyes Católicos, cuando los judíos españoles fueron obligados a convertirse al cristianismo. Al jurar su nueva fe, renegaban del juramento en su lengua hebrea.

HEBREOS

(Heb. *ibri,* del antepasado epónimo Heber, descendiente de Sem; la raíz designa «aquel que está más allá» del río Éufrates.) El término «hebreos» se cita 34 veces en la Biblia (en el Génesis y el libro de Samuel), con el fin de distinguir a los israelitas de los egipcios y los filisteos.

Ciertos autores han propuesto relacionar a los «hebreos» con los *habiru* o *apiru* mencionados en los textos mesopotámicos o egipcios, pero no hay seguridad de que el término designe a un pueblo y no a una «clase» social (trabajadores itinerantes, mercenarios, bandidos).

La Biblia (Gén. 11, 31) cuenta que, a la cabeza de un clan hebreo de pastores seminómadas, Abraham abandona Ur y se marcha a Jarán con su padre Teraj, y luego se dirige a Canaán. El clan se vuelve sedentario y se dedica a la ganadería y la agricultura. Aproximadamente un siglo y medio más tarde, en una época de hambre, el clan de Jacob se instala en Egipto. Hacia 1250, guiados por Moisés, los hebreos abandonan Egipto, y conquistan Canaán conducidos por Josué, quien en la asamblea de Siquem constituye el pueblo de Israel con las tribus dispersas, algunas de las cuales no han vivido el éxodo*.

Durante el reinado de David, el término «hebreo» desaparece y surge el de «israelita*». En el siglo VI, el profeta Jeremías solo lo utiliza en sentido solemne y tras el regreso del exilio la denominación más frecuente es la de «judío*» (de Judá, uno de los hijos de Jacob). En los Hechos de los Apóstoles, el término sirve para designar a los judíos palestinos con el fin de distinguirlos de los judíos helenizados (Act. 6, 1). La Epístola a los Hebreos data del año 67 d. C.

HECHOS DE LOS APÓSTOLES

Libro del NT que el evangelista Lucas* presenta como la continuación de su evangelio. Ambos van dirigidos a un tal Teófilo (Act. 1, 1). Se trata de un relato sobre los comienzos de la Iglesia*, desde la Ascensión* de Jesús hasta el cautiverio de Pablo* en Roma, en los años 61 a 63. Comienza rememorando la historia de la joven comunidad cristiana de Jerusalén formada por judíos, y continúa con el relato de extensión del cristianismo a los paganos, es decir, a los no judíos.

En la primera mitad del libro, el personaje principal es Pedro*; en la segunda, Pablo, a través de sus viajes apostólicos. La fecha del texto puede fijarse, aproximadamente, en el año 70 d. C. Puede ser que Lucas, a quien la tradición identifica con el compañero de Pablo (Col. 4, 14), utilizara recuerdos personales y el testimonio de las comunidades primitivas para elaborar su obra.

♦ ***Lit.*** Arnoul y Simon Gréban, *Los Hechos de los Apóstoles,* segunda mitad del siglo XV: uno de los «misterios» de la Edad Media.

♦ ***Cin.*** Roberto Rossellini, *Los Hechos de los Apóstoles,* serie realizada para la televisión, 1968: los discípulos de Jesús se enfrentan a las instituciones que se niegan a ver en él al Mesías.

HELIODORO

Primer ministro del soberano seleúcida Seleucus IV Filopátor (187-175 a. C.). Enviado a Jerusalén para apoderarse del tesoro del Templo, fue vencido por seres sobrenaturales y se salvó de morir gracias al sumo sacerdote, después de lo cual se convirtió (2Mac. 3). Asesinó a Seleucus IV, pero no consiguió tomar el poder.

♦ ***Icon.*** Rafael, en el Vaticano, muestra al griego azotado por los ángeles (1512). Eugène Delacroix volvió sobre el tema en Saint-Sulpice, 1862, París.

HERENCIA

En sentido estricto, es el patrimonio que transmite a sus hijos un hombre fallecido.

En la antigüedad israelita no existía testamento escrito. Según la costumbre y la ley antigua, el primogénito recibía una parte dos veces mayor que sus hermanos menores (Dt. 21, 17).

Pero, con frecuencia, los libros bíblicos tratan el tema del primogénito desposeído en beneficio de uno de sus hermanos menores (ver Gén. 25, 23; 48, 17-19, etc.), porque Dios enriquece o empobrece, eleva o hunde a quien quiere, alterando las normas humanas. Metafóricamente, cuando Dios declara: «Israel es mi hijo, mi primogénito» (Éx. 4, 22), lo designa como heredero privilegiado de su promesa.

También Cristo es «el primogénito de una multitud de hermanos». La herencia que le ha sido destinada, así como a todos sus coherederos, es el Reino* de los cielos (Rom. 8, 17).→ ALIANZA, PRIMOGÉNITO.

HERMANOS

Esta palabra, utilizada frecuentemente en la Biblia, se aplica a los hijos del mismo padre y la misma madre, pero también a los parientes cercanos. Con este sentido alude el evangelio a los hermanos de Jesús. Este también llama «hermanos» a los que tienen fe en su misión divina y le siguen (Lc. 8, 21).

Pedro se dirige a los que comparten su fe llamándoles «hermanos» (Act. 1, 15). El lazo de fraternidad no se basa en el parentesco carnal, sino que se establece de acuerdo con el Espíritu (Rom. 8).→ PRÓJIMO.

Todos los cristianos se consideran hermanos por el bautismo, por lo que era habitual que los predicadores cristianos comenzaran sus sermones diciendo: «Hermanos...».

♦ ***Lit.*** *El cántico de las criaturas*, atribuido a san Francisco de Asís, siglo XIII, amplía la calidad de hermano a todas las criaturas de Dios: «Mi hermano el sol...».
François Villon, *Balada de los ahorcados,* 1462: «Hermanos humanos que vivís después de nosotros / no endurezcáis los corazones contra nosotros»: los criminales condenados por la justicia humana recuerdan que todos los hombres son descendientes de Adán y Eva, e imploran la piedad de los transeúntes.
Por las mismas razones, Voltaire se indigna ante el horrible trato que los blancos han dado al Negro de Surinam, su primo segundo *(Cándido,* 1754, capítulo XIX).
Entre los autos sacramentales de Lope de Vega (siglo XVII) encontramos *Los hijos de Ma-*

ría, refiriéndose a los hermanos de Jesús en el evangelio. Reciben también el nombre de hermano o hermana los miembros de las órdenes religiosas, desde principios de la Edad Media hasta nuestros días, recordando el mensaje evangélico de que todos somos hermanos en Cristo. Armando Palacio Valdés, *La hermana san Sulpicio,* 1889.

Benjamín Jarnés, *Sor Patrocinio, la monja de las llagas,* 1929. Albert Cohen, *Oh, vosotros, hermanos humanos,* 1972: los cristianos, mediante su feroz antisemitismo, demuestran que «el amor al prójimo», la fraternidad basada en el reconocimiento de un «Dios judío», padre común, no es sino una engañifa. Que al menos se contenten con no odiar a los que como ellos están condenados a morir.

HERODES ANTIPAS

Tetrarca de Galilea y de Perea (4 a. C.-39 d. C.), hijo de Herodes el Grande. Se instaló en Tiberíades*, ciudad que él había fundado. Ordenó la ejecución de Juan Bautista*, que había criticado su matrimonio con Herodías, la mujer de su hermano Filipo.

Herodes y Herodías en el trono, baptisterio de Florencia

♦ ***Lengua.*** *Ir de Herodes a Pilato,* o *Salir de Herodes y entrar en Pilato.* No encontrar solución. Generalmente, se aplica a situaciones en las que por buscar algo mejor se encuentran cosas peores. La expresión proviene del pasaje del NT que narra cómo Jesús, antes de ser crucificado, fue conducido ante Herodes Antipas y luego ante Poncio Pilato, sin que ninguno de los dos tomara una decisión.

♦ ***Icon.*** *Herodes y Herodías en el trono,* baptisterio de Florencia. Benozzo Gozzoli, *La danza de Salomé,* 1462, Washington.

HERODES EL GRANDE

Antiguo gobernador de Galilea, los romanos le nombraron rey de los judíos (73-4 a. C.). En el año 37, conquistó Jerusalén a Antígono, último de los soberanos asmoneos. Embelleció la ciudad con palacios y emprendió la construcción del nuevo Templo* y de la fortaleza Antonia. Fundó la ciudad de Cesarea y edificó varios palacios-fortalezas (Masada, Maqueronte y Herodium).

Dictador sanguinario, ordenó la masacre de los niños varones de Belén poco después del nacimiento de Jesús (matanza de los Inocentes*, Mt. 2, 16), e incluso mandó asesinar a sus hijos.

♦ ***Lengua.*** *Viejo como Herodes.* Muy antiguo. A Herodes el Grande se le llamó Herodes el Viejo para distinguirlo de otros miembros de su familia que llevaron este nombre.

♦ ***Lit.*** Victor Hugo, *El fin de Satán,* 1886, «Herodes y Caifás».

♦ ***Icon.*** Lorenzo Ghiberti, *El festín de Herodes,* bronce, siglo XV, baptisterio de Florencia.

♦ ***Cin.*** Vjaceslav Turjansky, *El rey cruel,* 1959.

HIEL

(Lat. *fel,* «bilis, hiel».) El evangelista Mateo nos cuenta que en el Gólgota dieron a Jesús vino mezclado con hiel (Mt. 27, 34).

La mención de la hiel es una evocación del salmo 69 («Diéronme a comer hiel, y en mi sed me dieron a beber vinagre»). Era costumbre que a los ajusticiados se les diera vino mezclado con mirra, por compasión y para atenuar sus sufrimientos embriagándolos. Jesús lo rechazó.

HIJO

Hijo de David

Designación de Jesús que le ubica en una línea genealógica terrenal. Los evangelistas Mateo y Lucas establecen la genealogía* de Jesús: por su padre legal, José, está vinculado a los hombres de la promesa*, Abraham y David. En el Evangelio según san Marcos, Jesús lleva a cabo una exégesis sobre el Cristo hijo y señor de David, pero no afirma claramente ser el Mesías* (Mc. 12, 35-37). → PADRE, HERENCIA.

Hijo de Dios

En el AT, tanto Israel, considerado colectivamente (Éx. 4,

22), como los israelitas, tomados individualmente (Dt. 14, 1), son llamados «hijos de Dios» (ver también Os. 2, 1). Dios también adopta al rey-mesías como a un hijo (Sal. 2, 7; 89, 27-28).

Del mismo modo, el NT utiliza esta expresión para designar a todos los bautizados y, en un sentido eminente, para Jesús.

En el Evangelio de Juan abundan las referencias al lazo de unión de Jesús con su padre (ver Jn. 14, 11). Esta filiación divina, ajena a cualquier proceso biológico normal, expresa una comunidad de naturaleza entre Jesús y su padre. En cambio, por adopción, y no por naturaleza, los bautizados se convierten a su vez en hijos de Dios, capaces de decirle: «Padrenuestro...» (Mt. 6, 9).

Hijo del hombre

La expresión empleada por el profeta Daniel (Dan. 7, 13) se atribuye a un personaje que llegará entre las nubes del cielo y cuyo imperio sobre los pueblos será eterno, por lo que tiene un significado mesiánico.

Jesús se otorga a sí mismo el título de Hijo del hombre: «El Hijo del hombre no tiene dónde reclinar la cabeza» (Mt. 8, 20), subrayando el contraste entre su humanidad y un regreso que ha de llegar en el poder y la gloria (Mt. 24, 30). → MESÍAS.

♦ ***Lit.*** *Hijo del hombre:* Jean Grosjean, 1953; François Mauriac, 1958: meditación sobre Jesús, dedicada a Élie Wiesel, «que fue un niño judío crucificado».

Hijo pródigo

Después de haber exigido su parte de la herencia, la dilapida llevando una vida disoluta. Sin recursos, regresa a casa de su padre, quien le perdona porque «había muerto y ha vuelto a la vida» (Lc. 15, 11-32).

El hijo pródigo de la parábola* es la imagen del pecador arrepentido al que Dios acoge en su seno.

♦ ***Lengua.*** *Matar al becerro bien cebado* (Lc. 15, 11-22). Se emplea para referirse a una buena comida destinada a celebrar el regreso de un ser querido que se había alejado y apartado, o simplemente un acontecimiento dichoso.

♦ ***Lit.*** *Le Jeu courtois d'Arras,* comienzos del siglo XIV: tras-

Durero, *El hijo pródigo,* grabado

lada la parábola al contexto de su época. Lope de Vega (siglo XVII), *El hijo pródigo,* auto sacramental. Sobre esta obra se inspiró José de Valdivieso para su auto sacramental *El hijo pródigo,* 1622.

Gide, *El retorno del hijo pródigo,* 1909: el protagonista regresa a casa de su padre, decepcionado por no haber llegado hasta el final de su locura, de su deseo. Rilke, *Cuadernos de Malte Laurids Brigge,* 1910: la obra termina con «la leyenda del que no quería ser amado».

♦ ***Icon.*** El hijo pródigo gasta sus bienes en placeres: Louis de Caulery, *Parábola del hijo pródigo,* siglo XVI, Quimper. Después tiene que buscar trabajo: El Bosco, siglo XVI, Rotterdam. Guarda a los cerdos: Rubens, siglo XVII, Amberes. Cuando regresa, su padre le perdona: Rembrandt, 1669, San Petersburgo; y mata al becerro bien cebado en su honor, mientras el hijo mayor protesta por el trato de favor que recibe su hermano (Caulery). Zadkine, *El regreso del hijo pródigo,* bronce, 1956, París.

Durero, *El hijo pródigo,* grabado, siglo XVI.

♦ ***Mús.*** *El hijo pródigo:* Daniel Auber, ópera, 1850; Debussy, cantata, 1884; Prokofiev, ballet, 1930. Benjamin Britten, *El hijo pródigo,* 1968: pertenece a un ciclo de tres parábolas relatadas con el estilo de los misterios medievales.

♦ ***Cin.*** *El hijo pródigo:* Ferdinand Zecca, 1901; Michel Carré, 1907. Raoul Walsh, *The wanderer,* 1925. Richard Thorpe, *El pródigo,* 1955.

HIMNO

(Del gr. *hymnos*, que significa «canto», especialmente «canto en honor de un dios o de un héroe».) Composición poética religiosa formada por varias estrofas cantadas. Los poemas líricos de la Biblia se suelen llamar cánticos o salmos. → ORACIÓN.

Los himnos o salmos de alabanza celebran a Dios. Muchos pasajes del Corán que cantan la gloria de Alá y de la creación ofrecen similitudes con los himnos.

♦ ***Lit.*** San Ambrosio, *El domingo en laudes*, siglo IV: uno de los cuatro himnos con los que el autor crea una poesía litúrgica popular.

Prudencio, *Liber Cathemerinon (El libro de las ocupaciones diarias)*, siglos IV-V: 12 himnos celebran las diferentes horas del día y algunas fiestas del año, según el simbolismo cristiano, como «Himno antes del sueño», «Himno de Navidad» e «Himno del fuego nuevo en el sábado de Pascua». El *Liber Peristephanon (Sobre las coronas)* glorifica el heroísmo de los mártires: «Oda sobre el martirio de santa Eulalia».

Himnos litúrgicos en latín, siglos VI-XII (en este caso, «himno» es femenino): Venancio Fortunato, *Vexilla regis (Avanzan los estandartes del rey)*, cantada el Viernes Santo*, celebra la victoria de Jesús por la cruz. *Veni, Creator Spiritus (Ven, Espíritu Creador)*, cantada en Pentecostés y durante el sacramento de confirmación en las iglesias católicas. *Ave, maris Stela (Salud, Estrella del mar)*, en honor de María. *Te lucis ante terminum (Antes de que acabe el día)*, cantada en el oficio de completas, es decir, cuando empieza la noche.

Martín Lutero, *Himnos sagrados*, siglo XVI, una parte de los cuales está inspirada en los salmos. Paul Gerhardt, *Himnos*, siglo XVII: aún famosos en la actualidad, unen a una estricta ortodoxia luterana un inspirado misticismo.

Ronsard, *Himnos*, 1556: la inspiración cristiana se mezcla con los mitos paganos.

HISOPO

Término atribuido a una planta aromática que se utilizaba para los ritos de purificación (Lev. 14, 4; ver Sal. 51, 9): con una rama frondosa se hacían las aspersiones, y su ceniza formaba parte de la composición del agua lustral (Núm. 19, 6). Probablemente, se trataba de una hierba (tal vez la mejorana) distinta a la que actualmente se conoce con este nombre.

HISTORIA SAGRADA

Una historia sagrada es una representación de los grandes episodios de la Biblia que intenta mostrar la actividad divina mediante la cual la nación de Israel se preparó para la redención* de Jesucristo.

HOGUERA

Según el libro de Daniel*, aquel que se negara a adorar la estatua de oro que había erigido el rey Nabucodonosor sería arrojado «a la hoguera de ardiente fuego». Tres jóvenes judíos que habían sido denunciados y condenados fueron precipitados a ella y liberados por el Señor (Dan. 31).

♦ ***Icon.*** Icono, siglo VII, Santa Catalina del Sinaí. Capitel, siglo XII, Moissac. Gustave Doré, *La Biblia,* 1866, «Los jóvenes en la hoguera». William Turner, *Sidraj en el horno,* 1832, Londres.

♦ ***Mús.*** *Sidraj,* espiritual negro.

HOLOCAUSTO

(Gr. *holos,* «entero, total», y *kausis,* «acción de quemar».) El holocausto es el sacrificio de un animal (toro, cordero, pájaro) que se consume totalmente sobre el altar, ritual descrito por el Levítico (Lev. 1). Principalmente, es un sacrificio expiatorio, y a veces la palabra designa a la propia víctima.

Actualmente se emplea para referirse al exterminio de los judíos por los nazis, aunque muchos prefieren que se utilice la palabra *shoah**: catástrofe.→ JOB, JUSTO/JUSTICIA.

♦ ***Lit.*** Samuel Josef Agnon, *Le Feu et le Bois,* siglo XX. Nelly Sachs, *Brasier d'énigmes,* 1967.

♦ ***Cin.*** Marvin Chomsky, *Holocausto,* 1979.

HOLOFERNES

General de Nabucodonosor*. Durante una expedición al oeste del reino asirio, amenaza a Judea (Jdt. 4, 71). En el cerco de Betulia, Judith* consigue decapitarle gracias a su fe, su astucia y su audacia (Jdt. 13, 6-10).

HOSANNA

Forma griega de una aclamación hebrea que significa: «¡Oh, Yahvé!» (Sal. 118, 25). La evolución del sentido, de la súplica a la aclamación, debió de efectuarse con ocasión de la fiesta* de los Tabernáculos, en la que se cantaba el salmo 118. En realidad, este salmo anuncia la llegada del Mesías*, el cual, tras haber sufrido y triunfado, se mostrará como aquel que viene en nombre del Eterno.

En el NT, las multitudes que aclaman a Jesús cuando entra en Jerusalén gritan: «*¡Hosanna* al hijo de David! ¡Bendito el que viene en nombre del Señor!» (Mt. 21, 9-11).

♦ ***Lit.*** Victor Hugo, *Las contemplaciones,* 1856, I, 4,: «El *hosanna* de los bosques, los ríos y las llanuras / se eleva gravemente hacia Dios, padre del día». Rimbaud, *Poemas,* 1871, «El mal», poema sarcástico: «Mientras la terrorífica locura tritura / y hace de cien millones de hombres un montón humeante», Dios se duerme «mecido por los *hosanna*».

HOSTIA

(Lat. *hostia,* «víctima».) La hostia, en la antigüedad romana, es la víctima —la mayoría de las veces un animal— que se inmola durante un sacrificio ofrecido a un dios o a Dios.

En el NT, la víctima expiatoria es Jesús, pues se ofrece a sí mismo a Dios para lograr la salvación de los hombres.

La Iglesia católica revive el sacrificio de Jesús en la ceremonia de la misa* durante la eucaristía*. El sacerdote toma el pan, como hizo Jesús en la Cena*, lo consagra y lo distribuye entre los fieles. Generalmente, se utiliza pan ázimo*, es decir, sin levadura, y con forma circular. Al recibirla, los fieles se unen a Cristo. En las fiestas, la hostia se presenta a la adoración de los fieles en una custodia que tiene la forma de un sol de oro.

HUIDA A EGIPTO

Tras una revelación nocturna de las criminales intenciones de Herodes* el Grande, José lleva a María y al niño Jesús a Egipto, donde permanecen hasta la muerte del rey; entonces, tras una nueva revelación, regresa con el niño y su madre a Galilea.

Mateo es el único evangelista que cuenta este episodio, que en alguna ocasión se consideró como un nuevo éxodo* (Mt. 2, 13).

Giotto, *La huida a Egipto,* Padua

♦ ***Icon.*** *La huida a Egipto:* capiteles esculpidos, siglo XII, Saint-Lazare d'Autun, Saint-Andoche de Saulieu. Pinturas: Giotto, 1305, Padua; Melchior Broederlam, siglo XIV, Dijon; Adam Elsheimer, 1609, Munich; Philipp Otto Runge, 1805, Hamburgo; Schnorr von Carosfeld, 1828, Düsseldorf.

I

ICONO

(Gr. *esikon,* «imagen, figura».) Imágenes pintadas de Cristo*, la Virgen María*, los ángeles y los santos, los iconos son objeto de un culto privado y también litúrgico en las Iglesias orientales. Se autorizaron solemnemente en el II concilio de Nicea, en 787. La veneración (plegaria, lámpara votiva, beso) no se dirige al objeto, sino al prototipo, es decir, al ser que se representa, con el cual el fiel se comunica a través de la mirada.

Iconoclasia

Movimiento de destrucción de las imágenes religiosas que tuvo lugar en el imperio bizantino, durante los siglos VIII y IX.

♦ ***Icon.*** Los iconos están pintados según unas reglas muy estrictas y no pretenden semejanza alguna. *Virgen de Vladimir,* siglo XII, Moscú. *La Santa Faz,* siglo XIII, Moscú. *Virgen y Cristo Redentor,* siglo XIV, Ohrid. Andrei Rublev, *La Trinidad,* 1425, Moscú. *Natividad de Jesús,* siglo XVI, Moscú. *Cristo sumo sacerdote entre la Virgen y Juan el Precursor,* siglo XVI, Sofía. *Las santas mujeres en el sepulcro,* Escuela del Norte, siglo XVII.

♦ ***Cin.*** Andrei Tarkovski, *Andrei Rublev,* 1967.

ÍDOLO

El término griego *eidolon* designaba una representación cualquiera, material o imaginaria, pero, posteriormente, se utilizó para referirse a una imagen que representaba a una divinidad y recibía un culto (sacrificio, libación, incienso) como si se tratara de la propia divinidad.

Los textos bíblicos (Éxodo, Deuteronomio) rechazaron con

horror las imágenes* sagradas de los dioses extranjeros, pero también la de Dios, como el becerro de oro (o, más bien, el toro de oro), adoptado por el pueblo de Israel cuando Moisés estaba en el Sinaí (Éx. 32). La polémica contra los ídolos es un tema muy tratado por los profetas (Is. 40, 19-20; 44, 9-20; Jer. 10, 1-5).

♦ ***Lengua.*** *Los adoradores del becerro de oro.* En esta expresión, el becerro de oro se refiere al dinero divinizado.

♦ ***Lit.*** Tertuliano, *Sobre la idolatría,* h. 211: el autor censura violentamente cualquier tipo de concesión hacia las costumbres paganas. Félix Marcus Minucio, *Octavio,* siglo III: es un diálogo entre un pagano y un cristiano, en el que el autor se burla de los ídolos paganos que maravillan exclusivamente por el talento de los artistas.

A lo largo de toda la Edad Media, y posteriormente durante el barroco, se suceden una serie de obras de tendencia mística y ascética que nos advierten contra la influencia de los falsos ídolos: Alonso de Madrid, *Arte para servir a Dios,* 1521. Francisco de Osuna, *Abecedario espiritual,* 1527. Fray Bernardino de Laredo, *Subida del monte Sión,* 1535. Beato Alonso de Orozco, *Vergel de oración,* 1544. Beato Juan de Ávila, *Epistolario espiritual para todos los estados,* 1578. Calvino, *Tratado de las reliquias,* 1543: condena la idolatría que, según él, se ha introducido en el culto católico con la adoración de imágenes y reliquias. Corneille, *Poliuto,* 1643: el joven pagano, apenas bautizado, corre a derribar los ídolos, «dioses de piedra o de madera».

Claudel, *Cinco grandes odas,* 1910, «Magníficat», tercera gran oda: da gracias a Dios por haberle liberado de los ídolos que son las ideologías: la Justicia, el Progreso, la Verdad, la Divinidad, la Humanidad, las Leyes de la Naturaleza, el Arte, la Belleza, para no adorar más que a Dios. Pierre Emmanuel, *Tú,* 1978, «El toro de oro».

♦ ***Mús.*** Charles Gounod, *Fausto,* 1859: Mefistófeles, disfrazado de señor, canta en una taberna la canción del becerro de oro.

IGLESIA

(Heb. *gahal* y gr. *ekklesia,* «asamblea».) La palabra hebrea designa la asamblea del pueblo de Israel que Dios convocó en el Sinaí (Dt. 5) y la comunidad judía después de su regreso del exilio (Neh. 8, 2). Pablo* utiliza la palabra griega *ekklesia* cuando se dirige a las iglesias (comunidades locales). Según el Evangelio de Mateo, Jesús dice a su discípulo Simón Pedro*: «Y yo te digo que tú eres Pedro y sobre esta piedra edificaré yo mi iglesia» (Mt. 16, 18).

Las Iglesias (ortodoxa, reformadas, católica) se reconocen «pueblo de Dios*». Se consideran un cuerpo* cuya cabeza es Cristo, según la formulación de Pablo (Col. 1, 18).

La iglesia (sin mayúscula) designa el edificio en el que se reúnen los cristianos.

♦ ***Lit.*** Eusebio de Cesarea, *Historia eclesiástica,* siglos III-IV: fuente de información sobre la Iglesia cristiana en sus comienzos (sedes episcopales, literatura, persecuciones...); *Crónica:* Eusebio intenta situar el cristianismo en la historia universal a partir de Abraham. Pascal, *Cartas a la señorita de Roannez,* 1656: profesión de fe en la Iglesia, cuerpo de Jesucristo.

♦ ***Mús.*** Olivier Messiaen, *Aparición de la Iglesia eterna,* 1931.

IMÁGENES

(Lat. *imago,* «reproducción exacta o representación analógica de un ser o de una cosa, retrato».)

«No harás esculturas... No te postrarás ante ellas y no las servirás» (Éx. 20, 4). El Decálogo* prohibía toda representación figurada para alejar a Israel del culto a los falsos dioses y reforzar la idea de la unidad, la trascendencia y la espiritualidad divinas. La prohibición no fue absoluta, pues en el arca se admitió a dos querubines y, durante un tiempo, a la serpiente de bronce, pero no se trataba de ídolos*, como lo había sido el becerro de oro; los israelitas jamás hicieron imágenes de Dios.

San Pablo explica que Cristo es la imagen del Dios invisible (Col. 1, 15); a Dios le puede conocer su hijo sin que haya materialmente imagen de Dios.

En los siglos XV y XVI, las imágenes religiosas (cuadros y esculturas) a menudo eran objeto de un verdadero culto que, según algunos cristianos, tendía a la idolatría. Los reformadores rechazaron la veneración de las imágenes religiosas, llegando incluso a destruirlas. Calvino, sobre todo, recomendará que se excluyan de los lugares de culto. Lutero, por su parte, se mostrará más comedido y reconocerá en ellas cierto valor pedagógico.

♦ ***Lit.*** Chaïm Potok, *Me llamo Asher Lev,* siglo XX: novela cuyo tema principal es la hostilidad hacia el arte figurativo.
♦ ***Icon.*** → DIOS (la tradición católica).

IMPOSICIÓN DE MANOS

La imposición de manos es el rito utilizado para transmitir una bendición o un poder (Heb. 6, 2), y establece una relación especial entre el que la da y el que la recibe. Puede ser el gesto de una simple bendición, como el que adopta Jacob para bendecir a los hijos de José; el modo de efectuar una curación; el modo de comunicar el Espíritu Santo a los bautizados, etc.

Mediante este gesto se consagra al hombre que va a cumplir una función especial: los levitas, servidores de Dios (Núm. 8, 10); Josué, jefe de la comunidad (Núm. 27, 18); Bernabé y Pablo, al ser enviados para una misión (Act. 13, 3), reciben la imposición de manos.

La Iglesia católica recuerda este gesto en la ordenación de diáconos y sacerdotes.
→ SACRAMENTO.

IMPUREZA

En principio, es impuro todo lo que incapacita para participar en el culto (contacto con un cadáver, con la sangre, ciertas enfermedades, las relaciones sexuales), o todo lo que queda excluido de él (algunos animales): se trata, pues, de un punto de vista ritual y no moral (ver Lev. 11 a 15). Pero los profetas insistirán en la purificación del corazón (Is. 1, 16).

En la misma línea, Jesús condenará el formalismo al que a veces conduce la Ley a propósito de la pureza, y recordará que lo que ensucia al hombre es lo que brota de su corazón (Mt. 15, 1-20).→ HISOPO.

INCIENSO

Perfume que procede de la resina olorosa de un árbol. El Templo de Jerusalén tenía un altar en el que se quemaba incienso todos los días, en señal de adoración (Éx. 30, 1-10).

Como el incienso estaba reservado a Dios, los judíos, así como los primeros cristianos, se negaron a quemar las semillas ante las estatuas de los emperadores romanos, actitud que les hizo convertirse en sospechosos ante los poderes públicos en el territorio conquistado por Roma. Según Mateo, los magos ofrecieron a Jesús incienso, oro y mirra (Mt. 2, 11).

Incensario

En su liturgia, algunas Iglesias cristianas continúan utilizando incienso. El balanceo del incensario hace que el perfume suba al cielo del mismo modo que la oración se eleva hacia Dios.

INFANCIA DE CRISTO

Al principio de sus evangelios, Mateo y Lucas cuentan el nacimiento y la juventud de Jesús*. Estos relatos reconstruyen un género literario ya conocido en el AT (por ejemplo, las infancias de Isaac, Sansón, Samuel...). Más tarde, los evangelistas apócrifos* adornaron a placer los relatos de Mateo y de Lucas.

Mateo muestra cómo Jesús, desde su nacimiento e infancia, realiza las promesas hechas a Israel: hijo adoptivo de José, pertenece al linaje real de David; hijo de la joven María, es el Emmanuel prometido por Isaías a Acaz; nacido en Belén, es el pastor de Israel prometido por el profeta Miqueas; perseguido por Herodes, que quiere matarle, es el nuevo Moisés perseguido por el faraón; instalado en Nazaret tras su regreso de Egipto, es llamado «el Nazareno» según el oráculo del profeta (Mt. 2, 23).

Murillo, *Las dos Trinidades,* Londres, National Gallery

La perspectiva de Lucas es diferente: equipara a Juan Bautista, el último profeta, con Jesús, el Mesías* que Israel esperaba para su definitiva liberación. Así, le acogen en el Templo de Jerusalén el anciano Simeón y la profetisa Ana.→ NUNC DIMITTIS, PRESENTACIÓN (DE JESÚS EN EL TEMPLO).

Doce años más tarde, cuando María y José encuentran a Jesús en el Templo en medio de los doctores de la Ley, el propio muchacho, según Lucas, se afirma como hijo del Padre: «¿No sabíais que es preciso que me ocupe en las cosas de mi Padre?», pregunta a sus padres (Lc. 2, 49).

♦ ***Lit.*** Pierre Emmanuel, *Tú,* 1978, «Jesús y los doctores». ♦ ***Icon.*** Simone Martini, *La Maestà, Jesús niño,* 1315, Siena. Giovanni Bellini, *Virgen con el niño,* siglo XV, Venecia. Leonardo da Vinci, *La Sagrada Familia,* 1500, Museo del Louvre. Durero, *Jesús en medio de los doctores,* siglo XVI, Roma. Murillo, *Las dos Trinidades,* siglo XVII, Londres. Rembrandt, *Simeón en el Templo,* 1669, Estocolmo. John Evarist Millais, *Cristo en casa de sus padres,* 1849, Londres. *La Sagrada Familia,* pintura sobre vidrio, siglo XIX, colección particular.

♦ ***Mús.*** Hector Berlioz, *La infancia de Cristo,* oratorio, 1856. Olivier Messiaen, *Veinte miradas sobre el niño Jesús,* piezas para piano, 1944.

INFIERNO/INFIERNOS

(Lat. *infernum,* de *inferum,* «que está debajo, abajo».) En la cosmología judía, los infiernos, el *seol,* son la parte inferior del universo.

El AT habla de él como «el lugar de reunión de todos los mortales» (Job 30, 23), es decir, la morada de los muertos. Los hebreos imaginan allí su supervivencia en «una sombra de existencia», en una claridad que se parece a la noche. Como destino común de los hombres, el *seol* no tiene por qué ser objeto de rebelión si se llega a él después de una vida luminosa, sino el lugar donde se encuentra a los antepasados. Sólo resulta dramático si se lleva a un hombre en plena actividad, a la «mitad de sus días» (Is. 38, 10).

Pero con el paso del tiempo la concepción del *seol* se modifica en el AT: de morada natural de los muertos pasa a ser lugar de castigo para las almas malvadas. Isaías amenaza con él al rey de Babilonia: «Ha bajado al *seol* de su gloria, / a

El infierno, Códice del Beato de Liébana, Madrid, Museo Arqueológico

son de tus arpas; / los gusanos serán tu lecho / y gusanos serán tu cobertura» (Is. 14, 11).

Las imágenes de Sodoma* y Gomorra devoradas por el fuego (Gén. 19, 23), o de Tofet en el valle de la Gehena, convertido en lugar de horror, van modificando poco a poco la idea que los hebreos tienen del *seol:* los infiernos o *seol,* morada de los muertos, se convierten en el infierno, lugar de castigo escatológico*, lugar de suplicios atroces. Paralelamente, comienza a configurarse la idea de una recompensa de los justos y de la resurrección (2Mac. 12, 43; Sab. 3, 1-10). Los evangelistas no hicieron sino recuperar las imágenes más terribles del estilo profético. A continuación, predicadores y artistas las difundieronampliamente.→ DESCENSO DE JESÚS A LOS INFIERNOS.

♦ ***Lit.*** Reino de Satanás y de los condenados, el infierno es el más allá, evocado por Raoul de Houdenc, *El sueño del infierno,* largo relato que data de principios del siglo XII, y el lugar de las torturas representado por Dante en la primera parte de la *Divina comedia*

(1307-1321), suma poética de los terrores de la humanidad medieval: la geografía del infierno está formada por nueve círculos divididos en zonas y fosos donde actúan los huracanes, las llamas, los osos y las serpientes. Entre los poetas menores del siglo XV se encuentra Garci Sánchez de Badajoz, *Infierno d'Amor*: poesías en las que lo erótico se une a los motivos litúrgicos y religiosos.

Santa Teresa de Jesús habla frecuentemente del infierno en sus obras: *Cuentas de conciencia,* 1560: en él se padece más de lo que podamos entender; *Moradas del castillo interior,* 1577: el tormento del alma en el infierno no es más grande que el del cuerpo; *Camino de perfección,* 1563, y *Fundaciones,* 1570. Para Agrippa d'Aubigné, *Los trágicos,* 1616, «Juicio», VII, el infierno es el lugar del castigo eterno: «...Del infierno no sale / más que la imposible sed de la imposible muerte». Dentro de la prosa satírica de Quevedo están los *Sueños,* 1627, «Las zahurdas de Plutón»: visión burlesca del infierno.

Baudelaire sitúa el infierno en el propio hombre, en el pecado en el que se hunde sin esperanza. Rimbaud, *Una estancia en el infierno,* 1873, «Mi carnet de condenado», se forjó un infierno mental bajo la influencia, al mismo tiempo amada y detestada, de Satanás: «Por toda felicidad, para estrangularlo, doy el salto sordo de la bestia feroz». Dostoievski, *Los hermanos Karamazov,* 1880: el *stázets* Zósimo define el infierno como «el sufrimiento por no poder amar». Según Nerval, *Aurelia,* 1855, la locura es una especie de descenso interior a los infiernos.

Cuando la realidad exterior es un infierno, es la prisión del castillo en el que está encerrado Marot, *Infierno,* 1539; son las ciudades modernas que describe Aragon, *La novela inacabada,* 1956; es *El primer círculo* (por alusión al infierno de Dante), 1955, del universo penitenciario soviético descrito por Solzhenitsin.

♦ ***Icon.*** *El infierno,* ilustración del Códice del Beato de Liébana, Madrid. El infierno está representado en el *Juicio final**. Auguste Rodin se inspiró en la *Divina comedia* para crear *La puerta del infierno,* que jamás fue terminada.

INMACULADA CONCEPCIÓN

(Lat. *in-macula,* «sin mancha».) Es el privilegio de haber sido concebido sin pecado (comparado aquí con una mancha).

Según un dogma de la Iglesia católica romana definido en 1854 por el papa Pío IX, María fue, desde su concepción, la única de todas las criaturas preservada de la mancha del pecado original* desde Adán y Eva.

El dogma no tiene fundamento escriturario, pero está muy arraigado en una antiquísima tradición popular. Según Bernadette, cuando la Dama se le apareció en Lourdes, se presentó así: «Soy la Inmaculada Concepción».

Como vemos, la Inmaculada Concepción no debe confundirse con la concepción virginal de Jesús por María.

→ ANUNCIACIÓN.

INOCENTES (MATANZA DE LOS)

Así se denomina la matanza de los niños recién nacidos en Belén, ordenada por el rey Herodes el Grande después de enterarse por los magos* del nacimiento de un futuro aspirante a la realeza (Mt. 2, 1-17).

Reni, *La degollación de los Inocentes,* Bolonia, Pinacoteca

El evangelista Mateo interpreta la matanza como el cumplimiento de la profecía de Jeremías 31, 15: «Una voz se oye en Rama, lamentos, amargo llanto. Es Raquel*, que llora a sus hijos y se niega a consolarse de su pérdida».

♦ ***Lit.*** Himno en latín de Prudencio, 398-405. Malherbe, *Las lágrimas de san Pedro,* 1587. Lope de Vega, *El niño inocente de La Guardia,* siglo XVII: evoca y traza un paralelismo entre los Santos Inocentes y un niño crucificado injustamente por los judíos en 1544. Charles Péguy, *El misterio de los Santos Inocentes,* 1912: el poeta medita sobre el misterioso destino de estos niños, los únicos muertos por causa de Jesús sin ni siquiera haberle conocido, y evoca la horrible carnicería. ♦ ***Icon.*** La matanza de los Inocentes inspiró a pintores y escultores: siglo XII, Notre-Dame, París, pórtico norte; Giovanni Pisano, escultura, 1301, púlpito de San Andrés de Pistoia; Pieter Bruegel, 1566, Viena; Nicolas Poussin, 1626, París; Reni, siglo XVII, Bolonia; Arcabas, 1985, iglesia de Saint-Hugues.

INRI

Abreviatura de la fórmula *Iesus Nazarenus Rex Judaeorum,* que recuerda el *titulus,* es decir, la inscripción en la que aparecía, como era obligatorio entre los romanos, el motivo de la condena de Jesús: «Jesús Nazareno, rey de los judíos» (Mt. 27, 37).

♦ ***Lengua.*** *Para más inri.* Para peor suerte, para más burla. Recoge el sentido que dieron los romanos a la inscripción que colocaron en la cruz donde fue clavado Jesús. ♦ ***Cin.*** Robert Wiene, *I.N.R.I.,* 1923: película influida por la pintura expresionista alemana.

ISAAC

(Heb., «Él [Dios] ha sonreído».) Nacido de Abraham*, ya centenario, y de Sara*, nonagenaria, Isaac es el hijo prometido (Gén. 15, 4-5; 18, 9-15; ver Rom. 9, 7-10), el heredero de la alianza* y el testimonio de su permanencia (Gén. 17). Abraham acepta ofrecerlo en sacrificio (Gén. 22), pero en el último momento el ángel* del Señor lo detiene, y, en lugar de a Isaac, ofrece un carnero que había enredado sus cuernos en un matorral. Este relato influyó en la condena y supresión de los sacrificios infantiles. Isaac, por otra parte, se presenta como la prefiguración de Cristo; se casará con Rebeca* y engendrará a Esaú y Jacob*.

♦ ***Lit.*** Élie Wiesel, *Celebración bíblica,* 1975, «El sacrificio de Isaac: historia del superviviente». Josef Brodsky, *Un alto en el desierto,* 1970, «Isaac y Abraham», poema. ♦ ***Icon.*** El sacrificio de Isaac posee cuatro elementos, la leña y el altar del sacrificio, Abraham empuñando el cuchillo para degollar a su hijo, el carnero prisionero en un matorral, y, por último, la mano de Dios (o de su ángel) deteniendo el brazo de Abraham: fresco, siglo III, sinagoga de Dura-Europos; escultura: puertas de bronce, San Zenón, Verona; Lorenzo Ghiberti, 1425, baptisterio de Florencia; Caravaggio, 1603, Florencia; Rembrandt, 1635, Munich. Govaert Flinck, *Isaac bendiciendo a Jacob,* 1638, Amsterdam.

Miguel Ángel, *El profeta Isaías,* Roma, Capilla Sixtina

ISABEL

(Heb., «mi Dios es plenitud» o «Dios lo es todo para mí».) Descendiente de Aarón*, era esposa de Zacarías. Como Sara y Rebeca, fue estéril durante mucho tiempo (Gén. 11, 30; 25, 21) y en el ocaso de su vida concibió al profeta Juan Bautista* (Lc. 1 y s.). Su pariente María fue a visitarla. → VISITACIÓN.

ISAÍAS o ESAÍAS

El profeta Isaías, nacido hacia 765 a. C., ejerció su actividad entre 740 y 701, bajo los reinados de Acaz y de Ezequías. Próximo al poder real, participó activamente en la vida política. Murió, probablemente martirizado, durante el reinado del impío rey Manasés.

Isaías fue un gran escritor y un gran poeta, como lo demuestra el libro que lleva su nombre (del cual sólo pueden atribuírsele los capítulos 1 a 23 y 28 a 35). Algunas páginas, como el relato de su visión en el templo (capítulo 6) o sus oráculos contra las naciones (10 y 13) o sobre la paz futura (capítulo 11), figuran entre las páginas más bellas de la literatura bíblica.

Los temas preferidos por Isaías son la majestad de Dios y la total confianza que este reclama (también en materia política), la denuncia de las injusticias y la esperanza en el porvenir.

La segunda parte del libro de Isaías (Is. 40-55) es un mensaje de consuelo a los exiliados en Babilonia (hacia 550 a. C.). En ella encontramos cuatro obras líricas muy famosas llamadas los «poemas del servir». La tercera parte, más inconexa, agrupa elementos de orígenes diversos que, en su conjunto, datan del regreso del exilio. Unánimemente se ha reconocido que las segunda y tercera partes son obra de discípulos y seguidores del gran profeta, que desearon prolongar su mensaje.

♦ ***Lit.*** → PROFETA.

♦ ***Icon.*** *El profeta Isaías:* escultura, siglo XII, Souillac; Maestro de Aix, 1445, Rotterdam; Melozzo da Forli, 1477, Loreto; Miguel Ángel, siglo XVI, Capilla Sixtina, Roma.

♦ ***Mús.*** Alexandre Tansman, *Isaías el profeta,* 1950. Darius Milhaud, *Promesa de Dios,* 1971 (sobre textos de Isaías y de Ezequiel).

ISLAM

(Árabe, «Encomendarse a Dios».) Mahoma (570-632), comerciante de la ciudad de La Meca, en Arabia, recibió del ángel Gabriel la revelación divina, la cual transmitió a sus compatriotas *(al- koran)* a partir del año 610. Como encontró hostilidad en los clanes de la ciudad, se marchó en 622 (hégira) al oasis de Yatrib, a 430 kilómetros al norte de la ciudad. Reconquistó La Meca y transformó la peregrinación rompiendo los ídolos paganos, para consagrarla al único Dios, Alá. Sus revelaciones, escritas por sus discípulos, se recopilaron entre 634 y 644. El Corán* es el libro sagrado del islam con el que los fieles musulmanes forman la comunidad, la *Umma.*

Mahoma conocía muy bien el ambiente judío de Yatrib (Medina). Afirmó ser el último de los profetas después de Adán, Abraham, Moisés y Jesús, que venía a traer la palabra divina a los árabes descendientes de Abraham* por Ismael*, del mismo modo que Moisés la había transmitido a los hebreos. Considera el Pentateuco* como el principio de la revelación del Dios único, y es el encargado de disipar los errores. Así, Jesús, nacido de la Virgen María, es el enviado de Dios y no su hijo, no es la encarnación* de Dios, no murió en la cruz para redimir los pecados de los hombres, pero presidirá el Juicio final en Jerusalén. Los muertos resucitados serán juzgados por sus actos: los justos serán recibidos en el paraíso y los pecadores irán al infierno a reunirse con Satanás...

Mahoma dio a los fieles cinco normas, los pilares del islam: la profesión de fe —«Alá es el único Dios y Mahoma su profeta»—; la oración cinco veces al día, precedida de abluciones; el ayuno diurno del mes de Ramadán; la limosna a los pobres y la peregrinación a La Meca una vez en la vida. El cumplimiento de estos ritos se hizo explícito por la tradición o *sunna,* a partir de los *hadit,* testimonios de los seguidores del profeta que dieron lugar a cuatro escuelas de juristas, ya que el islam no separa la vida religiosa de la vida social y política.→ FIESTAS RELIGIOSAS.

ISMAEL

Antes del nacimiento de Isaac*, hijo de Sara*, Abraham* tuvo un hijo de su sirvienta Agar, a quien llamó Ismael. Sara mandó expulsar a Agar y a Ismael para que este último no heredara a Abraham (Gén. 21, 12-14). Ismael es el antepasado epónimo («que ha dado su nombre») de 12 tribus árabes de Transjordania y el norte de Arabia (Gén. 25, 12).

ISRAEL

Cuando Jacob* hubo luchado contra el ángel, recibió el nombre de Israel, al que la etimología popular otorga el significado de «fuente contra Dios» (Gén. 32, 29).

A la muerte del rey Salomón*, el reino se dividió en dos: el reino de Israel, en el norte, y el reino de Judá, al sur. Entonces el nombre de Israel designaba a una parte de la población (1Re. 12, 19). Tras la conquista del reino del Norte por los asirios, en 721 a. C., el término abarcó a la comunidad político-religiosa de los judíos. También Israel tiene el sentido espiritual de pueblo de Dios fiel a la alianza* de Abraham y de Moisés, e incluso los cristianos lo utilizaron en este sentido.

El 14 de mayo de 1948, David Ben-Gurion proclamó la creación del Estado de Israel, tras la salida de las tropas británicas que ocupaban Palestina y el reparto de esta que hizo la ONU.

Israelí

Habitante del Estado de Israel fundado en 1948. La mayoría de los israelíes son israelitas, pero algunos son cristianos o musulmanes, como los palestinos.

Israelita

Es sinónimo de judío y, en sentido limitado, designa al seguidor de la religión judía o judaísmo*.

♦ ***Lit.*** La fidelidad religiosa judía está vinculada a la vocación de Abraham, que abandonó su país para dirigirse a la Tierra Prometida. Eretz Israel, Palestina, es la patria religiosa, el centro del mundo para todos los judíos dispersos por todos los confines de la tierra. Jehudá Haleví, *Los siónidas,* siglos XI y XII: «Pero cuando sueño con el regreso de tus cautivos, soy una cítara que vibra con tus himnos».

Muchos exiliados regresaron después de los sangrientos progromos de Rusia, en el segundo tercio del siglo XIX, y se constituyó una literatura nacional en hebreo, cuyo «padre» es Hayim Nahrame Bialik (1873-1934). Cuando, en 1917, esta emigración, «el Ascenso» según la expresión hebraica, se ve frenada por la Revolución de Octubre, el renacimiento de la literatura hebraica está en marcha; a partir de entonces prosigue en tres lugares: Polonia, Estados Unidos y Palestina —declarada «hogar nacional». Desde la creación de Israel, en 1948, y las nuevas oleadas de emigrantes, la literatura hebraica nacional llega a su apogeo con la figura de Samuel Josef Agnon, premio Nobel en 1966: *El ajuar de la desposada,* 1935 (ver Simon Halkine, *Historia de la literatura hebraica moderna,* 1964).

♦ ***Cin.*** Otto Preminger, *Éxodo,* 1960, basada en la novela de León Uris.

J

JACOB

(Doble etimología basada en un juego de palabras: popular: *ageb,* «el que se agarra al talón, el que suplanta»; culta: el nombre abreviado del hebreo *ya'aqob-el* significa, sin duda, «al que Dios protege».) Hijo de Isaac* y de Rebeca*, hermano gemelo de Esaú*, nació agarrado al talón de su hermano. Jacob suplanta a este último comprando su derecho de primogenitura por un plato de lentejas (Gén. 25, 29-34), y luego consigue de Isaac, que se ha quedado ciego, la bendición reservada al primogénito (Gén. 27, 1-40).

Ribera, *Jacob y el rebaño de Labán,* Madrid, monasterio de El Escorial

Para huir de la cólera de Esaú se dirige a Mesopotamia; por el camino, en Betel, ve en sueños una escalera por la que suben los ángeles que sirven a Dios: Dios le bendice y le promete una numerosa descendencia (Gén. 28, 10-20). Su tío Labán le toma a su servicio durante siete años, pero le engaña al darle a su hija Lía por mujer, pues Jacob quería casarse con Raquel: Jacob tiene que servir otros siete años para casarse con Raquel; después, durante seis años, se enriquece a costa de su tío. En el camino de regreso a Canaán, Jacob lucha contra un desconocido (Gén. 32, 25-31) en el que reconoce a Dios: este le bendice y le cambia el nombre por el de Israel*, que quiere decir «fuerte contra Dios». Más tarde Jacob se reconcilia con Esaú.

Hacia el final de su vida, Jacob emigra a Egipto a causa del hambre y encuentra a su hijo José*. Antes de morir bendice a sus 12 hijos (Gén. 49, 1-28), antepasados epónimos de las 12 tribus de Israel.

En la historia patriarcal, Jacob es el hombre de la astucia, pero su habilidad no habría servido de nada si no hubiera sido, sobre todo, aquel al que Dios eligió en su libre voluntad frente a Esaú, aquel al que Dios renueva las promesas hechas a Abraham.

♦ ***Lit.*** Agrippa d'Aubigné, *Los trágicos,* 1616, I, «Miserias»: la facción católica y la facción protestante que destrozan a su madre, Francia, son como Esaú y Jacob disputándose «los pechos alimenticios»: Jacob, el elegido de Dios, representa a la facción protestante. Lope de Vega cita a Jacob en varias de sus obras: *Pastores de Belén,* 1612: en el libro I habla también de las hijas de Jacob, y en el libro II Jacob dialoga con la hermosa Raquel. Lamartine, *Nuevas meditaciones poéticas,* 1823, «El espíritu de Dios»: la lucha de Jacob con el ángel. Norge, *La Joie aux âmes,* 1941, «Jacob et l'Ange». Thomas Mann, *José y sus hermanos,* 1943: sin duda, Jacob percibe el apoyo de su misión divina, pero el desbordante amor que siente por su hijo José, al que colma de favores en detrimento de los demás hijos, será fuerte motivo de conflictos entre sus descendientes.
Pierre Emmanuel, *Jacob,* 1970: en la figura bíblica de Jacob —cada uno de nosotros— el poeta prosigue su búsqueda del sentido de la vida. Élie Wiesel, *Celebración bíblica,* 1975, «Jacob o el combate con la noche».

♦ ***Icon.*** *El encuentro de Jacob y Raquel:* Luca Giordano, siglo XVII, Lausana; William Dyce, siglo XIX, Leicester; Josef von Führich, 1836, Viena. *El sueño de Jacob:* Escuela de Aviñón, 1490, Aviñón; Ribera, 1639, Museo del Prado; William Turner, siglo XIX, Londres. *La lucha de Jacob con el ángel:* Salvatore Rosa, siglo XVII, Derbyshire; Delacroix, 1862, Saint-Sulpice, París. Jacopo da Bassano, *El regreso de Jacob,* 1565, Venecia. Ribera, *Jacob*

Veronés, *Jesús en casa de Jairo,* Viena, Galería Imperial

y el rebaño de Labán, siglo XVII, Madrid. Gauguin, *La visión después del sermón,* 1888, Edimburgo. Ford Maddox Brown, *La túnica de colores,* siglo XIX, Liverpool.

♦ ***Mús.*** Arnold Schönberg, *La escalera de Jacob,* oratorio, 1917.

JAIRO

Uno de los notables de Cafarnaúm, padre de una niña que muere a los 12 años de edad. Ante la súplica de Jairo, Jesús resucita a la niña (Mt. 9, 18-19; 23-26).

♦ ***Icon.*** *Resurrección de la hija de Jairo:* sarcófagos, siglo IV, Arlés y Letrán; mosaico, siglo XII, Monreale; Rembrandt, dibujo a pluma, 1632, Rotterdam. Veronés, *Jesús en casa de Jairo,* siglo XVI, Viena.

JEFTÉ

Jefté el Galaadita fue uno de los 12 jueces* de Israel. Según el libro de los Jueces, después de su victoria sobre los ammonitas se vio obligado, para cumplir su promesa, a inmolar a su hija en holocausto*. Curiosamente, el narrador no parece condenar este sacrificio humano, acto, sin embargo, totalmente proscrito por la Ley; el relato pretende explicar, mediante un rito de duelo, una fiesta cananea* (Jue. 10, 6-12,7).

♦ ***Lit.*** Vigny, *Poemas antiguos y modernos,* 1837, «La hija de Jefté»: Vigny censura a Dios y su «crueldad».

♦ ***Icon.*** *La hija de Jefté:* capitel, siglo XII, Vézelay; Lucas de Leiden, siglo XVI, Rotterdam; Simon Vouet, tapiz, 1627, los Gobelinos; Antoine Coypel, 1711, Laon; Degas, siglo XIX, Smith College.

♦ ***Mús.*** *Jefté,* oratorio: Giacomo Carissimi, 1656; Haendel, 1752.

JEHOVÁ o JEHOVÁH

Nombre construido a partir de las consonantes del nombre divino YHVH (que se evitaba pronunciar por respeto) y de una vocalización procedente, más o menos, de la palabra *Adonay* (el Señor) que se leía en su lugar. Actualmente este nombre ha caído en desuso. → TETRAGRAMA, YAHVÉ.

♦ ***Lit.*** Tanto Lamartine como Victor Hugo utilizan este nombre para designar al Dios del AT. Lamartine, *Armonías poéticas y religiosas,* 1830, «Jehová o la idea de Dios» (Armonía Octava). Victor Hugo, *Contemplaciones,* 1855, VI, «Nomen, numen, lumen»: las siete letras del nombre «Jehová», se convierten en «los siete astros gigantes del negro septentrión».

JEREMÍAS

Nacido hacia el año 650 a. C., en una familia sacerdotal de Anatot, aldea vecina de Jerusalén, Jeremías ejerce su ministerio entre 627 y 587, durante uno de los períodos más sombríos de la historia de Jerusalén: vive la llegada de los babilonios, la destrucción de la ciudad, el incendio del Templo, la marcha al cautiverio, en una palabra, el aniquilamiento de todo lo que simbolizaba la religión y la esperanza de Israel.

También la vida personal de Jeremías estuvo marcada por el sufrimiento, y su libro es un emocionante testimonio de ello.

Jeremías condena la idolatría y la corrupción moral. Mediante palabras y actos simbólicos ataca las falsas seguridades: templo, culto, circuncisión, y acaba anunciando la catástrofe.

Sus palabras no gustaron y fue detenido y maltratado (Jer. 26). A partir de entonces, con la ayuda del escriba Baruc, transmitió sus mensajes por escrito (Jer. 36). Fue entonces cuando, como profeta sensible que era, escribió sus lamentos, su hastío, aunque sin dejar de reafirmar su fidelidad a Dios (Jer. 19, 7-18).

En la toma de Jerusalén, en 587, Jeremías fue deportado a Egipto, donde escribió sus últimos oráculos.

A Jeremías se le atribuye equivocadamente el libro de las Lamentaciones, conjunto de cinco endechas sobre la ruina de Jerusalén.

Miguel Ángel, *El profeta Jeremías,* Roma, Capilla Sixtina

♦ ***Lengua.*** *Jeremiadas.* Lamentos persistentes. El nombre proviene del libro de las Lamentaciones, falsamente atribuido a Jeremías.

♦ ***Lit.*** Robert Garnier, *Los judíos,* 1583: el profeta que interviene en el acto I para implorar la clemencia de Dios y en el acto V para contar el terrible desenlace de la rebelión de Sedecías, rey de Jerusalén, contra Nabucodonosor, rey de Asiria (siglo VI a. C.) no es otro que el profeta Jeremías de la Biblia. Al final, anuncia días mejores para Jerusalén y la llegada del Mesías. Stefan Zweig, *Jeremías,* 1918.

♦ ***Icon.*** *El profeta Jeremías:* estatua, siglo XII, Moissac; Miguel Ángel, siglo XVI, Capilla Sixtina, Roma. Claus Sluter, *El pozo de los profetas,* 1404, Dijon. Rembrandt, *Jeremías se lamenta de la ruina de Jerusalén,* 1630, Amsterdam.

♦ ***Mús.*** Igor Stravinsky, *Threni, id est lamentationes Jeremiae prophetae,* 1932. Leonard Bernstein, *Jeremiah symphony,* 1942.

Ghiberti, *Paso del Jordán y toma de Jericó,* Florencia, Baptisterio

JERICÓ

La ciudad más baja del mundo —300 metros por debajo del nivel del Mediterráneo—, se encuentra a 35 kilómetros al nordeste de Jerusalén, al norte del mar Muerto, en un oasis famoso por su fertilidad. Las excavaciones arqueológicas han descubierto la presencia de 17 ciudades sucesivas en el emplazamiento de Jericó, lo que la convierte en una de las ciudades más antiguas del mundo.

Según el libro de Josué, la ciudad fortificada vio cómo sus murallas se derrumbaban al son de las trompas de cuerno de carnero (el *shofar* de las ceremonias litúrgicas) y del grito de guerra lanzado por el pueblo de Israel mientras el arca* de la alianza era llevada en procesión alrededor de la ciudad asediada (Jos. 6). Josué condenó a la ciudad al anatema* y masacró a sus habitantes, excepto a la prostituta Rahab, que había acogido a los emisarios de Israel (2, 1-21).

Relato clásico de guerra santa y texto litúrgico al mismo tiempo, este texto no ha sido corroborado por la arqueología y no se ha encontrado huella alguna de una posible destrucción de Jericó hacia el siglo XIII a. C.

Sea como fuere, la ciudad fue reconstruida por Acab en el siglo IX y fortificada en el siglo III, en la época de los Macabeos*. Herodes el Grande mandó construir allí un palacio.

Jesús se detuvo varias veces en Jericó: allí curó a dos ciegos y reconcilió con Dios al publicano Zaqueo* (Lc. 19, 1-9). La parábola del buen samaritano se desarrolla en el camino de Jerusalén a Jericó (Lc. 10, 30).

♦ ***Icon.*** La caída de los muros de Jericó está representada en mosaico, siglo IV, Santa Maria Maggiore, Roma; Lorenzo Ghiberti, bajorrelieve en bronce, siglo XV, puerta del baptisterio de Florencia. Jean Fouquet, *Antigüedades judaicas,* miniatura, 1476, París.

♦ ***Mús.*** *Joshua fought the battle of Jericho,* espiritual negro.

JERUSALÉN

Ciudad santa del judaísmo, también venerada por los cristianos y los musulmanes, que probablemente se corresponde con Ursalimmu, la «ciudad de la paz» de la que hablan los textos asirios hallados en Tell-al-Amarna. La tradición bíblica la identifica con Salem, ciudad del rey Melquisedec (Gén. 14, 18); el libro de las Crónicas la llama Jebús, tomado del nombre de sus primeros habitantes, los jebuseos (1Cr. 11, 4).

Hacia el año 1000 a. C., David* eligió Jerusalén como capital de las 12 tribus de Israel. Con la presencia del arca de la alianza y, especialmente, tras la construcción del Templo* bajo el reinado de Salomón*, la ciudad se convirtió en el centro religioso de los hebreos: en ella se celebraba la grandeza de Dios y de la casa de David.

Después, Jerusalén conoció numerosos dramas: en primer lugar, la división, en 933, entre el reino del Norte y el del Sur; entonces pasó a ser solamente la capital del pequeño territorio de Judá, que fue destruida en 587, año en que se inicia el exilio en Babilonia*.

Lentamente reconstruida a raíz del edicto de Ciro (538 a. C.), que permitió el regreso de los exiliados, sufrió la dominación helenística. Liberada durante un tiempo por la rebelión de los Macabeos, en 166 a. C., fue tomada por Pompeyo (68 a. C.) y sometida a Roma.

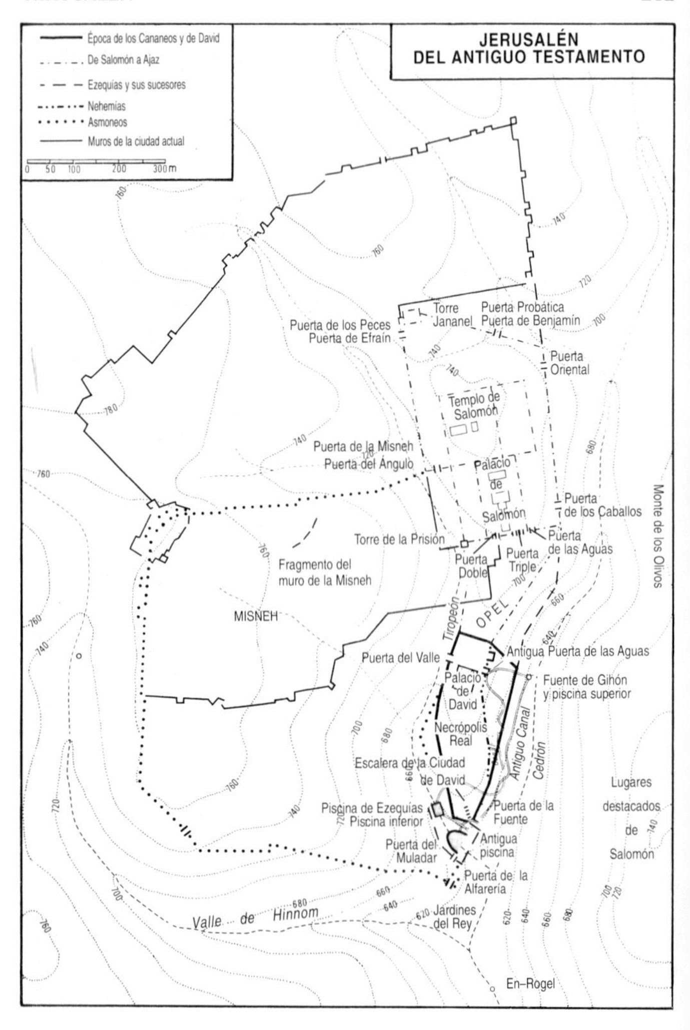
JERUSALÉN
DEL ANTIGUO TESTAMENTO
Época de los Cananeos y de David
De Salomón a Ajaz
Ezequías y sus sucesores
Nehemías
Asmoneos
Muros de la ciudad actual
0 50 100 200 300 m
Torre Jananel
Puerta Probática
Puerta de Benjamín
Puerta de los Peces
Puerta de Efraín
Puerta Oriental
Templo de Salomón
Puerta de la Misneh
Puerta del Ángulo
Palacio de Salomón
Puerta de los Caballos
Torre de la Prisión
Puerta de las Aguas
Puerta Doble
Puerta Triple
Fragmento del muro de la Misneh
Monte de los Olivos
MISNEH
Tiropeón
OPEL
Puerta del Valle
Antigua Puerta de las Aguas
Palacio de David
Fuente de Gihón y piscina superior
Necrópolis Real
Antiguo Canal
Cedrón
Escalera de la Ciudad de David
Lugares destacados de Salomón
Piscina de Ezequías
Piscina inferior
Puerta de la Fuente
Puerta del Muladar
Antigua piscina
Puerta de la Alfarería
Valle de Hinnom
Jardines del Rey
En-Rogel

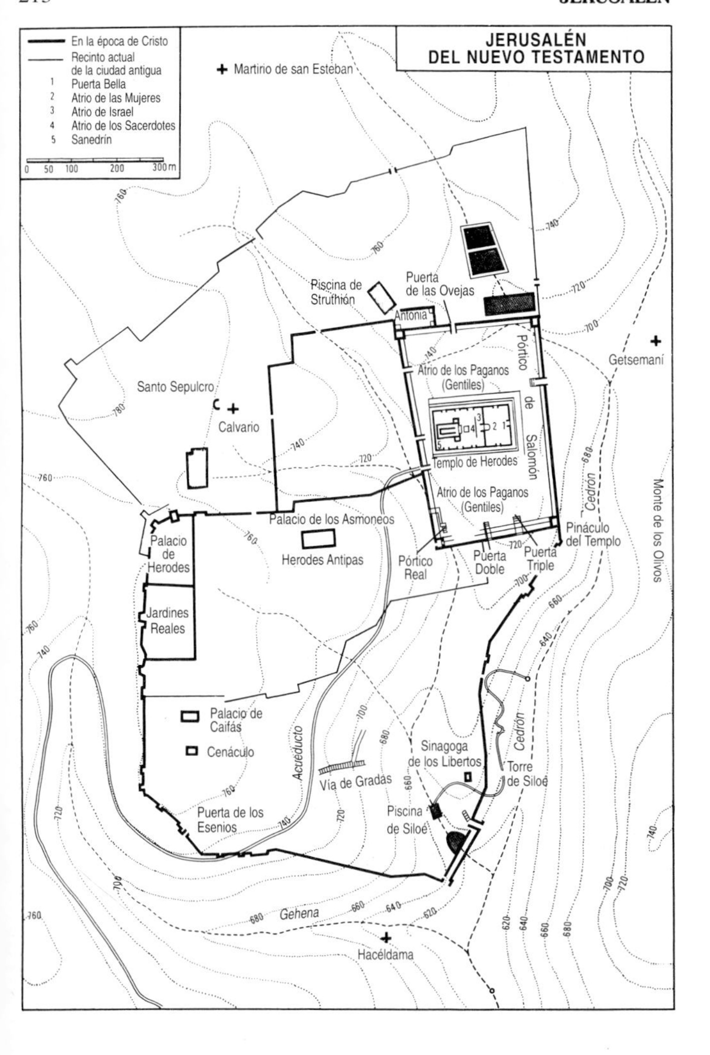
JERUSALÉN
DEL NUEVO TESTAMENTO
En la época de Cristo
Recinto actual
de la ciudad antigua
1 Puerta Bella
2 Atrio de las Mujeres
3 Atrio de Israel
4 Atrio de los Sacerdotes
5 Sanedrín
0 50 100 200 300 m
Martirio de san Esteban
Piscina de
Struthión
Puerta
de las Ovejas
Antonia
Pórtico
de
Salomón
Atrio de los Paganos
(Gentiles)
Templo de Herodes
Getsemaní
Santo Sepulcro
Calvario
Palacio de los Asmoneos
Herodes Antipas
Palacio
de
Herodes
Jardines
Reales
Pórtico
Real
Puerta
Doble
Puerta
Triple
Pináculo
del Templo
Cedrón
Monte de los Olivos
Palacio de
Caifás
Cenáculo
Acueducto
Vía de Gradas
Sinagoga
de los Libertos
Torre
de Siloé
Piscina
de Siloé
Puerta de los
Esenios
Gehena
Hacéldama
760
780
740
720
700
680
660
640
620

En 70 d. C., Tito, a la cabeza de las legiones romanas, destruyó la ciudad y después el Templo. En 135, Adriano mandó derribar lo que quedaba de Jerusalén y la ciudad pasó de mano en mano a través de los siglos.

Aunque desde el regreso del exilio Jerusalén no tenía independencia política, conservaba, sin embargo, un lugar de capital importancia en el ámbito religioso. Desde todas partes los judíos volvían a ella y acudían en peregrinación (Sal. 122). Se le consideraba como la morada de Dios (Sal. 46); era la ciudad llamada a convertirse en la madre de todas las naciones (Sal. 87); poseía una vocación de santidad, de fidelidad, aclamada por los profetas, que no cesaban de apelar a su conversión.

En el NT Jerusalén ocupa un lugar importante en los cuatro evangelios, sobre todo en el de Lucas. En esta ciudad comienza y termina su testimonio sobre Jesús; pone de relieve el trayecto de Jesús hacia la capital donde deben cumplirse su Pasión y su muerte (Lc. 9, 31).

En 50 d. C., una asamblea de responsables cristianos se reúne en Jerusalén para decidir qué actitud adoptar respecto a los judeocristianos: es el primer concilio.

Los profetas aspiraban a una Jerusalén ideal, la del fin de los tiempos. Recuperando esta esperanza, las epístolas de Pablo y el Apocalipsis hablan simbólicamente de la nueva Jerusalén: «Y vi la ciudad Santa, la nueva Jerusalén, que descendía del cielo del lado de Dios» (Ap. 21, 2).

♦ ***Lit.*** En la literatura religiosa, Jerusalén es la ciudad soñada, la ciudad esperada; pero, si la Jerusalén de los autores que se inspiran en el judaísmo (Salomon Ibn Gabirol, siglo XI; Jehudá Haleví, *Los siónidas,* siglo XII) es la ciudad geográficamente situada en Palestina, la mayoría de las veces los escritores de origen cristiano hablan de la Jerusalén celestial: Racine, *Atalía,* 1691: visión de Joad; William Blake, *Jerusalén,* 1820.

La ciudad histórica aparece como motivo de conflicto entre comunidades rivales, dividida, destrozada, saqueada... *La conquista de Jerusalén,* siglo XII, evoca la toma de la ciudad por Godofredo de Bouillon. Torquato Tasso, *Je-*

Poussin, *La toma de Jerusalén,* Viena, Galería Imperial

rusalén liberada, 1593, recuerda este sangriento acontecimiento. Lope de Vega, *Jerusalén conquistada,* poema épico, 1604: el autor sustituye los personajes de las cruzadas, entre ellos a Ricardo Corazón de León (siglo XII) por el rey español Alfonso VIII de Castilla. También, Y. L. Gordon Vilna, *Caída de Jerusalén,* poemas, siglo XIX.

En el siglo XIX, la ciudad ya no atrae solamente a peregrinos y soldados, sino a viajeros y arqueólogos: Chateaubriand, *Itinerario de París a Jerusalén,* 1811; Lamartine, *Viaje a Oriente,* 1833; Pierre Loti, *Jerusalén,* 1896. Aparecerá una imagen de Jerusalén contemporánea en los escritores israelitas, especialmente: Samuel Josef Agnon, *Cuentos de Jerusalén,* 1959; David Schahar con el mismo título y *El palacio de las vasijas rotas,* 1978; Élie Wiesel, *El mendigo de Jerusalén,* 1968.

♦ ***Icon.*** La ciudad de Jerusalén aparece a veces como decorado de un cuadro: Vittore Carpaccio, *Predicación de san Esteban en Jerusalén,* 1520,

París; Marc Chagall, *El Cantar de los Cantares,* 1956, Niza. Vidriera, siglo XII, catedral de Sens.

La Jerusalén celestial del Apocalipsis aparece representada con mayor frecuencia: mosaicos, siglo IV, Santa Prudenciana; siglo V, Santa Maria Maggiore; siglo IX, San Práxedes, Roma. Frescos, siglo XII, Saint-Savin; siglo XII, San Pedro de Civate (Lombardía). También en el siglo XII, miniaturas de evangeliarios: Saint-Médard de Soisson; *La ciudad de Dios* de san Agustín, Praga. Objetos de culto: corona de luz, Hildesheim, Aix-la-Chapelle; incensario, Seitenstetten (Austria). Poussin, *La toma de Jerusalén,* siglo XVII, Viena. ♦ ***Mús.*** Antonio Vivaldi, *Lauda Jerusalem,* composición para doble coro, siglo XVIII.

JESÚS

(Heb. *Yeshoua'* y *Yehoshoua',* es decir, «Dios salvador». Nombre de Josué y de muchos otros.) Jesús es la figura central de los evangelios*.

De su existencia histórica dan fe los escritos de sus discípulos y la confirman los escritores antiguos: Flavio Josefo (hacia 93 d. C.), Plinio el Joven (112 d. C.), Tácito (116 d. C.) o Suetonio (120 d. C.).

De su vida sabemos poco, pues los evangelios no son una biografía de Jesús. Nació en Belén* bajo el reinado de Herodes* el Grande, en el año 4 ó 6 a. C. Era hijo de María, y su padre legal era José*, del linaje de David*, carpintero de Nazaret*. Durante 30 años Jesús llevó la existencia oscura de un niño, y más tarde la de un joven judío: estudió las Escrituras y las asumió. El único episodio sobresaliente de este período de «vida oculta» lo sitúa, a los 12 años de edad, en Jerusalén, en medio de los doctores* de la Ley, «oyéndolos y preguntándoles» (Lc. 2, 46). Sin duda, ejerció el mismo oficio que José.

Luego comenzó su «vida pública»: duró tres años según unos y un año según otros.

Se inauguró con el bautismo* que recibió de Juan* Bautista en el Jordán. Después, con los 12 compañeros que había elegido, recorrió Palestina predicando la llegada del Reino* de Dios, curando a los enfermos, atrayendo a su doctrina a numerosos discípulos, dirigiéndose, a menudo con parábolas*, a muchedumbres de oyen-

Rembrandt, *El Sermón de la Montaña,* Munich, Alta Pinacoteca

tes, curiosos, personas hostiles o convencidas.

Un día del mes de Nisán (abril) del año 30 ó 33, fue detenido por las autoridades judías, denunciado ante el poder romano, juzgado y condenado; al día siguiente, viernes, fue crucificado y sepultado. El domingo, las mujeres que le habían acompañado durante sus años de vida pública afirmaron haber encontrado su tumba vacía cuando acudieron a terminar de embalsamar su cuerpo. Sus apóstoles aseguraron que lo habían encontrado vivo y habían hablado y comido con él; hasta su muerte, dieron testimonio de la resurrección* de Jesús.

Los evangelios se consideran el eco fiel de su enseñanza, eco destinado a los que no le oyeron. En lo esencial, Jesús afirma con fuerza —y a veces de forma provocadora— la primacía del amor a Dios y al prójimo* sobre todos los demás preceptos de la Ley. Añadiendo los actos a la palabra, recibe con los brazos abiertos a aquellos seres despreciados en la época: publicanos que recaudaban los impuestos para el ocupante romano, como Mateo*; leprosos, samaritanos odiados por los judíos, mujeres, y, entre ellas, prostitutas. Todo eso podía ser perfectamente aceptable para un buen fariseo*. Pero Jesús va más lejos: se presenta como alguien que tiene con Dios* una relación especial, pues se atreve a llamarle Padre (en aram. *abba).* Sus palabras y sus actos le atraen la hostilidad de ciertas autoridades judías.

Todos los datos que recogen los evangelios sobre Jesús tienden a presentarlo como el Mesías, el Ungido de Dios, aquel que Israel esperaba y que cumple plena y definitivamente las promesas hechas a los antiguos y relatadas en el AT.

Los cristianos ven en Jesús al Mesías* prometido a Israel; llegan, incluso, a afirmar que este Mesías es el Hijo* único de Dios hecho carne, lo que, sin embargo, no se admitió inmediatamente y tampoco sin dificultad. Jesús es para ellos aquel que, por su vida, su muerte y su resurrección, abre a la humanidad entera el acceso al Reino de Dios. Le llaman Jesucristo, Jesús, Mesías.

Los judíos admiten la historicidad de Jesús. Son sensibles a lo que, en su enseñanza, pertenece a la trayectoria de la tradición judaica. Pero no reconocen en él al Mesías prometido por Dios a sus padres para la liberación de Israel. Por tanto, su espera continúa.

El islam ve en Jesús a un profeta precursor de Mahoma. El Corán le llama «Mesías», «Servidor de Dios», «Palabra de Alá», pero se niega a aceptarle como algo más que un hombre santo.

→ CRISTO, PASIÓN.

♦ ***Lit.*** *Los escritores y el personaje histórico.*

Jesús es la palabra-vocablo más utilizada en toda la literatura española, especialmente en los siglos XIII y XIV, en el mester de clerecía, y posteriormente en el Renacimiento y el barroco. En el siglo XV: fray Íñigo de Mendoza, *Vita Christi:* sobre la infancia de Jesús; Gómez Manrique, *La representación del nacimiento de Nuestro Señor:* auto de Navidad que mantiene la tradición de los misterios medievales, integrado por escenas yuxtapuestas relativas al nacimiento de Jesús.

En el siglo XVI: Juan del Encina, *Églogas de Navidad:* sobre el nacimiento de Jesús; Torres Naharro, *Diálogo del nacimiento;* fray Luis de León, *De los nombres de Cristo,* 1583: su obra más importante en prosa, en la que aparecen los nombres que denominan a Jesús en la Sagrada Escritura: Camino, Pastor, Monte, Esposo, Amado, Jesús, Cordero, Príncipe de la Paz, Hijo de Dios, etcétera; beato Alonso de Orozco, *De nueve nombres de Cristo,* siglo XVI, antecedente del de fray Luis.

En el siglo XVII: Lope de Vega, *Soliloquios,* 1612; *Rimas sacras,* 1614: «¿Qué tengo yo que mi amistad procuras? / ¿Qué interés se te sigue Jesús mío?»; y también diversos autos sacramentales: *La coronación de la humanidad de Cristo, El Divino Pastor, El nombre de Jesús, El Prícipe de la Paz* y *El yugo de Cristo.*

Alberto Lista y Aragón, *A la muerte de Jesús,* siglo XIX: oda en la que se observa la influencia de la Biblia. García Tassara, *Himno al Mesías,* siglo XIX.

David Friedrich Strauss, *Vida de Jesús,* 1835: en los evangelios todo es un mito; Jesús es una figura mesiánica cuya realidad histórica no tiene consistencia. Ernest Renan, *Vida de Jesús,* 1863: escribe con un espíritu racionalista, pero respetuoso, sobre «el individuo que hizo dar a su especie el paso más grande hacia lo divino». François Mauriac, *Vida de Jesús,* 1937: el autor se entrega a una recreación psicológica partiendo de los grandes pasajes de los evangelios. Luis Rosales, *Retablo sacro de Nuestro Señor,* 1940: incorpora la gracia ingenua de los poetas religiosos de fines de la Edad Media. Mika Waltari, *El secreto del reino,* 1979: texto novelado de los últimos días de Jesús, apoyado en una sólida documentación.

Jesús redentor o maestro de la moral.

Jesús no es solo el simple iniciador de una moral o un maestro remoto que hace pensar. Como ser sobrenatural, mediador entre Dios y los hombres y redentor, es la fuente de la vida espiritual. Pascal, *Pensamientos,* 1670: «Sin su mediación desaparece toda comunicación con Dios».

Toda vida cristiana tiende a la unión, a la identificación con Jesús. Corneille en el siglo XVII y Lamennais en el XIX traducen *La imitación de*

Cristo, obra latina anónima del siglo XV. Pascal, *Pensamientos,* 1670, «Misterio de Jesús»: revive en la mente la Pasión de Jesús. Del mismo modo, los personajes humillados, ofendidos, los enfermos, los pobres* de Dostoievski y de Bernanos son figuras del Jesús doliente: Bernanos, *Diario de un cura rural,* 1936. Unamuno, *El Cristo de Velázquez,* 1920: extenso poema en endecasílabos blancos, que reúne una serie de comentarios líricos suscitados por la contemplación de este cuadro.

En el propio seno de la miseria, la unión con Dios a través de Jesús proporciona al hombre fuerza y grandeza, debido a la majestad de este, «que vive nuestra vida» (Pascal, «Misterio de Jesús»). En el impulso místico se cumple la fusión bienaventurada del alma, que habla con el Verbo*, y de Dios: «El alma no ve sino a Jesús / que entrega su amor eterno» (Madame Guyon, *El medio breve y fácil de hacer oración,* 1685).

Jesús sin Cristo.

Negando la divinidad de Jesús, muchos filósofos del siglo XVIII trazan un paralelo entre este personaje y Sócrates. Rousseau prefiere a Jesús *(Emilio,* 1762, libro IV, «Profesión de fe del vicario sabonayo»). Se complacen oponiendo «la figura dulce y sencilla» de Jesús a la Iglesia poderosa e intolerante: Voltaire, *Cuestiones sobre la Enciclopedia,* 1771, «Religión». En el siglo XIX la literatura anticlerical renovará esta oposición. Victor Hugo, *Los castigos,* 1853: Jesús es el oprimido; la Iglesia, la aliada de los opresores. Tolstoi, blanco de las autoridades religiosas rusas, también niega la divinidad de Jesús, al que admira por haber dado a la humanidad un ideal de perfección moral (nota final de *La sonata a Kreutzer,* 1890).

Por el contrario, Nietzsche detesta por instinto ese ideal «de los corazones puros, los dolientes, los fracasados» *(El Anticristo,* 1888). Rimbaud, sensible como el pensador alemán a la voluntad de poder y a la exaltación de la vida, acusará a Jesús de ser «el.eterno ladrón de las energías» (*Poesías,* 1871, «Las primeras comuniones»).

Jesús mítico.

Algunos autores del Renacimiento, conforme a las ideas de

Erasmo y de Budé, buscaron en la mitología antigua prefiguraciones de la «verdadera religión». Con audacia, acercaron los personajes de Hércules y de Jesús, «el verdadero Hércules que por su dolorosa vida venció y domesticó a todos los monstruos» (Budé). Así, Ronsard, *Himnos,* 1556, «El Hércules cristiano», enumera 18 analogías entre las vidas de Hércules y de Jesús. Rotrou, *Hercule mourant,* 1636.

En el siglo XX, de nuevo se intentó utilizar mitos antiguos combinados con la imagen de Jesús. Lo hicieron Pierre Jean Jouve y Pierre Emmanuel, cuyas meditaciones sufren una gran influencia freudiana: Pierre Emmanuel, *Tumba de Orfeo,* 1941, y *Órficos,* 1942. Jean Anselme, *El niño triste,* 1955: cuenta la historia de Jesús con un humor en absoluto blasfemo.

El Jesús romántico es, sobre todo, el hombre doliente, el hombre desesperado, tan humano que llega incluso a expresar el desconcierto, la incredulidad de ciertos poetas como Vigny y Nerval. Algunos autores afirman su vinculación con el Cristo de su infancia, como Lamartine, *Armonías poéticas y religiosas,* 1830, «Himno a Cristo».

Jesús se convierte en una figura de leyenda porque «¡Ay!, el hombre actual ya no cree pero sueña»: Victor Hugo, *Los rayos y las sombras,* 1840. Idealista soñador, primer revolucionario, primer socialista, «vagabundo flagelado», según Hugo, es el protagonista de un gigantesco mito de la humanidad. Por esta razón, inspira respeto hasta en los incrédulos (Michelet, *Biblia de la humanidad,* 1864) y, además, suscita esperanzas mesiánicas en una época que necesita creer. En el siglo XX, Faulkner, *Parábola,* 1954, moderniza la figura mítica de Jesús, al que hace revivir durante la Primera Guerra Mundial.

♦ ***Icon.*** → CRISTO. Emil Nolde, *Cristo entre los niños,* 1910, Nueva York. Pawel Jocz, *Jesús de Nazaret,* escultura, 1982, París. Rembrandt, *El Sermón de la Montaña,* siglo XVII, Munich.

♦ ***Mús.*** Charles Gounod, *Jesús en el lago Tiberíades,* 1878. Michel Ciry, *El misterio de Jesús,* 1919.

♦ ***Cin.*** *Películas espectaculares.*

Cecil B. de Mille, *Rey de re-*

yes, 1927. Nicholas Ray, *Rey de reyes,* 1961: *remake* de la anterior, con una interpretación política de los elementos bíblicos y una tonalidad antinazi. George Stevens, *La más grande historia jamás contada,* 1960: un Jesús varonil, bastante creíble. Norman Jewison, *Jesucristo Superstar,* 1973: mimodrama bailado con música pop y rock, que narra los siete últimos días de la vida de Jesús.

Películas de autor.

Luis Buñuel, *Viridiana,* 1961: parodia de la vida de Jesús; los textos del NT sirven de aliciente para la caricatura, la sátira y el humor negro; *La vía láctea,* 1969: Jesús, un hombre entre los demás que ríe, al que le gusta beber y comer y que a veces monta en cólera. ¿Interés por la verdad humana? ¿Burla? ¿Provocación?

Pier Paolo Pasolini, *El Evangelio según Mateo,* 1964. Roberto Rossellini, *El Mesías,* 1976. Martin Scorsese, *La última tentación de Cristo,* 1988. Franco Zeffirelli, *Jesús de Nazaret,* 1977: ofrece una imagen bastante convencional de Jesús, pero se muestra preocupado por la autenticidad sociohistórica. Denys Arcand, *Jesús de Montreal,* 1989: pone en escena a un personaje que interpreta todas las noches el papel de Jesús.

Películas basadas en novelas de éxito.

William Wyler, *Ben-Hur,* 1959. *Quo Vadis,* basada en la novela de Henryk Sienkiewicz, 1896 (la enseñanza de Jesús se extiende por Roma en tiempos de Nerón): Fernand Zecca, 1901 y 1907; Enrico Guazzoni, 1912 (epopeya profana y bíblica); Georg Jacoby, 1924; Mervyn Le Roy, 1951.

Como vemos, existe una gran cantidad de películas basadas en la vida de Jesús, la mayoría de ellas bastante mediocres; solo destacan las que se han realizado en tono de parodia.

JEZABEL

Mujer de Acab, rey de Israel (1Re. 16, 31). La impía pareja se entregó al culto de Baal (1Re. 18, 19) y cometió numerosas exacciones. El profeta Elías la maldijo y anunció a Jezabel que los perros la devorarían junto a la viña de Nabot, de la que ella se había apoderado criminalmente (1Re. 21). → ATALÍA.

♦ *Lit.* El nombre de Jezabel se menciona en el epitafio fúnebre que Lope de Vega escribió para el sepulcro de Isabel de Inglaterra. También, del mismo autor, en *El Isidro,* 1599, donde identifica a Jezabel con la mentira, y en *La Jerusalén conquistada,* 1609. Agrippa d'Aubigné, *Los trágicos,* 1616: designa con este nombre maldito a Catalina de Médicis, perseguidora de los protestantes, y más en general a los grandes del reino de Francia: «Los perros se han embriagado de los magníficos pechos / que tú llenabas de orgullo» (VI, «Venganzas»). Racine, *Atalía,* 1691, acto II, escena 5: Jezabel se aparece en sueños a su hija Atalía y le anuncia su próxima derrota frente al «cruel Dios de los judíos».

♦ *Icon.* Luca Giordano, *La muerte de Jezabel,* siglo XVII.

JOAD

Jefe del sacerdocio de Jerusalén que dirigió una insurrección contra Atalía* y mandó proclamar rey al joven Joás*, heredero del reino (2Re. 11).

♦ *Lit.* Racine, *Atalía,* 1691.

JOÁS

Hijo de Ozoquías, rey de Judá* y nieto de Atalía*. Escapó a la matanza de la familia real ordenada por su abuela y fue educado a escondidas en el Templo. Joad* hizo que accediera al trono, pero más tarde tuvo que someterse al rey de Damasco cuando sitió Jerusalén (2Re. 11).→ JEZABEL

♦ *Lit.* Racine, *Atalía,* 1691.

JOB

Job, hombre piadoso y justo, vivía en la abundancia y en la dicha. Entonces Dios permitió al «satanás» (el adversario) que pusiera a prueba su fidelidad: Job perdió a todos sus hijos y sus rebaños, y su cuerpo se llenó de úlceras. Soportó los tormentos sin perder la fe, clamando por su inocencia. Mientras, sus amigos le instaban a arrepentirse, basándose en la creencia tradicional de que todas las desgracias son el castigo por los pecados cometidos. Por fin, Dios devolvió a Job lo que había perdido y le colmó de bienes.

Job es la imagen del inocente que se debate en las tinieblas y demuestra la falsedad de las tesis demasiado fáciles

Durero, *Job y su mujer*, Frankfurt, Museo Staedel

sobre el sentido de la desgracia. Esa es la novedad y originalidad del libro de Job, que marca el gran giro del pensamiento judío sobre el mal. Es el paso de una teoría simplista —los buenos son recompensados y los malos castigados— a una reflexión sobre el misterio del mal que sobrepasa el entendimiento humano. Muestra la injusticia aparente de la vida y la imposibilidad de reducir a Dios al papel de un gran guardián universal. Este relato no pertenece al género histórico (Job no existió).

♦ ***Lengua.*** *Tener más paciencia que Job.* Ser muy paciente. Job perdió todo pero jamás dejó de alabar al Señor.

♦ ***Lit.*** Job es la figura ejemplar del desamparo humano frente al sufrimiento que nada puede justificar: *Misterio de la paciencia de Job,* siglo XV; François Villon, *Testamento,* 1461: «Mis días se han ido errantes / del mismo modo que, dice Job, se tejen / los hilos de un paño».

Fray Luis de León, *La exposición del libro de Job,* siglo XVI: traducción del original hebreo acompañada de comentarios; la resignación de Job se le ofrece al autor como modelo frente a los turbulentos episodios de la vida.

Quevedo, *La constancia y paciencia del santo Job,* 1620: obra ascética en prosa. En el siglo XVI, se mantiene la imagen de un Job estoico ante las adversidades: Chasignet, *Job o la firmeza.* Dicha imagen tiende a secularizarse y, en los salones refinados del siglo XVII, Job se convertirá en el compañero de los grandes ajusticiados de la mitología griega, ascendidos a la categoría de héroes por la temática amorosa: Benserade, *Soneto de Job,* 1653. Pero Job conserva su rostro trágico en Pascal, Racine y Bossuet.

Federico II al leer *Cándido* de Voltaire (1759) exclama: «Es Job vestido de moderno».

En el siglo XIX, el Job romántico es el testigo de la tristeza del hombre, de su inquietud, de su nostalgia de infinito. Chateaubriand lee con su hermana Lucile «los pasajes más tristes de Job»: *Memorias de ultratumba* 1841. Victor Hugo ve en Job una especie de faro de la humanidad, un «titán del estiércol»; su desolación impregna a Vigny, *Moisés,* 1826. A finales de siglo, Job abandona su imagen de justo doliente y se convierte en filósofo. A raíz de la traducción de Renan, se le considera un mesías de la humanidad. También alcanza su dimensión moderna de hombre abandonado en un mundo absurdo. Flaubert hace del libro de Job uno de sus libros de cabecera; Rimbaud y Lautréamont se inspiran en él para lanzar sus sarcasmos contra un Dios cruel y celoso.

En el siglo XX, Job parece muy próximo a nosotros por la angustia que padece. Gide, *Si la semilla no muere,* 1926, confiesa la influencia determinante de Job en su mente infantil. Para Malraux, es el primero que se atrevió a llamar a Dios en su silencio, y constituye una referencia constante para Julien Green, *Mille chemins ouverts,* 1964.

A partir de la Segunda Guerra Mundial, el grito de Job tiene aún mayor repercusión. Ionesco «se siente Job» y formula la pregunta fundamental: «¿Qué quieres de mí?» *(Un homme en question,* 1977). La obra de Beckett, «contemporáneo de Job», como lo definió Ionesco, está llena de desamparo jobiano. ¿No es este el caso también de más de un texto de Kafka?

Para los escritores judíos, Job se convierte en una figura obsesiva. Élie Wiesel encontró a Job en todos los caminos de Europa *(Celebración bíblica,* 1975). Identificando el destino de los judíos en la *shoah* con el destino de Job, algunos no dudan en pronunciarse por la muerte de Dios en Auschwitz (Adorno) o por su locura (Wiesel), y otros, como Karl Wolfskehl, *Job y los cuatro espejos,* 1950, recuperan la esperanza mesiánica, porque «las lágrimas son el vino áspero del alma».

♦ ***Icon.*** Esculturas, siglo XII, Daurade, Toulouse; siglo XIII, Reims. Jean Fouquet, *Job,* en *El libro de horas de Étienne Chevalier,* miniatura, 1455, Chantilly. Durero, *Job y su mujer,* siglo XVI, Frankfurt. William Blake, *Satanás imponiendo una úlcera maligna a Job,* 1826, Londres. *Job:* Léon Bonnat, 1880, París; Francis Gruber, 1945, Londres.

♦ ***Mús.*** Orlando di Lassus, motetes, siglo XVI. Brahms, *Motete op. 74 n.º 1,* 1877. Vaugham Williams, ballet, 1931, basado en Blake. Nicolas Nabokov, oratorio, 1933: sobre un texto de Jacques Maritain.

♦ ***Cin.*** Bergman, *Gritos y susurros,* 1972: la protagonista, Agnes, va a morir de cáncer; en el diario que escribe aparecen ecos de la angustia de Job.

JONÁS

El libro de Jonás es una ficción literaria cuyo protagonista es un profeta del siglo VIII, mencionado en 2Re. 14, 25. Dios envía a Jonás a predicar penitencia a los habitantes de Nínive. Para eludir esta misión, se embarca con destino a Tarso. Entonces se desata una fuerte tempestad y Jonás es arrojado al mar. Cuando abandona la nave, la tempestad se calma y él es tragado por una ballena, de cuyo vientre sale con vida al cabo de tres días. Entonces decide ir a Nínive, ciudad que se convierte después de haber anunciado Jonás su destrucción (Jon. 3, 4). El relato insiste en la universalidad de Dios y la admisión de los paganos en la salvación.

Miguel Ángel, *El profeta Jonás,* Roma, Capilla Sixtina

Jesús trató la estancia de Jonás en el vientre de la ballena y su liberación al cabo de tres días como una imagen de su sepultura y su resurrección (Mt. 12, 39); el «signo de Jonás» del que habla significa que a todos los seres humanos se les ofrece la salvación.

♦ ***Lit.*** San Hilario, *Contra el emperador Constancio,* siglo IV: Hilario añora el tiempo de las persecuciones, «pues por medio de Jonás y Pablo, tú [Dios] has enseñado que el mar es vida para los que creen».
Jean-Paul de Dadelsen, *Jonás,* 1962, obra póstuma. Se traspone el mito bíblico: arrojados de la ballena-madre, atrapados por la ballena-sociedad y engullidos por la ballena cósmica, los hombres se debaten en un mundo en el que se sienten perdidos: Jean Grosjean, *Jonás,* 1985.
♦ ***Icon.*** Sarcófago, siglo III, Letrán, Roma. Mosaico, siglo XIII, catedral de Ravello, Italia. *Jonás arrojado por la ballena:* Jan Bruegel, siglo XVI, Munich; Hippolyte Flandrin, 1860, Saint-Germain-des-Prés, París. Miguel Ángel, *El profeta Jonás,* siglo XVI, Capilla Sixtina, Roma.
♦ ***Mús.*** Giacomo Carissimi, *Jonás,* oratorio, 1669. Castelnuovo Tedesco, *El libro de Jonás,* 1952. *Jonah and the whale,* espiritual negro.

JONATÁN

Hijo de Saúl* y amigo de David*, es el personaje central de varios textos. Como el país estaba ocupado por los filisteos, Jonatán decide tomar la iniciativa para desatar la guerra de liberación que deseaba Saúl: mata al gobernador filisteo (1Sam. 13, 2-3) y después ataca una posición enemiga, lo que conduce a un victorioso combate. Tras haber violado involuntariamente el ayuno* impuesto antes del combate, el destino le señala y le condena a perecer, pero el pueblo le salva (1Sam. 14, 24-25). Se hace amigo de David, por quien se despoja de su manto y de sus armas (1Sam. 18, 1-4); le defiende ante Saúl (1Sam. 19) o, según otra tradición, favorece su huida (1Sam. 20). Al enterarse de la muerte de Jonatán a manos de los filisteos, David llora a aquel cuya «amistad era más maravillosa que el amor de las mujeres» (2Sam. 1, 4-12; 17-27). Por fidelidad a su amistad, David recoge en su casa a Meribaal, el hijo de Jonatán, y traslada al sepulcro familiar los restos de su amigo.

JORDÁN

Es el único río de Palestina. Su curso, desde el pie del monte Hermón, donde nace, hasta el mar Muerto, donde desemboca, marca la frontera oriental de Canaán* o de la Tierra Prometida* (Núm. 34, 12; Ez. 47, 19). Cuenta con un gran número de vados muy frecuentados a lo largo de la historia bíblica. La travesía más famosa es la que realiza el pueblo hebreo, conducido por Josué*, para conquistar la Tierra Prometida (Jos. 1, 2; Núm. 35, 10).

En el Jordán, Juan Bautista bautizaba a todos los que acudían a él, y allí fue donde bautizó a Jesús (Mt. 3, 5-6; 3, 113; Mc. 1, 5; 1, 9).

Más allá del Jordán, al este, se sitúa Transjordania, y al oeste, Cisjordania.

JOSAFAT

Cuarto rey de Judá (870-848 a. C.), hijo y sucesor de Asá, contemporáneo de los reyes de Israel Acab*, Ocozías y Joram. Casa a su hijo Joram con Atalía*, hija de Acab. Su reinado está marcado por la paz con Israel (1Re. 22, 45).

Las Crónicas ponen de relieve la firmeza de su poder, su preocupación por la ley, la buena organización de su ejército y sus reformas en materia de justicia (2Cr. 17; 20, 32).

Valle de Josafat

Lugar imaginario de nombre simbólico (Josafat significa «Dios juzga»), en el que Dios lleva a cabo el juicio de los pueblos.

JOSÉ

Primer hijo de Raquel (Gén. 30, 22-24), la esposa favorita de Jacob, durante mucho tiempo estéril, nacido en Haran. José es el preferido de su padre. Sus hermanos, celosos de él, le arrojan a una cisterna. Unos comerciantes madianitas le recogen (o, según otra tradición, le venden a unos comerciantes ismaelitas) y lo venden al comandante de la guardia del faraón, Putifar. Injustamente acusado por la mujer de este de haber intentado seducirla, es encarcelado, pero su ciencia de la interpretación de los sueños hace que le saquen de prisión y llegue a ser «maestro del palacio» (o «gran visir»). Se casa con la hija de un sacerdote egipcio con la que tiene dos hijos, Efraín y Manasés.

Para prevenir el hambre que habían anunciado los sueños del faraón, ordena hacer provisión de víveres, y cuando la necesidad obliga a sus hermanos a abastecerse en Egipto se reconcilia con ellos y llama a toda su familia para que viva con él. José muere a los 110 años, edad ideal según la sabiduría egipcia.

Esta larga historia (Gén. 37-50), relatada como un cuento, muestra que la Providencia divina puede utilizar incluso la maldad humana para llevar a la salvación.

♦ ***Lit.*** En el teatro religioso de tradición medieval destaca Micael de Carvajal, *Josefina,* tragedia, 1535. Entre los autos sacramentales de Calderón de la Barca sobre el AT destaca *Sueños hay que verdad son,* 1670: narra la historia de José. Dostoievski, *Los hermanos Karamazov,* 1880: poco antes de su muerte, el *stázets* Zósimo cuenta a sus allegados la historia de José vendido por sus hermanos, con una «dulce sencillez», como él desearía que se enseñara a los niños. Charles Péguy, *El misterio de los Santos Inocentes,* 1912: contiene la evocación a dos voces de José vendido por sus hermanos y colmando a su familia de bienes. Thomas Mann, *José y sus hermanos,* 1943: José es considerado como un hombre de progreso que emprende en Egipto una obra social y espiritual, y trata de hacer que triunfen el derecho y la razón. Élie Wiesel, *Celebración bíblica,* 1975, «José o la educación de un justo».

♦ ***Icon.*** Tintoretto, *La mujer de Putifar,* siglo XVI, Museo del Prado. Rembrandt, *José acusado por la mujer de Putifar,* 1655, Washington, y *José explica su sueño,* Amsterdam. Gérard, *José reconoce a sus hermanos,* 1789, Angers. Cornelius y Overbeck, *La historia de José,* frescos, 1816, casa Bartholdy, Berlín.

♦ ***Mús.*** Étienne Méhul, *José,* ópera, 1807. Erich Sternberg, *José y sus hermanos,* 1959.

JOSÉ (SAN)

Esposo de María* (Mt. 1, 16-24; Lc. 1, 27) y padre legal de Jesús (Lc. 3, 23; 4, 22). Los evangelios son muy discretos a propósito de él; sabemos que era un «hombre justo» (Mt. 1, 19), que trabajaba como carpintero (Mt. 13, 55) y vivía en Nazaret (Lc. 2, 39-40). Según

Mateo, Dios le pidió que reconociera al hijo de su esposa María y que le pusiera el nombre de Jesús. Por medio de José, Jesús está vinculado a la casa de David*.

♦ ***Lit.*** José de Valdivieso es autor de uno de los más valiosos poemas épicos del siglo XVII: *Vida, excelencias y muerte del gloriosísimo patriarca san Joseph.*, 1604. En la producción de Lope de Vega sobresalen: *Relación de las fiestas en la canonización de san Isidro,* 1622, y *Pastores de Belén,* 1612.

♦ ***Icon.*** *La adoración de los magos,* capitel, siglo XII, catedral de Autun. Georges de La Tour, *San José carpintero,* 1640, Besançon, y *El sueño de José,* 1641, Nantes. Reni, *San José,* siglo XVII, Londres.

Reni, *San José,* Londres, colección Wellington

JOSÉ DE ARIMATEA

→ CÁLIZ, DESCENDIMIENTO DE LA CRUZ.

JOSUÉ

(Heb. *Yeshoua,* «Dios salva», el mismo nombre que Jesús.) Ayudante y luego sucesor de Moisés* (Jos. 1, 1), fue quien cruzó el Jordán con el pueblo de Israel (Jos. 3, 5) y lo condujo hacia la conquista de Canaán*, cuyo relato aparece en el libro de Josué. En él se cuenta, por ejemplo, cómo detuvo el curso del sol y de la luna para ganar tiempo y vencer a los enemigos de Israel (Jos. 10, 12-13).

También fue él quien, tras reunir a todo el pueblo en Siquem, estableció una alianza solemne por la cual Israel se comprometió a servir a Yahvé, excluyendo a cualquier otro Dios, y a obedecer la Ley.

♦ ***Lit.*** Alfred de Vigny, *Poemas antiguos y modernos,* 1837, «Moisés»: a la muerte

Dios y Josué, Códice de la Biblia, Madrid, Biblioteca Nacional

de Moisés, le sucede Josué, «pálido y pensativo», porque ya es «el elegido del Todopoderoso». Victor Hugo, *Los castigos,* 1853, «Tocad, seguid tocando...»: el poeta revive en la imaginación el episodio de la toma de Jericó* al son de las trompetas de Josué. Paul Claudel, *Cinco grandes* odas, 1910, «Magníficat»: la Tierra Prometida aparece ante Josué «en medio de una resplandeciente luz como una nueva virgen...».

♦ ***Icon.*** *Josué detiene el sol:* mosaico, siglo IV, Santa Maria Maggiore, Roma; Giambattista Tiépolo, siglo XVIII, Milán; John Martin, 1816, Londres.

Dios y Josué, ilustración del Códice de la Biblia, Biblioteca Nacional, Madrid.

JUAN

(Heb. *Johanan,* «Dios perdona». El evangelista Lucas [1, 59-63] insiste en el valor de este nombre dado al hijo de Isabel.) El NT menciona por lo menos a dos Juan.

Juan Bautista

Hijo de Zacarías e Isabel, pareja anciana que se consideraba estéril (Lc. 1, 7). Su nacimiento, anunciado por el ángel Gabriel, precedió en muy poco al de Jesús, cuya madre era pariente de Isabel. Como profeta, predicaba en el desierto de Judea la conversión de los corazones y anunciaba la próxima llegada del Reino* de Dios. Jesús fue a recibir de él el bautismo* antes de comenzar su predicación. Encarcelado por Herodes* Antipas, cuyo segundo matrimonio Juan Bautista había censurado, fue decapitado por orden de la reina Herodías*. A menudo se le concede el nombre de «Precursor»: el que llega antes que otro para anunciarle.

♦ ***Lit.*** En el siglo XVII, se deben a Lope de Vega varias

Velázquez, *San Juan en el desierto,* Chicago (Illinois), The Art Institute

obras relativas a la figura de Juan Bautista: *Canción de san Juan y danza, Seguidilla a la noche de san Juan, Canción de san Juan,* etcétera. Flaubert, *Tres cuentos,* 1877: Juan Bautista es un personaje esencial de «Herodías», en el que aparece con el exótico nombre de Iaokannan.

Max Aub, *San Juan*, 1942: obra teatral de contenido trágico sobre el drama judío en la época nazi.

♦ ***Icon.*** Donatello, *Juan Bautista,* 1456, París, Siena. Memling, *Los esponsales místicos de santa Catalina,* siglo XV, Brujas. Gérard de Saint-Jean, *Juan Bautista en el desierto,* siglo XV, Berlín. Leonardo da Vinci, *Juan Bautista,* 1515, París. Abraham Bloemaert, *Juan Bautista predicando,* siglo XVI, Amsterdam. Il Bronzino, *El joven Bautista,* siglo XVI, Roma. Velázquez, *San Juan en el desierto,* siglo XVII, Chicago. Auguste Rodin, *Juan Bautista,* siglo XIX, París. → BAUTISMO (DE JESÚS).

Juan, el discípulo amado

Uno de los 12 apóstoles, hijo de Zebedeo y hermano de Santiago. Autor del cuarto evangelio, cuyo texto, absolutamente independiente de los tres primeros (los sinópticos*), no relata la institución de la eucaristía*, pero es el único que narra el lavatorio de los pies (13, 1-20) durante la última cena que Jesús tomó con sus discípulos. A lo largo de su evangelio, Juan insiste en el significado de cierto número de «signos» (2, 11) que permitirán reconocer en Jesús al Mesías, Hijo de Dios. Es dudoso que el Apocalipsis* de Juan de Patmos deba atribuírsele, pero se reconoce su influencia. Fue testigo de la transfiguración* de Jesús, quien, antes de morir le confió a su madre (Jn. 19 25-27).

♦ ***Lit.*** Gómez Manrique, *Lamentaciones fechas para Semana Santa,* siglo XV: san Juan interviene en una serie de breves cuadros (con la Virgen y María Magdalena) manifestando su dolor por la muerte de Cristo. Victor Hugo, *Las contemplaciones,* 1856, V, 14: poema dedicado al supuesto autor del Apocalipsis: «Escuchad, yo soy Juan. He visto cosas oscuras...». Guy Hocquenghem, *La cólera del cordero,* novela, 1985: «Pablo es el hombre del pecado y Juan de la resurrección» (nota final del libro); el autor se inspira, en parte, en D. H. Lawrence, *Apocalipsis,* 1931, con un fondo de sangrientas peripecias.

♦ ***Icon.*** Juan aparece al lado de María a los pies de la cruz.→ CRUZ/CRUCIFIXIÓN, SEPULTURA.

El suplicio del caldero de aceite hirviendo (del que sale indemne), pórtico, siglo VII, San Juan de Letrán, Roma. Maestro de Moulins, *Anne de Beaujeu con san Juan evangelista,* 1500, París. *San Juan:* fresco, siglo XIV, San Macario, Gironda; Tilman Riemenschneider, principios del siglo XVI, Berlín. *Juan en Patmos:* Matteo Giovanetti, 1347, Aviñón; Hans Memling, 1489, Brujas; El Bosco, siglo XVI, Berlín; Velázquez, siglo XVII, Londres. Ribalta, *San Juan evangelista,* siglo XVII, Valencia.

Ribalta, *San Juan evangelista,* Valencia, Museo de Bellas Artes

♦ ***Mús.*** J. S. Bach, *Pasión según san Juan,* 1723. Mussorgsky, *Noche de san Juan en el monte Pelado,* 1867.

JUDÁ

Cuarto hijo de Jacob y Lía. Se presenta como moderador en las disputas familiares entre José* y sus otros hermanos, irritados por la preferencia paterna hacia este último. Por celos, quisieron dar muerte a José y, según la tradición yahvista, Judá se opuso a esta decisión y propuso que le vendieran a los nómadas que se dirigían a Egipto (Gén. 37, 25-27). Mucho más tarde, durante una época de hambre, los hijos de Jacob se dirigieron a Egipto para comprar grano, sin saber que José se había convertido allí en un hombre poderoso. Este pretendió que Benjamín, el hijo menor de Jacob, se quedara allí como esclavo. Judá volvió a intervenir, ofreciéndose como rehén en lugar del muchacho (Gén. 44, 18-34).

La tribu de Judá

Es la tribu más numerosa e importante de la historia de Israel. Asimiló a diversas poblaciones extranjeras, especialmente a los cananeos (Gén. 38). La «bendición de Jacob» (Gén. 49, 8-12) proclama la primacía y la fuerza de Judá («Judá es un joven león») sobre las demás tribus. Durante mucho tiempo evolucionó independientemente de las demás, pero David*, «hijo de Judá», le aseguró la supremacía.

Judá ocupaba el sur de Palestina (su capital era Sión*), mientras en el norte predominaba Efraín (o «casa de José»). Jesús, hijo de David, «nació de Judá» (Heb. 7, 14).

Reino de Judá

Aunque estuvieron unidos durante los reinados de David y Salomón (2Sam. 5, 1-3), Judá e Israel siempre fueron entidades independientes (1Re. 1, 35). La persona real era la que aseguraba la unidad de este reino doble. Judá ocupaba la parte sur del territorio palestino (ciudades: Hebrón, Jerusalén, Belén). Tras la muerte de Salomón (931 a. C.), las tribus del Norte se separaron de nuevo de la tribu de Judá, y los dos reinos, Israel y Judá, coexistieron durante más de dos siglos, no sin numerosas rivalidades. La tribu de Judá permaneció fiel a la «casa de David».

Senaquerib, rey de Asiria, devastó el país en el año 701 a. C. (2Cr. 32, 1-8), aunque Jerusalén se libró milagrosamente de la destrucción (2Re. 19). La caída del imperio asirio y las reformas de Josías (640-609) parecieron asegurarle un nuevo triunfo durante un tiempo; pero, disputado entre Egipto y Babilonia, el reino se derrumbó en el siglo VI a. C., y el pueblo de Judá partió en cautividad hacia Babilonia (587 a. C.).

Cuando el edicto de Ciro (538) autorizó el regreso, «los pocos que quedaban» volvieron a Palestina, pero una parte de los judíos se quedó en Babilonia, donde disfrutaban de cierta prosperidad.

A partir de ese momento ya no se habla de reino de Judá, sino de «provincia de Judá», de Judea* (del gr. *ioudaia)* o de país de los judíos, aunque muchos vivieran fuera de Judea —Galilea, Samaria— e incluso fuera de Palestina.

→ JUDEA, JUDAÍSMO.

JUDAÍSMO

Su historia comienza con el exilio* a Babilonia (587 a. C.), que pone fin al reino hebreo. Es probable que el término fuera elegido por los judíos de la diáspora, en el siglo II a. C., para señalar su identidad frente al helenismo (2Mac. 2, 21); sólo se utiliza una vez en el NT (Gál. 1, 13-14).

Los judíos de Palestina y los que viven lejos (en Alejandría, en Babilonia, etcétera.) forman una comunidad religiosa unida por la fe monoteísta, el estudio de la Ley *(Torá)* y la esperanza mesiánica.

Poco después del regreso del exilio, la actividad religiosa vuelve al Templo de Jerusalén*, pero el judaísmo palestino establece nuevas instituciones: el Sanedrín* y la sinagoga*, donde escribas y doctores* de la Ley adquieren cada vez mayor importancia.

En el siglo I a. C., el judaísmo ya es un mundo polimorfo que Jesús ha conocido: está fragmentado en múltiples corrientes: fariseos*, saduceos*, esenios de Qumrán*, zelotes*, baptistas, etcétera. Y en medio de esta complejidad de tendencias nace el cristianismo.

Después de la destrucción del Templo* (70 d. C.), solo subsisten los fariseos; uno de ellos, Johanán Ben Zakkay, funda la academia Jamnia (Jabné) y reorganiza el judaísmo, lo que le permite sobrevivir a la catástrofe de 135 d. C.→ OCUPACIÓN ROMANA DE PALESTINA.

En este medio se desarrolla la tradición rabínica, que distingue entre la «*Torá* escrita» consignada en el Pentateuco y la «*Torá* oral» *(Talmud)*, consideradas ambas como de origen divino, pues fueron reveladas al mismo tiempo a Moisés en el Sinaí.

Para vivir, un judío creyente destaca de la *Torá* cuatro elementos: la bendición («Bendito seas Eterno...»), el estudio bíblico, la oración* (el texto más importante es el *Sema)* y los mandamientos *(mitsvot)*. Entre estos, la circuncisión*, la celebración del sábado* y la prohibición de comer ciertos alimentos (alimento *casher)* son, hoy como ayer, los signos de la identidad judía.→ JUDÍO.

Como consecuencia de los movimientos de emancipación, los judíos que han abandonado la práctica de los ritos apelan al judaísmo como patrimonio cultural e intelectual común. El siglo XX marca el despertar de los movimientos políticos laicos y la asimilación del judaísmo a una entidad nacional. Desde entonces, el objetivo perseguido es la creación de un Estado judío en el mismo suelo de sus antepasados. Este movimiento desemboca, en 1948, en la fundación del Estado de Israel. Estado laico en sus comienzos, la importancia del aspecto religioso va ganando cada vez más terreno. De este modo, el judaísmo, la más antigua de las tres religiones monoteístas —fermento siempre activo en el mundo moderno—, intenta recuperar sus propias fuentes en la misma tierra donde nació, cultivando relaciones privilegiadas con las comunidades judías que permanecen en la diáspora.

Religión desde su nacimiento, cultura específica durante largos siglos, entidad nacional desde hace poco, la realidad compleja del judaísmo escapa a una simple definición.

♦ ***Lit.*** Samuel Josef Agnon, *El huésped de una noche,* novela escrita en hebreo, 1968: documento sobre una comunidad judía de la Europa del Este en 1930, su fe, su piedad, sus ritos. Las tradiciones y observancias del judaísmo polaco son descritas con cierta frecuencia por el escritor Isaac Bashevis Singer (premio Nobel 1978) en sus narraciones en yiddish, especialmente en *Relatos.*

Edmond Jabès, *El libro de las preguntas,* 1963. Élie Wiesel, *Celebración hasídica,* 1973, y *Celebración bíblica,* 1975. Pierre Haïat, *Antología de la poesía judía,* 1985.

Tampoco se puede subestimar la importancia del pensamiento filosófico nacido del judaísmo, desde Maimónides hasta nuestro contemporáneo Emmanuel Levinas. (A. Neher, *Claves para el judaísmo,* 1976).→ ISRAEL, JERUSALÉN, JUDÍO, TALMUD.

♦ ***Icon.*** Mané-Katz, *El rabino con la Torá,* 1928, Ginebra. Rollo de Torá en su funda, comienzos del siglo XVIII, Cluny.

♦ ***Cin.*** Michaël Waszynski, *Le Dibbouk,* 1937.

JUDAS ISCARIOTE

(«El hombre de Queriyyot», ciudad de Judá, o «el hombre de la mentira», o «el Sicario».)

Era uno de los apóstoles que Jesús había elegido, seguramente el tesorero del grupo. Fue el que entregó a Jesús a las autoridades, y como pago a su traición recibió 30 monedas de plata («siclos» y no denarios, como se dice habitualmente), que era el precio de un esclavo.

Cranach, *El beso de Judas y el arresto de Jesús,* Viena, Galería Imperial

Después, según Mateo (27, 3-10), Judas tuvo remordimientos, devolvió las 30 monedas a las autoridades y se ahorcó.

De la traición de Judas los evangelistas proponen diversas motivaciones: la avaricia (Mt. 26, 15; Jn. 12, 46) o la posesión de Satanás (Lc. 22, 3; Jn. 6, 70; 13, 2). Marcos sugiere otra explicación: según él, Judas pertenecía a la rama armada de un partido extremista (de ahí «el Sicario»), los zelotes*, y había visto en Jesús al posible liberador de Israel capaz de arrastrar al pueblo a la rebelión contra el ocupante romano. Decepcionado por el rechazo que Jesús opuso a toda clase de violencia y a todo intento de tomar el poder, Judas lo entregó a las autoridades.

Se convirtió, así, en el símbolo del «traidor» en la tradición occidental.

→ BESO DE JUDAS.

♦ ***Lengua.*** *Ser más falso que Judas.* Esta expresión alude a la persona que se comporta engañosamente, o a un objeto que no es original.

Ser un Judas. Ser falso o traidor.

♦ ***Lit.*** *El viaje de san Brandán,* principios del siglo XII: texto que fue muy famoso durante mucho tiempo, cuenta la odisea del monje irlandés del siglo V que quería ver el paraíso; durante un viaje de 100 años, fecundo en experiencias y prodigios, encuentra a Judas en el infierno: «Yo soy Judas que serví a Jesús y le traicioné. Yo vendí a mi Señor y me ahorqué de dolor, fingiendo que le besaba por amor cuando en realidad le odiaba». Arnoul Gréban, *La pasión,* siglo XV: Judas aparece en una de las escenas de esta obra; tentado por el demonio Desesperanza, se aparta del arrepentimiento y se suicida, acción que le condena definitivamente; incluye un bello diálogo entre Desesperanza y Judas. Lope de Vega, *Romancero espiritual,* 1619, «Al lavatorio del falso apóstol» (romance III), identifica al falso apóstol con Judas.

Victor Hugo, *El fin de Satán,* 1886, «La viga», «Judas», «La espada», «Peor que Judas» y «El campo del alfarero».

Paul Claudel, *La muerte de Judas,* 1933: esbozo de una seudorrehabilitación de Judas.

♦ ***Icon.*** *La muerte de Judas,* escultura, siglo XII, catedral de Autun. Giotto, *El beso de Judas,* 1306, Padua. Cranach, *El beso de Judas y el arresto de Jesús,* siglo XVI, Viena. Rembrandt, *Judas devuelve las treinta monedas de plata,* 1628, Yorkshire.

♦ ***Cin.*** El cine muestra a unos Judas vulgares, cobardes y apáticos, según los gustos del público, como simples encarnaciones del mal.

Armand Bour, *El beso de Judas,* 1909. Cecil B. de Mille, *Rey de reyes,* 1927. Julien Duvivier, *Gólgota,* 1935. Henry Koster, *La túnica sagrada,* 1953. Nicholas Ray, *Rey de reyes,* 1961. Irving Rapper, *Poncio Pilato,* 1961 (el mismo actor interpreta a Jesús y a Judas). Pier Paolo Pasolini, *El Evangelio según Mateo,* 1964. George Stevens, *La más grande historia jamás contada,* 1965. Andrzej Wajda, *Pilato y los demás,* 1972. David Greene, *Godspell,* 1973. Norman Jewison, *Jesucristo Superstar,* 1973. Franco Zeffirelli, *Jesús de Nazaret,* 1976.

JUDAS MACABEO

(El sobrenombre procede seguramente de la palabra hebrea *maqqebet,* «martillo».) Judas, famoso por su valor, era el tercero de los cinco hijos del sumo sacerdote Matatías. Organizó la resistencia contra el opresor griego y reunió a su alrededor a numerosos partidarios. Luchó especialmente contra Antíoco IV Epífanes, en 166-164 a. C., y más tarde contra Antíoco V y Demetrio I. Tuvo que llevar a cabo numerosas campañas contra los pueblos vecinos y los ejércitos griegos dirigidos por Nicanor y Báquides. Estableció una alianza con los romanos (1Mac. 8, 19), pero fue asesinado por Báquides. Judas instituyó dos fiestas: *Hanuká,* para conmemorar la purificación del Templo (2Mac. 10, 1-8), y el día de Nicanor (2Mac. 15, 36).→ FIESTAS RELIGIOSAS.

JUDEA

Este término (ver Judá) designa, en el período persa (583-333 a. C.), la región que rodea a Jerusalén donde se habían instalado los repatriados del exilio (a los que empezaron a llamar «judíos»); allí gozaban de una gran autonomía religiosa y política. En la época de los Macabeos*, el territorio se amplió gracias a las sucesivas conquistas. En la época romana, la provincia de Judea, a la que se vinculó Samaria, fue confiada a un «procurador» o gobernador (Lc. 3, 1) y perdió su autonomía. Tras la rebelión de los años 132 a 135, se convirtió en colonia romana y los judíos fueron desterrados. → OCUPACIÓN ROMANA DE PALESTINA.

JUDÍO

(Gr. *ioudaios.)* Término que inicialmente designaba a los habitantes de Judea. A partir de la época helenística, se aplicó a todos los habitantes de Palestina que pertenecían a la religión del pueblo hebreo. Desde la derrota ante los romanos (70 d. C.) y la consiguiente dispersión que provocó, el término designa a todos aquellos que se adhieren al judaísmo* sin consideraciones geográficas. La distinción entre «judío» e «israelita*» es consecuencia de la aparición de un judaísmo laico, primero intelectual y de inspiración nacionalista después. Ambos términos sirven para diferenciar a los que continúan practicando los ritos religiosos (israelitas) de aquellos que los abandonan y reclaman como un patrimonio cultural común. La definición de los judíos como raza es una aberrante invención de la ideología nazi.

♦ ***Lit.*** A la época de Fernando III el Santo de Castilla (siglo XIII) corresponden varias colecciones de máximas morales y un debate de carácter religioso: *La disputa del cristiano y el judío.* En la poesía didáctico-moral destacan los *Proverbios morales*, 1345, del rabí Sem Tob: escritos en cuartetas de heptasílabos, representan la introducción en Castilla de la poesía sentenciosa, tan característica de la literatura hebrea. Sem Tob escribió también algunas poesías religiosas en hebreo y otras obras científicas. Inevitablemente, hay que reconocer que Europa, donde las religiones dominantes son las confesiones cristianas, durante mucho tiempo despreció y discriminó a las comunidades judías. En el espíritu general, Judas representaba el arquetipo del judío deicida, codicioso y traidor; el hombre judío seguía siendo el hermano mayor elegido y maldito como Caín*. Estas exclusiones sociales y los consiguientes prejuicios dieron lugar a la creación de tipos literarios famosos, como los usureros: Shylock, en *El mercader de Venecia* de Shakespeare, 1596; Gobseck, en *Gobseck* de Balzac, 1830, o también Yankel, prototipo del judío repugnante y ridículo de la literatura rusa, en *Taras Bulba* de Gogol, 1835. Las persecuciones contra los judíos adquirían con frecuencia formas violentas que condenarán los filósofos del siglo XVIII en su lucha contra la intolerancia religiosa y el fanatismo: Montesquieu, *Cartas persas,* 1721; *El espíritu de las leyes,* 1748, XXV, 13, «Muy humildes amonestaciones a los inquisidores de España y de Portugal»: «Os conjuramos

Judíos en el muro de las lamentaciones, Jerusalén

para que actuéis con nosotros como [Jesús] actuaría si aún estuviera en la tierra».
En la Europa del Este, las comunidades judías agrupadas en guetos o *shtetl* (Polonia) mantenían intactas sus tradiciones y sus creencias y se habían forjado una lengua común, el yiddish. Las obras de Shalom Aleichem *(Tévié le laitier,* 1925), Isaac Leib Peretz *(Cuentos populares* y *Cuentos hasídicos,* principios del siglo XX) e Isaac Bashevis Singer *(El cuerno del carnero,* antes de 1935, y *La familia Moskat,* después de 1950), trazan de nuevo la vida de estas poblaciones expuestas a las burlas, los ultrajes y la violencia. Ver también en hebreo: Samuel Josef Agnon, *Obras completas,* 1964, «El ajuar de la desposada».
Progresivamente, en Europa occidental, bajo la influencia de Spinoza, tiene lugar una desacralización de la historia sagrada. El hombre judío moderno se desembaraza de las antiguas formas y de los ritos

separatistas; asimila y se lanza al corazón de las luchas progresistas, universalistas, mientras Lessing predica la tolerancia entre las tres religiones-hermanas: el islam, el judaísmo y el cristianismo, y crea un personaje de judío simpático: *Nathan el sabio,* 1779. Pero los prejuicios y los odios persisten. La asimilación es imposible. Heine recupera entonces la reivindicación de los orígenes: *Melodías hebraicas,* 1851. En realidad, los mitos tienen una vida difícil; el del judío errante, procedente de una leyenda medieval, cobra vigor en el siglo XIX: el pueblo judío, marcado en la frente como Caín por haber ignorado el sufrimiento de Cristo, está condenado a su vez a ser el pueblo de todos los dolores: Edgar Quinet, *Ashaverus,* 1833; Eugène Sue, *El judío errante,* 1845; Apollinaire, *El transeúnte de Praga,* 1910, etcétera. El judío es el chivo expiatorio de la humanidad.

La cuestión de la identidad judía es un tema habitualmente tratado durante la segunda mitad del siglo XIX, como consecuencia del auge de las teorías raciales y racistas. Escritos teóricos (Marx, *La cuestión judía,* 1844) y literarios abundan sobre el tema, especialmente entre el caso Dreyfus y la Segunda Guerra Mundial. Las mentes de los autores judíos se tambalean entre las tendencias particularistas y las opciones universalistas, entre la asimilación y la reivindicación; así lo testimonian Swann y Block, los personajes de Proust de *En busca del tiempo perdido,* 1913-1927, o Kafka, *La metamorfosis,* 1916, «Informe para una Academia»: fábula sobre el judío de Occidente, representante del no judío. La novela de Jacques de Lacretelle, *Silbermann,* 1922, se opone al antisemitismo que reina en el ambiente.

Más recientemente, Sartre, *Reflexiones sobre la cuestión judía,* 1946 (es el antisemitismo el que crea al judío) y Albert Memmi, *Retrato de un judío,* 1962, rechazan la noción de «misterio judío»: «El misterio es venenoso». Se oponen a escritores como Léon Bloy, *La salvación por los judíos,* 1892; Péguy, *Nuestra juventud,* 1910, y Claudel, *El Evangelio de Isaías,* 1951, que ofrecen una interpretación religiosa de la cuestión: «Conozco bien a este pueblo; no tiene en la piel un solo punto que no sea doloroso... Cincuenta siglos de espadas a las espaldas le hacen avanzar» (Péguy).

También Sartre es censurado por aquellos judíos que interpretan el holocausto nazi como una consagración mediante el juego de la irreductible disparidad que reivindican, o, también, la ocasión de una renovación espiritual del judaísmo. Desde la creación del Estado de Israel en 1948, la cuestión judía ha sido sustituida en la escena internacional por la del Estado judío moderno.

♦ ***Icon.*** Marc Chagall, *El judío errante,* 1925, Ginebra. *Judíos en el muro de las lamentaciones,* fotografía.

JUDITH

(Heb. *Yehoudit,* la «judía».) Heroína del libro que lleva su nombre. Es una joven viuda que salva la ciudad de Betulia, asediada por los asirios: ella consigue llegar hasta su general, Holofernes, y le decapita. Voluntariamente, el autor establece una gran distancia en la historia y la geografía. Sólo intenta hacer de su heroína la personificación del pueblo judío que, al depositar su confianza en Dios, puede vencer a los más temibles enemigos.

Liss, *Judith y Holofernes,* Viena, Museo de Arte

♦ ***Lit.*** Jean Giraudoux, *Judith,* tragedia en tres actos, 1931: Giraudoux retoma la trama de la historia bíblica pero la adorna con multitud de anacronismos; especialmente muestra a una Judith enamorada de Holofernes y, por tanto, dividida entre su deber y su amor.

♦ ***Icon.*** *Judith:* Botticelli, 1473, Florencia; Quentin Matsys, siglo XVI, Amberes; Lucas Cranach, siglo XVI, Viena; Gustav Klimt, 1909, Viena. *Judith y Holofernes:* Donatello, bronce, siglo XV, Florencia; Artemisia Gentileschi, 1621, Nápoles; Jean Cocteau, pintura para tapiz, siglo XX, Aubusson. Jan Liss, Viena.

♦ ***Mús.*** Vivaldi, *Juditha Triumphans,* oratorio, siglo XVIII. Honegger, *Judith,* ópera, 1926.

♦ ***Cin.*** Griffith, *Judith de Betulia,* 1913.

JUECES

Excepto en el episodio del nombramiento de jueces que hizo Moisés en el desierto (Éx. 18, 13-26; Dt. 1, 9-18), en el AT el término «juez» designa a un jefe de guerra liberador de Israel contra vecinos invasores o a un gobernador local.

El libro de los Jueces nos cuenta la historia de 12 de estos grandes personajes que pertenecen a una época de transición entre la toma de posesión de Canaán y la institución de la realeza. El más famoso es Sansón, traicionado por una mujer, Dalila.

♦ ***Mús.*** Giacomo Carissimi, *Jefté,* oratorio, 1656. Camille Saint-Saëns, *Sansón y Dalila,* 1877.

JUICIO FINAL

En el AT, Dios, juez supremo, vendrá a seleccionar a los vivos. El «Día de Yahvé», esperado por algunos con impaciencia (Am. 5, 18), es anunciado por los profetas como un día terrorífico, tanto para los enemigos de Israel (Is. 13, 6 y s.; Jer. 46, 10; J1. 4, 9-14) como para este. Aparece descrito en Sof. 1, 14-18 (de donde procede el himno del *Dies irae)* y en Zac. 14 (como un cataclismo de dimensiones cósmicas).

La espera del día del Señor, o del Hijo del hombre (Lc. 17, 22-23), se encuentra en el NT; en el día señalado para el regreso de Cristo (1Tes. 4, 13-17), el cielo y la tierra quedarán consumidos por el fuego (1Cor. 3, 13-15), Cristo intervendrá en el combate apocalíptico (Ap. 19, 11-21) para destruir a los pecadores y al mal (2Tes. 2, 8), purificar a los tibios y glorificar a los fieles (Flp. 2, 16).

La idea de un juicio de los muertos no aparece hasta muy tarde, en el siglo II a. C., en la literatura apocalíptica judía (libro de Enoc*, libro de Daniel*): Dios vendrá a juzgar colectivamente a las naciones después de la resurrección general, y actuará implacablemente contra aquellas que hayan perseguido a su pueblo, pues será el día de cólera o día de Dios.

Fra Angélico, *El Juicio final*, Berlín, Museo del Emperador

Los evangelistas recurren a las imágenes apocalípticas que refieren el regreso glorioso del Hijo del hombre para evocar el Juicio final: es la última parte del discurso escatológico pronunciado por Jesús en el monte de los Olivos, antes de la Pasión. Sólo Mateo menciona el juicio personal, la separación de los justos y los malditos (Mt. 25, 31-46).

En el Apocalipsis*, después de la destrucción del Enemigo, tienen lugar la resurrección de los muertos y su juicio: «Entonces los muertos fueron juzgados según el contenido de los libros, cada uno por sus obras» (Ap. 20, 11-15). Predicadores y artistas utilizaron estas terroríficas imágenes para conducir a los fieles por el buen camino. Progresivamente, el carácter definitivo del juicio dio lugar a una tradición, la cual fue evolucionando del siglo IV al XII, que situaba el purgatorio antes que el juicio con el fin de ofrecer a los pecadores una oportunidad de expiar sus pecados y no ir al infierno.

♦ ***Lengua.*** *Separar las ovejas de los cabritos.* Es decir, separar a los elegidos de los condenados (Mt. 25, 32).

♦ ***Lit.*** Tertuliano, *De Spectaculis,* h. 200, lo describe como un espectáculo. En el siglo XIII, Gonzalo de Berceo, *De los signos que aparecerán antes del Juicio.* Agrippa d'Aubigné, *Los trágicos,* 1616, libro VII: evoca el fin de los tiempos, cuando Dios precipitará a los tormentos eternos a los que persigan a los justos. Victor Hugo, *La leyenda de los siglos,* 1859, «La trompeta del Juicio»: «Vi en la noche una monstruosa corneta...». Pierre Jean Jouve, *Gloria,* 1942.

La evocación del infierno y del Juicio final a menudo ha dado lugar a una sátira de los defectos humanos o de los pecadores ilustres: Quevedo, *Sueños,* 1610, y *Sueño de las calaveras,* 1627.

♦ ***Icon.*** El Juicio final está presidido por Cristo: a veces, el arcángel Miguel pesa las almas con una balanza. Los elegidos están a la derecha de Jesús, los condenados caen al infierno por su izquierda.

El Juicio final figura, con frecuencia, en el tímpano de las iglesias románicas durante el siglo XII, especialmente en Autun, Conques y Bourges. Frescos: siglo XIV, catedral de Albi; Luca Signorelli, 1504, Orvieto; Miguel Ángel, 1534, Capilla Sixtina, Roma. Cuadros: Fra Angélico, siglo XV, Berlín; Rogier van der Weyden, 1443, Beaune; El Bosco, siglo XVI, Brujas.

♦ ***Mús.*** La evocación del fin de los tiempos se presenta en el Apocalipsis*. *When the saints go marching in,* espiritual negro: la marcha de los elegidos hacia el paraíso.

JUSTO/JUSTICIA

La justicia divina no es el reparto equitativo de bienes entre todos los hombres. En la Biblia, Dios es justo porque es el justiciero que venga los daños hechos a su pueblo débil, inocente, víctima de adversarios impíos. Actúa así por fidelidad a su alianza* con Israel. → VENGADOR.

Los salmos y los profetas hablan de la esperanza en Dios, Sol de justicia (Sal. 19; Mal. 3, 20) que, en el día de Yahvé, establecerá la diferencia entre los justos y los pecadores (el sol en el antiguo Oriente simbolizaba la justicia).→ JUICIO FINAL.

Para el ser humano la justicia es la respuesta perfecta al amor de Dios. El justo rinde homenaje a Dios, observa perfectamente su ley, posee una confianza absoluta en su justicia a pesar de las dificultades (Sal. 22, 92, 119).

En el NT, el justo por excelencia es Jesús, inocente perseguido (Mt. 27, 46). Él mismo, en la parábola* de los trabajadores, explica que el amor de Dios va más allá de la simple justicia (Mt. 20, 1-16).

En san Pablo, el tema de la justicia cobra mayor amplitud, sobre todo en la Epístola a los Romanos. La verdadera justicia que caracteriza a la vida cristiana no procede de las obras que se hacen, sino que es una gracia*, «desciende del cielo» (Rom. 1, 17; 3, 21) y transforma a la humanidad. La resurrección de Jesucristo tiene como finalidad «nuestra justificación» (Rom. 4, 25).

A san Pablo se remitirá Lutero para insistir en la justificación solo por la fe *(sola fide).*

♦ ***Lit.*** En España, en el teatro religioso medieval destacan las llamadas «moralidades» que tenían carácter alegórico: la Virtud, la Justicia, etc., y a menudo ofrecían un tono satírico, no siendo específicamente religiosas. Micer Francisco Imperial, *Dezir a las siete virtudes,* siglo XV: poema alegórico-dantesco. Arthur Rimbaud, *Poesías,* 1857, «El justo permanecía erguido...»: invectiva contra el hombre de las sumisiones (Jesús), «plañidero de los Olivos» ante el cual el poeta prefiere al Maldito, orgulloso de su rebelión y su desprecio.

A partir del siglo XIX, muchos escritores se alzan contra la injusticia de Dios que permite el sufrimiento de los inocentes e incluso el de su propio hijo: Vigny, *El monte de los Olivos,* 1844; Nerval, *Cristo en los Olivos,* 1844; Dostoievski, *Los hermanos Karamazov,* 1880; Camus, *La peste,* 1947, y *El hombre rebelde,* 1951.

André Schwartz-Bart, *El último de los justos,* 1959: los justos caen en las hogueras de la historia y se derrumban los pilares del mundo. El justo «conoce todo el mal que hay en la tierra; lo mete en su corazón».→ JOB, SHOAH.

K

KAABA

Lugar de culto preislámico de forma cúbica (de ahí su nombre árabe de cubo: *Ka'aba),* que se cree fue construido por Abraham* e Ismael y en torno al cual se desarrollan diversos actos de la peregrinación a La Meca. La presencia de una piedra negra en el interior de la Kaaba permite establecer un acercamiento a otros lugares antiguos de culto, como el templo de Petra (Jordania).

KYRIE ELEISON

Invocación griega que se dice en la primera parte de la misa, cuyo significado es «¡Señor, ten piedad!». El título de *Kyrios* (Señor) otorgado a Jesús por los cristianos es una forma de reconocerle como Dios, ya que así se le atribuye el poder universal que recibe de su Padre. La aplicación a Jesús del título de «Señor» aparece en la Epístola a los Filipenses (2, 11), y en los Hechos de los Apóstoles se encuentra ligada a la afirmación de su resurrección (Act. 2, 36). En el AT solo Dios era el Señor, apelación que la Biblia de los Setenta traduce por la palabra *Kyrios.*

L

LADRÓN

(Lat. *latro,* «ladrón».) Según los cuatro evangelistas, Jesús fue crucificado entre dos bandidos. Lucas es más preciso que Mateo, Marcos y Juan: uno de los bandidos desafió a Jesús: «¿No eres tú el Mesías? Sálvate, pues, a ti mismo y a nosotros» (Lc. 23, 39); la tradición cristiana le llama «el mal ladrón». El otro, que no era como el primero, se dirigió a Jesús y le dijo: «Jesús, acuérdate de mí cuando llegues a tu reino» (Lc. 23, 42). Jesús le respondió: «En verdad te digo, hoy estarás conmigo en el paraíso». La tradición le llama «el buen ladrón».

♦ ***Lit.*** Jorge Luis Borges, *Obra poética,* 1960, «Lucas, XIII»: el buen ladrón, ¿quién era? «¿Un judío? ¿Un gentil? En cualquier caso un hombre». Unos instantes antes de morir, «oyó entre el fragor de los ultrajes / que el que moría a su lado / era un dios».

LAPIDACIÓN

(Lat. *lapis,* «piedra».) En la Grecia antigua, la muerte por apedreamiento era, generalmente, un castigo infligido por la colectividad a un culpable, evitando el contacto con él. Estaba prevista por la Ley judía para casos de idolatría, blasfemia, brujería, sacrilegio, violación del sábado o adulterio (Núm. 15, 35). Los dos testigos, imprescindibles según la Ley para toda condena a muerte, tenían que tirar la primera piedra*.

El evangelista Juan cuenta que llevaron ante Jesús a una mujer adúltera; Jesús se limitó a decir: «El que de vosotros esté sin pecado, arrójele la piedra el primero», para resaltar de este modo su negativa a condenar a la mujer pecadora (Jn. 8,

Tintoretto, *El lavatorio,* Madrid, Museo del Prado

7). El primer diácono, Esteban*, fue lapidado por blasfemo durante una revuelta popular (Act. 7, 58).

LAVATORIO DE PIES

La víspera de su muerte estaba Jesús con sus apóstoles en el cenáculo* para celebrar la Pascua* judía. Durante la comida —la Cena*—, Jesús se levantó de la mesa, tomó un paño y, como si fuera un esclavo, se dispuso a lavar los pies a sus apóstoles según la antigua costumbre. Pedro* dio un paso atrás: «¿Tú lavarme a mí los pies?» Entonces Jesús le explicó el valor simbólico de su gesto: «Si yo os he lavado los pies, siendo vuestro Señor y Maestro, también habéis de lavaros vosotros los pies unos a otros» (Jn. 13, 1-30). De este modo les daba ejemplo de humildad y el mandato de practicar la caridad fraterna.→ CENA, CENÁCULO.

♦ ***Icon.*** Giotto, *El lavatorio de pies,* 1305, Padua. Pietro Lorenzetti, *Cristo lavando los pies a sus discípulos,* 1320, Asís. Tintoretto, *El lavatorio,* siglo XVI, Museo del Prado. Ford Maddox Brown, *Cristo lavando los pies a san Pedro,* 1856, Londres.

LÁZARO

Lázaro el pobre

Personaje de una de las parábolas que cuenta Jesús: «Lázaro y el rico Epulón». Un hombre rico dejaba en la miseria al pobre Lázaro, que vivía a su puerta. Ambos murieron. El pobre Lázaro fue llevado por los ángeles al seno de Abraham*; el rico cayó en el infierno. Suplicó a Abraham que enviara a Lázaro a la tierra para que advirtiera a cinco de sus hermanos del castigo que espera después de la muerte a los hombres malvados. Abraham se negó: no tenían sino que escuchar a Moisés* y a los profetas* (Lc. 16, 19-31). Esta parábola no es una condena a los ricos; es una vehemente llamada a la compasión y a la necesidad de repartir con los demás, y una advertencia severa a los que esperan un milagro para cambiar su corazón.

♦ **Lengua.** *Ser, dar, tener gafe.* Traer mala suerte. Probablemente, "gafe" es lo mismo que el antiguo "gafo", a su vez sinónimo de "leproso". En la recopilación de textos legales castellanos de 1567, "gafo" (leproso) era una de las denominadas palabras mayores que, al utilizarse para insultar a alguien, estaban penadas con 300 sueldos. La referencia bíblica de "gafe", "gafo" o "leproso" son las llagas de Lázaro el pobre.

♦ ***Lit.*** Bossuet, *Sermón sobre el rico malvado,* 1662: el rico malvado «se dedica a oprimir al justo y al pobre». Bossuet condena la negligencia de los príncipes, pero no por ello aprueba la rebelión de los oprimidos. Lamennais, *Las palabras de un creyente,* 1834, trata el tema desde una perspectiva política inversa: Cristo ama al pueblo y los pobres son los fieles discípulos; Jesús se convierte en el modelo del revolucionario liberador de los oprimidos.

(♦ ***Icon.*** *Lázaro el pobre,* capitel, siglo XII, Vézelay. Veronés, *El banquete del rico,* siglo XVI, Venecia.

Lázaro el resucitado

En Betania* vivían Marta*, María y su hermano Lázaro; a Jesús le recibían en su casa

Gérard de Saint-Jean, *La resurrección de Lázaro,* París, Museo del Louvre

como a un amigo. Lázaro murió. Al llegar a Betania cuatro días más tarde, Jesús se dirigió al sepulcro, mandó levantar la lápida y llamó a Lázaro. Entonces el muerto salió de la tumba con el sudario y las bandas (Jn. 11, 1-44).

La resurrección de Lázaro era la prefiguración de su propia victoria sobre la muerte. Pero la repercusión que tuvo preocupó a las autoridades judías, pues temían que estallaran revueltas que hubieran obligado a una intervención de Roma. A partir de entonces, según Juan, se decidió la muerte de Jesús (Jn. 11, 49-53).

♦ ***Lit.*** Bossuet, *Sermón sobre la muerte,* 1662, pronunciado en el Louvre: «Acudid, oh mortales, y ved en el sepulcro de Lázaro lo que es la humanidad; venid a contemplar en un mismo objeto el fin de vuestros propósitos y el comienzo de vuestras esperanzas» (exordio).
Victor Hugo, *Los castigos,* 1853, «Oda al pueblo»: llama al pueblo amordazado a rebelarse contra Napoleón III: «¡Lázaro! ¡Lázaro! ¡Lázaro! ¡Levántate!»; y en *La leyenda de los siglos,* 1859, «Primer encuentro de Cristo y su sepulcro», cuenta la resurrección de Lázaro. Jean Cayrol, *Lázaro entre nosotros,* 1950: dos estudios en torno al fenómeno de los campos de concentración. José Ángel Valente, *Poemas a Lázaro,* 1960: con un estilo original, conciso y expresivo, el autor desarrolla una incisiva visión de la realidad social. André Malraux, *Lázaro,* 1974: una interrogación sobre la muerte.
♦ ***Icon.*** *La resurrección de Lázaro:* Giotto, 1305, Padua; Caravaggio, 1609, Messina; Salvatore Rosa, siglo XVII, Chantilly; Gérard de Saint-Jean, Museo del Louvre.
♦ ***Mus.*** J. Ch. Friedrich Bach, *La resurrección de Lázaro,* oratorio, siglo XVIII. Franz Schubert, *Lázaro o la fiesta de la resurrección,* oratorio inacabado, siglo XIX.

LEPRA

En los textos bíblicos, este término designa diversas enfermedades de la piel, entre las cuales el sacerdote distinguía los casos de «lepra» propiamente dicha, que convertían al enfermo en impuro (Lev. 13, 1-44). El leproso tenía un estatuto aparte que le aislaba del resto de la comunidad (Lev. 13, 45-46) hasta su curación, que también debía ser constatada por los sacerdotes. Numerosas prescripciones rituales se referían a los leprosos y a los objetos «leprosos» (ropa mohosa, muros cubiertos de salitre). → IMPUREZA.

La lepra podía ser un castigo de Dios (Núm. 12, 10). El NT cuenta que Jesús curó a un leproso (Lc. 5, 12-14).

♦ ***Lit.*** La lepra adquirió un valor de comparación y de símbolo. Joinville, *Historia de san Luis,* finales del siglo XIII: el rey compara la lepra con el pecado mortal, que es «lepra más horrible». Péguy toma este pasaje en *Nuestra juventud,* 1910, y lo aplica a los defensores de Dreyfus, que no querían que Francia «se constituyera en estado de pecado mortal» y se volviera leprosa al condenar por antisemitismo a un inocente.

Paul Claudel, *La doncella Violaine,* 1898, y *La anunciación a María,* 1912: por compasión, Violaine da un beso de adiós al arquitecto leproso Pierre de Craon; entonces se vuelve leprosa y se ve rechazada por todos. Pero, consagrada a Dios, estará misteriosamente en el origen de la curación de otras lepras. François Mauriac, *El beso al leproso,* 1922.

LEVÍ

Tercer hijo del patriarca Jacob y de Lía (Gén. 29, 34). La tribu de Leví es una de las 12 tribus de Israel (Éx. 1, 2). En el reparto de Canaán no recibe ningún territorio, pero sí responsabilidad religiosa. → LEVITAS.

Moisés y Aarón pertenecieron a esta tribu.

En el NT, un tal Leví, recaudador de impuestos, fue llamado por Jesús para que le siguiera (Mc. 2, 14). Aparece en la lista de los 12 apóstoles con el nombre de Mateo* (Mt. 10, 3).

LEVIATÁN

Esta palabra designa una serpiente mítica que aparece en varias ocasiones en la poesía bíblica (Job, Sal., Is.). Su aspecto, procedente de la imaginería popular, es diverso: monstruo acuático de varias cabezas semejante al que representaba al caos primitivo en las mitologías del antiguo Próximo Oriente (Sal. 74, 14); cocodrilo mítico (Job 40, 25) asociado al bestial Behemoth, el hipopótamo, etcétera.

Originario de las mitologías paganas en las que el dragón personificaba a las potencias hostiles, Leviatán es una fuerza enemiga cuyo despertar es muy temido (Job. 3, 8); quizá sea el propio Satanás*, la gran serpiente a la que Dios aplastará al final de los tiempos (Ap. 12, 3-9).

En la literatura apócrifa, Leviatán designa a Egipto, exactamente como el cocodrilo para los profetas (Ez. 29, 3; 32).

♦ ***Lit.*** Hobbes, *Leviatán,* 1651: el hombre «situado por la naturaleza en una triste condición», horrorizado por su propio poder de muerte, engendra el Leviatán, el Estado totalitario.

Leviatán era el nombre del mayor barco que se haya visto jamás (siglo XIX); su propia enormidad le hizo inutilizable: Victor Hugo, *La leyenda de los siglos,* 1859, «Siglo veinte», lo convierte en símbolo del viejo mundo y del pasado.

Rimbaud, *Poesías,* 1871, «Barco embriagado»: «He visto fermentar los pantanos enormes, llenos de trampas / donde se pudre entre los juncos todo un Leviatán».

Leviatán figura entre los personajes históricos y míticos que Apollinaire, *Leviatán,* 1905, hace desfilar ante la tumba de Merlín con Medea, Dalila, Elena, el arcángel Miguel y el dios Pan. Julien Green, *Leviatán,* novela, 1929.

LEVIRATO

Según el antiguo derecho israelita, cuando un hombre muere sin dejar hijos su hermano debe desposar a la viuda (Dt. 25, 5-10) y el primer hijo recibe la herencia del difunto. Esta costumbre también existía entre los asirios y los hititas. De este modo continúa la descendencia y la mujer sigue perteneciendo al clan.→ BOOZ.

Los saduceos* hacen alusión a él en el NT (Mt. 22, 23-28).

LEVITAS

Según el Deuteronomio, Dios eligió a la tribu de Leví* «para llevar el arca* de la alianza de Yahvé, estar en su presencia, servirle y bendecir su nombre» (Dt. 10, 8). Aparece claramente especificado: «Los sacerdotes levíticos, toda la tribu de Leví, no tendrán parte ni heredad con Israel... Yahvé es su heredad» (Dt. 18, 1-2).

Tras la abolición de los santuarios provinciales en la época de la reforma del rey Josías, hacia 622 a. C., se distingue entre sacerdotes levitas y levitas destinados a vivir en los santuarios. A partir de entonces, estos últimos realizan las inmolaciones de los animales ofrecidos como sacrificio en el Templo. Desde 360 a. C. en adelante aumenta la influencia de los levitas, que ya no solo son cantores o guardianes, sino también escribas, jueces y enseñantes (1Cr. 25 y 26).

En el NT, un levita y un sacerdote aparecen en la parábola del buen samaritano (Lc. 10, 32).

En los Hechos, un levita llamado Bernabé, oriundo de Chipre, llega a ser discípulo de Cristo y compañero de Pablo. → SACERDOCIO.

LEVÍTICO

Tercer libro del Pentateuco* (o *Torá),* así llamado porque contiene las reglas culturales que se refieren a los sacerdotes de la tribu de Leví*: ritual de los sacrificios*, ley del puro y del impuro, etcétera. En este libro es donde está escrito «Amarás a tu prójimo como a ti mismo» y «Amarás al extranjero como a ti mismo» (Lev. 19, 18, 34).

LIMBO

(Lat. *limbus,* «borde, orla, franja».) Término no bíblico que designa el lugar donde los justos del AT y los santos paganos esperaban la llegada de Cristo para acceder a la visión de Dios (1Pe. 3, 19). → DESCENSO DE JESÚS A LOS INFIERNOS.

♦ ***Lit.*** Los orígenes del teatro medieval se hallan en las solemnidades religiosas: el escenario solía colocarse sobre un tablado montado al aire libre en la plaza pública, y aparecía dividido en varios compartimientos, superpuestos o situados uno al lado del otro, que los personajes iban recorriendo sucesivamente, donde se veía el paraíso, el infierno, el limbo, Jerusalén, etcétera.

En un principio, el volumen de poesías proyectado por Baudelaire se tituló *El limbo:* la palabra estaba de moda en los medios furieristas y designaba las épocas «de despertar social y miseria industrial». Para Baudelaire, *El limbo* quería mostrar el reinado del pecado en el mundo moderno, el hastío, pero también quería hablar de la aspiración del alma hacia Dios.

Sin embargo, en 1855 el poeta se decide por el título de *Las flores del mal.*

Para Michel Tournier, *Viernes o los limbos del Pacífico,* 1967, la isla desierta de Robinson es el lugar privilegiado de una «eterna juventud».

Malraux, *Antimemorias,* 1967: esta obra constituye el primer volumen de un conjunto titulado *El espejo del limbo,* título que revela la exploración, a través de la memoria y lo imaginario, de una zona crepuscular de supervivencia, tanto para el hombre como para la civilización.

LITURGIA

(Gr. *leitourgia,* de *leitos,* «público», y *ergon,* «obra».) Todo lo que expresa ante Dios la fe de una comunidad: gestos, palabras, ritos.

En el AT, en el Templo* construido por Salomón la liturgia la celebran los levitas*, sacerdotes y sumos sacerdotes*, en presencia del pueblo; todo está regulado por un minucioso ritual que incluye un calendario anual de fiestas y prescripciones para el sábado*.

A partir del exilio* a Babilonia, y especialmente después de la destrucción del Templo en 70 d. C., se organiza una liturgia en la sinagoga* con lecturas, canto de salmos, comentarios, plegarias... Otra se celebra en casa: comida del sábado, fiestas de Pascua y de *sukkot.*

El NT nos cuenta que Jesús participa en la liturgia judía e incluso acepta hacer lecturas y comentarios (Lc. 4, 16-22).

Las primeras comunidades cristianas contaban con un gran número de judíos convertidos al cristianismo (Act. 15, 5); también su liturgia se inspiró en la liturgia de la sinagoga, aunque añadiendo la fracción* del pan, así como oraciones e himnos* específicos. Durante cuatro siglos no hubo libro litúrgico escrito; las prácticas variaban sensiblemente de una región a otra y era habitual la improvisación. Después surgieron las reglas: orden de desarrollo de las palabras, los gestos, los actos; formulaciones consagradas por el uso, especialmente en las liturgias del bautismo y la eucarístia, etcétera.

Toda liturgia cristiana (ortodoxa, protestante, católica) incluye la lectura de textos bíblicos.

LLAVE

En la Biblia, las llaves son signo de poder (Is. 22, 22).

El que está en posesión de las llaves de una casa puede entrar en ella y conceder o negar el acceso a quien quiera.

El Reino* de los cielos se compara con una ciudad antigua rodeada de murallas provistas de puertas. En Mt. 16, 19 y Ap. 3, 7, Jesús concede el poder de permitir o negar el acceso al Reino. Él es quien posee la llave de la ciudad de la Muerte (Ap. 1, 18), es decir, el poder de resucitar. En cambio, reprocha a los juristas que impidan a sus contemporáneos llegar al conocimiento del Reino; ellos poseen las llaves y no las utilizan ni para ellos ni para los demás (Lc. 11, 52).→ ATAR/DESATAR.

♦ ***Lengua.*** *Las llaves de san Pedro.* La autoridad de la Santa Sede.

LOT o LOTH

Hijo de Harán y sobrino de Abraham*, con quien emigra de Ur y se dirige hacia Canaán. Más tarde, se separa de Abraham para establecerse en la llanura del Jordán, en Sodoma*, al sur del mar Muerto (Gén. 13, 1-14). Es el único justo en una ciudad de pecadores, por lo que escapa a la destrucción que cae sobre Sodoma y sus alrededores, mientras «la mujer de Lot mira atrás y se convierte en estatua de sal» (Gén. 19, 1-29). Jesús recuerda este castigo cuando habla del fin de los tiempos (Lc. 17, 28-32). Se considera a los moabitas y a los ammonitas como fruto del incesto de Lot con sus hijas, quienes para perpetuar la raza embriagan a su padre (Gén. 19, 30-38).

♦ ***Lit.*** Agrippa d'Aubigné, *Los trágicos,* 1616, II, «Príncipes»: el poeta suplica a los justos que huyan de la depravada corte, del mismo modo que Lot y su familia abandonaron Sodoma, la ciudad maldita: «¡Huid, Lots, de las ardientes Sodoma y Gomorra!»

♦ ***Icon.*** *Lot:* Lucas de Leiden, siglo XVI, París; Jan Matsys, 1565, Cognac. *Lot y sus hijas:* Durero, siglo XVI, Washington; Rubens, 1620, Museo del Louvre; François André Vincent, finales del siglo XVIII, Besançon.

LUCAS

Una tradición común a todas las Iglesias le atribuye el tercer evangelio.

Compañero de Pablo y médico (Col. 4, 14), también es

Antonio di Banco, *San Lucas evangelista*, Florencia, catedral

autor de los Hechos de los Apóstoles (Act. 1, 1). Escribe después de la ruina de Jerusalén, por lo que su obra puede datarse entre los años 70 y 90. Se trata de unos textos destinados a los cristianos de origen pagano y no palestino. Demostrando una gran calidad literaria, el Evangelio de Lucas está elaborado con mucho esmero: resalta la importancia de Jerusalén dentro de la historia de la salvación, e insiste en el tema de la renuncia al dinero, la oración y la misericordia.

Su emblema es el toro, el animal de los sacrificios, porque Lucas comienza su Evangelio con la evocación del sacerdote Zacarías oficiando en el Templo de Jerusalén.

♦ ***Icon.*** *Lucas, el evangelista.* Mantegna, 1450, Milán; Tilman Riemenschneider, estatua en madera, 1505, Berlín; Jean Goujon, bajorrelieve, 1544, París; Antonio di Banco, siglo XV, catedral, Florencia. *San Lucas pintando a la Virgen.* Roger van der Weyden, 1440, Boston; Pinturicchio, fresco, siglo XV, Santa Maria del Popolo, Roma; Maarten van Heemskerk, 1532, Rennes; Annibale Carracci, 1592, París; icono, siglo XVII, monasterio de Moraca, Yugoslavia. La leyenda que atribuye a Lucas el primer retrato de la Virgen le convierte en el patrono de los pintores.

LUCIFER

El nombre latino significa «luminoso, brillante, que lleva

una antorcha» y se atribuye al planeta Venus, que acompaña de cerca al sol y con frecuencia aparece por la mañana, poco antes que él (Job. 11, 17; 38, 32; Sal. 110, 3). En este sentido, Cristo es el que lleva la antorcha del último día (Ap. 22, 16; 2Pe. 1, 19). Pero el mismo astro acompaña al sol en su ocaso, de ahí la alusión de Isaías (Is. 14, 12) en la sátira sobre la muerte de un tirano: «¿Cómo caíste del cielo, lucero brillante, hijo de la aurora...?»

La Vulgata* traduce Astro de la Mañana por Lucifer, y la tradición medieval interpretó la caída del astro (Venus-Lucifer) como la del príncipe de los demonios, cuyo tirano (el rey de Babilonia) es su representante. A partir de la Edad Media, Lucifer también es uno de los nombres de Satanás*.

LUZ

«Dijo Dios: "Haya luz" y hubo luz. Y Dios vio que la luz era buena, y la separó de las tinieblas» (Gén. 1, 3).

En el AT, la luz va unida a la vida (Job. 33, 30); es la vida (Eclo. 22, 11), mientras que las tinieblas son la muerte (Job. 10, 22). La luz provoca la alegría, la dicha (Sal. 112, 4); forma parte de los bienes esperados (Is. 9, 1).

Se llama luz a la Ley (Sal. 119, 105; Bar. 4, 2), al conocimiento de la sabiduría (Sab. 7, 26) y también al que difunde este conocimiento (Is. 42, 6; Dan. 12, 3).

En el NT, la concepción de Pablo recupera el AT: Dios arranca al pagano de las tinieblas (Col. 1, 12; 1Pe. 2, 9); el cristiano vive en la luz y debe comportarse como «hijo de la luz» (Ef. 5,8). Según Juan, Dios es la luz (1Jn. 1, 5) y con esa luz se identifica Jesús (Jn. 8, 12; 9, 5).

En el NT, la diferencia entre luz y tinieblas queda esquematizada del modo siguiente:

a) es luz todo lo que ilumina el camino hacia Dios: antaño, la Ley, la sabiduría y la Palabra de Dios; ahora, Cristo y todo cristiano que manifieste al mundo la perfección de Dios;

b) a la luz, símbolo de vida, de alegría y de felicidad, se enfrentan las tinieblas, símbolos de muerte, de lágrimas y de desdichas; a la luz de la salvación se oponen las tinieblas de la ignorancia.

♦ ***Lit.*** Luz material, imagen de Dios: Prudencio, *Liber Cathemerinon (El libro de las ocupaciones diarias),* siglos IV-V: el autor escribe un himno para la hora en que se enciende la lámpara (para velar y adorar a Dios, verdadera luz de las almas). El himno de las vísperas dominicales *Lucis Creator optime (Gran Creador de la luz)* celebra el *Fiat Lux* del primer día de la creación.

«Dios es luz», como afirman Milton, *Paraíso perdido,* 1667, libro III, y santa Teresa de Jesús, *Libro de las misericordias de Dios,* siglo XVI: «Es una luz que no tiene noche; es siempre resplandeciente y no conoce eclipse alguno». Al llegar al círculo décimo, Dante ve en primer lugar un río de luz del que brotan destellos, y luego descubre a Dios en medio de los santos como «una rosa de brillante blancura» *(Divina comedia,* 1307-1321, «El paraíso», XXX-XXXI). Cristo también es luz: «El aire no es sino un sol; el sol radiante / no es sino una negra noche a la mirada de sus ojos». Cuando Dios aparece, «el centro deja de tener sombra y no evita su luz (Agrippa d'Aubigné, *Los trágicos,* 1616, «Juicio»).

En los dramas de Claudel se advierte la importancia de la luz, material y simbólica: *Cabeza de oro,* 1889: «¡Dame luz!», implora Cébès moribundo, luz para disipar su desesperación frente al absurdo de la muerte y que Cabeza de oro no le puede dar.

La imagen que opone la luz a la sombra enfrenta también el bien al mal, la verdad al error. Victor Hugo, *Los castigos,* 1853: «Stella», la estrella de la mañana, de «Nox» (noche, tinieblas) a «Lux» (luz, esperanza), anuncia la llegada del «ángel Libertad y del gigante Luz».

♦ ***Mús.*** El simbolismo de la luz ocupa un lugar importante en la obra de Mozart, especialmente en la *Misa en do menor,* 1783.

M

MACABEO

(Heb. *maqqebet,* «martillo».) Sobrenombre de cierto Judas, hijo de Matatías. Este último y sus cinco hijos —a quienes se extendió el sobrenombre— condujeron la lucha contra la helenización forzosa que se desarrolló durante los reinados de Antíoco Epífanes y sus sucesores. El propio Judas Macabeo dirigió la rebelión entre 166 y 160 a. C. Obtuvo grandes éxitos y purificó el Templo de Jerusalén. → FIESTAS RELIGIOSAS.

Libros de los Macabeos

Estos dos libros deuterocanónicos* (el primero escrito en hebreo, pero conocido solamente por su traducción griega; el segundo escrito en griego) nos cuentan la historia de la resistencia de los judíos ante el helenismo conquistador. Los dos libros son paralelos (aunque el segundo comienza y termina su relato en fechas anteriores al primero). Contienen tanto el desarrollo de los acontecimientos políticos y militares como textos edificantes (ver especialmente el martirio de los siete hermanos, 2Mac. 7) que aspiran a animar a la resistencia ante la persecución, a veces incluso llegando al martirio.

♦ ***Icon.*** Gerritt van Honthorst, *Judas Macabeo,* siglo XVII, Gante. Gustave Doré, *La Biblia,* 1866, «La muerte de Eleazar Macabeo».

♦ ***Mús.*** Haendel, *Judas Macabeo,* oratorio, 1745.

MAGNÍFICAT

María*, poco antes de dar a luz a Jesús, fue a visitar a su prima Isabel*, que también estaba encinta; como respuesta al saludo de Isabel, María, según

Lucas, entonó un canto de acción de gracias*. Este canto comienza en la Vulgata* con las palabras: *Magnificat anima mea Dominum...*, «Mi alma magnifica al Señor...» (Lc. 1, 46-55).

El magníficat de María está lleno de citas o alusiones bíblicas: Salmos*, Job*, Isaías*, Génesis*...→ VISITACIÓN.

♦ ***Lengua.*** En el lenguaje coloquial un *magníficat* es un canto de acción de gracias.
♦ ***Lit.*** Paul Claudel, *Cinco grandes odas,* 1910, «Magníficat». Fernando Pessoa, *Obra poética de Álvaro de Campos,* 1933, «Magníficat».
♦ ***Mús.*** *Magníficat:* Orlando di Lassus, Johann Sebastian Bach, Vivaldi, Haendel, Karl Philipp Emanuel Bach.

MAGOS

Sabios orientales acostumbrados a observar los astros. Mateo (2, 1-12) cuenta la visita de unos magos que fueron a ofrecer sus presentes al «rey de los judíos», cuyo «astro vieron elevarse en el cielo». En Jerusalén se enteraron del lugar de su nacimiento. Tomando como referencia al profeta Miqueas, los doctores de la Ley les informan de que el Mesías* debe nacer en Belén*. Para Mateo, con esta visita se cumplen las antiguas profecías sobre el homenaje que han de rendir al Dios de Israel las naciones paganas (Is. 49, 7).
→ EPIFANÍA, ESTRELLA.

♦ ***Lit.*** El *Auto de los reyes magos* es la única obra del teatro religioso medieval español anterior al siglo XV. La lengua del manuscrito corresponde a fines del siglo XII o a principios del XIII. Solo se conserva un fragmento de 147 versos. Michel Tournier, *Melchor, Gaspar y Baltasar,* 1980: fantasía imaginaria a partir de la adoración de los magos.
♦ ***Icon.***→ EPIFANÍA.

MALIGNO

El espíritu maligno, o espíritu malvado, anima a aquel a quien ha abandonado el espíritu de Dios. El espíritu maligno es el espíritu de la discordia (Jue. 9, 23), de la mentira (1Re. 22, 19-23), del vértigo (Is. 19, 14), del letargo (Is. 29, 10).

Con frecuencia, los evangelistas sustituyen el epíteto «maligno» por «impuro» (Mc. 1, 23-26). → ESPÍRITU/ ESPÍRITU SANTO, SATANÁS.

MALO

Inicialmente, no se cuestionaba que la dicha era la recompensa de los justos* y la desdicha, aquí abajo, el castigo de los malos. Después, se ha llegado a la conclusión de que la realidad es más compleja. Es uno de los elementos importantes de la reflexión traducida por los escritos sapienciales (sobre todo Eclesiastés* y Job*). El dolor inocente no tiene otra explicación que el misterio de los designios de Dios. Y aunque el malo parece próspero, su suerte no es nada envidiable, porque no obedece a la Ley del Señor.

Por su parte, el profeta Ezequiel* (18, 21-23) insiste en el hecho de que el malo puede convertirse, y Jesús recuerda que Dios «hace salir el sol sobre malos y buenos» (Mt. 5, 45).

MAMÓN

Término arameo que designa la riqueza. En el NT se utiliza para referirse al dinero injustamente adquirido, poder avasallador al que es preciso renunciar para servir a Dios: «No podéis servir a Dios y a las riquezas» (Lc. 16, 13).→ RICO.

♦ ***Lengua.*** *Nadie puede servir a dos amos.* Esta frase expresa que hay que saber elegir entre el interés y los ideales (Mt. 6, 24).

♦ ***Lit.*** La caverna de mamón se evoca en Edmund Spenser, *La reina de las hadas,* 1609, libro II, canto 7.

MANÁ

(Heb. popular, «¿qué es?») Alimento milagroso que recibieron los israelitas en el desierto (Éx. 16), semejante a los granos de cilantro y con sabor a torta de miel. Probablemente se trata de la secreción de los insectos que se alimentan del tamarisco; los nómadas lo siguen utilizando como sustituto del

Rubens, *Los israelitas recogiendo el maná,* Sarasota (Florida), Museo Ringling

azúcar o de la miel. El maná se recogía diariamente y no se podía acumular, excepto el sábado. Mediante este don, Dios protegía a su pueblo, que, a pesar de todo, añoraba los alimentos de Egipto (Núm. 11, 4-6).

♦ ***Lengua.*** *No esperéis que el maná os caiga del cielo.* Es más importante trabajar que esperar hipotéticas riquezas milagrosas.

♦ ***Icon.*** Los hebreos recogiendo el maná en el desierto suelen constituir el fondo de un cuadro que representa la Cena, en la que Jesús ofrece su cuerpo como pan, testimonio de la vida eterna: Dierick Bouts, *La Última Cena,* tríptico, 1468, Lovaina. Tintoretto, *El maná,* 1592, Venecia. Rubens, *Los israelitas recogiendo el maná,* siglo XVII, Sarasota, Florida. Vidriera, siglo XVII, Saint-Étienne-du-Mont, París.

MAR

Esta palabra se utiliza en hebreo para designar mares y lagos. En la Biblia se nombran cuatro mares: el Mediterráneo («gran mar» o «mar de los Filisteos»), el mar Rojo («mar de las Cañas» o «mar de Souph»), el mar Muerto («mar de la Sal») y el lago Genesaret («mar de Galilea» o «de Tiberíades») de agua dulce, muy pura y con abundancia de peces.

El mar es fuente de vida, pero, como la furia del mar es temible, muchas mitologías vieron en él un dios o un dragón que representaba las fuerzas devastadoras que había que vencer para organizar el cosmos. En la Biblia aparece su memoria (Job 7, 12), pero nunca es concebido como una divinidad; es un elemento creado que obedece a Dios (Gén. 1, 6). En la creación, Dios separa las aguas y los continentes (Gén. 1, 10). Los salmos ensalzan el poder de Dios que «domina la soberbia del mar» (Sal. 89) y «corta la cabeza a los monstruos de las aguas». Isaías recuerda que Dios secó las aguas del «Profundo Abismo» (Is. 51, 10). El rugido de las naciones paganas que se rebelan contra Dios se asocia con el rumor de los mares (Is. 17, 12). En los apocalipsis*, las potencias satánicas son como las bestias que ascienden del mar (Dan. 7, 2-7).

En el NT, el mar posee el mismo simbolismo religioso que permite interpretar muchos episodios evangélicos: Jesús aplaca la tempestad que pone en peligro a su comunidad, es decir, a los discípulos en la barca (Mt. 8, 23); Jesús camina sobre el mar (Mt. 14, 25). Estos milagros* se describen en términos que recuerdan el paso del mar Rojo al salir de Egipto. El Apocalipsis (Ap. 13, 1) recupera las imágenes de Daniel y evoca el día en que el mar dejará de existir (Ap. 21, 1): entonces el mal y la muerte serán vencidos.

Reni, *San Marcos evangelista,* Génova, Galería Brignole

Mar Muerto

Su nombre procede del alto índice de salinidad (25 por 100 en lugar del habitual 3,5 por 100), que impide toda posibilidad de vida. Situado en la depresión de la Araba, a 392 metros por debajo del nivel del mar, tiene 76 kilómetros de largo y 16 de ancho, y recibe las aguas del Jordán. De algún modo forma la frontera oriental de Israel.

Mar Rojo

Golfo que separa Asia y África y comunica con el océano Índico. La tradición lo identificó con el mar de las Cañas (o mar de los Juncos) de la Biblia, lugar del «milagro del mar» (Éx. 14, 15) durante el éxodo* de los hebreos, pero los textos más antiguos hablan solamente del «mar», sin otras precisiones (excepto Éx. 15, 4, que es un texto poético). Actualmente se tiende a situar la travesía del mar evocada en el Éxodo en los lagos Amargos (ver mapa, pág. 149).

MARCOS

La tradición reconoce en Marcos o en Juan Marcos, discípulo de Jesús, al autor del segundo evangelio.

Compañero de Pablo durante su primer cautiverio romano y primo de Bernabé (Col. 4, 10), también acompaña a Pedro y es su intérprete en Roma.

Sobre todo, escribe para los cristianos que proceden del paganismo, miembros de la comunidad de Roma. Casi con seguridad, su obra puede datarse entre los años 65 y 70 a. C.

Su tema es la revelación progresiva del misterio de Jesús, Hijo de Dios, Hijo del hombre.

El emblema de Marcos es el león, animal del desierto, porque su Evangelio comienza con la predicación de Juan Bautista en el desierto.

♦ ***Icon.*** El león de san Marcos es el emblema de la ciudad de Venecia, adonde, según la leyenda, fueron llevados los restos del santo (cf. columna rematada por un león de bronce, plaza de San Marcos). Mosaicos, siglo XII, basílica de San Marcos. Tiziano, *San Marcos,* retablo, 1511, Santa Maria della Salute. Tintoretto, ciclo de la Scuola di San Marco, 1548. Fuera de Venecia: Donatello, estatua, 1412, Florencia. Hermanos Bellini, *La predicación de san Marcos,* siglo XV, Milán. Durero, *Cuatro apóstoles,* díptico, 1526, Munich. Crispín el Viejo, *San Marcos,* siglo XVI. Reni, *San Marcos evangelista,* siglo XVII, Génova.

MARÍA

(Heb. *Myriam.*) Madre de Jesús. La piedad cristiana venera en ella a la madre del Salvador*.

Lucas evoca la visita que recibe del ángel Gabriel* para anunciarle el nacimiento de Jesús: «El Espíritu Santo vendrá sobre ti» (Lc. 1, 26-35). Después se convierte en la esposa de José* (Mt. 1, 18-20; Lc. 1, 27). Jesús viene al mundo en Belén* (Mt. 2, 1-6; Lc. 2, 4-7) y los pastores y los magos* van a visitarle (Mt. 2; Lc.2). María presenta a su hijo en el Templo* (Lc. 2) y, cuando, con 12 años de edad, Jesús desaparece, allí va a buscarle (Lc. 2). No existe mucha información sobre su vida. Volvemos a encontrarla en las bodas de Caná (Jn. 2, 1-11), al pie de la cruz (Jn. 19, 25) y, por último, esperando, en medio de los discípulos, la venida del Espíritu Santo en Pentecostés* (Act. 1, 14).

El evangelista Mateo atribuye a María la profecía de Isaías (7, 14): «He aquí que la virgen grávida da a luz un hijo y le llama Emmanuel». La palabra hebrea *almah* designa a una muchacha o una mujer joven recién casada, que los Setenta* traducen por «virgen».

Murillo, *El nacimiento de la Virgen*, París, Museo del Louvre

De este modo se establece la tradición de la concepción virginal de Jesús y la apelación de Virgen Santa para su madre, María (Lc. 1, 26-38; Mt. 1, 23).→ AVEMARÍA, MAGNÍFICAT.

♦ ***Lit.*** El primer cantor de María parece ser san Efrén el Siriaco (siglo IV): «El árbol de la vida oculto en medio del paraíso creció en María». Pero la literatura propiamente mariana comienza a desarrollarse a partir del siglo VI, en primer lugar en el mundo griego, con Romano el Méloda y san Germán de Constantinopla, especialmente.

En el mundo occidental, a partir del siglo XII se desarrolla en latín una amplia literatura mariana, representada por Bernardo de Claraval y Adam de Saint-Victor. En Francia, la literatura medieval profana (siglos XII y XIII) multiplica los relatos de los milagros atribuidos a la Virgen. En el siglo XIII, Gautier de Coincy recopiló algunos de ellos, el más famoso de los cuales es *Tombeur Notre Dame,* recogido por Anatole France en *L'Étui de nacre,* 1892.

A los poetas les gusta representar a María como madre todopoderosa junto a su hijo, comprensiva con los pecadores, compasiva con los humildes y los desdichados: Rutebeuf, *El milagro de Teófilo,*

1262; François Villon, *Testamento,* 1461, «Balada que hizo a petición de su madre para rezar a Nuestra Señora».

En España, en el siglo XIII, Gonzalo de Berceo, *Los milagros de Nuestra Señora:* 25 narraciones de milagros realizados por la Virgen en favor de sus devotos, bien para salvar su alma, bien para ayudarles en algún trance apurado. Alfonso X el Sabio, *Cantigas de Santa María,* siglo XIII: 430 composiciones escritas en gallego e ilustradas con miniaturas y acompañadas de variadas melodías musicales.

En el siglo XIV, el Arcipreste de Hita incluye en su *Libro de buen amor* composiciones líricas de carácter religioso. Pero López de Ayala, *Rimado de palacio,* finales del siglo XIV, incluye una parte con poesías dedicadas a la Virgen en las que aparece como importante novedad un tipo de religiosidad «íntima».

En Italia, Dante, *Divina comedia,* 1307-1321: evoca a la Virgen a partir del canto 23 del «Paraíso», y más tarde en el noveno cielo: «Ardiente llama de caridad, de esperanza, fuente viva, madre e hija de Tu Hijo». Petrarca, *Le Canzone,* 1555, VIII: pide a la Virgen «bella de sol vestida» que le libere de las ataduras terrenales y le «conduzca a un mejor vado», cuando logra escapar de las tempestades del amor humano con Laura.

En el siglo XVII: Bossuet, *Sermón para la fiesta de la natividad de la Santísima Virgen,* 1652. En España, Lope de Vega es autor de algunas poesías dedicadas a la Virgen, entre ellas *Hoy sube al cielo María:* dedicada a la conmemoración de la fiesta de la Asunción de María (15 de agosto); además, es autor de comedias como *La Virgen de los Remedios*. En el ámbito de la prosa mística destaca sor María de Jesús de Ágreda, *Mística ciudad de Dios,* 1670.

En el siglo XIX, la poesía romántica de Novalis, *Himnos y cánticos,* 1802, fusiona el recuerdo de la muchacha amada, muerta prematuramente (Sofía) y la imagen de María, la Virgen de los evangelios, «adorable desposada», madre del Amor Todopoderoso. Nerval y Novalis dedican un culto ferviente a una madre celestial cuyo hijo es la esperanza del mundo. Por su parte, el poeta francés establece un acercamiento sincrético entre el culto mariano y las religiones orientales (Isis y Osiris, Cibeles y Atis, María y Jesús). En el siglo de la Inmaculada Concepción*, la poesía, la devoción y el amor alcanzan en María una auténtica sublimación del «eterno femenino». Chateaubriand, *El genio del cristianismo,* 1802, I, capítulo 5. Verlaine, *Sabiduría,* 1881: «Ya no puedo amar sino a mi madre María...». Se establece un mito de la Madona al que el personaje realista de Emma Bovary, anhelante y, por tanto, desposeída, destruida y destructora, ofrece un notable contrapunto.

En el siglo XX: Péguy, *Pórtico del misterio de la segunda virtud,* 1912: «A la que es infinitamente celestial / porque también es infinitamente terrenal... Madre y reina de los ángeles porque también es la madre y la reina de los hombres», y *Presentación de la Beauce en Notre Dame de Chartres,* 1913, «Tapices»; Claudel, *Poemas de guerra,* 1922, «La Vierge à Midi», y *El zapato de raso,* 1924: plegaria de Doña Proeza a la Virgen; Pierre Jean Jouve, *La Virgen de París,* 1944.

♦ ***Icon.*** *Nacimiento de la Virgen:* Pietro Lorenzetti, 1342, Siena; Murillo, siglo XVII, Museo del Louvre. *La educación de María,* estatua de madera, siglo XV, Semur-en-Auxois. Rafael, *La Madona del gran duque,* 1504, Florencia. Il Parmigianino, *La Madona del cuello largo,* 1534, Florencia. *Presentación de la Virgen en el Templo:* Tintoretto, siglo XVI, Venecia; Tiziano, 1540, Venecia.

Entre las innumerables representaciones de la Virgen con el niño: *Nuestra Señora de la bella vidriera,* vidriera, siglo XII, Chartres. Cimabue, *La Virgen de los ángeles,* siglo XIII, Museo del Louvre. Jan van Eyck, *La Virgen del canciller Rolin,* 1434, París. Martin Schongauer, *La Virgen de la rosaleda,* 1473, Colmar. Leonardo da Vinci, *La Virgen de las rocas,* 1486, París. Miguel Ángel, *Virgen con el niño,* estatua, 1501, Brujas. Caravaggio, *La Virgen de los peregrinos,* 1605, Roma. Carlos Schwabe, *Virgen de lis,* 1897. Max Ernst, *La Virgen corrigiendo al niño Jesús ante tres testigos,* 1891: el artista se burla de la iconografía tradicional.

Jacob Lipchitz, *Virgen,* escultura, hacia 1948, iglesia del Plateau d'Assy: la escultura lleva esta inscripción: «Jacob Lipchitz, judío fiel a la fe de sus antepasados, hizo esta Virgen para la buena armonía de los hombres sobre la tierra, y con el fin de que reine el Espíritu».

♦ ***Mús.*** Guillaume de Machaut, *Misa de Nuestra Señora,* siglo XIV. Johannes Ockeghem, *Motetes a la Virgen,* siglo XV. Palestrina, *Assumpta est Maria,* misa, siglo XV. Monteverdi, *Vespro della beata Virgine,* 1610. Mozart, *Regina Coeli,* K 276, siglo XVIII. Brahms, *Marienlieder,* coros *a capella,* siglo XIX. Anton Dvorak, *Stabat Mater,* 1877. Francis Poulenc, *Stabat Mater,* y *Salve Regina,* 1950. Pierre Calmel, *María en el calvario,* 1980. *Oh, Mary don't you weep,* espiritual negro.

♦ ***Cin.*** La mayoría de las veces, María no aparece en el cine sino de un modo muy discreto, a la sombra de Jesús, como una mujer llena de amor y de bondad. Tres interpretaciones originales: Pier Paolo Pasolini, *El Evangelio según Mateo,* 1964: la madre del cineasta presta a María sus devastados rasgos; Franco Zeffirelli, *Jesús de Nazaret,* 1977: Olivia Husey encarna a una virgen adolescente; Jean-Luc Godard, *Yo te saludo María,* 1986, muestra el vientre desnudo de la Virgen.

MARÍA DE BETANIA

Hermana de Lázaro* y de Marta*, amigos de Jesús*.

Siempre está pendiente de Jesús, cuya cabeza rocía de perfume antes de su muerte. Es el modelo femenino del discípulo (Jn. 11, 5; 12, 1-8; Mt. 26, 6-13; Lc. 10, 38-41).

→ MUJERES SANTAS.

♦ ***Lit.*** Entre las primeras muestras conservadas de la lírica juglaresca en castellano destaca *Disputa de Elena y María:* debate o discusión entre ambas, en el que María se inclina por el amor del clérigo haciendo alusión a la escena evangélica que narra la invitación que hacen a comer en su casa de Marta y María a Jesús. Palacio Valdés, *Marta y María,* 1883: las protagonistas encarnan el temperamento contemplativo y el práctico.

MARÍA DE MAGDALA o MARÍA MAGDALENA

Natural de Magdala, en el lago Genesaret (el gentilicio «magdaleana» dio origen a

María Magdalena perfumando los pies de Jesús, tapiz, Madrid, Palacio Real

Magdalena), siguió a Jesús y fue liberada por él del dominio de los «siete demonios» (Lc. 8, 2). A menudo se la identifica con María* de Betania, hermana de Marta y de Lázaro, y con la pecadora innominada que perfumó los pies de Jesús (Lc. 7, 36-50). María de Magdala formó parte de un grupo de mujeres presentes durante la crucifixión y la sepultura de Jesús (Mt. 27). Fue ella la primera que le vio después de su resurrección (Jn. 20, 11-18) y la encargada de anunciar la buena nueva a los apóstoles. → MUJERES SANTAS.

♦ ***Lengua.*** *Llorar como una Magdalena.* Llorar muchísimo. La expresión alude a este personaje, María de Magdala, que fue salvada por Cristo de ser lapidada, y le acompañó durante su muerte.

♦ ***Lit.*** Jean Michel, *El misterio de la Pasión,* 1486: Magdalena es el personaje de la mundana: «Quiero estar engalanada, embellecida, cubierta de bellos ropajes, maquillada / para que me admiren... / nada me importa sino el placer». Gómez Manrique, *Lamentaciones fechas para Semana Santa,* siglo XV: san Juan, la Virgen y María Magdalena intervienen en unos breves cuadros manifestando su dolor por la muerte de Jesús. Lucas Fernández, *Farsas y églogas al modo y estilo pastoril y castellano,* 1514, tres de ellas de carácter religioso, obra en la que se incluye el «Auto de la Pasión», donde Jeremías, san Mateo y las tres Marías comentan patéticamente la muerte de Cristo. Malón de Chaide, *Libro de la conversión de la Magdalena,* 1588. Lacordaire, *María Magdalena,* siglo XIX.

♦ ***Icon.*** A María de Magdala, *La Magdalena,* se la confunde a menudo con la pecadora: Donatello, estatua, 1456, Florencia; Piero di Cosimo, siglo XVI, Roma; Quentin Matsys, 1514, Amberes; Tiziano, 1533, Florencia. Georges de La Tour, *La Magdalena penitente,* 1626, Museo del Louvre. *María Magdalena perfumando los pies de Jesús,* tapiz, Madrid.

♦ ***Cin.*** Enrico Guazzoni, *María de Magdala,* película muda, 1915. Miguel Torres, *María Magdalena,* 1945.

MARTA

Hermana de María* y de Lázaro*, vivía en Betania. Un día que Jesús estaba en su casa, Marta se encargó de atenderle, reprochando a su hermana que se quedara sentada a los pies de Jesús escuchándole, en la actitud del discípulo ante su maestro; entonces Jesús le dijo lo siguiente: «Marta, Marta, tú te inquietas y te turbas por muchas cosas; pero pocas cosas son necesarias, o más bien una sola. María ha escogido la mejor parte, que no le será arrebatada» (Lc. 10, 38-42).

Cuando murió su hermano Lázaro, acudió a Jesús y proclamó su fe en él (Jn. 11, 27).

Según la interpretación habitual, Marta representa la vida activa y María la vida contemplativa.

♦ ***Lit.*** El nombre del personaje del drama de Claudel, *L'Échange,* 1901, tiene un valor simbólico: por su preocupación por lo real, su recogi-

Tintoretto, *Jesús en casa de Marta y María,* Augsburgo, Galería de Arte

miento, su espíritu familiar, Marta recuerda al personaje evangélico.

♦ ***Icon.*** *Cristo en casa de Marta y María:* Vermeer, 1653, Edimburgo; Velázquez, 1618, Londres; Tintoretto, siglo XVI, Augsburgo; Friedrich Overbeck, 1815, Berlín.

MÁRTIR/MARTIRIO

(Gr. *martyrein,* «testimoniar».) Un mártir es, en primer lugar, un testigo. Para los cristianos, es el que testimonia, con sus palabras y sus actos, que Jesús ha muerto y resucitado. En los primeros siglos de la cristiandad este testimonio solía acabar en una muerte violenta y cruel, hasta el punto de que «mártir» llegó a significar «muerto por su fe»; después, este sentido se extendió a todos aquellos que sufren por una causa y llegan incluso a morir por ella.

La Iglesia naciente dedicó un culto entusiasta a sus mártires. Sobre algunos de ellos existen relatos auténticos que atestiguan la realidad de su «martirio» (suplicio al que se exponen por su fe); sobre otros se crearon leyendas, a menudo muy bellas, que han venido a paliar la ausencia de referencias históricas.

♦ ***Lit.*** San Ignacio, obispo de Antioquía, martirizado en Roma hacia 107 d. C., *Epístola a los Romanos* (en griego): en ella, Ignacio expresa su sed de martirio: «Dejadme convertirme en el pasto de los animales, por ellos podré llegar a Dios. Soy el trigo de Dios y conviene que los dientes de los animales me trituren para convertirme en el pan puro de Cristo». Orígenes, *Exhortación al martirio,* siglo III (en griego). Santa Teresa de Jesús habla del martirio frecuentemente: *Camino de perfección,* 1564, y *Moradas del castillo interior,* 1577.

Entre las comedias religiosas de Calderón destaca *El príncipe constante,* representada en 1629: en ella se escenifica la historia de don Fernando de Portugal, que sufre heroicamente el martirio antes de entregar la plaza de Ceuta a los moros. En *El mágico prodigioso*, Calderón nos presenta la historia de Cipriano, que sufre martirio con su amada Justina. Lope de Vega, *Los mártires del Japón,* 1614-1615. También, *El mártir de Florencia* y *Los mártires de Madrid.*

Corneille, *Poliuto,* 1642. Chateaubriand, *Los mártires,* 1809: el autor quiso hacer «una epopeya cristiana», ya que la acción transcurre en el siglo III d. C. durante las persecuciones de Diocleciano. Lamennais, *Palabras de un creyente,* 1834: el capítulo V se refiere a la teoría romántica de los pueblos-mesías que están destinados a salvar a las demás naciones muriendo, para redimir al género humano. Zorrilla, *Traidor, inconfeso y mártir,* 1849: sobre la figura misteriosa del pastelero de Madrigal, que fue ahorcado por intentar suplantar la personalidad del rey.

Albert Cohen, *Oh, vosotros, hermanos humanos,* 1972: es un homenaje a los mártires judíos: «Oh, todos mis padres a lo largo de los siglos que han preferido las masacres a la traición y las hogueras a la blasfemia, mis padres en las llamas proclamando hasta su último aliento la unidad de Dios y la grandeza de su fe».

Élie Wiesel, *El juramento de Kolvilleg,* 1973: insiste en la necesidad de dar testimonio: un anciano, único superviviente de un pogrom en Europa central, transmite su experiencia a un joven desesperado al borde del suicidio: «Ahora que has conocido esta historia no tienes derecho a morir».

MATEO

La tradición reconoce a Mateo como el autor del primer evangelio.

Hijo de Alfeo, probablemente oriundo de Cafarnaúm, aparece como publicano*, es decir, recaudador de impuestos (Mt. 10, 3), y evoca la llamada que le hizo Jesús (Mt. 9, 9) para ser uno de sus 12 apóstoles.

Su evangelio va dirigido a los cristianos que proceden del judaísmo y que conocen bien las Escrituras, abundantemente citadas. El texto fue redactado en griego entre los años 80 y 95, seguramente a partir de una recopilación de palabras y episodios de la vida de Jesús en arameo.

El tema principal es la fundación de la Iglesia* por Jesús (Dios con los hombres); Jesús aparece como el Mesías que cumple las promesas de Dios transmitidas por la Ley y los profetas.

El emblema de Mateo es el hombre, porque su evangelio comienza con la genealogía de Cristo.

Luca della Robbia, *San Mateo apóstol,* Florencia, iglesia de Santa Cruz

♦ ***Icon.*** Estatuas, siglo XII, Notre-Dame-de-la-Couture, Le Mans. Alto relieve, 1260, París. Piedra policromada, siglo XVI, Nantes. Cuadros: Luca della Robbia, *San Mateo apóstol,* siglo XV, Florencia. Cornelis Engelbrechtsz, *La conversión de Mateo,* siglo XVI, Nantes. Caravaggio, *La llamada a Mateo,* 1600, y *San Mateo y el ángel*, 1602, Roma. Rembrandt, *Mateo y el ángel,* 1661, París. En la estatuaria se reconoce a Mateo por la presencia de una bolsa que recuerda su condición de publicano.

♦ ***Cin.*** Pier Paolo Pasolini, *El Evangelio según Mateo,* 1964: Pasolini rechaza la imagen dulce y estereotipada de Jesús y le presenta como un hombre que se rebela contra el orden establecido, generoso y decididamente provocador.

MATER DOLOROSA

Stabat mater dolorosa, juxta crucem, dum pendebat filius: «La madre dolorosa estaba al pie de la cruz de la que colgaba su hijo». Así comienza el poema de 10 estrofas de Jacopone da Todi (siglo XIII) sobre los dolores de la Virgen y la compasión que debe sentir el alma cristiana.

♦ ***Lit.*** Lope de Vega, *Romancero espiritual,* 1619, «A la soledad de Nuestra Señora». Victor Hugo, *Las contemplaciones,* 1856, «Dolorosae»: 12 años después de la muerte de Léopoldine, Hugo se dirige a su mujer, madre fuerte y dolorosa, como María al pie de la cruz. Charles Péguy, *El misterio de la caridad de Juana de Arco,* 1910: con un leitmotiv: «Llevaba tres días llorando», y *Eva,* 1913: Péguy une a Eva y a María en la misma imagen de madres dolorosas que tienen que sepultar a sus hijos.
♦ ***Icon.*** *Mater dolorosa:* Simon Marmion, 1460, Estrasburgo; Tiziano, 1544, Museo del Prado; El Greco, 1590, Madrid.→ PIETÀ O PIEDAD.
♦ ***Mús.*** Al *Stabat Mater* le han puesto música numerosos compositores, entre los cuales se encuentran Josquin des Prés, Palestrina, Caldara, Vivaldi, Pergolesi, Rossini, Dvorak y Poulenc.

MATÍAS

Después de la Ascensión*, a propuesta de Pedro*, fue elegido por los 11 apóstoles*, que estaban reunidos en Jerusalén, para sustituir a Judas y «ser testigo de la resurrección» de Jesús (Act. 1, 23-25). A partir de entonces formó parte de los Doce.

MATRIMONIO

En todo el Próximo Oriente la poligamia era habitual, pero los hebreos parecen haberla practicado con bastante moderación (ver la referencia a las numerosas mujeres de Salomón, 1Re. 11). Además, casarse implicaba un gasto considerable: el novio tenía que entregar una suma de dinero (el *mohar)* o su equivalente en trabajo (Gén. 29, 15-30). La esposa se quedaba con el *mohar* en caso de repudio. Por otra parte, la ceremonia de la boda daba lugar a prolongadas festividades (Jue. 14, 10-12; ver Jn. 2, 1 y sig.).

Poco a poco, se fue imponiendo el valor de la monogamia. El relato del Génesis presenta a Adán y Eva como el prototipo de la pareja monógama, signo de la fe en un Dios único.

El profeta Oseas, traicionado por una esposa a la que amaba, comprendió que Dios también era traicionado por Israel cuando este se entregaba a los dioses extranjeros (Os. 3). Llegó a comparar la relación de Dios con su pueblo con la de un marido hacia su mujer amada, lo que también hizo el profeta Isaías (54, 6).→ BODAS.

El *Cantar* de los Cantares,* recopilación de poemas de amor que servían como cantos de boda, también es considerado como un canto de amor entre Dios y su pueblo.

En el NT, los textos sobre el matrimonio son poco numerosos. Pablo insiste en el hecho de que los responsables de la comunidad no deben casarse más que una vez. El celibato es la opción más apropiada para consagrarse a los asuntos del Señor, aunque el matrimonio es, sin duda, necesario: «Mejor es casarse que abrasarse» (1Cor. 7, 1-9). En Ep. 5, 21-23, la unión del hombre y la mujer se compara con la unión de Cristo y su Iglesia.
→ BODAS, FIDELIDAD.

Matrimonio de la Virgen

Según los evangelios apócrifos*, María fue conducida al Templo para ser desposada. Los sacerdotes recurrieron a los viudos de la casa de David, y la voluntad divina designó a José porque su cayado había florecido y una paloma se había posado en él.

♦ ***Icon.*** La representación del *Matrimonio de la Virgen,* a partir de Giotto, evoca la unión de las manos y la entrega del anillo ante el sacerdote Zacarías: Giotto, 1305, Padua; Jean Fouquet, 1455, Chantilly; Perugino, 1503, Caen; Rafael, 1504, Milán.

Matrimonio místico

♦ ***Icon.*** Varios cuadros de los siglos XV y XVI representan el *Matrimonio místico de santa Catalina.* Ella recibe del niño Jesús, sentado en las rodillas de su madre, el anillo de boda que la une a Cristo, su esposo: Memling, 1479, Brujas; Correggio, siglo XVI, Nápoles; Veronés, 1575, Venecia y Montpellier.

MATUSALÉN

Hijo de Enoc* y padre de Lamec, es famoso por su larga vida: 969 años (Gén. 5, 21-27). Tan avanzada edad viene a representar la disminución progresiva de la vida humana a medida que el pecado se extiende. Así, una vida larga es una bendición divina.

Veronés, *Jesús expulsando a los mercaderes del Templo,* Venecia, palacio ducal

♦ ***Lengua.*** *Ser más viejo que Matusalén.* Muy viejo, dada la edad que alcanzó este personaje bíblico.

MELQUISEDEC

(Heb., «mi rey es justicia».) Rey de Salem (Jerusalén) y sacerdote del Altísimo (Gén. 14, 18), bendijo al patriarca Abraham* ofreciendo pan y vino.

♦ ***Icon.*** Mosaicos: siglo V, Santa Maria Maggiore, Roma; San Apollinare in Classe, siglo VI, San Vital, Ravena. Fresco, siglo XII, Saint-Savin, Poitou. Esculturas, siglo XIII, Chartres y Reims (*La comunión del caballero* o *Abraham y Melquisedec*).

MERCADERES DEL TEMPLO

En el Templo* se hallaban mercaderes vendiendo animales para los sacrificios y cambistas sentados en sus tenderetes. Cuando Jesús subió de Cafarnaúm a Jerusalén para celebrar la Pascua*, entró en el Templo y montó en cólera*:

hizo un látigo con cuerdas y echó del Templo a los que transformaban «la casa de su Padre en una casa de contratación» (Jn. 2, 13-16).

♦ **Lengua.** *Los mercaderes del Templo.* Aquellos que explotan lo sagrado para obtener un provecho financiero.

♦ **Icon.** *Jesús expulsando a los mercaderes del Templo:* puerta de bronce, siglo XII, San Zenón, Verona; bajorrelieve, siglo XII, San-Gilles du Gard; Giotto, 1306, Padua; El Greco, 1614, Madrid; Giovanni Benedetto Castiglione, siglo XVII, París; Jordaens, siglo XVII, París; Veronés, siglo XVI, Venecia; José María Sert, 1926, Vic.

♦ **Mús.** Zoltan Kodály, *Jesús echando a los mercaderes del Templo,* motete, 1934.

MESÍAS

De la palabra hebrea *mashiah,* que tiene el mismo sentido que la griega *khristos:* «elegido, consagrado, ungido para una misión». A menudo la elección se hacía mediante una unción de aceite; David, por ejemplo, fue escogido por Dios para reinar en lugar de Saúl y recibió de Samuel la unción de aceite (1Sam. 16).

Esperar al Mesías es esperar a un enviado providencial, a un liberador político y a un restaurador religioso. A través de los profetas, Dios introduce en su pueblo la esperanza mesiánica de una restauración de Jerusalén en torno a la cual se reunirán todas las naciones (Is. 62). El AT presenta al Mesías que ha de llegar indistintamente como un rey poderoso o como un justo humilde y pacífico pero victorioso, e incluso como un hombre despreciado y humillado (Is. 53).

En los evangelios (Mc. 14, Lc. 22), Jesús declara al sumo sacerdote que él es el Mesías, el Hijo* del hombre cuyo poder se manifestará plenamente entre las nubes del cielo. Pero rechaza atribuirse una misión de orden político a pesar de que sus contemporáneos esperan, sobre todo, ser liberados de la dominación romana.→ CRISTO, PUEBLO DE DIOS, REINO/REINADO, UNCIÓN/UNGIDO.

♦ **Lengua.** *Ser un falso mesías.* Ser un impostor.

♦ **Lit.** *Jesús redentor.*→ REDENTOR/REDENCIÓN/RESCATE.
Mesianismo judío.
Isaac Bashevis Singer, *El cuerno del carnero,* 1953: un

pueblo judío de Polonia en el siglo XVII conoce días de locura creyendo que el Mesías *(Sabbatai Zevi)* al fin ha llegado; los hombres se ven poseídos por las fuerzas del mal desencadenadas por el falso mesías. Karl Wolfskehl, *Job o los cuatro espejos,* 1950: poema que termina con la figura de un Job-mesías.

Mesianismos cristianos.

Los mesianismos posteriores a Jesús, y que le invocan, son muy numerosos. Toda una corriente mesiánica posrevolucionaria del siglo XIX ve en Jesús a un liberador simbólico. Su sufrimiento, su muerte, incluyen gérmenes de porvenir (George Sand). Los sufrimientos del hombre como prolongación de los de la cruz permitirán que se llegue a la edad de oro de la fraternidad universal: Lamennais, *El libro del pueblo,* 1837.

Este mesianismo cobra un carácter completamente laico con Michelet, *El pueblo,* 1846, no sin conservar ciertas connotaciones religiosas, pues los «hijos de Dios» (el pueblo) son llamados a integrar «la ciudad protectora», «vasta como el seno de Dios». Sartre, *El diablo y Dios,* 1951: denuncia la ambigüedad de las promesas de felicidad hechas a los pobres, las ciudades construidas en nombre del amor son ciudades de la impostura. ¿Su felicidad? Una «felicidad de borregos».

♦ ***Mús.*** Haendel, *El Mesías,* 1742.

♦ ***Cin.*** Roberto Rossellini, *El Mesías,* 1976, para la RAI: «El propósito de Rossellini era evocar al Mesías en su ambiente cotidiano histórico y su contemporaneidad (aquel que se opone al poder, al dinero, a la petrificación de la ley); por tanto, es normal que el intérprete fuera a la vez anónimo y, si se puede decir, descoronado» (Henri Agel).

MIGUEL

(Heb., «¿quién es como Dios?») Es el ángel* protector de Israel (Dan. 10, 13-21) y de la Iglesia en el Apocalipsis*. Jefe de los ángeles, lucha en el cielo contra el dragón* (Ap. 12, 7).→ ARCÁNGEL.

♦ ***Icon.*** *El arcángel Miguel:* mosaico, siglo VI, San Apollinare in Classe, Ravena; fresco, siglo XI, catedral de Puy. *San Miguel,* anónimo, Castellón. Iconos: *El arcángel Miguel,* si-

Anónimo, *San Miguel*, Castellón, Museo Provincial de Bellas Artes

glo XIV, Atenas; *Miguel pesando las almas,* siglo XIV, Pisa. Martin Schongauer, *Miguel y el dragón,* grabado, siglo XV, París. Rafael, *San Miguel venciendo al dragón,* 1518, París. Francisque Duret, *San Miguel venciendo al demonio,* fuente, 1860, París. Emmanuel Frémiet, estatua, 1879, monte Saint-Michel.

MILAGRO

(Lat. *miraculum,* de *miror:* «asombrarse, sorprenderse».) El milagro en sentido bíblico no es un «prodigio», es decir, algo inexplicable por las leyes naturales, sino un «signo», un acto de poder que Dios lleva a cabo, un mensaje que dirige a los hombres. La Biblia recomienda a los creyentes que no se dejen deslumbrar por los prodigios y que no se limiten a considerar su aspecto espectacular.

Conviene resaltar que el AT ignora las causas secundarias y atribuye directamente a Dios todo lo que ocurre, sea o no conforme con las leyes de la naturaleza.

El milagro más importante en la historia del pueblo hebreo es el del éxodo*: Dios actúa en favor de su pueblo de un modo inesperado, suscitando la intervención de Moisés*. Moisés extiende la mano y el mar se abre para dejar pasar a los hebreos.

Los evangelios cuentan los milagros de Jesús (20). Estos

relatos se remontan a los primeros testigos y son muy sobrios. Realmente, tanto en el NT como en el AT, los milagros son, ante todo, «signos»: expresan un mensaje, acompañan a la palabra de Jesús y la confirman; se trata de un lenguaje concreto, un modo de anunciar la buena nueva (evangelio) a todos y de significar el cumplimiento de la esperanza mesiánica (Mt. 11, 2-6). Jesús se niega a realizar aquellos milagros que no serían considerados sino como prodigios, aunque ello supusiera rechazar la petición de Herodes* Antipas.

Para leer el relato de un milagro desde una perspectiva religiosa, lo importante no es preguntarse sobre lo que pasó realmente, sino buscar su sentido. Por ejemplo, Mateo, Marcos y Lucas cuentan el milagro de la tempestad calmada: para el discípulo que ha comenzado a seguir a Jesús de Nazaret, la calma que domina el mar le lleva a plantearse una cuestión: «¿Quién es este, que hasta los vientos y el mar le obedecen?» (Mt. 8, 27).→ MAR.

♦ ***Lit.*** Los escritos medievales narran multitud de milagros que no pertenecen a los textos del AT y del NT. No solamente satisfacen la ilusión por el prodigio, sino que su meta es mostrar que la justicia divina prevalece sobre las fuerzas del mal: *Leyenda dorada* siglo XIII; *Los cuatro hijos Aymon,* siglo XIII. En el mismo siglo, Gonzalo de Berceo, siguiendo las pautas del mester de clerecía escribió *Los milagros de Nuestra Señora,* 25 narraciones de evidente sentido alegórico, de los cuales el más famoso es el *Milagro de Teófilo.* En el *Cantar de Roldán,* h. 1100, Dios, para proteger a los francos, inmoviliza el sol, como hizo con Josué* (CLXXX). Pero, en el siglo XVII, Boileau, *Arte poética,* 1674, condenó el empleo de lo «maravilloso cristiano» en poesía. También en este siglo, Lope de Vega escribió varias obras relacionadas con los milagros: *El caballero del milagro, Los milagros del desprecio* y *El milagro por los celos,* entre otras.

Reconocidos como señales de Dios por los apologistas cristianos (Pascal, *Pensamientos,* 1670), los milagros constituyen un escollo para los racionalistas de finales del siglo XVII: Fontenelle, *Historia de los oráculos,* 1686, «El diente de oro»: «Mi fe no está a merced del primer saltimbanqui»; Diderot, *Pensamientos filosóficos,* 1746. Se advierte un retroceso del milagro como espectáculo entre los escritores franceses: Claudel, *La Anunciación a María,* 1912: la resurrección del hijo muerto aparece como un hecho completamente natural en manos de Violaine; Bernanos, *Bajo el sol de Satán,* 1926: el esperado milagro no se producirá jamás.

MINISTERIO

Esta palabra procede del latín *ministerium* y designa una tarea o un servicio que se ha de cumplir en el seno de un pueblo o de una comunidad.

En la Biblia, referido al pueblo que Dios ha convocado para ser su testigo en el mundo, se emplea para denominar diferentes funciones relacionadas con la Palabra de Dios (el ministerio de los profetas), el culto (el ministerio de los sacerdotes), la realeza, etcétera.

En un sentido más amplio, en la Iglesia se habla de ministerios «ordenados» para designar funciones estables (obispo, sacerdote, diácono) al servicio de la comunidad (palabra, sacramento, gobierno) y se distinguen de otros servicios más ocasionales (por ejemplo, la catequesis, la animación litúrgica, etcétera).

MIRRA

La mirra es una goma que rezuma de las ramas de un arbusto de Arabia y de Abisinia. Formaba parte de la fabricación del aceite santo y los perfumes. Fue uno de los presentes que llevaban los magos* cuando fueron a visitar a Jesús.

MISA

(Del lat. *Ite missa est,* fórmula de despedida.) La misa —término específico del ritual católico— es un oficio litúrgico durante el cual los participantes reproducen la Cena*, es decir, la última comida de Jesús con los suyos antes de su muerte.

La misa incluye dos partes esenciales:

a) la liturgia de la palabra: la lectura de textos bíblicos, a veces seguida de un sermón, alterna con plegarias de imploración o alabanza que se cantan en las misas solemnes: el *Kyrie**, el gloria*, el aleluya*; el credo*, recitado o cantado, cierra la primera parte.

b) la liturgia de la eucaristía*: comienza con la ofrenda del pan y del vino, y prosigue con su consagración y su reparto entre los fieles que comulgan con el cuerpo y la sangre de Cristo. La oración del *Agnus Dei* precede a la comunión. La fórmula: *Ite missa est* («Marchaos, la misa ha terminado») concluye la ceremonia.

Así pues, la misa se presenta a la vez como una catequesis, una acción de gracias y un acto de convivencia centrados en Jesucristo muerto y resucitado.

→ CENA, FRACCIÓN DEL PAN.

♦ ***Lengua.*** *Eso va a misa.* Esta expresión se utiliza para indicar que algo es absolutamente cierto y debe tenerse en cuenta. La posibilidad de incluirlo en la misa le confiere su importancia.

No saber de la misa la media. No saber nada de un asunto. La frase puede aludir a los clérigos sin carrera que trataban de decir la misa en latín sin entender el significado de las palabras.

♦ ***Lit.*** Paul Claudel, *La Messe là-bas,* 1917, compuesta en Rio de Janeiro. De contenido humorístico, Alphonse Daudet, *Las cartas desde mi molino,* 1869, «Los secretitos», cuento de Navidad.

♦ ***Mús.*** Guillaume Dufay, misas. Johannes Ockeghem, 11 misas. Josquin des Prés, 19. Clément Janequin, 2. Claudin de Sermisy, 13. Orlando di Lassus, 53. Monteverdi, Adrien Willaert, misas. Palestrina, 103 misas. Marc Antoine Charpentier, 12. François Couperin, 2 misas para órgano. Haydn, 6 misas cantadas. Mozart, 19 misas cantadas. Johann Sebastian Bach, *Misa en si menor,* y 4 misas luteranas. Telemann, 708 servicios religiosos. Domenico Scarlatti, 1 misa. Luigi Boccherini, 1 misa. Johann H. Roman, *Misa sueca.* Wilhelm Friedemann Bach, *Deutsche messe.* Beethoven, 2 misas *(Do mayor* y *Missa Solemnis).* Schubert, *Misa en mi bemol.* Liszt, *Missa de Gran.* Anton Bruckner, 7 misas. Igor Stravinsky, 1 misa.

MISTERIO

La palabra «misterio» es la transcripción de un término griego, *mysterion,* que aparece tardíamente en la Biblia griega (lo encontramos, sobre todo, en el libro de la Sabiduría*), aunque su significado real está continuamente presente en la Biblia: es el «secreto» de Dios respecto al mundo. Claramente el universo está lleno de enigmas y preguntas (la creación, el nacimiento, el amor, etcétera), y la experiencia del sufrimiento lleva a cuestionarse el sentido del mundo. Su destino ¿es el fracaso o la salvación? El «secreto» de Dios es revelar lo que aún permanece oculto para muchos: Dios ama el mundo y quiere evitar su perdición, por lo que todos los hombres son llamados a la salvación. En el NT, el resumen y el centro del «misterio» de Dios es la vida, la cruz (Dios comparte el sufrimiento) y la resurrección* de Jesús, que anticipa la salvación final del universo. Por ello, en el vocabulario cristiano, el «misterio» designa principalmente la «Pascua*» de Jesús y su actualización en la eucaristía (misa*).

♦ ***Lit.*** El desarrollo litúrgico dio lugar, en la Edad Media, a un género dramático nuevo, el drama litúrgico o semilitúrgico (sobre determinados episodios de la historia bíblica, como *Adán,* a finales del siglo XII) y, principalmente en los siglos XIV y XV, a los «misterios» propiamente dichos, que escenifican el relato de la Pasión de Cristo.→ PASIÓN.

MOABITAS

Pueblo vecino de Israel, establecido al este del mar Muerto entre los siglos XIII y VI a. C. Su ancestro epónimo es Moab, hijo de Lot y de su hija mayor, hermano de Ammón (Gén. 19, 37).

MOISÉS

En heb. *Mosheh,* cuya etimología popular es «sacado de las aguas» (Éx. 7, 10). Niño hebreo que nace cuando su pueblo vive esclavizado por Egipto. Moisés es «sacado de las aguas» por la hija del faraón* (Éx. 2, 5), que le proporciona una educación egipcia.

Incomprendido por sus hermanos de raza (Éx. 2, 11), Moisés tiene que exiliarse al país de Madián. Mientras cuida sus ovejas, Dios se le manifiesta desde el interior de una zarza en llamas y le ordena liberar a su pueblo (Éx. 3). A pesar de la oposición del faraón, Moisés y su hermano Aarón* se disponen a conducir al pueblo hebreo a través del mar de las Cañas (o mar Rojo) (Éx. 14). Todos logran cruzarlo a pie, pero

Rembrandt, *Moisés rompe las Tablas de la Ley,* Berlín, Galería Imperial

los carros de los perseguidores egipcios son engullidos por las aguas (Éx. 14, 27). Moisés guía a los hebreos por el desierto hasta llegar al Sinaí*, donde se establece la alianza* con Dios (Éx. 19); allí recibe el Decálogo* inscrito en las Tablas de la Ley (Éx. 24, 12).

Al bajar de la montaña con el rostro resplandeciente por su entrevista con Dios, encuentra a su pueblo adorando al becerro de oro que había sido fabricado con la autorización de Aarón (Éx. 32). Irritado, Moisés hace pedazos la estatua y rompe las tablas de piedra (Éx. 32, 19). Dios renovará su alianza y le dará unas nuevas Tablas de la Ley (Éx. 34).

Después del Sinaí, prosigue la marcha por el desierto. Moisés tiene que soportar las murmuraciones, las añoranzas, las infidelidades del pueblo respecto a la alianza. Por fin llegan a las llanuras de Moab, al este de la Tierra* Prometida. Moisés la vislumbra desde el monte Nebo antes de morir (Dt. 34, 1-5).

Es difícil reconstruir el semblante histórico de Moisés a través de los textos procedentes de las tradiciones: el interés de los redactores no es escribir una biografía, sino celebrar la salvación que Dios lleva a cabo por medio de Moisés. En el AT a Moisés se le llama profeta*, servidor*, amigo de Dios, intercesor. Es el guía reconocido por todos los creyentes judíos.

El NT suele nombrarle como el mediador de la *Torá**, que Jesús «no vino a abolir sino a cumplir» (Mt. 5, 17).

Está presente, con Elías, en el episodio de la transfiguración* (Mt. 17). Mateo, mediante una convergencia de detalles, presenta a Jesús como el nuevo Moisés. Juan escribe:

«Porque la ley fue dada por Moisés, la gracia y la verdad vino por Jesucristo» (Jn. 1, 17).

♦ ***Lit.*** Lope de Vega hace frecuentes alusiones en sus obras a personajes bíblicos entre los que destaca la figura de Moisés: *El viaje del alma,* siglo XVII: Moisés condujo a las 12 tribus a través del mar Rojo; *La siega,* auto sacramental, posterior a 1621. Saint-Amant, *Moisés salvado,* idilio heroico, 1653. Vigny, *Poemas antiguos y modernos,* 1837, «Moisés»: la soledad del hombre elegido por Dios. Freud, *Moisés y el monoteísmo,* 1939: el padre odiado, venerado, asesinado. Faulkner, *Desciende, Moisés,* 1942: tendrá que venir Moisés para que sean liberados todos los Benjamines prisioneros de los faraones. Élie Wiesel, *Celebración bíblica,* 1976. Pierre Emmanuel, *Tú,* 1978, «Moisés»: serie de 23 poemas místicos inspirados en la historia de Moisés.

♦ ***Icon.*** Claus Sluter, *El pozo de Moisés,* grupo escultórico, 1404, Dijon. Miguel Ángel, *Moisés,* estatua, 1516, Roma. Botticelli, *Escenas de la vida de Moisés,* 1483, Roma. Tintoretto, *Moisés golpea la roca,* siglo XVI, Venecia. Domenico Fetti, *Moisés y la zarza ardiendo,* siglo XVII, Viena. Nicolas Poussin, *Moisés salvado de las aguas,* 1683, París. Rembrandt, *Moisés rompe las Tablas de la Ley,* 1659, Berlín, y *Moisés,* Munich. Marc Chagall, *Moisés recibiendo las Tablas de la Ley,* 1956, Niza.

♦ ***Cin.*** Cecil B. De Mille, *Los diez mandamientos,* 1956.

MOLOC o MOLEK

El Levítico hace alusión a sacrificios de niños quemados. «No darás hijo tuyo para ser ofrendado a Moloc» (Lev. 18, 21). Se trata de un rito cananeo adoptado por algunos hebreos en circunstancias especiales (2Re. 17, 17), pero formalmente reprobado por los profetas y por el pueblo (2Re. 3, 27). Según algunos autores, Moloc era una divinidad; para otros, designa un tipo de sacrificio votivo.

♦ ***Lit.*** Flaubert, *Salambó,* 1862: el autor retoma la idea de un dios Moloc y evoca la bárbara costumbre de sacrificar niños, a los que se quemaba en una estatua con cabeza de toro. Probablemente se trata de una confusión con el culto de Cronos en Cartago.

MONEDA

La moneda no apareció en Israel hasta después del exilio (siglo VI a. C.). Anteriormente, los pagos se hacían en especie (cabezas de ganado, cereales, aceite o vino) o mediante una cierta cantidad de metal (oro, plata o cobre) que se pesaba. La unidad de peso era el siclo (heb. *shéqel,* de *shaqal,* «pesar»), que más tarde llegó a ser unidad monetaria. La plata era el metal que más se utilizaba, y el término *héseph,* «plata», servía para designar tanto el metal como la moneda.

Normalmente el metal se presentaba en lingotes, pero también en formas variadas (discos, placas, anillos), a veces marcadas por un signo que indicaba su peso.

La moneda propiamente dicha aparece en el siglo VII en Asia Menor; se adoptó en Grecia y luego se extendió rápidamente por el conjunto del Próximo Oriente, sobre todo gracias a los persas. Las primeras piezas eran de electro (aleación natural de oro y plata); luego se acuñaron monedas de oro, especialmente el dárico, y de plata, sobre todo la dracma, moneda griega que circuló por toda la cuenca mediterránea y fue muy imitada. También se utilizaban monedas fenicias (de Tiro y de Sidón).

El derecho de acuñar moneda se consideraba un privilegio, porque implicaba una cierta autonomía política. Los persas habitualmente concedían este derecho a sus provincias —incluida Judea—. Los seleúcidas, por el contrario, fueron mucho menos liberales: bajo su dominación hubo pocas monedas propiamente judías, y solamente de bronce. A partir de entonces es comprensible la importancia simbólica del empleo de monedas que llevaban la efigie de César (Mt. 22, 20-21), las que conmemoraban la toma de Jerusalén mediante la inscripción *Judea capta,* o bien, a la inversa, las acuñadas con inscripciones hebraicas, como las que se fabricaron durante las dos grandes rebeliones judías contra los romanos.

En la época de Cristo, las monedas que se utilizaban normalmente eran de plata: el denario (dracma), precio de una jornada de trabajo, que tenía por múltiplo el didracma (2) y el tetradracma (4) o estáter (Mt. 17, 27), equivalente al siclo fenicio y utilizado para pagar el impuesto del Templo; o de bronce: el óbolo*, el calco y el leptón (griegos), y el sestercio (romano). Los romanos también utilizaban una moneda de oro puro: el *aureus* (aúreo). El talento (6.000 dracmas; Mt. 18, 24) no era sino una unidad mercantil.

MOSTAZA

Nombre de la mostaza silvestre, planta que puede alcanzar hasta tres metros de altura, cuyo grano es muy pequeño.

En una parábola*, Jesús compara el Reino* de Dios con un grano de mostaza; al principio minúsculo, se convertirá en un árbol y los pájaros del cielo irán a buscar cobijo entre sus ramas (Mt. 13, 31-32).

Otro día reprocha a sus discípulos su falta de fe: «En verdad os digo que si vuestra fe fuera como un grano de mostaza, diríais a este monte: vete de aquí allá y se iría, y nada os sería imposible» (Mt. 17, 20).

→ PARÁBOLA, REINO/ REINADO.

♦ ***Lengua.*** *Grande como un grano de mostaza* (Mc. 4, 31-32; Lc. 13, 18-19). Al principio muy pequeño, pero importante o imponente a largo plazo.

MUJERES SANTAS

El término designa a las mujeres que siguieron a Jesús y jugaron un importante papel durante la crucifixión, el amortajamiento y el entierro: María Salomé, mujer de Zebedeo, madre de los apóstoles Santiago el Mayor y Juan, sigue a Jesús desde Galilea, le acompaña hasta la cruz y va al sepulcro para embalsamar su cuerpo (Mt. 27, 55-56; Mc. 15, 40; 16). María, madre de Santiago* el Menor, asiste a la sepultura de Jesús y es testigo de su resurrección (Mt. 28, 9-10). María, madre de Marcos, acoge en su casa a la primera comunidad cristiana de Jerusalén (Act. 12, 12).→ MARÍA DE BETANIA, MARÍA DE MAGDALA O MARÍA MAGDALENA.

MUNDO

Además de los dos sentidos habituales que recibe en la Biblia (el universo y los hombres), a partir del Evangelio de Juan el término cobró un significado especial en los textos cristianos.

Ya el libro de la Sabiduría*, bajo la influencia del platonismo, confería una connotación despectiva a la palabra. El mundo es el conjunto de la sociedad preocupada por su propio interés, su placer, su felicidad, su éxito, y, ajena a las llamadas de Cristo, también es hostil hacia sus discípulos. Sobre ella reina «el príncipe de este mundo», es decir, el mal (Jn. 12, 31). Los cristianos son el blanco de la hostilidad del mundo: «El mundo los aborreció porque no eran del mundo» (Jn. 17, 14).

Cuando declara «Mi reino no es de este mundo» (Jn. 18, 36), Jesús expresa claramente que no busca el poder ni las aspiraciones materiales para él y los suyos.

Cierta forma de espiritualidad interpreta que estos pasajes ponen de manifiesto un menosprecio profundo por la vida terrenal, incluida la acción política. Invita a los hombres a «renunciar al mundo» y opone este «bajo mundo» (la tierra) al «otro mundo» (el cielo, la vida eterna).

♦ ***Lengua.*** *Tener mucho mundo.* Tener mucha experiencia en la vida.

♦ ***Lit.*** Voltaire, *El mundano,* 1736: cuando escribió este poema, el autor tomó partido claramente contra esta forma de espiritualidad.

MURO DE LAS LAMENTACIONES

En el año 20 a. C., Herodes* el Grande comenzó la reconstrucción del Templo* de Jerusalén* y la ampliación del edificio. Como el santuario estaba construido sobre una colina, hubo que edificar grandes muros de contención. Uno de ellos, único vestigio del muro occidental, construido con piedras enormes, se llama «muro de las Lamentaciones», porque desde la caída de Jerusalén en 70 d. C. los judíos acuden allí a lamentarse de la destrucción del Templo. La muralla fue escenario de graves conflictos en 1930, y hasta 1967 los judíos no pudieron volver a rezar ante el muro.

♦ ***Lit.*** Élie Wiesel, *El mendigo de Jerusalén,* 1963, relato: al final de la «guerra de los seis días», el autor se encuentra con sus hermanos delante del muro: «Veo a todos los que antes que yo estuvieron aquí, llenos de humildad o de éxtasis... Los reyes y los profetas, los guerreros y los sacerdotes, los poetas y los pensadores, los ricos y los pobres que, a través de los tiempos, fueron mendigando un poco de tolerancia, un poco de fraternidad: aquí vinieron a contarlo».

MÚSICA

La Biblia da testimonio de la antigüedad de la música hebraica (Gén. 4, 21). Era muy apreciada durante las fiestas familiares, el feliz desenlace de los conflictos, las festividades y los duelos de la corte real; el pastor llevaba a pacer a sus rebaños tocando música (1Sam. 16, 18). David tocaba el arpa o el laúd ante el arca y para curar a Saúl de su melancolía.

Todas las ceremonias religiosas iban acompañadas de música y cánticos.

La Biblia menciona una decena de instrumentos musicales. Su identificación exacta no siempre es posible, y solo se puede realizar por afinidad con los instrumentos asirios, babilonios y egipcios. Los salmos 98 y 150 nombran el arpa *(kinnor),* la cítara, las trompetas, el cuerno *(shofar* de cuerno de macho cabrío o de carnero), el laúd, el tamboril (instrumento femenino), el caramillo (especie de flauta), los címbalos, etc.

Hasta ahora, en territorio palestino sólo se han descubierto dos pares de címbalos y un mango de sistro (especie de sonajero egipcio y luego griego).

Recientemente, Suzanne Haïk Vantoura ha propuesto una reconstrucción de la música de la época bíblica en su obra *La música bíblica revelada,* que está siendo muy discutida.

♦ ***Lengua.*** *Marcharse o irse con la música a otra parte.* Esta expresión da a entender que alguien molesta en un lugar y debe marcharse a otro, como si fuera un músico ambulante.

N

NABÍ

(Heb., «profeta».)

♦ ***Icon.*** De 1891 a 1899, un grupo de jóvenes pintores era conocido por el nombre de Nabís: querían proclamar un nuevo evangelio de la pintura. «Los Nabís creyeron que existía en toda emoción, en todo pensamiento humano, un equivalente plástico, decorativo, su belleza correspondiente», escribió el crítico Aurier. Este grupo estaba formado por Paul Sérusier, Maurice Denis, Paul Ranson, Pierre Bonnard, Georges Lacombe, Ker-Xavier Roussel y Edouard Vuillard. Además de temas religiosos, pintaron la vida íntima, la familia.

Maurice Denis, *La lucha de Jacob y el ángel,* 1892, Saint-Germain-en-Laye, y *El paraíso,* 1912, París.

NABOT

Habitante del valle de Yireel que se negó a vender su viña a Acab, rey de Israel. La reina Jezabel* mandó que lo lapidaran por blasfemo y, de este modo, Acab pudo apoderarse de la viña. El profeta Elías* predijo a Acab la ruina de su casa (linaje), como castigo a la injusticia cometida (1Re. 21).

NABUCODONOSOR

Rey de Babilonia (605-562 a. C.). Llevó al imperio neobabilonio a su apogeo. Vencedor del faraón Neko en Karkemis (605), conquistó Siria y Palestina. En 601, para aplastar la rebelión de Yoyaquim*, rey de Judá (2Re. 24), mandó devastar aquel país y sitió Jerusalén, que tuvo que capitular. El nuevo rey Yoyaquín, hijo de Yoyaquim, fue desterrado a Babilonia* con varios notables. Sedecías, tío y sucesor de Yoyaquín, se rebeló contra Nabucodonosor, que volvió a sitiar Jerusalén en 588. En 587, Jerusalén fue tomada y saqueada, el Templo destruido y la población hecha prisionera (2Re. 25). La tercera deportación tuvo lugar en 582. En 574, Nabucodonosor tomó Tiro y volvió a intentar una expedición contra Egipto (Ez. 26, 7).

Es el prototipo del rey poderoso y tiránico. Durante su reinado se construyeron palacios, los jardines colgantes y las murallas de Babilonia.

♦ ***Lit.*** Robert Garnier, *Los judíos,* tragedia, 1583: el déspota babilonio manda degollar a los príncipes y a los hijos de los hebreos. Sedecías, rey de Judá, tuvo que rendirse ante su poder. ♦ ***Mús.*** Giuseppe Verdi, *Nabucco,* ópera, 1842.

NAÍN (VIUDA DE)

Cerca de la ciudad de Naín —en el sur de Galilea, al pie del monte Tabor— Jesús encontró un cortejo fúnebre. «Llevaban un muerto, hijo único de su madre, viuda» (Lc. 7, 11). Compadecido, Jesús dijo: «Joven, a ti te hablo, levántate». El muerto se incorporó y empezó a hablar.

NARDO

Perfume que María* de Betania derramó en la cabeza de Jesús durante una comida en casa de Simón el Leproso. Sin duda, se trata del extracto de una planta de las Indias (Mt. 26, 6; Mc. 14, 3).

NATÁN

Profeta que ejerció una gran influencia sobre David*. Le disuadió de construir una «casa» para Dios, y fue Dios quien le construyó una «casa» para asegurar la perennidad de su dinastía (2Sam. 7, 1-7). Natán reprendió al rey por su adulterio con Betsabé* y el asesinato de Urías, y anunció la muerte del hijo que David había tenido de Betsabé (2Sam. 12, 13). Puso en conocimiento de David la predilección divina por Salomón* y consiguió imponerle en las luchas por la sucesión de David (1Re. 1, 11-40).

NATANAEL

(Heb., «Dios da».) Discípulo de Jesús, oriundo de Caná de Galilea. Dos veces aparece en el Evangelio de Juan (1, 43-51; 21, 2). En ambas, muestra hacia Jesús un afecto entusiasta y juvenil.

Pisano, *La Natividad de Jesús,* Pisa, San Andrés de Pistoia

♦ ***Lit.*** Gide, *Los alimentos terrestres,* 1927: no por casualidad, el autor da el nombre de Natanael a su joven discípulo, a quien quiere enseñar «el fervor».

NATIVIDAD

(Lat., «nacimiento».) Conmemoración del nacimiento de Jesús que narra Lucas en su evangelio (Lc. 2, 1-7), fijado arbitrariamente en el solsticio de invierno.→ NAVIDAD.

También recibe este nombre toda obra pictórica que representa el nacimiento de Jesús.

♦ ***Lit.*** San Juan de la Cruz, *Romanzas,* siglo XVI, «Natividad»: dicha del hombre y lágrimas de Dios.

♦ ***Icon.*** *La Natividad:* Giovanni Pisano, púlpito, 1301, San Andrés de Pistoia, Pisa; Maestro de Flémalle, siglo XV, Dijon; Maestro de Moulins, 1475, Autun; Correggio, 1522, Dresde. Albrecht Altdorfer, *Santa Noche,* 1520, Berlín. Georges de La Tour, *El recién nacido,* 1640, Rennes. Paul Gauguin, *El nacimiento de Cristo,* 1896, Munich.

→ MAGOS, PASTOR.

NAVIDAD

(Lat. *natalis [dies],* «día del nacimiento».) Fiesta que conmemora el nacimiento de Jesús inscrita en el calendario eclesiástico en el año 336 en Roma. Originalmente, la fiesta de Navidad fue resultado de la cristianización de una fiesta del sol que se celebraba en el imperio romano durante el solsticio de invierno.

En Oriente, predicadores y sacerdotes subrayan el misterio de la unión de lo divino y de lo humano en la persona de Jesús, mientras en Occidente, especialmente desde el siglo XIII, se insiste en la humildad y el aspecto humano que caracterizan al nacimiento de Jesús.

Los villancicos son los cánticos en lengua vulgar (no latina) característicos del período de Navidad.

♦ ***Lit.*** Juan del Encina, *Églogas de Navidad,* siglo XVI. Dickens, *Cuentos de Navidad,* 1843. Maupassant, *Canción de Navidad,* 1880.
Théophile Gautier, *Esmaltes y camafeos,* 1852, «Navidad». Marie Noël, *El rosario de las alegrías,* 1930. Paul Claudel, *Poemas de guerra,* 1915, «La noche de Navidad», 1914. Lucien Scheler (próximo a Éluard), *La Lampe-Tempête,* 1945, «Navidad con la cruz gamada».

NAZARET

Aldea de la Alta Galilea donde creció Jesús. Su apertura hacia las influencias paganas le granjeó el desprecio de las autoridades de Jerusalén. Así, no es extraño detectar un cierto matiz de burla cuando llamaban a Jesús «el Nazareno» (Mt. 26, 71) o «el Galileo» (Mt. 26, 69). A sus discípulos les llamaron «nazarenos» en el mundo semítico (Act. 24, 5), mientras el nombre de «cristianos» (Cristo) prevaleció en el mundo grecorromano.

NEBO (MONTE)

Monte situado en Transjordania, junto a la desembocadura del Jordán, desde donde se domina el mar* Muerto y el oasis de Jericó: desde aquí contempló Moisés* la Tierra Prometida, cuya entrada le estaba prohibida porque había dudado de la palabra de Dios, y en él murió (Dt. 32, 49).

NICODEMO

Notable judío. El Evangelio de Juan le muestra conversando

Maderno, *Nicodemo con el cuerpo de Cristo,* terracota, San Petersburgo, Museo del Ermitage

de noche con Jesús; este le revela que «quien no naciere del agua y del espíritu no puede entrar en el Reino de los cielos» (Jn. 3). A Nicodemo se le menciona por segunda vez cuando se va a dar sepultura a Jesús: es el que aporta los ungüentos necesarios para embalsamar al Maestro (Jn. 19, 39).

♦ ***Icon.*** Maderno, *Nicodemo con el cuerpo de Cristo,* terracota, siglo XVI, San Petersburgo.→ SEPULTURA.

NÍNIVE

Esta ciudad, situada en la orilla izquierda del Tigris, se fundó en el tercer milenio a. C. El rey asirio Senaquerib (705-681) hizo de ella su capital y la dotó de murallas y palacios (2Re. 19, 36; Is. 37, 37). Los profetas le atribuyeron el símbolo de la violencia tiránica y de la idolatría (Nah. 3, 1-15; Sof. 2, 13-15), lo que fortaleció aún más el mensaje de universalismo del libro de Jonás*, pues Nínive se convirtió y fue perdonada. Como consecuencia de los ataques de babilonios y medos, la ciudad fue destruida en 612 a. C.

♦ ***Lit.*** John Dos Passos, *Manhattan Transfer,* 1925: Nueva York a principios del siglo XX está tan corrompida como Nínive. El Dios del Sábado necesitará siete segundos para destruirla.

NOÉ

Descendiente de Caín por Lamec, en el momento del diluvio* construye un arca* para proteger a su familia y a las especies animales que Dios quiere preservar del castigo impuesto a los hombres (Gén. 6-7). Es el inventor de la vinificación. Cam*, uno de sus tres hijos, con Sem y Jafet, es maldecido por haber visto la desnudez de su padre ebrio.

Noé es el hombre justo (Eclo. 44, 17-18) que ha sido salvado del cataclismo por su confianza en la palabra divina.

♦ ***Icon.*** *La embriaguez de Noé,* mosaico, siglo XIV, San Marcos, Venecia. *La maldición de Cam,* 1450, Florencia. Miguel Ángel, *La embriaguez de Noé,* 1512, Roma. Marc Chagall, *El sacrificio de Noé,* 1931, Niza.
Los grandes viajes de Théodore de Bry, grabado, siglo XVI, «Noé y el arca». → ARCA (DE NOÉ).

NOLI ME TANGERE

(Lat., «No me toques».) Palabras que, según Juan 20, 11-18, Jesús dirigió después de su resurrección* a María* de Magdala. Esta, que al principio le había tomado por un campesino, le reconoció cuando la llamó por su nombre. Entonces se echó a sus pies y exclamó: *«Rabbuni»* (denominación más solemne que rabí*); entonces Jesús le dijo: «No me toques, porque aún no he subido al Padre; pero ve a mis hermanos y diles...».

Tiziano, *Noli me tangere,* Londres, National Gallery

♦ ***Icon.*** *Cristo apareciéndose a María Magdalena* o *Noli me tangere:* Duccio di Buoninsegna, en *La Maestà,* 1311, Siena; Fra Angélico, 1440, Florencia; Tiziano, 1511, Londres; Correggio, siglo XVI, Museo del Prado; Graham Sutherland, 1903, Chichester; Maurice Denis, siglo XX, Saint-Germain-en-Laye.

NOMBRE

Los nombres no son etiquetas convencionales, sino que revelan la esencia de un ser o su destino (Is. 1, 26). Poner un nombre es hacer existir. De este modo, Dios, en la Biblia, nombra lo que crea: día, noche, cielo, tierra... (Gén. 1, 3-10). Nombrar es también dominar: Adán pone nombres a los animales (Gén. 2, 20). Según la Biblia, un cambio de nombre indica una nueva etapa de la vida: Abram se convierte en Abraham*; Jacob*, en Israel; Simón recibe el nombre de Pedro* (Jn. 1, 42).

En el judaísmo, «El Nombre» *(hashem)* designa a Dios. Invocado con fe, el nombre de Jesús puede obrar milagros porque evoca su poder (Act. 3, 1-12).→ BLASFEMIA, YAHVÉ.

NUBES

Es una de las manifestaciones de la presencia divina. «Yahvé camina delante de ellos, de día, en una columna de nubes, para guiarlos en su camino, y de noche, en una columna de fuego, para alumbrarlos» (Éx. 13, 21-23); el Éxodo evoca en estos términos la marcha de los israelitas al salir de Egipto.

Las nubes acompañan las teofanías* del AT (Is. 4, 5).

En el NT, Dios se manifiesta en forma de nube luminosa en el momento de la transfiguración* de Jesús (Mt. 17, 5). En los Hechos de los Apóstoles, Jesús se aparece a sus discípulos después de su muerte para prometerles el Espíritu Santo*; después, «una nube le ocultó a sus ojos» (Act. 1, 9). En el momento del regreso del Hijo* del hombre, este aparece sobre una nube blanca con una hoz en la mano, porque ha llegado la hora de la cosecha de la tierra (Ap. 14, 14).

♦ ***Lengua.*** *Estar en las nubes.* Pensar en cosas inalcanzables. Estar con la mente en otro lugar.
Estar por las nubes. Ser una cosa inaccesible por su elevado precio.
Poner por las nubes. Hablar muy bien de alguien o de algo.
♦ ***Icon.*** Dos columnas de bronce a la entrada del Templo de Salomón en Jerusalén simbolizan las columnas de nubes y de fuego del éxodo.
Las escenas de la transfiguración*, la Ascensión* y la Asunción* están llenas de abundantes nubes, especialmente las realizadas durante los siglos XVI al XVIII. Las nubes de fuego representan un terrorífico castigo: Nicolas Bataille, *La sexta trompeta del Apocalipsis,* tapiz, siglo XIV,

Angers. William Turner, *La quinta plaga de Egipto,* 1800, Londres, y *La destrucción de Sodoma,* 1805, Londres. John Martin, *El día de su cólera* (apertura del sexto sello), 1852, Londres.

NÚMEROS

En la Biblia, los números suelen tener un valor simbólico: 4 y 10 expresan una totalidad; 40, la duración de una generación; 4, el mundo terrestre con sus puntos cardinales; 12, Israel con sus 12 tribus; 1.000, la multitud o un largo período de tiempo (Ap. 20, 1-6); 144.000, la plenitud (12 x 12 x 1.000); 6, la imperfección (7 - 1): el mundo creado por Dios en seis días tiene que ser terminado por el hombre; 666, seguramente la imperfección radical y la maldad innata, las de la bestia del Apocalipsis* (Ap. 13, 18).

El número 7 adquiere una importancia extrema, ya que simboliza la perfección. Aparece en el Génesis*: después de haber creado el mundo en seis días, el séptimo Dios descansó, y bendijo y santificó ese día, que se convirtió en el sábado*; en el ritual litúrgico: el candelabro de siete brazos; en las visiones de los profetas y en las representaciones del mundo invisible: el libro de los siete sellos, las siete trompetas, las siete copas, los siete signos del Apocalipsis; en el evangelio: Jesús recomienda a sus discípulos que perdonen siete veces (Lc. 17, 4) y hasta 70 veces 7, es decir, siempre (Mt. 18, 22).

En el pensamiento simbólico, la interpretación de los números juega un importante papel.

A partir de los textos bíblicos, y por la influencia de la cábala* judía, diversas corrientes iluministas y místicas atribuyeron una significación secreta a ciertas combinaciones de letras o números (en hebreo, las cifras se escriben con las letras del alfabeto).

Libro de los Números

Cuarto libro del Pentateuco* o *Torá.* El título, utilizado en los Setenta* y en la Vulgata*, viene justificado por las enumeraciones y empadronamientos de los israelitas que contiene (Núm. 1-4; 26). Los judíos, por su parte, llaman a este libro *En el desierto,* denominación que ofrece una idea más clara de su contenido real: las legislaciones del pueblo de

Israel y la historia de la larga marcha a través del desierto, que le llevó, conducido por Moisés*, desde el monte Sinaí* hasta las llanuras de Moab, en Transjordania, frente a Jericó. Lo que significan 38 años y 5 meses de confianza, de dudas, de rebeliones y de arrepentimientos frente al Dios de Israel y al guía que les adjudicó, Moisés.

Efectivamente, todo el libro está dominado por la figura de Moisés. Algunos de sus episodios son famosos: las quejas de los hebreos hartos del maná* (11, 4-34); la serpiente* de bronce (21, 4-9); el envío por el rey de Moab del adivino Balaam* y la historia de su burra (22, 2 a 24, 25); la designación de Josué* como sucesor de Moisés (27, 12-23), etcétera.

El relato de la muerte de Moisés se encuentra al final del Deuteronomio.

NUNC DIMITTIS

(Lat., «Ahora, dejad ir...».) Según el rito judío, después del nacimiento de Jesús, María acudió al Templo de Jerusalén para ser «purificada» y para «redimir» al niño, ofreciendo, como prescribía el Levítico, una pareja de tórtolas o dos palomas jóvenes (Lev. 5, 7; 12, 8). El anciano Simeón, un hombre justo y piadoso que había recibido la promesa de no morir antes de haber visto al Cristo* de Dios, exclamó alegremente al ver al niño: «Ahora, Señor, puedes dejar ir a tu siervo en paz...» (Lc. 2, 29-32).→ PRESENTACIÓN (DE JESÚS EN EL TEMPLO).

O

ÓBOLO

Moneda griega de escaso valor, equivalente a la sexta parte de una dracma.

→ MONEDA.

♦ ***Lengua.*** *El óbolo de la viuda* (Mc. 12, 42; Lc. 21, 2). Al ver a una pobre viuda depositar dos moneditas (óbolos) en el cepillo exterior del Templo, Jesús alabó su generosidad. «El óbolo de la viuda» es, en el lenguaje familiar, la ofrenda modesta pero admirable de un pobre.

OCUPACIÓN ROMANA DE PALESTINA

Inicialmente, Roma muestra interés por el reino de Antíoco III y por Egipto; después, firma tratados con los hermanos Macabeos, que se rebelaron contra Antíoco IV Epífanes* (1Mac. 8, 17-32; 12, 1-4; 14, 16-19). La protección romana se extiende entonces a los judíos de Oriente. En el año 64 a. C., Pompeyo conquista Siria, Palestina y, después, Jerusalén (63). Octavio concede a Herodes* el Grande el reino de Palestina y establece los derechos de los judíos que habitan en todo el imperio: libertad de culto, justicia de paz administrada en las sinagogas, etc. El Sanedrín* percibe de los judíos el impuesto del didracma. En esta época hay en Roma al menos 10.000 judíos y 13 sinagogas*.

En el año 61 d. C., Pablo* se encuentra en Roma para ser juzgado (Act. 25, 12): tras su liberación, es víctima, con Pedro*, de la persecución de Nerón, probablemente en el año 67. La rebelión judía de Palestina en el año 66 desemboca en la toma de Jerusalén por Tito (70); el Templo es saqueado e incendiado. A continuación, caen las ciudadelas judías: los defensores de Masada prefieren el suicidio colectivo a la rendición (73).

El Apocalipsis de Juan denuncia la persecución de Domiciano (81-96): en esta obra, el imperio romano recibe una denominación semejante a la de Babilonia: «la madre de las rameras y de las abominaciones de la tierra» (Ap. 17, 5); su ruina será la liberación del mundo.

El aplastamiento de la segunda rebelión judía de Simón Bar Cokebas (o Bar Koseba, 131-135), bajo el emperador Adriano, hace de Jerusalén una colonia romana, Aelia Capitolina, prohibida a los judíos; solo pueden dirigirse al muro del Templo (muro* de las Lamentaciones) un día al año.→ MONEDA.

OJO

El ojo es el principal órgano del conocimiento: en el jardín del Edén*, la serpiente promete a la mujer que si ella y Adán comen del fruto prohibido se les abrirán los ojos: serán como Dios, pues conocerán el bien y el mal (Gén. 3, 5-7).

El ojo también es el reflejo del corazón: traiciona lo que está oculto en lo más profundo del ser, ya sea el orgullo del rey de Asiria (Is. 10, 12) o la misericordia de Dios (Ez. 20, 17).

Jesús enseña a sus discípulos que la mirada tiene tanto valor como el acto: «El que mira a una mujer deseándola, ya adulteró con ella en su corazón» (Mt. 5, 27-29); y añade: «Si tu ojo derecho te escandaliza, sácalo y arrójalo de ti», que no es sino el ejemplo gráfico de invitar a la purificación del corazón. «El ojo», sigue diciendo Jesús, «es la lámpara del cuerpo. Si tu ojo estuviere sano, todo tu cuerpo estará luminoso; pero si tu ojo estuviere enfermo, todo tu cuerpo estará en tinieblas» (Mt. 6, 22-23).

Por último, rechaza la ley del talión* en su formulación tradicional: «Ojo por ojo y diente por diente» (Éx. 21, 24), y aconseja poner la mejilla izquierda a quien ha golpeado la derecha (Mt. 5, 38-39).

♦ ***Lengua.*** *Ojo por ojo y diente por diente* (Éx. 21, 24). Esta fórmula, que resume la ley del talión, significa «vengarse en la medida de la ofensa sufrida».

♦ ***Lit.*** Victor Hugo, *La leyenda de los siglos,* 1859, «La conciencia»: para comparar con el salmo 139 y Job 17-20.

OLIVO

Árbol mediterráneo por excelencia, en la Biblia es el rey de los árboles (Jue. 9, 8). El aceite de oliva es alimento y ungüento muy apreciados (Dt. 8, 8; Ez. 16, 9). El olivo también es un símbolo de paz y fecundidad: «Tus hijos, como renuevos de olivos en derredor de tu mesa» (Sal. 128, 3).

Pablo considera a los cristianos de origen pagano (Rom. 11, 17) como ramas silvestres injertadas en el auténtico olivo (Israel).

ORACIÓN

(Lat. *precari,* «rezar».) En la Biblia, rezar es dirigirse a Dios —a él exclusivamente— como a un Tú benévolo, justo y todopoderoso, que lee en los labios y en los corazones.

El hebreo posee dos verbos que significan «rezar», pero prefiere utilizar verbos más expresivos: lamentarse, abrir el corazón, alabar, bendecir, mostrar júbilo, cantar, buscar la faz* de Dios...

El judío creyente se atreve a dirigirse a Dios en virtud de la alianza*, que garantiza la presencia de Dios en Israel y su benevolencia a cambio de que aquellos que le rezan interioricen en su corazón el sentido de la justicia y de la caridad (Is. 1, 10-17).

En el AT se recogen numerosas oraciones en demanda de bienes materiales (curación, lluvia, fecundidad de la tierra o de la mujer, protección contra los peligros...) o de bienes espirituales (liberación del pecado, conversión...). En los cánticos, los himnos y los salmos*, formas poéticas de la oración de Israel, suele escucharse el acento jubiloso de oraciones de alabanza y de acción de gracias (Éx. 15, 1-18: «Arrojó al mar al caballo y al caballero»; 1Sam. 2: el cántico de Anna, que es como el prototipo del magníficat* de María). Otros salmos expresan el desamparo más profundo (Sal. 22, cuyo comienzo pronunció Jesús en la cruz).→ SHEMA ISRAEL.

El Templo de Jerusalén es para los hebreos el lugar privilegiado de la oración, y realizarla colectivamente es su forma natural.

En el NT, los evangelistas muestran a menudo a Jesús en oración, sobre todo en los momentos clave de su existencia:

bautismo*, elección de los apóstoles*, transfiguración*, agonía*, calvario*. Jesús va al Templo* o a la sinagoga* para rezar; también le gusta retirarse solo a un lugar apartado, al «desierto» o a la «montaña». Recita las oraciones judías tradicionales o habla familiarmente con su Padre, como durante su agonía.

Jesús se presenta como un maestro de la oración: diálogo secreto, confiado, humilde, entre los creyentes y su Padre celestial. Ante la demanda de sus discípulos, les propone un modelo de oración, el padrenuestro*, en el que se encuentran muchos elementos de la oración judía.

El evangelista Juan dedica un amplio espacio a una larga oración de Jesús durante la Última Cena* (Jn, 17), que la tradición cristiana ha denominado «oración sacerdotal» (es decir, oración de Jesús-sacerdote); expresa el amor de Jesús por su Padre y por los suyos, y su deseo de ver a sus discípulos unidos entre sí como él lo está con su Padre.

La Iglesia cristiana adoptó rápidamente la costumbre de dirigir algunas de sus oraciones a Jesús resucitado. Después se estableció el hábito de dirigirse a los mártires, y más tarde a los santos. Ciertos excesos en estas últimas formas de oración condujeron a la reacción de la Reforma en el siglo XVI.

→ AVEMARÍA, NUNC DIMITTIS.

♦ ***Mús.*** El canto gregoriano y la música litúrgica ortodoxa dieron sus formas más bellas a la oración cristiana colectiva.

ORÁCULO

(Lat. *oraculum,* «palabra de un dios».) Palabra divina transmitida por un intermediario humano, sacerdote o profeta. En los primeros tiempos, tanto en Israel como en otros lugares, existe un gran interés por los presagios, para saber cómo comportarse (1Sam. 9) o para conocer el resultado de una guerra. Poco a poco, «el oráculo» pierde su carácter individual y se convierte en «la palabra de Dios» dirigida a su pueblo, para que cese en sus malas acciones y se arrepienta, o para anunciarle la salvación (Is. 41, 13).

OSEAS

(Heb. *Hoshea,* «Dios salva».) Profeta del siglo VIII a. C., oriundo del reino del Norte. Influido, al parecer, por sus propios deberes conyugales, es el primero en comprender que Dios ama a su pueblo con verdadero amor, y que está dispuesto a perdonarle sus traiciones y sus infidelidades: como un amante engañado que acepta acoger de nuevo a una mujer adúltera o ramera y reconocer a sus hijos bastardos, el Dios de Israel es un Dios lleno de ternura y fidelidad.

OVEJA DESCARRIADA

Este relato forma parte de una serie de tres parábolas* narradas por Lucas (15) para ilustrar la idea de la misericordia de Jesús: la oveja descarriada, la dracma perdida y el hijo pródigo.

Jesús se compara con el buen pastor que lleva sobre sus hombros a la oveja descarriada.→ OVEJAS, PASTOR.

♦ ***Lengua.*** *La oveja descarriada.* Habitualmente, la interpretación que se da a esta expresión comprende toda clase de desviación.

Ser la oveja negra. Se aplica a la persona que destaca dentro de un grupo por su comportamiento negativo.

♦ ***Lit.*** San Cipriano, autor latino, obispo de Cartago de 248 a 258 a. C., escribió *Carta LV,* sobre el tema de la oveja descarriada, que representa a los cristianos que han abjurado de su fe por miedo al suplicio, durante la persecución de Decio. Péguy, *El pórtico del misterio de la segunda virtud,* 1911: comenta las tres parábolas mencionadas: «Por aquella oveja perdida y porque no volvió al redil por la noche y porque iba a estar ausente toda la noche, Jesús conoció la inquietud humana como hombre».

OVEJAS

(Del lat. *ovis,* «ovejas».) Las ovejas son los fieles de los que un sacerdote (o, metafóricamente, un «pastor») se ocupa en el terreno espiritual. El término, un poco obsoleto, se utiliza fundamentalmente con un matiz irónico.

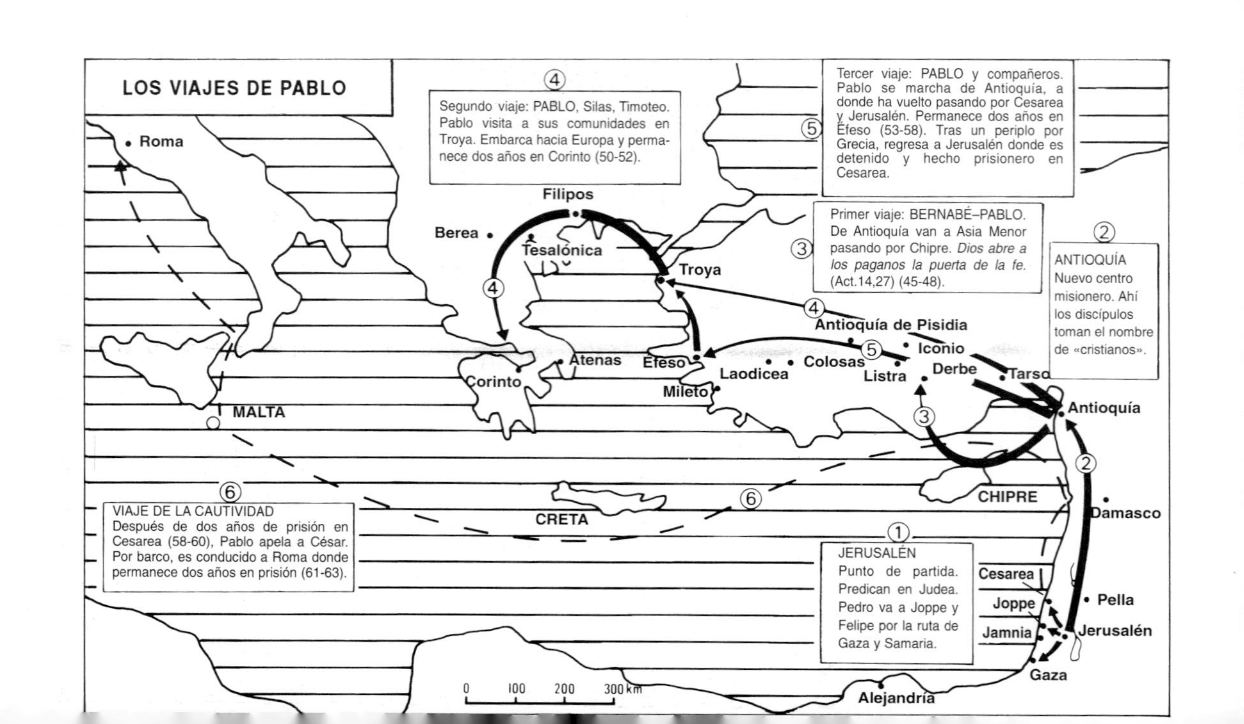
LOS VIAJES DE PABLO
④
Segundo viaje: PABLO, Silas, Timoteo. Pablo visita a sus comunidades en Troya. Embarca hacia Europa y permanece dos años en Corinto (50-52).
⑤
Tercer viaje: PABLO y compañeros. Pablo se marcha de Antioquía, a donde ha vuelto pasando por Cesarea y Jerusalén. Permanece dos años en Éfeso (53-58). Tras un periplo por Grecia, regresa a Jerusalén donde es detenido y hecho prisionero en Cesarea.
③
Primer viaje: BERNABÉ–PABLO. De Antioquía van a Asia Menor pasando por Chipre. *Dios abre a los paganos la puerta de la fe.* (Act.14,27) (45-48).
②
ANTIOQUÍA
Nuevo centro misionero. Ahí los discípulos toman el nombre de «cristianos».
⑥
VIAJE DE LA CAUTIVIDAD
Después de dos años de prisión en Cesarea (58-60), Pablo apela a César. Por barco, es conducido a Roma donde permanece dos años en prisión (61-63).
①
JERUSALÉN
Punto de partida.
Predican en Judea.
Pedro va a Joppe y Felipe por la ruta de Gaza y Samaria.
Roma
Filipos
Berea
Tesalónica
Troya
Atenas
Corinto
Éfeso
Mileto
Laodicea
Colosas
Antioquía de Pisidia
Iconio
Listra
Derbe
Tarso
Antioquía
MALTA
CRETA
CHIPRE
Damasco
Cesarea
Joppe
Jamnia
Pella
Jerusalén
Gaza
Alejandría
0 100 200 300 km

P

PABLO

Judío nacido en Tarso, ciudad griega de Cilicia. Se conocen los acontecimientos de su vida por los Hechos* de los Apóstoles, texto redactado por su compañero Lucas, y por las cartas o epístolas* que él mismo escribió.

De su familia judía recibe el nombre hebreo de Sha'oul (Saúl, Saulo), así como el título de ciudadano romano. Aprende un oficio manual (tejedor) y recibe en Jerusalén una educación rabínica junto al fariseo Gamaliel (Act. 22, 3). Sabe hebreo y puede expresarse en griego y en arameo* (hablado en Palestina). Inicialmente, fue un convencido perseguidor de los cristianos, y está presente en la lapidación de Esteban* (Act. 8,1-3).

No llega a conocer a Jesús de Nazaret, pero en el camino* de Damasco se ve envuelto en la

Velázquez, *San Pablo,* Barcelona, Museo d'Art de Catalunya

luz de Cristo (en los años 34 o 35). Mientras Saulo dice brevemente: «Fui alcanzado por Cristo Jesús» (Flp. 3, 12), Lucas relata ampliamente y en tres ocasiones la rápida conversión de Saulo a Cristo, comienzo de su vocación de apóstol de los paganos (Act. 9, 1; 22, 5; 26,

10). Los textos subrayan simbólicamente esta transformación: Saulo se queda ciego cuando una resplandenciente luz le envuelve, y recupera la vista durante su bautismo.

Se inicia entonces un período de viajes misioneros. El primero lo realiza con Bernabé, levita chipriota (en los años 46 a 48). A partir de este momento, Lucas da a Saulo su nombre romano: Pablo. Cuando regresa, Pablo participa en la asamblea de Jerusalén, que facilitará la acogida en la Iglesia de los paganos convertidos. Luego emprende el segundo viaje (entre 49 y 52), y el tercero (en 53-58), que realiza a pie o en barco y entre muchos peligros (2Cor. 11, 24). Viajero infatigable, va de ciudad en ciudad: Filipos, Tesalónica, Atenas (donde predica en el Areópago), Corinto, Éfeso, etc. Funda iglesias y luego les envía cartas para continuar su formación, dar su opinión, responder a sus preguntas, reprenderlas o animarlas. Incluso escribe a los cristianos de Roma, ciudad a la que espera llegar.

Al volver a Jerusalén, es detenido en el Templo (Act. 21, 27), permanece cautivo en Cesarea durante dos años y luego es conducido a Roma, porque apela al juicio de César*. Después de un naufragio cerca de Malta llega a Roma (en el año 60), donde vive bajo vigilancia durante dos años. Son las últimas indicaciones del libro de los Hechos (Act. 28, 30). La tradición afirma que Pablo sufrió martirio en Roma, poco después de Pedro. Por su condición de ciudadano romano, fue decapitado en el camino de Ostia (¿67?).

De cultura griega y rabino judío convertido que se reconocía «servidor de Cristo» y apóstol de las naciones, pero atenazado por la incredulidad de Israel (Rom. 9, 1-5), Pablo es capaz de pronunciar duras palabras contra la Ley*, aunque reconoce su valor pedagógico (Gál. 3, 24). Funda numerosas comunidades, pero mantiene el interés por cada una de ellas «como un padre que exhorta a sus hijos» (1Tes. 2, 11). Es un apasionado de Cristo, que para él es el Mesías esperado: «Prosigo mi camino para intentar alcanzarle, del mismo modo que yo he sido alcanzado por Cristo Jesús».

La teología de Pablo está expuesta en las epístolas: la salvación* es un don de Dios, no procede de los hombres; Dios, que ha dado a los hombres la Ley de Moisés, les concede en Cristo la gracia* y la fuerza del Espíritu; la Iglesia de Jesús se abre tanto a los judíos como a los paganos.

♦ **Lit.** Quevedo, *Vida de san Pablo,* 1644: obra ascética escrita en prosa. Bossuet, *Panegírico de san Pablo,* 1659: el orador toma como modelo la elocuencia de Pablo «que no halaga los oídos pero asesta los golpes directamente en el corazón». Victor Hugo, *William Shakespeare,* 1864, «Los genios»: entre los guías de la humanidad hacia la luz está Pablo, «santo para la Iglesia, grande para la humanidad»: «Es aquel al que se le ha aparecido lo que ha de venir. Se queda despavorido, pero no hay nada tan maravilloso como ese rostro eternamente asombrado del que ha sido vencido por la luz».
Ernest Renan prefiere la sabiduría griega a la locura de Pablo: *Oración sobre la acrópolis,* 1876, y *Recuerdos de infancia y juventud,* 1883. Camón Aznar, *Dios en san Pablo,* 1940: ensayo de carácter religioso. O.-V. de Lubicz Milosz, *Saulo de Tarso,* "misterio", 1971. Mika Waltari, *El secreto del reino*, novela histórica, 1979.
♦ **Icon.** *San Pablo envía sus escritos a los apóstoles,* mosaico, siglo XIII, Monreale. Caravaggio, *La conversión de san Pablo,* 1601, Roma. Rafael, *La predicación de Pablo en Atenas,* 1515, Roma. Nicolas Poussin, *El éxtasis de san Pablo,* siglo XVII, Museo del Louvre. Velázquez, *San Pablo,* 1619, Barcelona. Claudio de Lorena, *El embarco de Pablo,* 1654.
♦ **Mús.** Mendelssohn-Bartholdy, *Paulus,* oratorio, 1846.
♦ **Cin.** Ludovic Ségarra, *San Pablo o el camino de Damasco,* 1987: a partir de las epístolas de Pablo, realiza un recorrido por su vida pública.

PADRE

En el AT, la relación humana que une a un padre con su hijo es, ante todo, de autoridad y de educación. Por extensión, el título de padre se dio al maestro respecto al discípulo, al sacerdote y al profeta, con un valor honorífico.

El término se aplica a Dios por analogía. En la Biblia, Dios llama «hijo» a Israel, que es el pueblo adoptado por él, y los profetas, especialmente Oseas, insisten en esta relación de amor y protección entre Dios y su pueblo (Os. 11). Pero los creyentes invocan a Dios, aunque en raras ocasiones, con el vocablo «padre».

Más tarde, por influencia griega, a Dios se le considerará el padre de todos los hombres, concepción que armoniza con el relato de la creación*. Dios Padre significa, en esta acepción, Dios origen de todos los hombres y del mundo, sin connotación afectiva especial.

Abba, el término arameo que aparece en la oración de Jesús (Lc. 11, 1-5) y más tarde es adoptado por los cristianos, forma parte del vocabulario familiar relativo a la ternura. Este uso implica el desarrollo de un lazo muy personal entre Dios y el hombre. La parábola* del hijo pródigo muestra a Dios como un padre lleno de misericordia (Lc. 15, 11-32). En la persona de Cristo, según Juan, la relación Padre/Hijo no es una simple metáfora de la relación de Dios con el hombre, sino que expresa la naturaleza divina de Jesús.→ HERENCIA, HIJO, PADRENUESTRO.

♦ ***Lit.*** En las obras religiosas, también recibe el nombre de «padre» el religioso-sacerdote perteneciente a una orden. San Juan de la Cruz, *Romanzas,* siglo XVI: el amor de Dios Padre por su hijo. Jean Paul Richter, *Siebenkaas* (sueño de Cristo muerto), 1796: en esta novela, el autor define a los ateos como huérfanos. Lope de Vega, *Jerusalén conquistada,* 1609: aparece la figura del Padre Eterno (Dios).
Péguy, *El misterio de los Santos Inocentes,* 1912: Dios medita sobre el «Padrenuestro que estás en los cielos», «...esas tres o cuatro palabras, esa barrera que mi cólera y seguramente mi justicia no franqueará jamás... Mi hijo supo perfectamente cómo hacer para unir los brazos de mi justicia y para desunir los brazos de mi misericordia». Jean-Claude Renard, *Padre, he aquí el hombre,* 1955: larga plegaria mística a Dios, origen y fin del hombre. Pierre Emmanuel, *Tú,* 1978, «Padre».

PADRENUESTRO

Oración que Jesús enseñó a sus discípulos. Comienza con las palabras «Padre nuestro» (Mt. 6, 9-13) o «Padre» (Lc.

11, 2-4). Las Iglesias cristianas han conservado la versión de Mateo, desarrollada en siete peticiones:

Padre nuestro que estás en los cielos,
Santificado sea tu Nombre,
Venga a nosotros tu Reino,
Hágase tu voluntad en la tierra como en el cielo.
Danos hoy nuestro pan de cada día.
Perdona nuestras ofensas
como también nosotros perdonamos a los que nos ofenden.
No nos dejes caer en la tentación,
y líbranos del mal. Amén.

Jesús invita a sus discípulos a vivir con Dios en una relación análoga a la que él establece cuando le llaman *abba,* es decir, «Padre» en arameo.

Es la única oración cuyo origen se remonta al propio Jesús. El «padrenuestro» *(pater noster* en latín) también se llama «oración dominical», en el sentido de «oración del Señor».

♦ ***Lengua.*** *Decir padrenuestros.* En sentido irónico, decir oraciones, murmurar palabras ininteligibles.

♦ ***Lit.*** Pierre Emmanuel, *Jacob,* 1970, «Padrenuestro». Jacques Prévert, *Palabras,* 1946, «Padrenuestro», parodia.

PAJA

La paja representa todo lo que tiene poco valor (Is. 5, 24; Sal. 83, 14) y está condenado a la destrucción, como también lo están los enemigos de Dios.

♦ ***Lengua.*** *Estar limpio de polvo y paja.* Claro y puro. Aplicado a personas significa sin culpa. La expresión proviene de la acción de aventar el cereal para separar el grano de la paja y el polvo.

La paja y la viga, o ver la paja en el ojo ajeno. Ver una paja en el ojo del prójimo y no ver una viga en el propio es resaltar el más mínimo defecto en los demás y no apreciar los propios. En el Evangelio de Mateo (7, 1-5), de donde proviene esta expresión, significa que no hay que juzgar (a los demás) para no ser juzgados (por Dios).

PALESTINA

Territorio situado entre los desiertos de Siria y Arabia y el mar Mediterráneo, que comprende, de oeste a este, una llanura litoral, una montaña central, el valle del Jordán (falla que se extiende desde el Tauro al golfo de Aqaba) y la montaña transjordana (meseta de Moab, región accidentada de Ammón, zona volcánica de Basán), con tres ríos permanentes, Arnón, Yabboq y Yarmuk.

La población, agrupada en ciudades independientes hasta finales del segundo milenio a. C., fue presa fácil para los invasores. Sólo la monarquía (reinados de Saúl a Salomón) logró su unificación apoyándose en la amenaza que representaban los filisteos, instalados en el siglo XII a. C. en sus costas.

El nombre griego de los filisteos dio lugar a Palestina. El término se extendió a Canaán y luego, bajo el dominio de los romanos, a toda la región comprendida entre el mar y el Jordán (provincia de Siria-Palestina) (mapas, págs. XXVIII y XXIX).

Palestina fue, sucesivamente, provincia romana, bizantina, árabe y, por último, turca durante un milenio. En 1920, Gran Bretaña recibió un mandato de administración sobre este territorio y lo separó de Transjordania y de Irak. En 1947, la ONU decidió su reparto entre un Estado judío y un Estado árabe. El 14 de mayo de 1948 se proclamó el Estado de Israel, pero después de la guerra de 1948-1949 entre Israel y la Liga Árabe, los territorios de Gaza se confiaron a Egipto y el este de Judea a Jordania. Los palestinos, musulmanes o cristianos, se han enfrentado a los israelíes tanto en los territorios ocupados desde 1967 como en otros países en los que se establecieron cuando abandonaron Palestina en 1949 o en 1967.

PALMERA

Las palmas datileras forman parte de la vegetación subtropical; se encuentran en los oasis del desierto y en la montaña de Efraín. A Jericó se le llama «la ciudad de las palmeras» (Jue. 1,16). Sus ramas se utilizan en la fiesta* de los Tabernáculos o *sukkot,* ya que con ellas se construye una especie de cabaña en la que los judíos residen durante una semana, a principios del otoño (Lev. 23, 42). Una rama de palmera figura en la conclusión *(lulab)* de la fiesta.

Las palmas son signos de triunfo (1Mac. 13, 51; Jn. 12, 13; Ap. 7, 9). Al hombre justo también se le compara con una palmera (Sal. 92, 13).

♦ ***Icon.*** En la iconografía católica a los mártires se les presenta a menudo con una palma en la mano: Zurbarán, *San Apolinar,* 1636, Museo del Louvre.

PALMIRA

Oasis del desierto de Siria, que era etapa obligada del tráfico caravanero entre Mesopotamia y Siria-Palestina. En tiempos de Salomón, la ciudad se conocía con el nombre de «Tamar en el desierto» (1Re. 9, 18) o Tadmor («refugio») (2Cr. 8, 4). Salomón perdió su control cuando los arameos se apoderaron de Damasco. Su edad de oro se extendió del siglo I a. C. al III d. C. Sus ricos monumentos, el templo de la tríada de Bel y las tumbas adornadas de bustos funerarios sobrevivieron a la conquista romana (273 d. C.), que tuvo lugar después del reinado de Zenobia. Los árabes destruyeron la ciudad en 634 y la incorporaron al desierto.

PALOMA

La paloma, en el texto hebraico de la Biblia, no se distingue de la paloma torcaz ni del palomo.

Se ofrecía como sacrificio expiatorio cuando la pobreza impedía inmolar un cordero (Lev. 5, 7), y para la purificación de las parturientas (Lev. 12); es lo que hicieron María y José en la presentación* de Jesús en el Templo (Lc. 2, 22-24).

Al final del diluvio, la paloma que Noé* soltó del arca volvió a él con una rama de olivo en el pico, señal de que las aguas se habían retirado (Gén. 8, 8-12), de que la cólera de Dios se había apaciguado. Aún hoy la paloma y la rama de olivo simbolizan la paz.

Según los cuatro evangelistas, después del bautismo* de Jesús, los cielos se abrieron y Juan* Bautista vio al Espíritu* de Dios descender en forma de paloma y posarse en Jesús (Jn. 1, 32).

La paloma también es el símbolo de la sencillez de corazón y del candor, en oposición a la astucia de la serpiente: «Mostraos astutos como serpientes y cándidos como palomas», dice Jesús a sus apóstoles (Mt. 10, 16).

En la iconografía medieval, la paloma representa muy a menudo el alma humana en el momento en que huye del cuerpo. Y si aparece rodeada de una aureola, es el símbolo convencional de la tercera persona de la Trinidad*, el Espíritu Santo*.

♦ *Lit.* Lope de Vega, *A la creación del mundo,* siglo XVII: describe la creación de las palomas con toda su simbología. Alfred de Vigny, *Los destinos,* 1864, «El espíritu puro»: Vigny proclama su fe en el triunfo del espíritu puro, liberado de la materia, tal como lo expresan poetas y filósofos: «El escrito universal, a veces imperecedero, / ya grabes en el mármol o dibujes en la arena, / ¡paloma de pico de bronce! visible Espíritu Santo».
Paul Claudel, *El libro de Cristóbal Colón,* 1935: aparece una paloma que anuncia la cercana tierra y Cristóbal Colón, aludiendo al Génesis, exclama: «Y la tierra estaba cubierta de agua. Y la paloma volvió a Noé con una rama verde en el pico».

PAN

El pan era el alimento principal de los hebreos y de otros pueblos de la Antigüedad. Generalmente se hacía con harina de cebada.

Durante la oblación, se ofrecía a Dios tortas de pan ázimo* frotadas con aceite (Lev. 2, 1-16), en actitud de acción de gracias*. Tanto para la Biblia como para nosotros, suele tener un valor simbólico: alimento del cuerpo y, por tanto, vida para el cuerpo, también es la imagen del alimento espiritual que todo ser necesita para vivir.

Cuando Adán es expulsado del Edén, Dios le dice: «Ganarás el pan con el sudor de tu frente» (Gén. 3, 19).

En el padrenuestro se pide: «Danos hoy nuestro pan de cada día» (o «el necesario para la vida» o «el de mañana»).

Después de haber ayunado durante 40 días en el desierto, Jesús tiene hambre. El Tentador se acerca a él y le propone que transforme las piedras en pan. Jesús le responde con una cita del Deuteronomio* (8, 3): «No solo de pan vive el hombre, sino de toda palabra que sale de la boca de Dios», y se niega a hacer el milagro* (Mt. 4, 1-4).

Por dos veces según Mateo y Marcos y por una según Lucas y Juan, Jesús, como Eliseo* (2Re. 4, 42-44), parte cinco panes de cebada que le ofrece un niño y los distribuye entre la multitud hambrienta, sin comer desde hacía tres días, que le sigue; después quedan 12 cestas llenas (Jn. 6). Es lo que comúnmente se llama «el milagro* de la multiplicación de los panes». Este signo lo presenta Juan como la promesa del «pan del cielo», nuevo maná* que el Padre dará a los que tienen el alma hambrienta, y este pan será el mismo Jesús: «Yo soy el pan de vida; el que viene a mí ya no tendrá más hambre» (Jn. 6, 34).

La Cena*, durante la cual Jesús corta el pan y lo distribuye a sus discípulos diciendo: «Tomad y comed, este es mi cuerpo» (Mt. 26, 26), y la misa*, que actualmente conmemora aquella primera eucaristía*, son para los cristianos la realización de esta promesa.

♦ ***Lengua.*** *El pan nuestro de cada día* (Mt. 6, 11 y Lc. 11, 3). Todo lo que es necesario en la vida de cada día. En otro sentido: lo que se hace y lo que se siente habitualmente.

Ganarás el pan con el sudor de tu frente (Gén. 3, 19). La penosa necesidad del trabajo para asegurar el alimento sustituye a la edad de oro del Edén.

Negarle a alguien el pan y la sal. Mostrar rechazo hacia una persona o no reconocer sus méritos. La expresión proviene de una costumbre de algunos pueblos de la Antigüedad, que consistía en ofrecer a todo visitante, independientemente de su condición, un pedazo de pan y unos granos de sal.

No solo de pan vive el hombre (Dt. 8, 3 y Mt. 4, 4). La Biblia enseña que la palabra de Dios es tan necesaria para el hombre como el pan. En el lenguaje familiar significa que no basta con satisfacer las necesidades materiales, sino que el hombre necesita otras cosas para ser realmente un hombre: dignidad, libertad, belleza, amor...

Ser pan comido. Ser algo muy fácil de hacer.

♦ ***Icon.*** *La multiplicación de los panes,* mosaico, siglo IV, Ravena.

PARÁBOLA

(Gr. *parabole,* «comparación».) Historia imaginaria. Las parábolas, así como las sentencias parabólicas —parábolas en sentido figurado—, abundan en los evangelios, sobre todo en los sinópticos*.

Tradicionalmente se ha considerado a las parábolas como la ilustración, con una intención pedagógica, de la enseñanza de

Jesús sobre el Reino* de Dios y los caminos que conducen a él.

Desde hace 20 años se viene incidiendo en la discusión que Jesús pretendía provocar en los oyentes haciendo uso de ellas: a partir de un relato acerca de los comportamientos familiares, incita a sus seguidores a modificar sus puntos de vista o sus acciones; les sugiere, a propósito de Dios y de su conducta respecto a los hombres, una visión a menudo diferente de la suya, mostrándoles cómo su propia conducta —en lo que se refiere a los pecadores, por ejemplo— se modela sobre la misma de Dios.

Entonces, entre Jesús y su auditorio se establece no una polémica, sino un diálogo abierto que todos están invitados a seguir. Lo prueba el frecuente uso de la forma interrogativa: «¿Qué os parece...?» (Mt. 17, 25; 18, 12; 21, 28); «¿Quién, pues, le amará más?» (Lc. 7, 42); «¿Quién de estos tres te parece haber sido prójimo de aquel?» (Lc. 10, 36).

Este diálogo se agiliza mediante el aspecto paradójico de diversas parábolas: ¿Es admisible que el amo otorgue el mismo salario a los trabajadores de la undécima hora que a los que han soportado todo el calor del día? (Mt. 20, 1-15). ¿Cómo el amo puede contratar por su astucia al deshonesto administrador? (Lc. 16, 8). ¿Acaso no es escandaloso que el padre parezca manifestar más gratitud al hijo pródigo por su regreso que al hijo mayor por su fidelidad? (Lc. 15, 11-32).

Las parábolas evangélicas, aunque susceptibles de interpretaciones diversas, continúan planteando interrogantes a exégetas y simples lectores, a creyentes e incrédulos.

Parábolas comentadas en esta obra:

Las que se refieren al Reino de Dios y la bondad divina:

— Los invitados a la boda (Mt. 22, 1-10)→ FESTÍN.

— La cizaña (Mt. 13, 24-30).→ CIZAÑA.

— La perla (Mt. 13, 45). → PERLA.

— El grano de mostaza (Mt. 13, 31-32.→ MOSTAZA.

— Los trabajadores enviados a la viña (Mt. 20, 1-15). → UNDÉCIMA HORA.

— El hijo pródigo (Lc. 15, 11-32).→ HIJO (PRÓDIGO).

— La oveja descarriada (Mt. 18, 12-13).
→ OVEJA DESCARRIADA.

Aquellas que tratan acerca de los deberes del hombre para con Dios:

— Las diez vírgenes (Mt. 25, 1-12). → VIRGEN/VIRGINIDAD.

— El sembrador (Mc. 4, 3-8). → SEMILLA/SEMBRADOR.

— Los talentos (Mt. 25, 14-30).

Sobre las relaciones humanas:

— El buen samaritano (Lc. 10, 30-37).→ SAMARIA.

— El rico Epulón y el pobre Lázaro (Lc. 16, 19-31). → LÁZARO (EL POBRE).

— El fariseo y el publicano (Lc. 18, 9-14).→ FARISEO.

— La paja y la viga (Mt. 7, 3-5).→ PAJA.

♦ ***Lengua.*** *Hablar con parábolas.* En el lenguaje familiar, expresarse de un modo oscuro, indirecto o enigmático.

♦ ***Lit.*** Calderón de la Barca, *Tu prójimo como a ti,* antes de 1674: auto sacramental referente a la parábola del buen samaritano. Charles Péguy, *El pórtico del misterio de la segunda virtud,* 1911: lectura mística y poética de tres parábolas: «La oveja descarriada», «La dracma perdida» y «El hijo extraviado» (El hijo pródigo).

PARÁCLITO

(Gr. *parakletos,* «llamamiento, exhortación».) San Juan llama así al Espíritu Santo*, al que considera abogado, defensor y consolador de los hombres (Jn. 14, 26; 16, 7).

Se dio este nombre a un monasterio de monjes benedictinos fundado en el siglo XII por Eloísa, junto a una iglesia construida por Abelardo (diócesis de Troyes). En él se enseñaban todas las ciencias a los monjes y a las muchachas del mundo. El monasterio fue destruido durante la guerra de los Cien Años.

♦ ***Lit.*** Michel Tournier, *El viento paráclito,* 1977.

PARAÍSO

(Del persa antiguo *pairidaza,* «parque».) Los Setenta designan con esta palabra el jardín de las delicias en el que Dios puso al primer hombre (Gén. 2, 7); el árbol* de la vida y el árbol de la ciencia crecían allí, gracias a la abundancia de agua, en medio de una frondosa vegetación. Al paraíso se le llama jardín del Edén* y lo atraviesan cuatro ríos, dos de los cuales son el Tigris y el Éufrates (Gén. 2, 10). Su localización geográfica varía según las tradiciones. Después de que Adán y Eva fueran expulsados, los querubines guardaban la entrada con una llameante espada.→ CIELO.

La literatura intertestamentaria (especialmente el libro de Enoc y el cuarto libro de Esdras) aporta numerosas descripciones del paraíso. En el NT, el paraíso se cita tres veces: Jesús en la cruz afirma al ladrón* que estará «hoy mismo en el paraíso» (Lc. 23, 43). En 2Cor. 12, 4, Pablo rememora un éxtasis que ha vivido. Por último, en Ap. 2, 7 se hace la promesa: «Al vencedor haré comer del árbol de la vida situado en el paraíso de Dios.»

La imagen tradicional del paraíso procede más de la descripción del jardín del *Cantar* de los Cantares* que del texto del Génesis: los poemas evocan los cinco sentidos colmados de dicha, y fueron la fuente de inspiración de los «lugares de amor» de las novelas cortesanas en la Edad Media.

♦ **Lengua.** *Ser la manzana de la discordia.* Ser el motivo de una discusión. El origen de esta expresión se encuentra en la mitología griega: Eida, la diosa de la discordia, no fue invitada a la boda de Peleo y Tetis. Entonces, envió una manzana de oro con la inscripción «Para la más bella», lo que originó una disputa entre Afrodita, Hera y Atenea. Zeus ordenó a Paris que decidiera quién de las tres era la más hermosa. Afrodita sobornó a Paris prometiéndole el amor de Helena de Troya, y ella fue la elegida. Hera y Atenea decidieron destruir Troya.

♦ ***Lit.*** Don Juan Manuel, *Tratado en que se prueba que Santa María está en cuerpo y alma en el paraíso,* siglo XIV, en prosa. Dante, *Divina comedia,* 1307-1321: el paraíso se encuentra en el cielo; nueve esferas giran sobre unas órbitas cada vez más anchas y con un movimiento cada vez más rápido alrededor de la tierra inmóvil, como pretendía Tolomeo. Encima de las esferas está el fulgurante Empíreo en el que resplandece Dios.
Agrippa d'Aubigné, *Los trágicos,* 1616, libro VII, del verso 1.045 al final: el paraíso es la nueva Jerusalén, «la nueva tierra y la nueva ciudad» donde «todos nuestros perfectos amores [son] redu-

Tintoretto, *El paraíso,* Venecia, palacio ducal

cidos a un amor / como nuestros días más bellos se reducen a un bello día». Juan José Domenchina, *El paraíso desdeñado,* 1928: sus versos oscilan entre lo emotivo y la sutileza intelectual, entre la angustia y el humor. Paul Claudel, *Cantata a tres voces,* 1911. Vicente Aleixandre, *Sombra del paraíso,* 1944. Carmen Conde, *Mujer sin edén,* 1947. Juan Goytisolo, *Duelo en el paraíso,* 1955. Fernández de la Reguera, *Perdimos el paraíso,* 1955.

♦ ***Icon.*** *El paraíso terrenal:* capitel, siglo XII, Cluny; Jacopo da Bassano, siglo XVI, Roma; Charles Gleyre, 1874, Lausana. El Bosco, *El jardín de las delicias,* siglo XVI, Museo del Prado. Poussin, *La primavera* o *El paraíso terrenal,* 1660, Museo del Louvre.

Giovanni di Paolo, *El paraíso,* 1460, Siena; Loyse Liédet, miniatura, en Gerson, *El espejo de humildad,* 1462; Tintoretto, 1588, Venecia (boceto en el Louvre); Giovanni Lanfranco, 1621, Roma. John Martin, *Las llanuras del paraíso,* 1853, Londres. Maurice Denis, *El paraíso,* 1912, París.

♦ ***Mús.*** Penderecki, *El paraíso perdido,* 1978. Espirituales negros sobre el tema del camino que conduce al paraíso: *Swing low, sweet chariot; This train; On my way, get on my travelin'shoes.*

PARALÍTICO

Los evangelios describen varias escenas de curación de paralíticos realizadas por Jesús. Las más conocidas son la curación del hijo del centurión (Mt. 8, 6) y la del hombre que desciende por el tejado (Mc. 2, 1-12). Como en los demás milagros* realizados por Jesús, la curación física está explícitamente unida a una curación espiritual y a una llamada a la fe.

También los apóstoles tendrán el poder de efectuar curaciones parecidas (Act. 8, 7; 9, 33).

♦ ***Icon.*** *La curación del paralítico.* Como la multitud era muy numerosa, los que llevaban al paralítico suben al tejado para conseguir que el camastro pase a la casa en la que se hallaba Jesús (Lc. 2, 1-12): mosaico, siglo VI, San Apollinare Nuovo, Ravena; fresco, siglo IX, Sainte-Saba, Roma; capitel, siglo XII, Maurice-de-Vienne; Veronés, siglo XVI, Venecia, Ruán; Murillo, siglo XVII, Londres.

PARUSÍA

(Gr. *parousia,* «llegada».) El término griego designa la visita oficial de un príncipe, acompañada de un ceremonial muy complejo; en este sentido es utilizado por los Setenta*. Esta connotación profana de parusía real se aplica a la entrada de Jesús en Jerusalén (Mt. 21, 1-11).

En el AT, Israel espera la intervención de Dios para librarlo de la opresión («día del Señor»). Los profetas Amós (Am. 5, 18-20) y Jeremías (Jer. 30, 5-7) hablan del día de la llegada de Dios, del día de la cólera contra todos los pecadores, que será anunciado mediante señales cósmicas (Am. 8, 9).

En el NT, la parusía de Cristo es su regreso glorioso al final de los tiempos (Mc. 8, 38; 1Tes. 4, 16; 1Cor. 15, 23), y precede al Juicio* final (Ap. 22, 17).

♦ ***Icon.***→ CRISTO.

PASCUA

Cada año, el día después de la Pascua judía (es decir, el domingo), los discípulos de Jesús celebran su resurrección partiendo el pan, como él había prescrito. En el siglo II, el papa Víctor estableció definitivamente la Pascua cristiana el domingo, sin referencia alguna a la Pascua judía celebrada el 14 del mes de Nisán.

La celebración litúrgica de Pascua rememora los últimos momentos de Jesús. El Jueves Santo, la Cena*, última comida de Jesús con sus discípulos, y la institución de la eucaristía*; el Viernes Santo, la crucifixión*, la muerte de Jesús y la sepultura; la noche del sábado al domingo de Pascua, la resurrección*.

Para los cristianos, Jesús es el cordero* pascual inmolado para salvar a todos los hombres. La Pascua también implica transición: Jesús pasa de la muerte a la vida y ello prefigura el paso de la muerte a la vida con Dios del cristiano.→ RESURRECCIÓN.

♦ ***Lengua.*** *Cumplir con Pascua.* Según el rito de la Iglesia católica, confesarse y comulgar en Pascua.

De Pascuas a Ramos. De tarde en tarde. La expresión hace referencia al período de tiempo comprendido entre la Pascua de Resurrección y el Domingo de Ramos, final y comienzo, respectivamente, de la Semana Santa. Equivale, por tanto, a un año menos una semana.

Estar más contento que unas pascuas. Muy alegre. Las tres fiestas del calendario católico que reciben el nombre de Pascua —Navidad, Pentecostés y de Resurrección— son de carácter alegre, aunque la expresión se refiere a la de Pentecostés, también llamada Pascua Florida.

♦ ***Lit.*** Lope de Vega, *Jerusalén conquistada,* 1609. Calderón de la Barca, *El gran teatro del mundo,* auto sacramental, 1633. León Tolstoi, *Resurrección,* 1899, capítulos XIV y XV: una fiesta de Pascua en la Rusia ortodoxa de finales del siglo XIX. Blaise Cendrars, *Pâques à New York,* 1912: nostalgia de la fe unida a la vida errante de las ciudades modernas (sin duda este poema inspiró «Zone» a Apollinaire, *Alcools,* 1913). Patrice de la Tour du Pin, *Le Second Jeu,* 1959, «Préface», poema. Torrente Ballester, *La Pascua triste,* 1962.

♦ ***Mús.*** Heinrich Schütz, *Oratorio de Pascua,* 1623. Rimsky-Korsakov, *La Gran Pascua rusa,* suite sinfónica, 1888. Arthur Honegger, *Pascua en Nueva York,* sigo XX, para una voz y cuarteto de cuerda.

Pascua judía

(Heb. *pessah;* gr. *paskha.)* Se celebra el 14 de Nisán —primer mes del año bíblico— y la fiesta conmemora la salida de Egipto de los hebreos. El término *pessah* (según Éx. 12, 13-27, «paso») hace alusión a la acción del ángel exterminador en la décima plaga, ya que mató a los primogénitos de los egipcios pero salvó a los de los hebreos, «pasando» de largo ante las casas marcadas con la sangre de cordero*.

Fiesta muy antigua, celebrada por los pastores fuera de los santuarios, la Pascua era, en sus orígenes, distinta de la fiesta de los Ázimos. Tras la reforma de Josías, se confundieron y redujeron a tres grandes fiestas que incluían una peregrinación a Jerusalén. Entonces se sacrificaba en el Templo el cordero pascual.

Después de la destrucción del Templo y de la abolición de los sacrificios, la Pascua se convirtió en una celebración familiar. Tenía lugar durante una comida cuyo desarrollo *(seder,* «orden») estaba minuciosamente regulado y en la cual todos los alimentos poseían un significado simbólico: además del cordero pascual y el pan sin levadura (en recuerdo de la apresurada salida de los hebreos), se consumían hierbas que evocaban la amargura de la esclavitud, una preparación de nueces y frutas que rememoraban el mortero aplicado durante los duros trabajos impuestos a los esclavos, y cuatro copas de vino, todo ello acompañado de lecturas edificantes.

Durante la comida del *seder* se hace la lectura de la *Haggadah* (literalmente «relato»), una recopilación compuesta de pasajes bíblicos, parábolas didácticas y una selección de salmos de alabanza *(Hallel**). El texto de la *Haggadah* se estableció definitivamente en el siglo XIII. Como estaba destinado al uso familiar, este pequeño ritual se hizo más atractivo gracias a la ornamentación de la escritura y a la ilustración de ciertos pasajes del texto o de los episodios bíblicos evocados.

♦ ***Lit.*** Isaac Bashevis Singer, *Un día de placer,* 1969, «El traje de raso»: entre sus recuerdos de infancia, el autor rememora la preparación de la Pascua en su comunidad judía de Varsovia, poco antes de la guerra de 1914. Albert Cohen, *El libro de mi madre,* 1954. ♦ ***Icon.*** *El paso del mar Rojo:* fresco, siglo III, sinagoga de Dura-Europos; Piero di Cosimo, siglo XV, Roma; Dierick Bouts, 1468, Lovaina; Rafael, 1519, Roma. *La Pascua judía:* Schnorr von Carosfeld, en *La Biblia en imágenes,* 1852; Marc Chagall, 1931, Niza. Raymond Moretti, *Haggadah de la quinta copa,* 1980, París. ♦ ***Cin.*** En *Holocausto,* serie televisiva realizada por Marvin Chomsky en 1979, se reproduce la celebración familiar de la Pascua judía mientras los soldados nazis cercan el gueto de Varsovia.

PASIÓN

(Lat. *passio,* del verbo *pati,* «sufrir».) La Pasión de Jesús comprende los sufrimientos que vivió desde su agonía* en Getsemaní* hasta su muerte en la cruz*, en el Gólgota*.

Su relato sigue el mismo esquema en los cuatro evangelios: a) detención de Jesús, b) proceso judío: comparecencia de Jesús ante Anás, Caifás y el Sanedrín*, c) proceso romano: comparecencia ante Poncio* Pilato y Herodes*, d) vía crucis*, calvario*, crucifixión* y muerte de Jesús, y sepultura*.

El lugar destacado que los evangelistas concedieron a la Pasión y muerte de Jesús —aunque, aparentemente, puede interpretarse como un definitivo fracaso— se comprende desde la perspectiva de su fe en su resurrección: Jesús aparece como el nuevo cordero* pascual, como el servidor doliente del que hablaba Isaías* (Is. 52, 13-53), como el Mesías* esperado, vencedor del mal y de la muerte.

♦ ***Lit.*** Gonzalo de Berceo, *El planto que fizo la Virgen el día de la Pasión de su Fijo,* siglo XIII. Gómez Manrique, *Lamentaciones fechas para Semana Santa,* siglo XV: en ellas san Juan, la Virgen y María Magdalena manifiestan su dolor por la Pasión y muerte de Jesús. Misterios de la Pasión (o *Pasiones)* medievales: en Francia, los más famosos son los de Arnoul Gréban y Jean Michel, siglo XV. Juan del Encina, autor en el siglo XVI de dos representaciones sobre la Pasión y resurrección. Lucas Fernández, *Auto de la Pasión en el que Jeremías, san Mateo y las tres Marías comentan patéticamente la muerte de Cristo,* 1514. Alejo Venegas, *Agonía del tránsito de la muerte,* 1536: abundantes momentos de gran efecto dramático. Fray Juan Diego de Hojeda, *La cristiada,* 1611: bello poema sobre la Pasión y muerte de Cristo. Calderón de la Barca, *El veneno y la triaca,* 1634: son los símbolos respectivos del pecado y de los sacramentos; la obra trata sobre la creación, caída y redención del hombre. Bossuet, *Sermón sobre la Pasión,* 1662. Pascal, *Pensamientos,* 1670, «El misterio de Jesús». José Marchena, *Oda a Cristo crucificado,* siglo XIX.

Michelet, *La Biblia de la humanidad,* 1864: compara la «pasión pasiva» de Cristo con la «pasión activa» de Hércules; la primera incita a la resignación, la segunda, a la liberación por el trabajo. Hugo, *El fin de Satán,* 1886, «El patíbulo».

Gabriel Miró, *Figuras de la Pasión del Señor,* 1916: colección de estampas bíblicas. Claude Simon, *La ruta de Flandes,* 1960: los personajes de esta novela «no se distinguen de los animales, especialmente de los caballos; la humanidad entera, en este relato, se vuelve caballuna; al mismo tiempo, las alusiones a Cristo se multiplican como si las penosas y lamentables pasiones de los hombres se reunieran en una sola Pasión.

♦ ***Icon.*** Durero, *La Gran Pasión,* grabado en cobre, 1496. El Bosco, *Cristo insultado,* finales del siglo XV. Georges Rouault, *Pasión,* 1937, Cleveland, y 1949, París.

♦ ***Mús.*** Claudin de Sermisy, *Pasión según san Mateo,* siglo XVI. Orlando di Lassus, 4 pasiones. Heinrich Schütz, 4 pasiones. Johann Sebastian Bach, *Pasión según san Mateo* y *Pasión según san Juan,* siglo XVIII. Georg Philipp Telemann, 44 pasiones. Georg Friedrich Haendel, 2 pasiones alemanas. Karl Philipp Emanuel Bach, 2 pasiones.

Lorenzo Perosi, *Pasión de Cristo según san Marcos,* oratorio, 1897. Marcel Dupré, *Sinfonía-Pasión,* 1923, y *Francia en el Calvario,* 1956. Luigi Berio, *Nones,* 1954: inspirada en la undécima hora de la Pasión de Cristo. Penderecki, *Pasión según san Lucas,* 1965. ♦ ***Cin.*** Robert Wiene, *I.N.R.I.,* 1924. Julien Duvivier, *Gólgota,* 1935. Henri Koster, *La túnica sagrada,* 1953. Andrei Tarkovski, *Andrei Rublev,* 1966: una escena de la película muestra a Cristo llevando la cruz y sufriendo en la nieve seguido de María, Juan y María Magdalena; cada campesino ruso, en estos comienzos del siglo XV, participa en la Pasión de Cristo y sufre con él el calvario. Denys Arcand, *Jesús de Montreal,* 1989.

PASTOR

Los profetas Jeremías y Ezequiel utilizan la imagen del rey-pastor por influencia de la literatura oriental. Ezequiel reprocha a los reyes de Israel haberse enriquecido sin preocuparse de su rebaño. Dios se lamenta: «Mi rebaño anda vagando por ahí... mi rebaño está disperso», y anuncia que se ocupará de él y que hará desaparecer del país a las bestias feroces (Ez. 34). Al relatar el nacimiento de Jesús, el evangelista Mateo rememora la profecía de Miqueas que anuncia la llegada, en Belén, de un pastor que llevará a pacer el rebaño de Dios (Israel). Juan recupera la imagen del Buen Pastor: Jesús declara ser el buen pastor que da la vida por sus ovejas (Jn. 10).→ OVEJAS, PASTORES.

♦ ***Lengua.*** En el lenguaje familiar, la palabra *pastor* designa al jefe espiritual de una parroquia.
♦ ***Lit.*** André Gide, *La sinfonía pastoral,* 1925: texto irónico en el que el buen pastor se convierte en la oveja extraviada.
♦ ***Icon.*** *El buen pastor:* fresco, siglo II, catacumbas de Priscila, Roma; mosaico, siglo V, mausoleo de Gala Placidia, Ravena.

PASTORES

Los antiguos israelitas eran un pueblo pastoril. La Biblia contiene numerosos pasajes que evocan la vida de los pastores. Debido a lo penoso que resultaba esta clase de vida, los ricos propietarios empleaban asalariados a los que pagaban en dinero o en especies para que cuidaran los rebaños, lucharan contra los ladrones y los animales salvajes, condujeran a los animales a los lugares donde había agua y los devolvieran por la noche a los cercados.

Ribalta, *La adoración de los pastores,* Bilbao, Museo de Bellas Artes

La bondad de Dios hacia su pueblo se compara muy a menudo con los atentos cuidados que un buen pastor proporciona a sus ovejas. «El Señor es mi pastor, nada me falta, me pone en verdes pastos y me lleva a frescas aguas», canta el salmista (Sal. 23). Y mientras el mercenario huye cuando se acerca el peligro, el buen pastor dedicado a su rebaño lo defiende aún a riesgo de su vida (Jn. 10). Esta es la imagen que Jesús se aplica a sí mismo. → OVEJAS, PASTOR.

♦ ***Lit.*** En el siglo XVII, abundan las obras de Lope de Vega que tienen como protagonistas a los pastores o tratan temas relacionados con ellos: *El pastor Fido, El pastoral albergue, La pastoral de Albania, El pastoral de Jacinto, El pastoral de la siega* y *La pastoral encantada.* Entre sus novelas en prosa: *Los pastores de Belén,* 1612: lo bucólico se vierte «a lo divino», intercalando exquisitas muestras de poesía popular.

Adoración de los pastores

Cuando nació Jesús, unos pastores que acampaban en las cercanías recibieron de un ángel la noticia del advenimiento del Salvador. Después, se dirigieron al lugar donde estaba el recién nacido para adorarle (Lc. 2, 8-20).

♦ ***Lit.*** Fray Íñigo de Mendoza, *Vita Christi,* siglo XV: intercala abundantes poesías populares y hasta un diálogo de carácter rústico que tiene lugar en el momento de la adoración. Gómez Manrique, *Representación del nacimiento de Nuestro Señor,* siglo XV: especie de auto de Navidad integrado por varias escenas yuxtapuestas relativas al nacimiento y a la adoración de los pastores. Juan del Encina, *Églogas de Navidad,* siglo XVI: trata con el tema de la adoración mezclando elementos profanos y religiosos. Torres Naharro, *Diálogo del nacimiento,* siglo XV: comedia que sigue la técnica de Juan del Encina. Gil Vicente, *Auto pastoril castellano,* 1502: une la mitología antigua con los textos bíblicos. Gálvez de Montalvo, *El pastor de Fílida,* 1582.

♦ ***Icon.*** *La adoración de los pastores:* Van der Goes, siglo XV, Florencia; El Greco, 1577, Toledo; Rubens, 1612, Edimburgo; Georges de La Tour, 1643, Museo del Louvre; Ribalta, siglo XVII, Bilbao; Ribera, siglo XVIII, Museo del Louvre; Murillo, 1650, Museo del Prado.

PATMOS

Según una antigua tradición, el apóstol Juan, tras huir de la persecución romana, estaba en esta isla del Egeo cuando escribió el Apocalipsis*.

♦ ***Icon.***→ JUAN (EL DISCÍPULO AMADO).

PATRIARCA

(Gr. *patriarkhes;* de *patria,* «descendencia, linaje, familia, tribu» y *arkhein,* «mandar».) Nombre que reciben en el AT los jefes de familia, como Abraham*, Isaac* y Jacob*, reconocidos como los antepasados del pueblo hebreo. Entre la creación* del mundo y el diluvio*, la Biblia habla de 10 patriarcas asombrosamente longevos (Gén. 5). El NT también llama «patriarcas» a los 12 hijos de Jacob (Act. 7, 8-9).

PAVO REAL

Salomón importaba de Tarsis, por vía marítima, pavos reales, marfil y monos (1Re. 10, 22; 2Cr. 9, 21). Las alusiones al pavo real no son frecuentes en la Biblia, pero sí es importante su utilización alegórica en la iconografía cristiana: simboliza la rueda solar y, por ello, es signo de inmortalidad. La iconografía occidental lo representa a veces bebiendo en el cáliz* eucarístico. Uno de los famosos tapices de la Chaise-Dieu, lo asocia con la resurrección. En los manuscritos medievales, ocupa un lugar destacado en las creaciones, las exhibiciones y las fuentes de vida. Para el islam, es un símbolo cósmico: cuando hace la rueda, representa el universo, o la luna, o el sol en su cénit.

♦ ***Lengua.*** *Estar en la edad del pavo.* Esta locución hace referencia a la adolescencia, época de atolondramiento y especial sensibilidad. La alusión al «pavo» es frecuente en el lenguaje coloquial para denotar comportamientos tontos.
No ser moco de pavo. Locución que resalta la importancia de algo. Procede del lenguaje picaresco de siglos pasados: el «moco» era el trozo de cadena que quedaba en el «pavo» (bolsillo) de aquel a quien se le había sustraído el reloj. El *moco de pavo* era de escaso valor.
Ser un pavo. Ser soso, incauto o torpe. Efectivamente, el pavo no destaca por su inteligencia.
♦ ***Icon.*** Los pavos reales suelen representarse enfrentados: balaustrada, San Apollinare Nuovo, Ravena; sarcófago del «obispo Teodoro», siglo VI, San Apollinare in Classe, Ravena; pavimento de mosaico, siglo VI, Aquilea; sarcófago, siglo VIII, Pavía; frontal, siglo XI, basílica de Torcello.

PAZ

(Heb. *shalom;* expresa plenitud: un perfecto estado de salud, de bienestar, de felicidad.) En Israel, se utiliza este término para expresar deseo cuando se produce un encuentro o una despedida (Éx. 4, 18). Pablo lo asocia con el término griego *kharis* («gracia»): «A vosotros, la gracia y la paz» (1Tes. 1, 1).

La paz es, ante todo, un don de Dios: «No se apartará más de ti mi misericordia, y mi alianza de paz será inquebrantable», dice (Is. 54, 10). Resume las bendiciones con que Dios colma a sus fieles: «Quien confía en él puede dormir en paz» (Sl. 4, 9). Los profetas la sitúan en el corazón de su mensaje; anuncian la llegada de un mesías que será «príncipe de la paz» (Is. 9, 5).

Según el NT en Jesús se cumple este aspecto de la espera mesiánica: «Él viene a enderezar nuestros pies por el camino de la paz» (Lc. 1, 79). Jesús proclama: «Bienaventurados los pacíficos, porque ellos serán llamados hijos de Dios» (Mt. 5, 9)

Durante la última comida con sus apóstoles, les dijo: «La paz os dejo, mi paz os doy; no como el mundo la da os la doy yo» (Jn. 14, 27). Después de su resurrección, según Jn. 20, 19-20, saluda a sus discípulos diciendo: «La paz sea con vosotros».

♦ **Lengua.** *Y aquí paz, y después, gloria.* Esta expresión se utiliza para indicar resignación ante un problema, o para poner fin a una disputa. Era una fórmula habitual de los sacerdotes de los siglos XVIII y XIX para sustituir el *amén* con que finalizaban los sermones.

PECADO/PECADOR

La noción religiosa de pecado es diferente de la noción psicológica de culpabilidad y de la penal de falta.

Una de las enseñanzas que reitera la Biblia es que la relación del hombre con Dios es conflictiva y que el motivo del conflicto es el pecado. Otra, también constante, es la afirmación de la salvación*, gesto por el que Dios aparta al hombre de su pecado.

En el AT, el pecado no es la transgresión de una ley moral, sino la ruptura del lazo personal del creyente con Dios. La interpretación bíblica del pecado insiste en su carácter concreto y objetivo, y los preceptos del Decálogo* precisan el modo adecuado de permanecer fiel a la alianza divina (Dt. 5, 1-22).

A partir del exilio, en el seno del mundo religioso fue adquiriendo progresiva importancia el aspecto jurídico formalista y ritualista, si bien los textos tardíos abundan en el empleo de términos como iniquidad, transgresión o desobediencia.

Sin embargo, Dios no quiere la muerte del pecador, sino que se convierta y viva (Ez. 33, 11-20). En el NT, no solamente Jesús se pone en contacto con los pecadores, sino que habla del recibimiento privilegiado que Dios reserva a los que se arrepienten (Lc. 15, 7).

♦ **Lengua.** *En el pecado va la penitencia.* Esta expresión se utiliza para referirse a alguien que comete una falta que encierra en sí mismo el castigo adecuado.

No querer la muerte del pecador. La frase alude a Ez. 33, 11, que insiste en la inagotable bondad de Dios.

♦ ***Lit.*** Juan de Mena, *Coplas contra los pecados mortales,* siglo XV, de tipo trovadoresco y escritas en verso. Fray Luis de Granada, *Guía de pecadores,* 1556: obra de carácter ascético en la que expone las razones por las que estamos obligados a practicar las virtudes, los privilegios que de ellas derivan y los remedios más eficaces contra los diversos pecados. Santa Teresa de Jesús, *Camino de perfección,* 1563; *Cuentas de conciencia,* 1560; *Meditaciones sobre los Cantares,* 1566-1567, y *Moradas del castillo interior,* 1577. En el siglo XVII, Pascal *(Pensamientos,* 430, 434, 435, 446...) incluye el pecado en la idea global de miseria que provoca en el hombre estar sin Dios: dicha miseria tiene su origen en el pecado original*, antes del cual «el hombre veía la majestad de Dios». El filósofo admite que esta doctrina es sorprendente, «y, sin embargo, sin ese misterio, el más incomprensible de todos, somos incomprensibles para nosotros mismos. El nudo de nuestra condición toma sus pliegues y sus vueltas de este abismo, de modo que el hombre es más inconcebible sin el misterio de lo que el misterio es inconcebible para el hombre». Voltaire, *Cartas filosóficas,* 1733: ironizará sobre estos misterios explicados con otros misterios (carta 25).

Obsesión por el pecado.

En la tradición cristiana, una tendencia ascética que se remonta en gran parte a la herejía de Manes, en el siglo III, unirá estrechamente el pecado a una imagen muy negativa de la sexualidad. Dicha tendencia desarrollará toda su fuerza literaria a partir del siglo XIX: Nathaniel Hawthorne, *La carta escarlata,* 1850; las novela de François Mauriac, y las novelas y el *Diario* de Julien Green. La mujer, «hija de Eva», es a menudo el vector de la mancha hereditaria, y a través de su maternidad transmite el pecado (san Agustín, *Las confesiones,* 398, libro I: «¿Dónde, Señor, yo vuestro servidor, dónde y cuándo he sido inocente, si poseo el pecado que mi madre me ha transmitido?»).

La obsesión por el pecado sin su contrapartida, la redención de Jesús, habita en Baudelaire, *Las flores del mal,* 1857, «Al lector»: «La estupidez, el error, el pecado, la tacañería / ocupan nuestros espíritus y trabajan nuestros cuerpos...».

La fuerza del pecado suscita la angustia de los «santos» en Bernanos: *Bajo el sol de Satán,* 1926, y *El diario de un cura rural,* 1936. Omnipresencia del pecado también en Graham Greene, aunque sus relatos sean aparentemente profanos: *Una pistola en venta,* 1936, y *El revés de la trama,* 1948, que incluye el epígrafe siguiente: «El pecador está en el corazón mismo de la cristiandad; nadie es tan competente como el pecador en materia de cristiandad. Nadie, aparte del santo» (Péguy). Como reacción hacia el desencantamiento del sentimiento mórbido de culpabilidad apoyado por el puritanismo, Gide y D. H. Lawrence proponen una liberación de la sensualidad y Camus, *Bodas,* 1936, quiere reconciliarse con la antigua «inocencia».→ PERDÓN, PERDONAR LOS PECADOS.

Aunque, desde una óptica cristiana, Péguy define positivamente el pecado como «el punto débil» que permite «el acceso de la gracia» *(Nota conjunta sobre M. Descartes,* 1914).

PECADO ORIGINAL

Esta expresión no figura en la Biblia, pero comenzó a emplearse en el cristianismo latino a partir de san Agustín (siglo V). Fue Pablo quien suscitó la reflexión sobre lo que se ha denominado en Occidente «pecado original», y que el lenguaje común fue reduciendo a, por un lado, la desobediencia de Adán y Eva, y, por otro, el pecado de la carne*.

La Biblia reconoce un estado desordenado del mundo que se remonta al origen de los tiempos y conlleva asesinatos, guerras, celos y orgullo. En forma de narración, expone, cronológicamente, una experiencia de profundo carácter humano. Si se lee como una parábola, el relato del Edén del Génesis (Gén. 3) enseña que la humanidad, representada por una pareja única, perdió los requisitos que Dios exigía y no podrá acceder a la salvación* sino con la ayuda de Dios.

Para que sus destinatarios del judaísmo admitieran que sólo Cristo puede salvar, Pablo recuerda que uno solo (Adán*) hundió a la humanidad en el pecado. El pecado de los orígenes se asimiló a una falta hereditaria que implicaba (sin

Cristo) una pena también hereditaria: este tema, más cercano a la tragedia griega que a la Biblia, jugó un importante papel en la literatura.

♦ ***Lengua.*** *Los padres comieron los agraces y los hijos padecieron la dentera.* Según Ezequiel, a Dios le irrita la idea transmitida por este proverbio tradicional de Israel y sustituye la noción de responsabilidad personal por la de herencia del castigo (Ez. 18, 2). En el lenguaje familiar significa que los hijos soportan las consecuencias desagradables del comportamiento de los padres.
Parirás con dolor (Gén. 3, 16). Las palabras que Dios dirigió a Eva fueron interpretadas como la expresión de una pena hereditaria, y también es considerada como tal la frase «ganarás el pan con el sudor de tu frente» (Gén. 3, 19).
♦ ***Lit.*** Lope de Vega, *La creación del mundo y el primer pecado del hombre,* h. 1630. Zola, *La caída del Padre Mouret* (2.ª parte), 1875: numerosas reminiscencias de los primeros capítulos del Génesis.
♦ ***Icon.*** Schnorr von Carosfeld, *Adán y Eva huyendo de la mirada de Dios,* grabado, hacia 1852.

PECADORA

La pecadora más conocida es una mujer a quien Jesús perdonó sus pecados porque supo manifestar su fe mediante numerosas muestras de amor, según el relato de Lucas (Lc. 7, 36-50). Con frecuencia, a María de Magdala* se la confunde con ella.

♦ ***Lengua.*** *Llorar como una Magdalena.* Llorar muchísimo. La expresión alude a María de Magdala, que, salvada por Cristo de ser lapidada, le acompañó durante su muerte.
♦ ***Icon.***→ MARÍA DE MAGDALA O MARÍA MAGDALENA.

PEDRO

Pedro (traducción del gr. *kephas,* en arameo *kepha)* es un nombre simbólico que Jesús puso a Simón. Como su hermano Andrés, era pescador en el lago Genesaret*. Ambos fueron los primeros a los que Jesús llamó; lo dejaron todo y le siguieron (Mc. 1, 16-17).

En la lista de los apóstoles, a Pedro siempre se le nombra en primer lugar (Mt. 10,2). Con

Santiago* y Juan*, fue uno de los apóstoles más cercanos a Jesús.

Pedro tenía un carácter impulsivo: «Y vosotros, ¿quién decís que soy?», preguntó Jesús; y Pedro respondió inmediatamente: «Tú eres Cristo, el Hijo de Dios vivo». Cuando, al empezar la Cena*, Jesús quiso lavar los pies a sus apóstoles como hubiera hecho un esclavo, Pedro protestó (Jn. 13, 8).

Pero también era un hombre pusilánime: cuando Jesús fue detenido y conducido ante las autoridades judías, Pedro le siguió de lejos y negó conocerle; entonces recordó la predicción de Jesús (Lc. 22, 34): «Antes que cante el gallo, me negarás tres veces», y lloró amargamente (Mt. 26, 69-75).

Después de su resurrección, Jesús confirmó a Pedro en su misión: «Apacienta mis ovejas», tras haber recibido de él, por tres veces, el testimonio de su amor (Jn. 21, 18).

Los Hechos* de los Apóstoles explican el protagonismo que Pedro desarrolló posteriormente. Fue él quien el día de Pentecostés* se dirigió a la multitud de hombres piadosos que habían acudido a Jerusalén a celebrar la fiesta judía para

El Greco, *San Pedro,* Madrid, monasterio de El Escorial

anunciarles lo esencial de la fe: Jesús muerto y resucitado, hecho por Dios Señor y Cristo (Act. 2,14-36). Fue el primero que, después de una visión (Act. 10, 9-16) y del descenso del Espíritu* Santo sobre los paganos reunidos en Cesarea en casa del centurión Cornelio, propuso el bautismo cristiano para los no judíos: «¿Podrá acaso alguien negar el agua del bautismo a estos, que han recibido el Espíritu Santo igual que nosotros» (los judíos circuncidados)? Encerrado en un calabozo por orden de Herodes, vio ante él al ángel de Dios, se soltaron las cadenas, las puertas se abrieron y quedó en libertad (Act. 12, 1-11).

Según la Epístola a los Gálatas, existió una viva controversia en Antioquía entre Pablo* y Pedro: Pablo no quería que se impusiera a los paganos convertidos a Jesús las reglas de la Ley* mosaica; Pedro, al parecer, estaba más indeciso; finalmente prevaleció la postura de Pablo.

Según la tradición, Pedro vivió el final de su vida en Roma; allí fue crucificado boca abajo durante el reinado de Nerón, hacia 64 d. C. Recientemente, el descubrimiento, en la cripta de San Pedro de Roma, de una tumba que parece ser la de Pedro ha venido a dar crédito a la tradición.

A Pedro se le atribuyen dos epístolas* y varios apócrifos*.

Para los católicos romanos, Pedro, jefe de los apóstoles y portador de las llaves*, fue el primer papa de la Iglesia; todos los papas son sus sucesores y han heredado de él el poder de atar* y desatar. Los demás cristianos rechazan cualquier preeminencia del obispo de Roma sobre los obispos de las iglesias locales que no sea la honorífica.

♦ ***Lengua.*** *En menos que canta un gallo.* Rápidamente. La expresión probablemente tiene su origen en el episodio de la negación de Pedro por tres veces, momento en el que canta el gallo, tal como le predijo Cristo.

Non possumus. Primeras palabras de la respuesta de Pedro y de Juan a los que querían prohibirles que enseñaran en nombre de Jesús: «No podemos (lat. *non possumus)* dejar de decir lo que hemos visto y oído» (Act. 4, 20). *Non possumus* expresa también, en la actualidad, una imposibilidad moral absoluta.

Otro gallo le cantara (cantaría). Expresión que quiere decir «la suerte sería diferente y mejor». Alude al episodio de la negación de Pedro.

♦ ***Lit.*** François de Malherbe, *Las lágrimas de san Pedro,* 1587: poema dedicado al arrepentimiento de Pedro después de su negación. Lope de Vega, *Viaje del alma,* siglo XVII: san Pedro es uno de los personajes protagonistas. Victor Hugo, *El fin de Satán,* 1886, «La fidelidad del mejor». Charles Baudelaire, *Las flores del mal,* 1857, «La negación de san Pedro»: «San Pedro negó a Jesús... ¡Hizo bien!» Paul Claudel, *Corona benignitatis anni Dei,* 1915: san Pedro a la cabeza del grupo de los apóstoles. Aragon, *La Diana francesa,* 1944, «No conozco a ese hombre», poema.

♦ ***Icon.*** *Llamada de Pedro y Juan,* siglo VI, San Apollinare Nuovo, Ravena. *San Pedro,* Taddeo di Bartolo, siglo XIV, Siena; El Greco, siglo XVI, Madrid. Perugino, *Cristo entregando las llaves a san Pedro,* 1483, Roma. Rafael, *La liberación de san Pedro,* 1512, Roma. Caravaggio, *El martirio de san Pedro,* 1601, Roma. *La negación de Pedro:* Gerritt van Honthorst, siglo XVII, Rennes; Rembrandt, 1660, Amsterdam. Philipp Otto Runge, *Jesús camina sobre las aguas, Pedro se hunde,* 1807, Hamburgo.

♦ ***Mús.*** Orlando di Lassus, *Las lágrimas de san Pedro,* siglo XVI.

PELÍCANO

Pájaro acuático que regurgita los peces de la bolsa situada debajo de su pico para alimentar a sus crías. Esta pasta sanguinolenta dio lugar a una leyenda, procedente de los bestiarios griegos y medievales, según la cual el pelícano alimenta a sus crías con su propia carne.

Por otra parte, la traducción latina del salmo 102, 7 habla del «pelícano del desierto» en un contexto de lamento utilizado a menudo para evocar la Pasión de Cristo. De ahí la asimilación entre el pelícano y Jesús, que da la vida a los hombres mediante su sangre derramada en la cruz (de san Agustín a Adam de Saint-Victor en el siglo XII, y a san Francisco de Sales en el siglo XVII).

♦ ***Lit.*** Musset, *Noche de mayo,* 1835: el autor toma de la simbología religiosa la imagen del pelícano: el amor, el dolor y la poesía están unidos en un «sacrificio divino» que el poeta ofrece al vulgo.

♦ ***Icon.*** El pelícano figura en algunas *Crucifixiones,* y también es representado como un símbolo eucarístico. Taddeo Gaddi, *Crucifixión,* siglo XIII,

Santa Croce, Florencia. Tiziano, *Pietà,* 1576, Venecia (terminada por Palma el Joven).

PENITENCIA

En el AT, la penitencia puede ser una acción de conversión personal, por ejemplo después de una falta grave (como la de David después de su adulterio, 2Sam. 12, 13-17). Va acompañada de una confesión de los pecados, de la recitación de los salmos, a veces de un sacrificio, y de gestos rituales que también son los del duelo: llantos y lamentos, ayuno, o ropas desgarradas y sustituidas por un «saco» (1Re. 21, 27).

Generalmente se trata de una acción colectiva como consecuencia de la amenaza de un desastre (1Re. 8, 33-40; Jdt. 4, 9-13; Jon. 3, 5-9). También había días fijados, como la fiesta de las Expiaciones *(Yom Kippur,* Lev. 16, 29-34), y, más tarde, la conmemoración de la destrucción del Templo. Sacrificio, confesión pública y ayuno son los elementos esenciales, pero, poco a poco, la realización de buenas obras —especialmente la limosna— irá reemplazando a los sacrificios, denunciados frecuentemente por los profetas (Is. 1, 10-17, Os. 6, 6).→ PERDÓN.

En la misma línea, el NT insistirá en la conversión del corazón (ver Ez. 36, 25-27) que, no obstante, deberá ir acompañada de los signos visibles de la penitencia: ayuno, oración y confesión de los pecados (Mt. 3, 6; Act. 19, 18; Sant. 5, 16).

♦ ***Lit.*** *Le Chevalier au barizel,* cuento moral, siglo XIV: un caballero malvado y brutal intenta en vano, durante años, llenar un pequeño barril (barizel), para cumplir una penitencia que le ha sido impuesta; solo lo consigue cuando cae en él una lágrima derramada por piedad. Santa Teresa de Jesús invita a la penitencia en todas sus obras, pero sin caer en los extremos característicos de su época (siglo XVI). Cristóbal de Virués, *El Montserrat,* 1587: narra el crimen y la penitencia de fray Garín; el poema es una exaltación del arrepentimiento: fray Garín vuelve a España desde Roma de rodillas para cumplir la penitencia impuesta por el confesor.
Lope de Vega, *Viaje del alma,* siglo XVII: Penitencia es uno de los personajes centrales.

Charles Péguy, *El pórtico del misterio de la segunda virtud,* 1911: el autor habla de la grandeza que oculta la vergonzosa penitencia, porque «la penitencia del hombre es la coronación de la esperanza de Dios». Sigrid Undset, *Kristin Lavransdatter,* 1922: la heroína hace una peregrinación como penitencia.

PENTATEUCO

(Gr. *pentateukhos biblos,* «libro en cinco rollos».) Nombre que los traductores griegos dan a los cinco primeros libros de la Biblia que constituyen la Ley (en hebreo *Torá,* «instrucción»): Génesis*, Éxodo*, Levítico*, Números* y Deuteronomio*.

La redacción de esta amplia recopilación se atribuyó a Moisés, pero es el resultado del reagrupamiento de cierto número de tradiciones que se fueron escribiendo progresivamente. En general, se distinguen cuatro documentos: el yahvista (Y), originario de Judá, que utiliza el nombre de Yahvé para designar a Dios, y presenta un estilo vivo y brillante; el elohísta (E), procedente del reino del Norte que llama a Dios con el nombre de Elohim, y utiliza un estilo sobrio y severo influido por la moral más exigente y el respeto más estricto que derivan de la distancia entre el hombre y Dios; el Deuteronomio (D) y, por último, el código sacerdotal (P), que contenía principalmente leyes (organización del santuario, sacrificios y fiestas), con algunas narraciones. El texto definitivo es el fruto de una elaboración progresiva de estos «documentos», reunidos y adaptados por los redactores. No todos los comentaristas están de acuerdo en la organización y las fechas de los diferentes fragmentos.

El Génesis presenta un extracto del origen de la humanidad (1-11), y, más adelante, la historia de los patriarcas y la migración desde Caldea hasta Haran y Egipto. El Éxodo y los Números cuentan los acontecimientos de la vida de Moisés desde la salida de Egipto hasta su muerte a las puertas de la Tierra Prometida. Se pudieron hacer comprobaciones con la historia general del período, la residencia de los faraones de la dinastía XIX en el delta del Nilo, el debilitamiento del control egipcio en Siria-Palestina a finales del reinado de Ramsés

II o los disturbios en el Próximo Oriente en el siglo XIII, y las excavaciones arqueológicas han aportado información para conocer la civilización de la Edad de Hierro, en el momento en que los israelitas se instalaron en Canaán.

La *Torá* contiene también el conjunto de las prescripciones que regulaban la vida social, moral y religiosa del pueblo: el Decálogo (Éx. 20, 2-17; Dt. 5, 6-18), el código de la alianza (Éx. 20, 23 a 23, 9), el código Deuteronómico (Dt. 12, 1 a 26, 15) y el Levítico (prohibiciones alimenticias, reglas de pureza).

Los grandes temas religiosos son la promesa* hecha a Abraham*, la elección del pueblo de Israel, la alianza* y la Ley entregada al pueblo para que sea fiel a Dios.

♦ ***Lit.*** Spinoza, *Tractatus theologico-politicus,* 1670: el autor opone la Ley mosaica, constitutiva de un Estado político-religioso, limitada a una época y a un pueblo, a la Ley de Cristo, moral universal separada de los poderes políticos que se imponen a los individuos. Este texto se invocó en numerosas ocasiones durante el combate filosófico por la tolerancia y la emancipación religiosa en el siglo XVIII.

Pierre Haïat, *Antología de la poesía judía,* 1985: bajo el título *La Torá es luz,* reunió poemas de toda procedencia, correspondientes a los siglos X al XX.

♦ ***Icon.*** Los rollos de la *Torá* aparecen representados con los rabinos en la pintura contemporánea: Mané-Katz, *Rabino con la Torá,* 1928, Ginebra.

PENTECOSTÉS

(Gr. *pentecoste,* «quincuagésimo» día después de Pascua.) En el AT, originariamente, era la fiesta de la Siega, día de alegría y de acción de gracias*: se ofrecían a Dios las primicias* de lo que había producido la tierra. Era, pues, una fiesta agraria, a la que se vincularon la conmemoración de la alianza* establecida en el Sinaí* entre Dios y su pueblo y la entrega de las Tablas de la Ley* (Éx. 19, 1-16; 31, 18).

En el NT, según los Hechos de los Apóstoles (2, 1-13), el día de Pentecostés judío que siguió a la muerte, resurrección* y Ascensión* de Jesús, los 11 apóstoles estaban reunidos (seguramente con María y otras

Joest, *Pentecostés,* Munich

mujeres), cuando un ruido «como un golpe de viento» llenó la casa; unas lenguas «que parecían de fuego» se posaron sobre cada uno de ellos, todos se llenaron del Espíritu* Santo y empezaron a hablar en lenguas diversas. Para los apóstoles significaba el cumplimiento de la profecía de Joel (Jl. 3, 1-5), que hablaba de la venida del Espíritu de Dios sobre la carne, y la restauración de la unidad perdida después de Babel*.

Para los cristianos, Pentecostés simboliza el nacimiento de la Iglesia* y su vocación universal.

♦ ***Lit.*** San Francisco de Sales, *Sermón para Pentecostés,* 1593. Alessandro Manzoni, *Pentecostés,* 1822: himno que exalta un ideal de justicia y de libertad para los pueblos después de haber celebrado al Espíritu creador. Paul Claudel, *Corona benignitatis anni Dei,* 1915, «Himno a Pentecostés». Las alusiones a Pentecostés no faltan en los textos literarios. Victor Hugo, *El fin de Satán,* 1886, epílogo: todos los genios de la humanidad están reunidos, silenciosos y atentos: «El Espíritu sube, desciende y planea con las alas desplegadas, / sobre este formidable y sombrío Pentecostés...». Antonin Artaud, *El arte y la muerte,* 1929: «El fuego de lenguas. El fuego tejido en entorchados de lenguas... Ese fuego tiene que empezar en mí. El fuego y las lenguas, y las cavernas de mi gestación».

♦ ***Icon.*** *Pentecostés:* Escuela de Umbría, siglo XIII, Perugia; Tiziano, 1555, Venecia; El Greco, 1608, Museo del Prado; Joest, siglo XVI, Munich. Emil Nolde, 1909, Nueva York.

PERDÓN

En la Biblia, el perdón no es solamente la remisión del castigo por la falta o el pecado cometidos, sino también la reconciliación entre el ofendido y el ofensor, entre Dios y el pecador.

En el AT, las condiciones de la reconciliación son la confesión del pecado y la sumisión al juicio de Dios: «Dios de perdones, clemente y piadoso, tardo a la ira y de mucha misericordia» (Neh. 9, 17). El sentimiento del pecado como ruptura de la alianza*, como infidelidad respecto a Dios, se expresa en el culto mediante la práctica ritual del sacrificio de animales el Día del Gran Perdón o *Yom Kippur:* la aspersión de sangre produce la purificación. Actualmente, esta fiesta* judía se celebra con ayuno y oración.

En el NT, el sacrificio de Cristo es el que consigue la purificación de los pecados (Heb. 1, 3): Cristo reconcilia a los hombres con Dios y a los hombres entre sí; las epístolas de Pablo desarrollan este tema. → PERDONAR LOS PECADOS, TALIÓN.

♦ ***Lengua.*** *Poner la otra mejilla (*Lc. 6, 29). Jesús decía a sus discípulos: «Al que te hiere en una mejilla, ofrécele la otra».

♦ ***Lit.*** *Perdón de las ofensas.* San Juan Crisóstomo, *Homilía sobre el regreso de Flaviano,* siglo IV: el orador llama a la clemencia de Teodosio para que perdone a los habitantes de Antioquía por haber derribado las estatuas del emperador. Mateo Alemán, *Guzmán de Alfarache,* 1604, I, 4: contiene un largo comentario moral sobre la misericordia con los enemigos y el perdón de las ofensas. Bourdaloue, *Sermón sobre el perdón de las injurias,* siglo XVII.

Perdón de los pecados.

La liturgia cristiana hizo del comienzo del salmo 130 la plegaria del pecador que confía en el perdón de Dios: *De profundis.*

Villon implora el perdón de Dios en el *De profundis* que representa el *Epitafio en forma de balada* o *Balada de los ahorcados,* siglo XV: «Pero rezad a Dios para que nos absuelva a todos».

Un fragmento de confesión de Oscar Wilde comienza con estas mismas palabras: *De profundis.*

Tristán e Iseo, hacia 1362-1420: Iseo, a los pies de la ermita, no se siente ni responsable ni culpable; Ogrin, conmovido, predica a los amantes adúlteros el arrepentimiento porque «nadie puede absolver al pecador impenitente».

PERDONAR LOS PECADOS

Dios es misericordioso: no siempre exige que el hombre pague el precio de su falta, del mismo modo que un acreedor puede, sin contrapartida, liberar a alguien de su deuda («perdonar» la deuda). Como Dios, los humanos tienen que perdonar las ofensas (Mt. 18, 23-34).

→ PADRENUESTRO, PECADO/PECADOR, PERDÓN.

PEREGRINACIÓN

Según la Ley, las tres grandes fiestas, Ázimos (Pascua), Siega (Pentecostés) y Cosecha (Tabernáculos) se celebraban «ante Dios». (Éx. 23, 14-19). Eran motivo de una peregrinación, inicialmente al santuario de Silo, donde se encontraba al arca* y después, en la época de Salomón, al Templo* de Jerusalén, que se convirtió en la meta de todos los «ascensos» (Sal. 120 a 134).

En el mundo cristiano, apenas existieron peregrinaciones a los lugares santos de Palestina y de Roma antes de la paz religiosa del siglo IV, aunque sí hubo peregrinaciones locales por toda Europa: en Francia, a la tumba de san Martín de Tours (siglo V) y a Saint-Michel en Normandía (siglo VIII), y en España, a partir de 830, a Santiago de Compostela, entre otras. La peregrinación a Tierra Santa siempre fue la más importante, incluso cuando Jerusalén estuvo en manos de los musulmanes, entre 638 y 1099, y después de las cruzadas, a partir de 1244.

Desde el siglo XI, numerosos santuarios dedicados a la Virgen María fueron objeto de peregrinación tanto en Occidente como en Oriente. En el siglo XVI, la Reforma protestante rechazó la «falsa piedad» de las peregrinaciones.

En cuanto al islam, la peregrinación a La Meca ya se realizaba en la antigua Arabia. Mahoma la conservó, sustituyendo a los ídolos por la piedra negra que el ángel Gabriel* entregó a Abraham*.→ KAABA.

PERFUME

Las referencias al perfume son muy frecuentes en la Biblia. Se perfuma el cuerpo (Ruth, 3, 3; 2Sam. 12, 20) y la cabeza (Sal. 23, 5; Mt. 6, 17), salvo en períodos de duelo (2Sam. 14, 2), a los muertos (Mt. 14, 8). Además, existía una corporación de perfumistas. Pero el perfume también es sagrado. En Éx. 30, 34, Dios indica a Moisés los ingredientes que forman parte de la composición del perfume santo: «Será santo para ti, reservado a Dios». El sacerdote Zacarías recibe el anuncio del nacimiento de Juan* Bautista cuando ofrece en el Templo el perfume prescrito (Lc. 1, 9). La liturgia del Apocalipsis* utiliza copas de oro llenas de perfume (Ap. 5, 8).→ INCIENSO, UNCIÓN.

PERLA

En una parábola*, Jesús compara al que busca a Dios con un comerciante que busca perlas finas: si encuentra una de gran valor, vende todo lo que posee y la compra (Mt. 13, 45-46). Del mismo modo, al joven rico que desea poseer «la perla» que es la vida eterna Jesús le aconseja que venda todo lo que posee y le siga (Mt. 19, 20-22).

En el Sermón de la Montaña Jesús invita a sus discípulos a que no «arrojen perlas a los puercos» (Mt. 7, 6): es inútil hablar del Reino* de Dios a los que han cerrado su corazón.

♦ ***Lengua.*** *No hay que echar perlas a los cerdos.* En el lenguaje coloquial, la expresión ha tomado una connotación elitista o burlona: es inútil mostrar lo bello a quien es incapaz de apreciarlo.

Venir de perlas. Ser algo muy oportuno o conveniente. Al utilizar la palabra «perlas», la expresión aporta la idea de

La pesca milagrosa, tapiz, Madrid, Palacio Real

conveniencia de algo por su elevado valor económico y su belleza.

PESCA MILAGROSA

Episodio narrado por Lucas (Lc. 5, 4-11) y por Juan (Jn. 21, 1-4), que tuvo lugar, según uno, al principio del ministerio de Jesús, y, según el otro, después de su resurrección*: una noche de pesca infructuosa, Jesús se acerca a sus discípulos, entre los que se encuentra Simón Pedro*; les manda echar de nuevo las redes y cuando las sacan están rebosantes de peces. Según Lucas, Jesús dice entonces a Pedro: «En adelante vas a ser pescador de hombres». Según Juan, por tres veces le hace la siguiente pregunta: «Simón, hijo de Juan, ¿me amas?», y por tres veces, tras la ardiente respuesta de Pedro, le ordena: «Apacienta mis ovejas».

En estos dos relatos —como en el de la multiplicación de los panes—, Jesús proporciona comida abundante a sus discípulos, alimento que viene a ser el signo de la eucaristía*, en la que Jesús se entrega a sí mismo.

Por otra parte, el don del alimento está vinculado al nacimiento de la Iglesia* y a su difusión bajo la responsabilidad de Simón Pedro.

Eucaristía e Iglesia aparecen, pues, estrechamente unidas.

♦ ***Icon.*** *La pesca milagrosa:* tapiz, Madrid; Konrad Witz, 1444, Ginebra; Rafael, cartón para tapiz, 1515, Londres.

PESEBRE

Comedero para animales. Según Lucas, María dio a luz al niño en el pesebre de un establo o cueva de Belén (Lc. 2, 7).

En Navidad*, en los países cristianos, las casas y las iglesias se adornan con «nacimientos» que evocan el establo y el pesebre de Belén. La devoción al niño en el pesebre se remonta a san Francisco de Asís (siglo XIII).→ NATIVIDAD.

PESTE

Esta enfermedad contagiosa, originaria de Asia, hizo grandes estragos en Europa en los siglos VI y XIV (la peste negra), y en diversos momentos de los siglos XV al XVIII; posteriormente, solo se manifestó en Asia. Transmitida por la pulga de la rata, se propagaba por contagio en los puertos, por lo que los barcos debían quedar en cuarentena.

En la Biblia, la peste representa todas las grandes y terribles epidemias, y suele anunciarse como un castigo divino. El cuarto jinete del Apocalipsis*, montado en un caballo pálido y seguido del Hades, es la peste (Ap. 6, 7).

♦ ***Lit.*** Albert Camus, *La peste,* 1947: el jesuita Paneloux se dirige a sus conciudadanos que padecen esta enfermedad, evocando las plagas de Egipto antes del éxodo, y los invita a convertirse. Pero el autor, por boca de su héroe Rieux, objeta: «He vivido demasiado en los hospitales para que me guste la idea del castigo colectivo».

♦ ***Icon.*** William Blake, *La muerte sobre un caballo pálido,* 1805, Londres.

PEZ

El vocabulario bíblico no distingue de modo preciso a los diversos animales acuáticos. La Ley judía prohibía comer moluscos, ranas, anguilas; en cambio, los animales provistos de aletas y de escamas constituían una parte importante de su alimentación. Los peces se pescaban principalmente en el lago Genesaret*. También importaban de Egipto peces secos o salados.

Los evangelios hablan varias veces de comidas a base de panes y peces (Mt. 14, 17).

En la época de las persecuciones, los primeros cristianos adoptaron como signo de reconocimiento secreto el emblema del pez, porque las letras de la palabra griega *IKHTUS* son las iniciales de las palabras *Iesous Khristos Théou Uios Soter,* Jesucristo Hijo de Dios Salvador.

♦ ***Lengua.*** *Estar como pez en el agua.* Sentirse cómodo en algún lugar o situación.

♦ ***Icon.*** Los peces aparecen en las escenas de la creación* (Tintoretto, siglo XVI, Venecia), del bautismo* de Cristo (especialmente en el arte románico: mosaico, siglo XIV, San Marcos de Venecia) y en el ciclo de Jonás* (pavimento, siglo IV, iglesia de Aquilea). Jesús y sus discípulos comparten los panes y los peces (mosaico, siglo VI, San Appollinare Nuovo, Ravena; Códice de Rossano, siglo VI, Calabria). Monstruosos peces forman parte del bestiario de El Bosco, *La tentación de san Antonio,* tríptico, siglo XVI, Lisboa.

PIEDRA

Esta palabra figura en numerosas expresiones procedentes del AT y del NT. Algunas siguen empleándose en nuestros días: escollo, piedra angular, tirar la piedra, corazón de piedra...

El **escollo** es un obstáculo, una dificultad con que se tropieza. En la Biblia es también la trampa en la que se cae. Dios se califica a sí mismo de «escollo», de «roca que hace caer» (Is. 8, 14) y Pedro recupera la imagen para hablar de Jesús (1Pe. 2, 8): los que no creen en su palabra tropiezan con esta piedra y caen.→ ESCÁNDALO.

La **piedra angular** es fundamental en el ángulo exterior de una construcción. En un oráculo del libro de Isaías, Dios dice: «Yo he puesto en Sión por fundamento una piedra, piedra probada, piedra angular de precio, sólidamente asentada» (Is. 28, 16). Y el salmo 118: «La piedra que los edificadores habían rechazado, esa fue hecha cabeza de esquina». Jesús se aplica a sí mismo esta frase (Mt. 21, 42). En sentido figurado, la piedra angular es un elemento fundamental.

Tirar la piedra a alguien significa acusarle, incriminarle. Según la Ley judía, la muerte por lapidación* se aplicaba en casos de idolatría, brujería y adulterio* (Dt. 22, 22). A los que se disponían a lapidar a una mujer adúltera según la prescripción mosaica, Jesús dirigió estas palabras: «El que de vosotros esté sin pecado, arrójele la piedra el primero».

El **corazón de piedra** es lo contrario del corazón de carne, porque la piedra simboliza la dureza. Tienen un corazón de piedra los que son inaccesibles al amor de Dios y de los hombres (Ez. 36, 26).

♦ ***Lengua.*** *No quedará piedra sobre piedra* (Mt. 24, 2). Así anuncia Jesús la destrucción del Templo de Jerusalén. En el lenguaje actual, es la amenaza del derrumbamiento de un edificio, de una ciudad, de una ideología, de una obra, de un sueño...

Ser la piedra de toque. Ser el punto de referencia para conocer las características de una persona o cosa. La *piedra de toque* la utilizan los joyeros para, mediante incisiones, comprobar la pureza de los objetos de oro y plata.

PIETÀ o PIEDAD

Representación pintada o esculpida de la Virgen desconsolada, que generalmente sostiene en su regazo el cuerpo de Jesús después de haber sido descendido de la cruz. A veces, está acompañada por san Juan.

♦ ***Lit.*** Juan de Valdés, *Diálogo de doctrina cristiana,* 1529. Alonso de Madrid, *Arte para servir a Dios,* 1521. Fray Luis de Granada, *El libro de la oración y meditación,* 1554. Fray Cristóbal de Fonseca, *Tratado del amor de Dios,* 1592. Fray Juan de los Ángeles, *Triunfos del amor de Dios,* 1590, y *Lucha espiritual y amorosa entre Dios y el alma,* 1600. También, algunas comedias de Lope de Vega (siglo XVII).

♦ ***Icon.*** *Pietà:* Enguerrand Charonton, 1460, Villeneuve-lès-Avignon, París; Louis Bréa, 1475, Niza; Giovanni Bellini, siglo XV, Milán; Miguel Ángel, en mármol, 1500, San Pedro, Roma. Durero, *El lamento de Cristo,* 1500, Munich. Gregorio Hernández, *Piedad,* en madera, siglo XVII,

Valladolid. Hippolyte Flandrin, *Pietà,* 1842, Lyon.

♦ ***Cin.*** Bergman, *Gritos y susurros,* 1972: Anna, la sirvienta, pone a Agnes muerta sobre sus rodillas y permanece en silencio en la actitud de una *pietà.*

PLAGAS DE EGIPTO

Serie de 10 calamidades con que Dios azota a Egipto para obligar al faraón a dejar marchar al pueblo de Israel (Éx. 7-13). Los relatos del Éxodo* exageran fenómenos naturales, como el Nilo rojo, las ranas, la plaga de la langosta, los mosquitos, la peste, y elementos del folclore egipcio (juegos de magia), pero son, ante todo, una composición literaria. Todas las plagas son «maravillas», «signos», «prodigios», manifestaciones del poder de Dios, que obligan al faraón a reconocer la preeminencia del Dios de Israel, capaz de liberar al pueblo que ha elegido.

♦ ***Lit.*** Pierre Emmanuel, *Tú,* 1978, «Las plagas de Egipto»: cuando está ante el faraón, Moisés elige a su raza, la de los pobres, y el tirano, que se cree eterno, se estremece de miedo.

Bernard Fuest, *El abominable Doctor Phibes,* 1970: obra de humor negro, en que por venganza, un médico comete una serie de asesinatos inspirándose en las plagas de Egipto.

POBRE/POBREZA

En ocasiones, el AT presenta la pobreza como un castigo, si bien, frecuentemente, constituye también un medio para acceder a la protección especial de Dios (Is. 3, 15; 10, 2).

Jesús continúa la tradición hebraica: en primer lugar, es a los pobres a los que viene a anunciar la buena nueva de la salvación*; es a ellos a los que promete el Reino* de Dios. Al concepto de pobreza material se añade el de pobreza espiritual, fruto de la humildad: «Bienaventurados los que tienen alma de pobre» (Mt. 5, 3).

La primera comunidad cristiana de Jerusalén, según los Hechos*, parece haber vivido en un espíritu de pobreza; sus miembros «tenían todos sus bienes en común» (Act. 2, 44-45).→ BIENAVENTURANZAS, RICO.

♦ ***Lit.*** En el AT, las imágenes de los pobres testigos de Dios se identifican con el pueblo hebreo errante, los judíos en el exilio y Job. En el NT, Juan Bautista y Jesús viven una pobreza profética. También la literatura, tanto de inspiración judía como cristiana, otorga un lugar importante a los pobres. Santa Teresa incluye en sus obras sabios consejos con respecto a la pobreza, uno de los tres votos de los conventos de monjas carmelitas: «no teman la pobreza» (*Camino de perfección,* 1563), «deseo de pobreza» (*Cuentas de conciencia,* 1560), «pobre y regalado, no» (*Moradas del castillo interior,* 1577). Quevedo, *Historia del Buscón don Pablos, ejemplo de vagabundos y espejo de tacaños,* 1603. Lope de Vega, *Pobreza no es vileza,* 1625.

El espíritu del hasidismo, movimiento religioso judío, pone el acento en la sencillez de corazón de los humildes. Shalom Ash, *El judío de los salmos,* 1934. Isaac Bashevis Singer, *Gimpel, el tonto,* 1957; *El mago de Lublin,* 1960, y *Le blasphémateur,* traducción francesa, 1973. También abundan los personajes pobres en las obras de Shalom Aleichem *(Trevié, el lechero,* 1925) y Samuel Josef Agnon.

La pobreza puede ocultar el conjunto de las formas de la indigencia material, física e incluso espiritual: Bernanos, *Diario de un cura rural,* 1936. A menudo acompaña o toma la forma de la humillación, del fracaso, de la soledad, o también del abandono: Dostoievski, *El idiota,* 1869, cuyo trágico estilo contrasta con el buen humor de los personajes de Singer, para quienes «ser melancólico equivale a ser idólatra»; también encontramos la pobreza alegre en Pierre Emmanuel, *Beatitudes,* 1970, «Jacob».

La pobreza puede ser voluntaria: los ermitaños de las novelas medievales, el ermitaño del *Don Juan* de Molière, 1665. Simone Weil, *La condición obrera,* 1951, muestra la vida de una obrera de fábrica. Se puede asumir proféticamente: Léon Bloy, *La mujer pobre,* 1897, y *La sangre del pobre,* 1909.

Los humildes hombres de Dios suscitan reacciones diversas: admirados por Hugo *(Las contemplaciones,* 1859, «El mendigo»), pero ironizados por Rimbaud, *(Poesías,* 1871, «Los pobres en la Iglesia»). Por su parte, la tradición

bíblica honra a los pobres (Bossuet, *La eminente dignidad de los pobres en la Iglesia de Jesucristo,* 1659), y recomienda la práctica de la caridad (Bossuet, *Sermón sobre el rico Epulón,* 1662). Aunque para el predicador de Meaux los pobres no deben rebelarse sino esperar el gesto de los ricos, Lamennais, que recoge el tema en *Palabras de un creyente,* 1834, saca conclusiones políticas opuestas.
El hábito no hace al monje: Erasmo, *Elogio de la locura,* 1511, critica a los monjes mendicantes: «De su miseria y su mendicidad muchos se enorgullecen, porque la pobreza no es virtud si no va acompañada de obras de fe y caridad».
Falsos pobres y auténticos profesionales de la mendicidad, e hipócritas, abundan en la literatura satírica española: *Lazarillo de Tormes,* 1533, y Mateo Alemán, *Guzmán de Alfarache,* 1599-1604.
Rilke opone la miseria espiritual de sus contemporáneos a la indigencia absoluta que conduce al conocimiento de uno mismo y a la aceptación por el hombre de su humilde lugar en el universo: *El libro de la pobreza y de la muerte,* 1903. Según Péguy, el cristianismo de su época ha traicionado su vocación de pobreza: *Nuestra juventud,* 1910. También Sartre, *El diablo y Dios,* 1951, denuncia la perversión de la pobreza y de la caridad; los campesinos son despojados de su capacidad de rebelarse por falsos profetas; incluso la pobreza espiritual de Goetz, su «noche», es intrínsecamente falsa.

POLVO

En la Biblia, el polvo evoca varias realidades diferentes:

—lo que es numeroso como las motas de polvo: «Haré tu descendencia como el polvo de la tierra», dice Dios a Abraham (Gén. 13, 16);

—lo que carece de valor (Job 30, 19; Sal. 103, 14), lo que es mortal (Ecl. 3, 20; Sal. 90, 3): «Polvo eres y en polvo te convertirás» (3, 19); actualmente la liturgia católica utiliza esta traducción para recordar que el hombre es mortal;

—echarse polvo en la cabeza es uno de los gestos rituales del duelo (1Sam. 4, 12), de la penitencia (Dan. 9, 3) o de la súplica humilde (Jos. 7, 6), y «sacudir el polvo de los pies» (Mt. 10, 14) es un gesto simbólico de ruptura.

♦ **Lengua.** *Estar limpio de polvo y paja.* Claro y puro. Aplicado a personas, significa sin culpa. La expresión proviene de la acción de aventar el cereal para separar el grano de la paja y el polvo.

PONCIO PILATO

Procurador romano de Judea entre los años 26 y 36; residía en Cesarea y solo acudía a Jerusalén para las grandes fiestas. Despreciado por los judíos (había construido un acueducto con dinero del Templo y protagonizado varias acciones sangrientas), quienes le acusan ante las autoridades romanas, es depuesto por el gobernador de Siria y enviado a Roma en el año 37.

La historia le conoce, sobre todo, por su participación en el proceso seguido contra Jesús: aunque reconoce su inocencia (Lc. 23, 14), le entrega al infamante suplicio de la cruz, sin duda para alejar el posible riesgo de un levantamiento popular, y para confirmar su rechazo a cualquier clase de responsabilidad, hace el famoso gesto de lavarse las manos (Mt. 27, 24).

♦ **Lengua.** *Ir de Herodes a Pilato, o salir de Herodes y en-*

Tintoretto, *Cristo ante Pilato,* Venecia, Escuela de San Roque

trar en Pilato. No encontrar solución. Generalmente, se aplica a situaciones en las que por buscar algo mejor se encuentran cosas peores. La expresión proviene del pasaje del Nuevo Testamento que narra cómo Jesús, antes de ser crucificado, fue conducido ante Herodes Antipas y luego ante Poncio Pilato, sin que ninguno de los dos tomara una decisión. *Lavarse las manos.* Negarse a adquirir responsabilidades. *Tener las manos limpias.* No estar implicado en un delito. Antiguamente, entre algunos pueblos era costumbre que los acusados de algún delito se lavaran las manos para demostrar su inocencia. Eso hizo Pilato cuando le presentaron a Jesús.

♦ ***Lit.*** Paul Claudel, *El punto de vista de Poncio Pilato,* 1933: esbozo de una especie de rehabilitación de Pilato. Roger Caillois, *Poncio Pilato,* 1961.

♦ ***Icon.*** Calvario, siglo XV, Saint-Thégonnec. *Pilato se lava las manos:* Holbein, 1496, Augsburgo; Turner, 1820, Londres. Tintoretto, *Cristo ante Pilato,* siglo XVI, Venecia.

→ ECCE HOMO.

♦ ***Cin.*** Pilato, papel secundario, ha sido interpretado por: Basil Rathbone, en *Los últimos días de Pompeya,* de Ernest Schoedsack, 1935; Jean Gabin, en *Gólgota,* de Julien Duvivier, 1935; Jean Marais, en *Poncio Pilato,* de Irving Rapper, 1961.

POZO

Por su capital importancia en una región principalmente árida, los pastores se enfrentan por la posesión de los pozos. La excavación de un pozo es una pesada tarea en la que participan los jefes de las tribus (Núm. 21, 16-17). Normalmente, los pozos están cerrados con una manta (2Sam. 17,19) o con una piedra: Jacob la quita para que pueda abrevar el ganado de Raquel (Gén. 29, 2-10).

Es el lugar en el que Eliezer y Moisés conocieron a sus esposas, Rebeca (Gén. 24, 15) y Séfora (Éx. 2, 16-22), respectivamente.

Los pozos conservan el recuerdo de los patriarcas. Jesús encuentra a la samaritana en el pozo de Jacob* (Jn. 4, 6-15).

PREGONAR A VOZ EN GRITO

Los orientales suelen reunirse por la noche en las terrazas de las casas a tomar el fresco. Las conversaciones que surgen son animadas y ruidosas. Se cuentan las últimas novedades. Jesús pide a sus discípulos que pregonen a voz en grito lo que él les ha dicho en voz baja, sin temer a sus perseguidores (Mt. 10, 27).

♦ ***Lengua.*** *Pregonar a voz en grito.* En voz muy alta, casi gritando.

PRENDIMIENTO DE JESÚS

Cuando Jesús y sus apóstoles estaban en el huerto de Getsemaní llegó Judas* acompañado de un grupo numeroso

(Juan habla de «cohorte», destacamento de la guardia romana asentado en Jerusalén), enviado por los sumos sacerdotes y los ancianos del pueblo, que llevaba antorchas, espadas y palos. Encontraron a Jesús y le prendieron. Pedro*, entonces, desenvainó su espada y cortó la oreja a un sirviente del sumo sacerdote, Malco. Pero Jesús ordenó a Pedro que devolviera la espada a su vaina, diciéndole: «Quien toma la espada, a espada morirá» (Mt. 26, 47-56).

→ BESO DE JUDAS.

♦ ***Lengua.*** *El que a hierro mata a hierro muere.* La violencia llama a la violencia. *Llevar a alguien al huerto.* Engañar a alguien para conseguir un propósito; generalmente, la expresión alude al engaño amoroso. El *huerto* parece identificarse con el lugar en que Judas traicionó a Jesús. Como lugar de citas amorosas, abunda en la literatura medieval y renacentista.

♦ ***Lit.*** Gabriel Miró, *Figuras de la Pasión del Señor,* 1916: interés de ciertas interpretaciones psicológicas, como por ejemplo el perfil humano de Poncio Pilato.

♦ ***Icon.*** *Prendimiento de Jesús:* Giotto, 1305, Padua; Goya, siglo XIX, Toledo. El Greco, *Cristo despojado de sus vestiduras,* 1580, Budapest.

PRESENTACIÓN

La Ley de Moisés prescribía la consagración a Dios del primogénito* del hombre o del animal doméstico. El niño no era sacrificado, sino redimido por el sacrificio de una pareja de tórtolas o de dos palomas jóvenes (Éx. 13, 2; Lev. 1-14).

Presentación de Jesús en el Templo

Los padres de Jesús se atuvieron a la Ley y fueron a presentarlo al Templo. El anciano Simeón anunció que Jesús sería la salvación de Israel (Lc. 2, 22-35).

♦ ***Icon.*** En general, el grupo representado comprende a María, José, Jesús, el anciano Simeón y otras personas: Giotto, siglo XIV, Padua; Gentile da Fabriano, siglo XV, París; Andrea Mantegna, 1468, Berlín; Simon Vouet, siglo XVII, Museo del Louvre; Rembrandt, 1628, Hamburgo; Van Scorel, Viena.

Van Scorel, *Presentación de Jesús en el Templo,* Viena, Museo de Arte

Presentación de María en el Templo

Según el evangelio apócrifo* de Santiago, María fue llevada al Templo* para ser educada hasta su pubertad.

♦ ***Icon.*** María sube los escalones del Templo acompañada por los sacerdotes y los ancianos: Tintoretto, siglo XVI, Venecia. Tiziano, *Madona del Orto,* 1540, Venecia.

PRETORIO

Sala de audiencia del tribunal romano o palacio del gobernador en los territorios ocupados por Roma. En Jerusalén estaba situado en la fortaleza Antonia.→ PONCIO PILATO.

♦ ***Icon.*** Gustave Doré, *Jesús saliendo del pretorio,* 1868, Nantes. Mihaly Muncakcsy, *Jesús ante Pilato,* estudio, 1881, París.

PRIMEROS/ÚLTIMOS

En el AT, Dios cambia el orden de valores o las precedencias establecidas por los hombres (ver primogénito*). En el NT dicha variación se expresa explícitamente: «Derribó a los potentados de sus tronos y ensalzó a los humildes» (Lc. 1, 52). «Y muchos primeros serán postreros y los postreros, primeros» (Mt. 19, 30).

♦ ***Lengua.*** *Los últimos serán los primeros.* A esta expresión se le suele atribuir un significado afín al de «El que se ensalzare será humillado y el que se humillare será ensalzado» (Mt. 23, 12).

PRIMICIAS

(Lat. *primitiae,* de *primus,* «primero».) Los hebreos, como la mayoría de los pueblos de la Antigüedad, ofrecían a Dios los primeros productos de la tierra (Dt. 26, 1-11). Las «primicias», tras ser consagradas a Dios durante la fiesta de la Cosecha, pertenecían por derecho a los sacerdotes y a los levitas.

Llevados por el mismo espíritu, los hebreos consagraban a Dios a su hijo primogénito* (Éx. 13, 2). María y José obedecieron a esta Ley* mosaica y «presentaron» a Jesús en el Templo (Lc. 2, 22-24).→ PRESENTACIÓN (DE JESÚS EN EL TEMPLO).

Pablo*, cuando habla de Cristo muerto y resucitado, le llama «primicia de los que mueren», es decir, el primero de los que, al morir, revivirán con él (1Cor. 15, 20).

PRIMOGÉNITO

El derecho de primogenitura suponía muchas ventajas, especialmente una parte doble de herencia, y la responsabilidad de la familia a la muerte del padre. El derecho se podía perder en caso de falta grave (por ejemplo, el incesto de Rubén, Gén, 35, 22) o por renuncia voluntaria (Gén. 25, 29-34: Esaú vende a Jacob su derecho por un plato de lentejas).

Sin embargo, los ejemplos de hermanos menores preferidos al mayor son muy numerosos: Jacob y Esaú, Isaac e Ismael, José y Benjamín. David, el último hijo de Jesé, es elegido rey por Dios; a su vez, David designa a su hijo más joven, Salomón, como sucesor. El conflicto entre la costumbre jurídica y los sentimientos de un anciano hacia su hijo menor (Gén. 37, 3; 44, 20) revela la gratuidad de la elección de Dios, que aceptó la ofrenda de Abel y rechazó la de Caín, su hermano mayor (Gén. 4, 4-5).

Los primogénitos, animales y niños, debían consagrarse a Dios: pero Dios aborrece los sacrificios* infantiles (Lev. 20, 2-5), y al primogénito se le sustituía por un cordero o por una pareja de tórtolas (Éx. 13, 11-15). Los levitas eran consagrados a Dios en lugar de los primogénitos del pueblo, para asegurar el servicio del Templo.

♦ ***Lit.*** En la literatura de la Edad Media y posterior, existe una clara tendencia a realzar la figura del primogénito por excelencia, Jesús, ya que Él inicia el nuevo linaje de los redimidos por su sangre.

Gómez Manrique, *Representación del nacimiento de Nuestro*

Señor, siglo XV: auto de Navidad integrado por varias escenas yuxtapuestas relativas al nacimiento de Cristo. Torres Naharro, *Diálogo del nacimiento,* siglo XVI. Claudel, *Pan duro,* 1918: impresionado por la misteriosa serie de figuras de primogénitos condenados o desposeídos (Caín, Esaú, Absalón...), añade Israel a la lista: «Nosotros estábamos ahí antes que vosotros y somos los primogénitos», exclama la judía Sichel.

PROCURADOR

Entre los años 6 y 41 d. C., los romanos enviaron un prefecto o gobernador a Judea, y luego a toda Palestina (de 44 a 66). Residía en la ciudad costera de Cesarea y acudía con escolta a Jerusalén durante las grandes fiestas judías, para prevenir los disturbios. No intervenía en la justicia judía, que administraba el Sanedrín* o los tribunales locales, excepto en las sentencias de muerte. Nombraba y destituía a los sumos sacerdotes a su criterio.

→ PONCIO PILATO.

PROFETA

(Gr. *prophetas,* de *pro,* «delante de», o «en nombre de», y *phemi,* «yo hablo».) El que habla en nombre de Dios.

La Biblia* lo llama «vidente» o «el hombre de Dios» (título concedido a Elías* o a Eliseo*). Después se impone el término de nabí* (de etimología discutida: ¿el que proclama? ¿el que es llamado?). En los Setenta*, fue traducido por «profeta».

En el reino de Israel, reyes, sacerdotes y profetas desempeñan una labor precisa; al profeta no lo designan los hombres, es llamado por Dios. Amós, en una discusión con un sacerdote, le dice: «Soy boyero y hábil en preparar los higos de sicomoro. Yahvé me tomó de detrás del ganado y me dijo: Ve a profetizar a mi pueblo, Israel» (Am. 7, 14-15). Los profetas Samuel* y Natán* participan activamente en la coronación del rey (1Sam. 16; 1Re. 1). Isaías intenta iluminar al rey Ajaz sobre la conducta a seguir en el momento de una invasión (Is. 7).

→ SACERDOCIO/SACERDOTE.

Para los creyentes, los profetas están influidos por el Espíritu* de Dios, lo que les lleva a intentar mantener la pureza de la fe israelita y a censurar o alentar a sus contemporáneos. Si en el lenguaje coloquial «el profeta es el que predice o es capaz de predecir el futuro», en la Biblia es el que ve claramente el presente y las consecuencias que resultan de él: distingue cuál es la elección ideal según Dios.

En la Biblia hebraica (ver índice, pág. XXI), los textos de los profetas aparecen reunidos en la segunda parte del AT, después del Pentateuco*: Isaías, Jeremías, Ezequiel y Daniel y los 12 profetas menores. Moisés está considerado como el primero de ellos, porque hablaba en nombre de Dios (Dt. 34, 10).

Después del exilio, el género profético parece agotado, y diferentes voces se lamentan de ello: «Ya no hay ningún profeta, ni nadie entre nosotros que sepa hasta cuándo» (Sal. 74, 9).

En el NT, Juan Bautista es el profeta que anuncia la llegada del Mesías (Mt. 3, 11). Ana también recibe este título (Lc. 2, 36). A Jesús se le reconoce a menudo como profeta (Lc. 7, 16), aplicándole el dicho: «Ningún profeta es bien recibido en su patria» (Lc. 4, 24).

Las comunidades cristianas conocen a varios profetas. «Judas y Silas, que también eran profetas, con muchos discursos exhortaron a los hermanos y los confirmaron» (Act. 15, 32).

En el islam, la existencia de los profetas significa la generosidad de Alá. Los más honrados son cinco: Mahoma (llamado «el profeta»), Abraham, Moisés, Jesús y Noé (en este orden).

♦ **Lengua.** *Nadie es profeta en su tierra* (Lc. 4, 24). Es difícil alcanzar prestigio entre los allegados.

Profeta maldito es el que anuncia acontecimientos desgraciados.

♦ ***Lit.*** Pascal, *Pensamientos,* 1670. Victor Hugo, *Las contemplaciones,* 1856, «Ibo»: el poeta-mago se complace en presentarse como un profeta; *William Shakespeare,* 1864, «Los genios»: describe su genealogía espiritual y dedica páginas brillantes a Isaías y a Ezequiel, «la fiera divina»; y *Dios,* 1891: sitúa a Cristo en el linaje de los profetas que guían a la humanidad desde las tinieblas hacia la luz.

Los falsos profetas: para Lamennais, *Palabras de un creyente,* 1834, son aquellos que han convencido a unos hombres de que todos los demás han nacido para ellos, como los teóricos del derecho divino y

todos aquellos que justifican los privilegios invocando razones religiosas. Pierre Emmanuel, *Babel,* 1952, «A los habladores de palabras»: violenta denuncia de los «habladores bajo diferentes hábitos» que provocan «el holocausto de los pueblos». En las épocas de miseria y disturbios, falsos profetas y falsos mesías se alzan para enardecer a las poblaciones y suscitar turbias esperanzas: Selma Lagerlöf, *Jerusalén en Dalecarlia* y *Jerusalén en Galilea,* 1901-1902; Sarte, *El diablo y Dios,* 1951.
Jean Grosjean, *Los profetas,* 1955: traducción del texto hebreo de los profetas Amós, Oseas, Isaías, Jeremías y Ezequiel. Vicente Gaos, *Profecía del recuerdo,* 1956: obra en verso que es el fruto de una reiterada meditación de signo metafísico y concretamente religioso.

♦ ***Icon.*** Representación convencional que evoca generalmente a Juan* Bautista: un hombre barbudo y de pelo largo, vestido con pieles de animales. Claus Sluter, *El pozo de los profetas,* 1404, Dijon. Miguel Ángel pintó a los profetas en la bóveda de la Capilla Sixtina, 1512, Roma. Emil Nolde, *El profeta,* grabado, 1912. Pablo Gargallo, *El gran profeta,* bronce, 1935.
→ ISAÍAS, JEREMÍAS.

PRÓJIMO

La Ley mosaica enseñaba el respeto al prójimo, al primer jefe, al hermano israelita: «Amarás a tu prójimo como a ti mismo» (Lev. 19, 17-18), pero también al extranjero (Lev. 19, 34).

Al ser interrogado por un doctor de la Ley, Jesús responde que la salvación está en el amor* a Dios y al prójimo: para determinar la identidad de este último, cuenta la parábola del buen samaritano (Lc. 10, 30). Jesús muestra que todo hombre «que practica la misericordia» se convierte en el prójimo del otro, e incluso llega a predicar el amor hacia los enemigos (Mt. 5, 45).

PROMESA

El Dios de la Biblia es el Dios de la promesa. Desde el relato del Génesis, el creador da a entender que, en la lucha del hombre contra la serpiente*, la victoria será del hombre: «Este te aplastará la cabeza» (Gén. 3, 15). Después del diluvio*, Dios establece una alianza* con Noé y promete su fiel protección: «Para acordarme de mi pacto eterno entre Dios y toda alma viviente... Y no volverán más las aguas del diluvio a destruirla» (Gén. 9).

La historia del pueblo elegido comienza con una promesa de Dios a Abraham*: será el padre de una multitud, y su descendencia poseerá la tierra de Canaán. Después, se incluirán otras en la historia del pueblo de Dios: promesas de liberación de la esclavitud, de perennidad de la casa de David, de regreso del cautiverio y de destrucción de los enemigos (Jer. 46, 27-28).

Para los cristianos, Jesús, «hijo» de David, cumple las promesas del AT, y también él formula otras nuevas: «Todo el que vive y cree en mí no morirá para siempre» (Jn. 11, 26); «Yo os enviaré al Espíritu de Verdad» (Jn. 15, 26). Los cristianos también son hombres de fe, hijos de la promesa.→ REINO/ REINADO, SALVACIÓN.

♦ ***Lengua.*** La perífrasis *pueblo de la promesa* designa a los hebreos herederos de la promesa hecha por Dios a Abraham: su fe permanece inquebrantable sea cual sea el tiempo que separe la promesa de su realización, a pesar de los períodos de desesperación o de ceguera (Is. 42, 18-22).

PROSÉLITO

(Gr. *proselytos,* «extranjero establecido en un país», «nuevo convertido».) Los prosélitos eran no judíos que habían abrazado el judaísmo y aceptado circuncidarse (Act. 2, 10; 6, 5; 13, 43); a pesar de todo, no se les consideraba judíos de pleno derecho. Los Hechos* relatan la decisión de los Doce sobre admitir en el «servicio de las tablas» *(diakonia,* diaconato→ DIÁCONO) a un prosélito de Antioquía.

No debe confundirse entre prosélitos y «temerosos de Dios» (Act. 10, 2), quienes, aunque simpatizaban con el judaísmo, no se sometían ni a la circuncisión ni a la práctica ritual de la Ley*.

♦ ***Lengua.*** En el lenguaje actual, el término *prosélito* designa a una persona que se ha adherido a una religión, secta, partido o ideología, y que, en su celo, se esfuerza por ganar adeptos, es decir, «hace proselitismo».

PROVERBIOS

Título de un libro bíblico formado por varias recopilaciones, una de las cuales se atribuye a Salomón*. Presenta influencias egipcias (proverbios de Amenemope, de principios del primer milenio a. C.) y acadias, y tomó su forma definitiva en el siglo V a. C.

Reúne máximas, dichos, proverbios y poemas. A la sabiduría oriental le gusta expresar, mediante fórmulas fáciles de retener, las experiencias vividas por los hombres: «Ve, ¡oh, perezoso!, a la hormiga, mira sus caminos y hazte sabio» (Prov. 6,6); «Gózate en la compañera de tu mocedad, cierva carísima y graciosa gacela» (Prov. 5,18-19).

♦ ***Mús.*** Darius Milhaud, *La cantata de los Proverbios,* 1951.

PROVIDENCIA

(Lat. *providentia,* de *provideo,* «prever» y «procurar».) Esta palabra no tiene correspondencia en hebreo; el equivalente griego no se utiliza más que dos veces en la Biblia, siempre en el sentido de Providencia divina.

Es un término de la filosofía griega. Los epicúreos piensan que los dioses no se interesan por los hombres, pero los estoicos entienden por «providencia» la suprema sabiduría con la que los dioses gobiernan todas las cosas.

Alguna corriente pietista defendía que Dios había previsto hasta los más pequeños detalles que pudieran concernir a la existencia humana. Y una tradición aconsejaba, incluso, el abandono total a la Providencia, apoyándose en las palabras de Jesús: «Mirad cómo las aves del cielo no siembran ni siegan y vuestro Padre Celestial las alimenta. Mirad a los lirios del campo cómo crecen; no se fatigan ni hilan. Pues yo os digo que ni Salomón en toda su gloria se vistió como ellos» (Mt. 6, 25-34).

En realidad, la Biblia presenta a Dios como un padre que vela por los suyos, pero sin dispensarlos de penalidades y persecuciones, como lo demuestran el trágico destino de los profetas y del propio Jesucristo.

♦ ***Lengua.*** *Aun hasta los cabellos de vuestra cabeza están contados* (Lc. 12, 7). Dios, en su benevolencia, no olvida a nadie, se ocupa hasta de los más pequeños detalles.

Bástale a cada día su propio mal. Cita de Mateo (6, 34) que a menudo se utiliza fuera de su contexto religioso. Jesús recuerda la primacía de lo espiritual sobre los intereses materiales, y no aconseja medir los esfuerzos...

♦ ***Lit.*** Paulo Orosio, *Commonitorium de errore pricillianistarum et origenistarum,* siglo V: destaca su concepto providencialista de la historia. San Agustín, *La ciudad de Dios,* 413-424: el autor manifiesta su confianza en la Providencia divina y la seguridad del triunfo final del bien sobre el mal. San Juan Damasceno, *De fide ortodoxa,* siglo VIII: aborda el problema de la conciliación entre la Providencia divina y la libertad humana. Commynes, *Memorias,* 1490-1498: detecta en los acontecimientos históricos la acción de la Providencia. También Bossuet, *Discurso sobre la historia universal,* 1681. Juan de Mena, *El laberinto de la Fortuna* o *Las trescientas,* 1444: la idea central de la obra es la influencia de la Fortuna o de la Providencia sobre la vida del hombre y su arquitectura está inspirada en los procedimientos alegóricos de Dante. Lope de Vega, *La dragontea,* 1598: poema donde la religión cristiana se queja a la Providencia divina de los corsarios, moros y herejes que afligen España, Italia y las Indias (canto I). Quevedo, *Providencia de Dios,* 1641: obra en prosa ascética marcada a la vez por los puntos de vista de la moral cristiana y las doctrinas del estoicismo.

Según Bossuet, *Sermón sobre la Providencia,* 1662: el desorden y la injusticia social incitan a los libertinos a poner en duda la idea de la bondad divina; un día Dios vendrá a restablecer un orden basado en la justicia, porque Dios es bueno.

En el siglo XVIII, el debate sobre la conciliación entre la existencia de Dios y la del mal vuelve a plantearse con Leibniz, *Ensayos de Teodicea sobre la bondad de Dios,* 1710, que alimenta la reflexión de Voltaire en *Zadig,* 1748. Voltaire duda sobre la Providencia: *Poema sobre el desastre de Lisboa,* 1755, y *Cándido,* 1759. Rousseau se opone a él en su *Carta sobre la Providencia,* 1756. Diderot, *Jacques el Fatalista,* 177[illegible] se pregunta: «¿Providencia

¿Destino? ¿Determinación? ¿Azar?».
Manzoni, *Los novios,* 1827: en la historia vivida por los hombres se manifiesta la relación de cada uno con Dios y con el mal. La creencia en la Providencia «suaviza las desdichas y las hace útiles para una vida mejor».

PUBLICANO

Los publicanos eran recaudadores de impuestos; entregaban a las autoridades romanas unos ingresos regulares, asegurando ellos mismos la entrega del impuesto por parte de los contribuyentes; esta actividad les reportaba un respetable beneficio.

Todos los despreciaban, incluso eran odiados por su compromiso con el poder ocupante y por su avidez. Por eso Jesús provocó un escándalo cuando le vieron comer entre pecadores y publicanos y aceptar la invitación en casa de Zaqueo*, jefe de los publicanos (Lc. 19, 1-10).

En una parábola*, Jesús contrasta la humildad sincera de la oración de un publicano con el orgullo satisfecho de la de un fariseo, queriendo demostrar que todos, incluso los publicanos, pueden acceder al Reino de Dios (Lc. 18, 9-14).
→ REINO/REINADO.

PUEBLO DE DIOS

La expresión «pueblo de Dios» designa a la comunidad de los «hijos de Israel» que Dios protege y con los que va a establecer la alianza* de forma privilegiada en el Sinaí (Éx. 19, 5). Esta alianza hace de Israel un pueblo santo, cuya Ley exige que se preserve de todo tipo de contactos con los paganos (Éx. 34, 15). Por oposición a los judíos, aquellos pueblos que no reconocían a Dios eran denominados «gentiles», utilizando la palabra hebrea *goyim* para designarlos.

A este pueblo elegido, es decir, escogido y especialmente amado, Dios le promete un territorio y sobre todo su protección, que lo librará de todas las adversidades.

En los Hechos* de los Apóstoles, Pablo recapitula la historia santa de Israel para mostrar que Jesús es el liberador prometido y esperado (Act. 13, 16-43). Cuando los judíos rechazan su mensaje, se dirige a los paganos, y los bautizados en Cristo* retoman, para atribuírselas, las expresiones «pueblo de Dios» o «los elegidos*». La Epístola a los Romanos afirma, sin embargo, que Israel sigue siendo el pueblo de la elección, el pueblo escogido, «porque los dones y la vocación de Dios son irrevocables» (Rom. 11, 29).→ MESÍAS.

PUERTA

Las ciudades fortificadas de la Antigüedad tenían habitualmente una puerta monumental que constituía una eficaz defensa en caso de asedio. Estas puertas, llamadas «de tenazas», se abrían a amplias estancias, almacenes y salas de reuniones, donde se trataban los asuntos de la ciudad, como ocurría en el foro de las ciudades romanas (Ruth 4, 1; Sal. 69, 13).

La expresión «la puerta estrecha» hace alusión a una parábola. Cuando habla del acceso a la verdadera vida, Jesús dice: «Qué estrecha es la puerta, qué angosta la senda que lleva a la viña y cuán pocos los que dan con ella» (Mt. 7, 13-14).

El evangelista Mateo también utiliza la imagen de las puertas de la muerte o de la puerta de la ciudad de los muertos: no resistirán el poder de Cristo.→ INFIERNO/INFIERNOS.

♦ ***Lengua.*** *Entrad por la puerta estrecha.* Elegir los caminos difíciles y no el más fácil (Mt. 7, 13-14).

♦ ***Lit.*** André Gide, *La puerta estrecha,* 1909, novela: preferir la santidad a la dicha.

PURGATORIO

El judaísmo imaginaba el *seol,* la estancia de los muertos, como un lugar triste donde buenos y malos conocían una sombría supervivencia (Ecl. 9, 10). Los griegos y los romanos distinguían entre el hades y los Campos Elíseos. La tradición cristiana también distingue dos lugares: el infierno, bajo tierra, y el paraíso, en el cielo.

El purgatorio fue concebido como un más allá intermedio donde algunos muertos, culpables de faltas perdonables, sufrieran un castigo, el fuego, cuya duración podía reducirse con la ayuda espiritual de los vivos. El purgatorio no se menciona en las Escrituras, pero sí puede identificarse con algunas imágenes de purificación mediante el fuego que aparecen en la predicación de Juan Bautista: «Cristo los bautizará en el Espíritu Santo y en el fuego» (Mt. 3, 11), y en la de Pablo: «El fuego probará cuál fue la obra de cada uno» (1Cor. 3, 13).

San Agustín, después de la muerte de santa Mónica, su madre, reflexionó mucho sobre los pecados leves, la solidaridad entre los vivos y los muertos, el tiempo que separa la muerte individual y el Juicio final*. Esta reflexión, que se mantuvo posteriormente durante varios siglos, desembocó, entre 1150 y 1250, en la creencia en el purgatorio. El concepto tomó forma en una sociedad que había asimilado el sentido de la justicia y poseía un sistema penal muy elaborado, en la que existía una preocupación por las situaciones intermedias entre ricos y pobres, y entre clérigos y laicos. La Iglesia católica afirma que los vivos pueden aportar ayuda espiritual a las almas de los difuntos; las Iglesias protestantes rechazan esta creencia.

♦ ***Lit.*** Séneca, *Consolación a Marcia,* siglo I: las almas que abandonan el cuerpo de los difuntos habitan un cierto tiempo «por encima de nosotros, el tiempo de purificarse de la mancha de la vida terrestre», antes de ganar los espacios celestiales. Beda el Venerable, *La visión de Drycthelm,* siglo VIII: uno de los primeros esbozos de lo que llega a ser, a finales del siglo XII, el purgatorio. En el siglo XII, María de Francia adaptó al francés la obra de un monje inglés, H. de Saltray: *El expurgatorio de san Patricio.* Dante, *Divina comedia,* 1307-1321: el autor franquea con el poeta latino Virgilio los nueve círculos del infierno donde los pecadores son castigados. Los opone simétricamente a las regiones del purgatorio: el antepurgatorio, lugar de espera donde se expía la negligencia, las siete terrazas reservadas a los pecados, y el paraíso en la cumbre. Gil Vicente, *La trilogía de las barcas,* 1517-1519: su asunto se relaciona con el tema medieval de las danzas de la muerte. Santa Teresa de Jesús describe en algunas de sus obras el sufrimiento que allí se padece: *Camino de perfección,* 1563: su mayor pena en el purgatorio es no ver a Dios.
Prosper Mérimée, *Las ánimas del purgatorio,* 1834: relato cuyo protagonista es el seductor don Juan Mañara; aquí el aspecto fantástico prevalece sobre el místico.

♦ ***Icon.*** En la región de Provenza abundan las representaciones de las almas del purga-

torio: fresco, siglo XV, capilla de Notre-Dame de Benva, Lorgnes. Enguerrand Charonton, *La coronación de la Virgen,* 1453, Villeneuve-lès-Avignon. Cuadros de altar desde el siglo XVII (Ventabreu) hasta principios del XIX: Coudoux, Saint-Chamas, Plan d'Orgon, Eyguières.
La *Divina comedia* fue ilustrada por William Blake y Gustave Doré en el siglo XIX.

PURIFICACIÓN

Toda mujer judía tenía que presentarse en el Templo* para purificarse después de un parto. Así, 33 días después del nacimiento de un niño —70 días en el caso de una niña— tenía que sacrificar un cordero* o una pareja de tórtolas para el holocausto* y el sacrificio de expiación (Lev. 12).
→ IMPUREZA, PERDÓN.

PUTIFAR

Oficial del faraón. Su mujer quiso seducir a su esclavo hebreo José*, hijo de Jacob. Rechazada por él, le acusó de violación y le mandó encarcelar (Gén. 39, 7-20).

♦ ***Icon.*** La escena más representada es aquella en que la mujer de Putifar sostiene en la mano el manto de José mientras este huye.→ JOSÉ.

Q

QUERUBÍN

Criatura mitológica procedente de la cultura babilónica. Los querubines se representan sosteniendo el trono de Dios (Sal. 80, 2; 99, 1), tirando de su carro (Éx. 25, 20) o sirviéndole de cabalgadura (Sal. 18, 11), y también sobre el arca (Éx. 25, 20).

En la iconografía de la Edad Media aparecen pintados de azul para simbolizar el cielo y tienen cuatro alas. En la tradición cristiana, están incluidos entre los ángeles*.

♦ ***Lit.*** *Cantar de Roldán,* siglo XII: a la muerte de Roldán, Dios «envía a su ángel querubín (Rafael) y a san Miguel; con ellos viene san Gabriel. Llevan el alma del conde al paraíso» (tirada CLXXVI).

♦ ***Icon.*** Querubín, en marfil, siglo IX a. C., procedente del palacio de Acab en Samaria.

QUMRÁN

En 1947, en un lugar llamado Quirbet, al noroeste del mar Muerto, se descubre una serie de manuscritos en unas grutas. Las excavaciones arqueológicas que se realizan en el bancal margoso vecino muestran algunas construcciones (baños, cisternas, taller de alfarero y escritorio), que ratifican la población de esta localidad entre los años 100 a. C. y 68 d. C., con una interrupción hacia 31 a. C., debida a un temblor de tierra.

Los manuscritos estudiados incluyen libros bíblicos completos, como el de Isaías, o fragmentos de todos los libros (salvo el de Esther), así como manuscritos propios de los esenios, secta conocida por Plinio el Viejo, Filón y Flavio Josefo.

Tras romper con el sacerdocio de Jerusalén, los esenios forman uno de los grupos judíos más claramente diferenciados de los fariseos y saduceos, que no se aproximan a los zelotes hasta el año 68, cuando tiene lugar la guerra contra los romanos. Sus características son las siguientes: preocupación por la pureza ritual, vida común separada, vinculación a la tradición (rechazo del nuevo calendario litúrgico) e interés por asegurar la victoria de Dios contra los impíos.

El descubrimiento de los manuscritos de Qumrán es de gran interés para poder conocer la literatura y los ambientes judíos en tiempos de Jesús, pero, sobre todo, porque permite remontarse varios siglos en la tradición manuscrita de los libros bíblicos.

R

RABÍ

(Heb., «mi amo».) Forma respetuosa de dirigirse a los doctores de la Ley; en arameo, *rabbuni* (Jn. 20, 16).

El rabí es el jefe religioso de una comunidad judía y preside la oración.

RAFAEL

(Heb., «Dios cura».) Es el ángel* intercesor del libro de Tobías* (Tob. 3, 17; 12, 15) y el ángel guardián de la humanidad.→ ARCÁNGEL.

♦ ***Icon.*** Rembrandt, *El arcángel Rafael abandonando a la familia de Tobías,* 1637, Museo del Louvre.

RAMOS

Una semana antes de Pascua*, Jesús entró en Jerusalén montado en un asno; la multitud que había acudido a la fiesta cortó ramos de los árboles de los alrededores y aclamó a Jesús gritando: «*Hosanna** al hijo de David. Bendito el que viene en nombre del Señor» (Mt. 21, 1-11; Mc. 11, 1-11; Lc. 19, 28-38; Jn. 12, 12-16). De esta forma reconocían en él al Mesías* real que los judíos esperaban.

Los cristianos celebran la entrada de Jesús en Jerusalén el Domingo de Ramos (o de Palmas), una semana antes de la Pascua de Resurrección.

♦ ***Lengua.*** *De Pascuas a Ramos.* De tarde en tarde. La expresión hace referencia al período de tiempo comprendido entre la Pascua de Resurrección y el Domingo de Ramos, final y comienzo, respectivamente, de la Semana Santa. Equivale, por tanto, a un año menos una semana.

♦ **Icon.** *Cristo entrando en Jerusalén* el Domingo de Ramos: fresco, siglo XI, cripta de Saint-Étienne d'Auxerre; mosaico, siglo XI, Dafni, Grecia; Duccio di Buoninsegna, siglo XIII, Siena; Friedrich Overbeck, 1824, Lübeck; Hippolyte Flandrin, 1854, Saint-Germain-des-Prés. James Ensor, *La entrada de Cristo en Bruselas,* 1888, Amberes.

RAMSÉS II

(Egipcio, «el dios Ra lo creó».) Faraón de la dinastía XIX (1301-1235), combatió a los hititas en Cadés y promovió numerosas construcciones (Abu Simbel). La mayoría de los estudiosos de la Biblia sitúa la salida de los hebreos de Egipto, dirigidos por Moisés, durante su reinado.

RAQUEL

(Heb., «oveja».) Hija menor de Labán, se casa con Jacob*, quien trabajó durante 14 años para conseguir su mano (Gén. 29, 6-31). Es la madre de José* y muere al dar a luz a Benjamín (Gén. 35, 16-20). La tumba de Raquel está situada en Rama, a ocho kilómetros al norte de Jerusalén (1Sam. 10, 2; Jer. 31, 15).

♦ ***Lit.*** Stefan Zweig, *El candelabro enterrado,* 1937, «Raquel contra Dios», leyenda.

RASGARSE LAS VESTIDURAS

La vestimenta revela lo que somos, lo que hacemos y lo que sentimos. Nos rasgamos las vestiduras para expresar la tristeza (Gén. 37, 34), el espanto (2 Re. 22, 11), la estupefacción indignada o enfurecida (Mt. 26, 65; Act. 14, 14) o el arrepentimiento (Jl. 2, 13), es decir, lo que sentimos cuando algo nos llega a lo más íntimo de nuestro ser. También de esta forma expresamos el duelo.

REBECA

Mujer de Isaac*. Un sirviente de Abraham*, enviado a la Alta Mesopotamia para traer una esposa al hijo de su amo, la encontró junto a un pozo* y reconoció en ella a la mujer que Dios había destinado para Isaac (Gén. 24).

Rebeca era estéril, como Sara*. Entonces Isaac rezó a Dios y Rebeca trajo al mundo dos gemelos: Esaú y Jacob.→ ESAÚ.

♦ **Icon.** Murillo, *Rebeca y Eliazar,* 1665, Museo del Prado.

Murillo, *Rebeca y Eliazar,* Madrid, Museo del Prado

REDENTOR/REDENCIÓN/ RESCATE

Para los israelitas, los primogénitos varones pertenecían a Dios, por lo que existía un ritual de rescate a cambio de dinero o mediante una ofrenda (Núm. 18, 15). La Biblia establece un lazo de unión entre este ritual y la liberación de Israel, esclavo en Egipto. Israel es el primogénito de Dios, y este lo «recupera» (recupera su bien) liberándolo de Egipto: «Dirás al faraón: Así habla Yahvé: Israel es mi hijo, mi primogénito» (Éx. 4, 23). La costumbre de rescatar a los primogénitos recuerda que Israel pertenece a Dios.

En la legislación hebraica relativa a la familia, el *goel* era un pariente cercano que tenía el deber de proteger a los suyos.→ BOOZ. En un sentido amplio, el verbo *gaal* (rescatar) evoca las promesas que implica la alianza familiar. Dios es el pariente cercano de Israel: él lo rescata de la esclavitud, defiende su patrimonio, sus intereses, lo venga y continúa protegiéndolo (Sal. 25, 22; 34, 23). Junto a este empleo colectivo del término «rescate» (Dios, *goel* de su pueblo), también es frecuente en los salmos un uso más individualizado: Dios libera y protege al fiel servidor que le reza.

Desde un punto de vista teológico, la palabra «redención», inicialmente utilizada para expresar la liberación de la esclavitud de Egipto, se aplica a la liberación de la esclavitud del pecado.

En el NT, los términos «redención/rescate» se asocian, en numerosas ocasiones a la muerte de Jesús: Jesús da su vida como rescate (Mt. 20, 28). Pablo considera la redención como el fin de la servidumbre al pecado; Pedro habla de la liberación de los hombres, cuyo precio es la sangre derramada por Jesús (1Pe. 1, 18-19). Esta liberación, aunque se hace efectiva para cada cristiano en el bautismo, aún no se ha realizado plenamente, y solo culminará con la resurrección*.→SACRIFICIO, SALVACIÓN, SALVADOR.

♦ **Lengua.** *Meterse alguien a redentor.* Intervenir una persona en un asunto que ni le va ni le viene. Esta expresión procede de otra, actualmente en desuso: «No hagas como Jesucristo, que se metió a redentor y lo crucificaron».

♦ **Lit.** *Jesús redentor.*

Pasiones, de Eustache Marcadé y Arnoul Gréban, ambas del siglo XV: el drama de Gréban recupera el relato del destino humano desde el paraíso terrenal: a partir de esta concepción teológica, Jesús hecho hombre es el liberador que esperan los profetas y la antigua Ley: «Como el hombre ha hecho el pecado / por el hombre debe deshacerse».

Pascal, *Pensamientos,* 1670: «La fe cristiana no va sino a establecer dos cosas: la corrupción de la naturaleza y la redención de Jesucristo».

Calderón, *La vida es sueño,* 1673: el hombre no puede liberarse de la prisión en la que Sombra, Culpa y Muerte le tienen encadenado, ni por Razón, ni por Libre Albedrío. Cristo tiene que ocupar su lugar, matar a la Muerte y redimir su deuda.

El tema pierde su ortodoxia con Goethe, *El segundo Fausto,* 1831: la redención del protagonista es una plenitud final concedida a «aquel que desea y sufre sin cesar»; es, a la vez, cumplimiento de la naturaleza y obra de los ángeles. Nietzsche incluso despojará al término de todo elemento religioso, desarrollando la idea de una autorredención del hombre libre.

Jean Cayrol, *Espejo de la redención,* 1944.

¿Incitación a la acción o resignación?

Balzac, *El cura de pueblo,* 1837, y *El médico rural,* 1833, obtiene de la redención una lección de energía e invita al hombre a actuar en este mundo para redimir sus faltas: «Todo es redimible, el catolicismo está en estas palabras». El hombre está llamado a ser redentor a imitación de Jesucristo: Hugo, *Los miserables,* 1862, I: Jean Valjean y M. Bienvenu: «Os compro vuestra alma; la aparto de los negros pensamientos y del espíritu de perdición y se la entrego a Dios». Feuerbach, *La esencia del cristianismo,* 1847: el autor piensa que la esperanza en una redención divina nos lleva a la resignación y a la pasividad en este mundo

Esperanza colectiva.

Milton, *Paraíso perdido,* 1667: el ángel Miguel revela a Adán el proyecto de amor de Dios, que elegirá a un pueblo y mandará a su hijo a destruir las obras de Satanás. Jesús volverá al final de los tiempos como liberador definitivo; por tanto, los hombres no deben dejarse llevar por la desesperación. Esta esperanza espiritual se mezcla, en el siglo XIX, con la idea de una redención mediante la acción civilizadora de los arrepentidos en las regiones miserables (Balzac). Como consecuencia, toda una corriente de pensamiento atribuirá a la palabra redención el sentido de instauración de un orden social de justicia y de paz en la tierra; pero esta esperanza, aunque conserve connotaciones bíblicas, ya no posee un carácter religioso.

Franz Rosenzweig, *La estrella de la redención,* 1921: este pensador judío concibe la redención no tanto como una salvación individual o el rescate por una falta cometida, sino «como la transformación del mundo respecto a su finalidad divina».

♦ ***Mús.*** César Franck, *Redención,* oratorio, 1872.

REINO/REINADO

La realeza de Dios fue aceptada desde muy pronto (Jue. 8, 22). En un principio, Israel rechazó la institución monárquica, pues sólo Dios era rey (1Sam. 8). Más tarde, incluso cuando esta institución formó parte integrante de la vida de Israel y la figura real estuvo estrechamente unida a la figura del Mesías*, Israel jamás divinizó a su rey. En todo momento, los salmos celebran la realeza de Dios como un hecho que transciende a la historia: «Firme tu trono desde el principio, desde la eternidad eres tú» (Sal. 93). Es una realeza universal, cósmica.

La literatura profética anuncia la buena nueva de Dios al volver a Sión* (Is. 52, 7). A la esperanza de un próximo regreso a Jerusalén se une la esperanza de una salvación* eterna: Isaías* proclama que el exilio en Babilonia llegará a su fin y que los judíos, al finalizar un nuevo éxodo, recuperarán sus tierras: «Bien pronto será liberado el cautivo» (Is. 51). Los profetas anuncian la llegada de un Reino de paz y de justicia eternas. Isaías evoca de forma gráfica ese Reino en el que se transformarán «las espadas ya inútiles en rejas de arado, donde el lobo habitará apaciblemente con el cordero».

El reino también es una realidad espiritual: es el reinado de Dios en el corazón del hombre que observa su Ley.

El NT desarrolla el siguiente tema espiritual: «El Reino de Dios está dentro de vosotros» (Lc. 17, 21). Jesús se pone en guardia frente a los que predicen la llegada del reino en una fecha precisa. Su reino no es un poder político y Jesús niega ser rey: «Mi reino no es de este mundo» (Jn. 18, 36); él es la instauración de una ley de amor y de unión con Dios destinada a todos aquellos que tienen el corazón sencillo y puro como los niños (Mt. 19, 13). Sin embargo, entre los que rodean a Jesús, y también entre los primeros cristianos, subsiste la esperanza de una restauración temporal de la realeza de David*.

Por otra parte, Pablo* y el Apocalipsis* continúan la tradición profética del anuncio de un Reino escatológico, de una dicha inalterable todavía por llegar, que Jesús había comparado con un festín de bodas (Mt. 22) y que el Apocalipsis compara con una ciudad celestial (Ap. 21).

→ CIUDAD, JERUSALÉN.

♦ ***Lengua.*** *Todo reino dividido será desolado* (Mt. 12, 25). La discordia engendra la ruina.

RELÁMPAGO/RAYO

Signos tradicionales que acompañan la manifestación de la majestad divina (teofanías*).

Cuando el pueblo hebreo llegó al pie del Sinaí tras su salida de Egipto, Dios habló a Moisés y, ante los ojos del pueblo, manifestó su poder mediante fragores de trueno y relámpagos en la montaña (Éx. 19, 16). Pero el relámpago no constituye un atributo indisociable de Dios, como sí lo es el rayo que enarbola Júpiter, sino una expresión visible, simbólica de su fuerza trascendente. Ningún fenómeno natural puede revelar satisfactoriamente la presencia de lo sobrenatural. El encuentro de Elías* con Dios lo demuestra: este no revela su presencia ni en el huracán, ni en el temblor de tierra, ni en el fuego, sino en «el sonido de una ligera brisa» (1Re. 19, 9 y s.).→ FUEGO.

REPUDIAR

Es rechazar a la esposa de acuerdo a las formalidades legales, entregándole el documento de divorcio que le permita volver a casarse. En el AT, el marido tiene el derecho de expulsar a su mujer en el momento que «ha notado en ella algo de torpe» (Dt. 24): declara que ya no es su mujer y le entrega el documento de divorcio (Os. 2, 4). Parece claro que la iniciativa del divorcio la toma exclusivamente el marido.

En la época del NT, el divorcio era una práctica habitual, al menos entre los judíos helenizados, y también la mujer podía tomar la iniciativa (Mc. 10, 12). Pero Jesús condena el repudio (Mc. 10, 2-12; Lc. 16, 18; ver también Mt. 5, 32; 19, 9).

En el islam, el repudio es cosa del hombre. La mujer repudiada recupera la libertad, pero la ley prevé un período de tres meses durante los cuales ella está a merced del marido, que puede volverse atrás en su decisión antes de que expire el plazo.

RÉQUIEM

(Lat., «descanso».) Primera palabra de la oración *Requiem aeternam dona eis Domine,* «Señor, dale el descanso eterno».

♦ ***Mús.*** Un réquiem es una misa de difuntos: Johannes Ockeghem, Jean Gilles, Mozart, Berlioz, Liszt, Verdi, Gounod, Brahms, Dvorak,

Fauré, Puccini, Duruflé, Penderecki. Benjamin Britten: *War requiem, Sinfonia da Requiem,* 1940.

RESURRECCIÓN

(Lat. *resurrectio,* de *resurgere,* «levantarse».) Resucitar quiere decir despertar, alzarse de entre los muertos, volver a la vida, estar vivo.

En el AT, hasta el siglo II a. C., Israel mantiene la creencia de que después de la muerte el destino de la persona humana es el *seol,* lugar tenebroso en el que se está separado de Dios (Sal. 88, 6). Los israelitas no comparten la idea griega de la inmortalidad del alma porque se opone a su concepción unitaria del hombre. También están lejos de los pueblos próximos que celebran diversos cultos relacionados con la naturaleza: Osiris en Egipto, Tamuz en Mesopotamia, Baal* en Canaán, son dioses que mueren y resucitan según el ciclo de las estaciones. Para los creyentes judíos el Dios único es el que está vivo, y es amo de la vida y de la muerte: «Hace morir y hace vivir» (1Sam. 2, 6). Por eso, como consecuencia de la oración de Elías*, su profeta, Dios devuelve el aliento a un niño (1Re. 17, 23). La única supervivencia prevista es familiar (por la posteridad) o colectiva (supervivencia del pueblo, Ez. 37).

Posteriormente, la dolorosa interrogación ante el sufrimiento de los justos (libro de Job*) y la muerte de los mártires (siglo II a. C.: persecución del rey griego Antíoco* Epífanes) engendrará una esperanza nueva: Dios creará un mundo radicalmente distinto. Daniel* afirma explícitamente, por primera vez, la resurrección individual: «Las muchedumbres de los que duermen en el polvo de la tierra se despertarán, unos para eterna vida, otros para eterna vergüenza y confusión» (Dan. 12, 2).

Hasta entonces, la resurrección de los muertos era ante todo una imagen de la restauración de Israel (Ez. 37). En el año 50 a. C., un sabio habla así de los justos*: «A los ojos necios parecen haber muerto y su partida es reputada por desdicha. Su esperanza [de los justos] está llena de inmortalidad y los fieles a su amor permanecerán con Él» (Sab. 3, 2-9).

En el NT, la fe en la resurrección de los muertos en el último día es objeto de controversia entre fariseos y saduceos. En una discusión con Jesús, estos quieren probar el absurdo de la resurrección de la carne. Jesús les responde: «En la resurrección los hombres serán como ángeles en el cielo» (Mt. 22, 30). Pablo habla ampliamente de la resurrección de los muertos en la primera Epístola a los Corintios.

Los evangelistas cuentan que Jesús devolvió la vida a la hija de Jairo*, al hijo de la viuda de Naín*, y también a su amigo Lázaro*; estos milagros* pueden compararse con los signos proféticos de Elías*. A veces se les llama «resurrecciones»; sin embargo, la resurrección de Cristo en Pascua* tiene otro carácter: no se trata de un retorno a la existencia terrenal, sino del paso a una vida definitivamente sustraída a la muerte. La fe en la resurrección de Jesús es el pilar del cristianismo: «Si Cristo no resucitó, vana es nuestra predicación, vana nuestra fe*» (1Cor. 15, 14).

Altdolfer, *Resurrección de Cristo,* Viena, Museo de Arte

♦ ***Lit.*** *Resurrección de Jesús.* En el siglo XVI, Juan del Encina escribió una representación teatral de carácter religioso sobre la resurrección. Calderón de la Barca en sus autos sacramentales convirtió en motivo central el misterio de la eucaristía, símbolo visible de la redención y la resurrección.

Jean-Claude Renard, *Terre du sacre,* 1966, «Psaumes de Pâques»: toda la creación, unida a la victoria de Cristo sobre la muerte, se convierte para siempre en la «terra du sacre» (tierra de la consagración): «¡Ah! la muerte suprimida, la muerte, y las tinieblas arrancadas y toda la tierra en la mañana de menta y de naranja / la piedra rota...». *Resurrección de los muertos.* Agrippa d'Aubigné, *Los trágicos,* 1616, VII, «Juicio»: «Todos salen de la muerte como se sale de un sueño»; en esta resurrección participa la naturaleza entera.

Lefranc de Pompignan, *Poesías sagradas,* siglo XVIII, inspiradas por Ezequiel (Ez. 27): el poeta evoca a la vez la «resurrección» del pueblo de Israel después del cautiverio («Y el pueblo de muertos se alza») y el Juicio final.

Jean Paul Richter, *Siebenkaas,* 1796: el edificio del mundo se derrumba, los muertos descoloridos oyen que Cristo les revela que Dios no existe, pero... todo esto no es sino una pesadilla del narrador.

Pierre Jean Jouve, *Gloria,* 1942: una serie de obras titulada «Resurrección de los muertos» constituye el centro de su poesía: muerte y vida, caída y ascensión se confunden en su visión.

♦ ***Icon.*** Hubert y Jan van Eyck, *Las tres Marías y el sepulcro abierto,* siglo XV, Rotterdam. *La resurrección:* Piero della Francesca, 1460, Borgo San Sepolcro; Perugino, siglo XV, Ruán; Mathias Grünewald, retablo, 1515, Issenheim, Colmar; El Greco, 1598, Museo del Prado. *Resurrección de Cristo:* Germain Pilon, escultura, siglo XVI, Saint-Paul-Saint-Louis, París; Altdolfer, siglo XVI, Viena. Germain Pilon, *Cristo saliendo de la tumba,* escultura, siglo XVI, Museo del Louvre. *La resurrección de los muertos,* según la visión de Ezequiel: Códice de Vysehrad, siglo XI, Praga; fresco, siglo XIV, Brancion; Luca Signorelli, 1504, Orvieto; sir Arthur Spencer, *Resurrección,* 1926 y 1947, Londres.

♦ ***Mús.*** Heinrich Schütz, *Historia de la resurrección,* 1623. Gustav Mahler, II sinfonía, 1894. Carl Orff, *La commedia de Christi Resurrectione,* 1955. Olivier Messiaen, *Et exspecto resurrectionem mortuorum,* 1965, para viento y percusión.

REVELACIÓN

(Lat. *revelare,* «desvelar».) Para los creyentes (judíos, cristianos, musulmanes), es Dios el que toma la iniciativa de darse a conocer a lo largo de la historia; este conocimiento no es, pues, el resultado de esfuerzo humano alguno.

En el AT, los profetas* transmiten la palabra de Dios acompañándola a veces de una visión simbólica (Ez. 1). Según ellos, los autores de los apocalipsis* revelan los designios de Dios; para unos y otros, sin embargo, Dios permanece envuelto en el misterio*.

Para los cristianos, la última revelación es Jesucristo: «Nadie conoce al Padre sino el Hijo y aquel a quien el Hijo quisiere revelárselo» (Mt. 11, 27), dice Jesús. Los más dispuestos para recibir el mensaje son «los pequeños» y no los responsables religiosos de su época (Mt. 11, 25). La revelación será imperfecta hasta que Cristo llegue, rodeado de gloria, al final de la historia (1Cor. 13, 8-13).

REY

(Heb. *melek,* lat. *rex.)* Israel adoptó la institución real, de origen extranjero, para sustituir a los jueces*. El primer rey fue Saúl (1Sam. 10). Después, Dios eligió a la casa de David; esta elección fue renovada y confirmada por aclamación popular. La realeza era hereditaria, pero conoció varios golpes de Estado (como el de Jehú, 2Re. 9).

El rey era servidor de Dios, le debía respeto y fidelidad. La unción real le hacía inviolable (2Re. 11, 12) y, aunque era llamado Hijo de Dios (Sal. 2, 7; Sal. 110, 3), no se consideraba a sí mismo como un dios al modo de los reyes egipcios; honrado como salvador de su pueblo (1Sam. 8, 20), tenía que administrar la justicia (2Sam. 14, 4-17) y asegurar la prosperidad.

Tres reyes reinaron en el Israel unificado: Saúl (1Sam. 13-31), David* (1Sam. 16 a 1Re. 2) y Salomón*, su hijo (1Re. 1-11). Es David el que posee —a pesar de sus faltas— la imagen del rey ideal, amado por Dios y por los hombres. Es el antepasado del Mesías* esperado y el fundador de la dinastía que culminará en Jesús*.

En el NT, cuando Jesús tuvo que responder al interrogatorio de Pilato, afirmó que él era rey pero que su reino* no era de este mundo (Jn. 18, 33). Pilato ordenó que le flagelaran, después le pusieron la corona de espinas y le vistieron con el manto real para burlarse de él. El Apocalipsis* llama a Cristo Rey de Reyes (Ap. 19, 16).

♦ ***Lit.*** Torgny Lindgren, *Betsabé,* 1985: en esta novela escrita en primera persona, Betsabé se entrega a una reflexión poética sobre la función real que desempeña la casa de David.

Libro de los Reyes

Cuenta la llegada de Salomón* al exilio en Babilonia.

Está dividido en dos libros y se compone de tres partes: el reinado de Salomón —acceso, reinado, construcciones, riquezas y sueños (1Re. 1-11)—; la historia sincrónica de los reinos de Judá y de Israel (1Re. 12 hasta 2Re. 17); el fin del reino de Judá (2Re. 18-25), y, para terminar, el relato de la catástrofe del año 587.

Es una historia religiosa de la realeza: a pesar de los reyes piadosos y de los profetas Elías* y Eliseo*, la infidelidad generalizada conduce a la fragmentación del reino de David y de Salomón, la desaparición del reino de Israel, la ruina de Judá y el exilio.

RICO

En el AT, la riqueza, don de Dios, es la recompensa a la virtud o al trabajo. Es un bien deseable y el rico es muy admirado. Pero la riqueza también puede apartar al hombre de sus congéneres o de Dios, sobre todo si se adquiere de forma ilegítima. Los escritos sapienciales subrayan el peligro de la riqueza (Eclo. 5, 1; 27, 1; 31, 1) y el hecho de que no es suficiente para alcanzar la felicidad (Prov. 15, 16-17; 16, 8). En el NT, Jesús muestra sus peligros: «No podéis servir a Dios y a las riquezas» (Lc. 16, 13; Mt. 6, 24). El Evangelio de Lucas es el más crítico respecto a la riqueza. En las epístolas neotestamentarias se promete otra riqueza: la de los bienes espirituales.

→ MAMÓN, POBRE.

♦ ***Lengua.*** *Meterse por el ojo de una aguja.* Ser muy astuto. La expresión se refiere a la afirmación de Jesucristo: «Más fácil es que un camello pase por el ojo de una aguja que el que un rico entre en el Reino de los cielos» (Mt. 19, 24).

RIÑONES

Los riñones designan el lugar donde se localiza el vigor físico del hombre, su fuerza creadora: Pablo habla de los que han salido de los «riñones» de Abraham* (Heb. 7, 5).

Con mayor frecuencia, se alude a ellos para señalar donde se encuentran los sentimientos ocultos y las pasiones violentas. Job* (16, 13) se lamenta de que Dios haya «traspasado sus riñones sin piedad»; Matatías, al ver a un judío sacrificar en el altar de Modín, siente que «sus riñones se estremecen» y deja en libertad su justa cólera (1Mac. 2, 24).

En este sentido, los riñones suelen asociarse con el corazón, formando una pareja complementaria: mientras el corazón es el lugar del pensamiento, la inteligencia y los sentimientos conscientes, los riñones son el de las pasiones y los impulsos inconscientes. «Corazón y riñones» designan, pues, el conjunto de las fuerzas interiores del ser humano.

ROCA

Símbolo de solidez y seguridad. En el AT, Dios es la roca de Israel, es decir, su firme apoyo: «¿Quién es roca sino Dios?» (Sal. 18, 32).

La roca es la vida divina: el relato del éxodo* muestra a Moisés implorando a Dios por su pueblo, torturado por la sed en el desierto del Sinaí: «Hiere la roca», respondió Dios, «y saldrá de ella agua para que beba el pueblo» (Éx. 17). Según una leyenda rabínica, la roca acompañó después a los hebreos por el desierto.

«El hombre sabio construye su casa sobre la roca» (Lc. 6, 48): las palabras de Jesús llevadas a la práctica son los cimientos de la vida. Jesús da el nombre de roca a Simón Pedro*, sobre el que funda su Iglesia (Mt. 16, 18).

Para Pablo, Jesús también es el agua* «espiritual» que brota de la roca.→ PIEDRA.

♦ ***Lengua.*** *Construir sobre arena.* En sentido figurado, para Mateo, es no poner en práctica las palabras de Jesús, no construir sobre la roca (Mt. 7, 25-26). En el lenguaje familiar, la imagen se aplica a todo lo que no se sustenta sobre una base sólida.

ROCÍO

En los países en los que jamás llueve en verano, el rocío es importante para la supervivencia.

En la Biblia, el rocío es considerado como un símbolo de vida exuberante (Gén. 27, 28).

En sentido figurado, designa todo lo que, sin ruido y de forma invisible, aporta frescor y bendición, tal como actúa el rocío sobre la vegetación. Simboliza la bendición divina, que es vivificante.

S

SABA

Región situada al sur de la península de Arabia. Según 1Re. 10, la reina de Saba fue a visitar a Salomón*, rey de Israel, del que había oído alabar su riqueza y su sabiduría, y quedó admirada por su grandeza.

Jesús la citó como ejemplo: «La reina del Mediodía se levantará en juicio contra esta generación y la condenará, porque vino de los confines de la tierra para oír la sabiduría de Salomón, y aquí hay algo más que Salomón» (Mt. 12, 42).

La visita de la reina de Saba a Salomón ocupa también un importante lugar en la leyenda musulmana de la reina Balkis y en la etíope de la reina Makedo.

♦ ***Lit.*** Lope de Vega, *Jerusalén conquistada,* 1609: en la obra se alude a la reina de Saba y a su admiración por Salomón: «Saba etiopisa adora su presencia, pero poder y ciencia al fin contemplo rendidos a mujer...». Charles Nodier, *El hada de las migajas,* cuento fantástico, 1832: el relato de los delirantes amores de un «lunático», Michel el Carpintero, con la reina de Saba; «Todo el arte del escritor consiste en lograr que simpaticemos con este delirio y desear que sea verdad» (Pierre Albouy).
Gérard de Nerval, *Viaje a Oriente,* 1851, «Las noches del Ramazan»: la historia de Adoniram y la reina de Saba, Balkis. Nerval había proyectado un libreto de ópera sobre la reina de Saba y el cuento procede, parcialmente, de ese libreto inacabado.

♦ ***Icon.*** Piero della Francesca, *La reina de Saba y su séquito,* siglo XV, Arezzo. Claudio de

Lorena, *El embarque de la reina de Saba,* 1648, Londres. *Salomón y la reina de Saba:* Ghiberti, 1425, puertas del baptisterio de Florencia; Konrad Witz, 1435, Basilea; Jan van Scorel, siglo XVI, Amsterdam; Claude Vignon, 1624, Museo del Louvre. Gustave Doré, *La Biblia,* 1866, París.

SÁBADO

(Heb. *shabat,* «cesar, descansar».) Séptimo día de la semana dedicado al descanso, como hizo Dios después de haber creado el mundo en seis días (Éx. 20, 8-11). También es el día en que el hombre se libera de la esclavitud del trabajo y debe hacer lo mismo con los que dependen de él (incluidos sus animales), como Dios lo liberó de la servidumbre en Egipto (Dt. 5, 14-15).

La institución del sábado se fue convirtiendo, progresivamente, en uno de los rasgos característicos del judaísmo, pero el espíritu legalista hizo de ese día una jornada llena de obligaciones y objeto de múltiples prohibiciones (Éx. 31, 14-15). Jesús recordará que «el sábado ha sido hecho para el hombre y no el hombre para el sábado» (Mc. 2, 27).

También existía un «año sabático»: cada siete años la tierra debía permanecer en barbecho, había que devolver las deudas y liberar a los esclavos (Lev. 25).

♦ ***Lit.*** Salomon Alkabetz, *Palestina,* siglo XVI: *Lekha Dodi, (Ven, amado mío),* himno de recibimiento del sábado y de esperanza en la restauración del Israel mesiánico.
Heinrich Heine, *Melodías hebraicas,* «La princesa Shabbat», en *Romancero,* 1851

SABAOT

(Plural del hebreo *saba,* «ejército».) Palabra que designa un conjunto de unidades que obedecen a un solo jefe: soldados, ángeles, constelaciones... «El cielo, la tierra y todos sus elementos *(sabaot)* fueron acabados» (Gén. 2, 1). Poco a poco, *sabaot* se convierte en un concepto que evoca el poder de Dios: «Señor sabaot».

SABIDURÍA (LIBRO DE LA)

Es el más tardío de los escritos de la Biblia griega; fue redactado hacia 50 a. C. y se supone que el autor fue Salomón, aunque en realidad el redactor situó su obra bajo el patrocinio de un prestigioso personaje del pasado.

La primera parte expone la concepción de la vida que poseen los impíos: «Somos hijos del azar... Coronémonos de rosas antes de que se marchiten» (Sab. 21). La segunda hace un gran elogio de la sabiduría: es un don de Dios. La tercera invita a meditar sobre la acción de Dios en la historia de Israel: «Pues en todas las cosas, Señor, engrandeces a tu pueblo y lo glorificas» (Sab. 19).

En el NT, Pablo y Juan reconocerán en Jesús la elocuencia de la sabiduría, «reflejo de la luz eterna» (Heb. 1, 2-3).

♦ ***Lit.*** Racine, *Cánticos espirituales,* 1694, «Oh, Sabiduría, tu palabra».

SACERDOCIO/ SACERDOTE

(Del lat. *sacerdos,* «sacerdote».) Este término designa la función de aquellos que son especialistas en lo sagrado y mediadores entre el pueblo y la divinidad: los sacerdotes.

El AT expone una lenta evolución de esta función a lo largo de la historia. No había sacerdotes en la época de los patriarcas*; ellos mismos ofrecían los sacrificios a Dios. En el Sinaí*, la alianza* entre Dios y su pueblo la establece Moisés, de la tribu de Leví*. Esta se convierte en guardiana del arca* de la alianza y ejerce después funciones sacerdotales en el Templo* de Jerusalén* bajo la tutela del rey.

Después del exilio* no hay rey: el sumo* sacerdote se convierte en guía religioso de la nación. Hacia el siglo III a. C., la jerarquía queda establecida de la siguiente forma: en la cúspide, el sumo sacerdote, luego los sacerdotes (heb. *kohen)* descendientes de Aarón* y, por último, los levitas*.

A comienzos de nuestra era, los sumos sacerdotes judíos son designados por la autoridad política y, como consecuencia, comienza a cuestionarse su legitimidad.

La actividad de los levitas queda limitada al ámbito cultural. Los doctores* de la Ley, los que imparten las enseñanzas, son laicos.

Jesús, en el NT, es laico; pertenece a la tribu de Judá* y no a la tribu sacerdotal. El NT jamás atribuye el título de sacerdote a Cristo o a los apóstoles. Sólo la Epístola* a los Hebreos utiliza el término de «sumo sacerdote» cuando compara a Jesús con Melquisedec*.

De la misma forma que al pueblo judío se le ha llamado «reino de sacerdotes» (Éx. 19, 6), a los cristianos se les llama «comunidad sacerdotal» (1Pe. 2, 5), y esta es la encargada de ofrecer a Dios su vida como alabanza (Rom. 12, 1).

Los responsables designados por los apóstoles* son «administradores de los misterios de Dios», «ministros de la nueva alianza*». Se les suele elegir entre los ancianos o «presbíteros», palabra que procede del griego y es el origen del nombre actual de «sacerdote».

SACRAMENTO

(Palabra de origen latino que traduce la voz griega *mysterion,* «misterio».) «Sacramento» y «misterio» parten, pues, del mismo significado.

En el AT, el misterio es el «secreto» de Dios: su proyecto de salvación para la humanidad (Tob. 12, 7; Dan. 2, 19).

Mateo, Marcos y Lucas hablan, en el mismo sentido, de los «misterios del Reino de Dios», objeto principal del evangelio de Jesús (Mt. 13, 11).

Pero poco a poco, los padres latinos (Tertuliano, san Cipriano y sobre todo san Agustín) comienzan a utilizar la palabra «sacramento» para designar una realidad litúrgica: el signo sensible que manifiesta la presencia activa y salvadora de Dios entre su pueblo.

Los teólogos de la Edad Media, especialmente Pierre Lombard y santo Tomás de Aquino, establecerán siete ritos sacramentales, que serán para los católicos los siete sacramentos principales: la eucaristía*; el bautismo*, signo de la unidad de los cristianos en Jesús muerto y resucitado; la penitencia o confesión, signo de la misericordia de Dios hacia el hombre pecador; la confirmación, signo de la efusión del Espíritu* Santo (unida al bautismo para los ortodoxos); la ordenación de diáconos, sacerdotes y obispos, signo de la misión confiada a la Iglesia; el matrimonio, signo de la unión entre un hombre y una mujer, a imagen de la unión de Dios y su Iglesia, y la extremaunción o sacramento de los enfermos, signo de la presencia salvadora de Dios junto a los que sufren.

Los protestantes no conservan de estos sacramentos más

que el bautismo y la eucaristía, insistiendo en su valor simbólico y profético.→MISTERIO.

SACRIFICIO

El sacrificio es un acto ritual: consiste en ofrecer algo a Dios (animal, oblación vegetal o libación de vino), para suscitar su benevolencia, darle las gracias o expiar los pecados. El sacrificio animal se realiza con ovejas, palomas o tórtolas.

En hebreo no existe un término genérico para designar el sacrificio, sino seis palabras distintas que se aplican según la forma ritual; entre ellas tienen especial relevancia el holocausto* (Lev. 1), en el que la víctima se consume totalmente, y los sacrificios de comunión, en los que la víctima es consumida por los sacerdotes y los fieles (Lev. 3).

La ley del primogénito* (Éx. 13, 2; 22, 28) obliga al israelita a ofrecerlo a Dios en sacrificio, pero está prescrito el perdón para los niños (Éx. 13, 13; 34, 20; Núm. 18, 15), del mismo modo que Isaac* fue sustituido por un carnero (Gén. 22, 13).

El sacrificio humano, habitual en el mundo oriental antiguo, es monstruoso a los ojos de Dios (Lev. 20, 2-5); sin embargo, Jefté* sacrificó a su hija para cumplir un voto (Jue. 11, 30-40), y el rey Josías profanó la «hoguera», o *tophet,* del valle de Hinom (Gehena), donde esta práctica se mantenía a pesar de las prohibiciones (2Re. 23, 10).

Los profetas recuerdan constantemente que el amor a Dios y al prójimo es más importante que todos los sacrificios (Is. 1, 11-17; 1Sam. 15, 22; Prov. 21, 3; Os. 6, 6).

El NT interpreta la muerte de Jesús como un sacrificio, que ya fue anunciado por el texto de Isaías* sobre el servidor doliente (Is. 52, 13-15; 53).

La Cena* puede interpretarse como un sacrificio pascual que anuncia el sacrificio de la alianza* (Éx. 24, 8), una nueva alianza portadora de la salvación (Mc. 14, 22-25; 1Cor. 11, 25; Jn. 19, 14-31); también puede ser interpretada como un sacrificio de expiación: «Sangre... que será derramada por muchos para remisión de los pecados» (Mt. 26, 28).→ ABRAHAM, HOLOCAUSTO.

♦ ***Lit.*** Pär Lagerkvist, *Cuentos crueles,* 1924, «Juan el Salvador»: desde el fondo de su refugio el pobre Juan quiere ofrecerse en sacrificio, convencido de que su destino es salvar a los hombres de la tierra.

SADUCEOS

(Seguramente procede de *Sadoq,* el sumo sacerdote de David: sus herederos aseguran su función hasta los Macabeos.) Instruidos y ricos, los saduceos ejercían las funciones sacerdotales en exclusiva, y también funciones judiciales, reuniéndose en el Sanedrín* con los fariseos*. Se distinguían por su exclusiva vinculación a la Ley de Moisés que recogía el Pentateuco*, y por su rechazo a todos los comentarios y tradiciones que aceptaban los fariseos. Especialmente, se oponían a las creencias sobre la resurrección y la retribución en el más allá (Mt. 22, 22-33), así como a la existencia de los ángeles y los demonios. Los saduceos se dejaron influir por el helenismo, al contrario de los fariseos, más vinculados a las tradiciones propiamente judías. Juan Bautista, cuando estaba en el desierto, los trató de «raza de víboras» (Mt. 3, 7).

♦ ***Lengua.*** *Ser o tender una trampa saducea.* Se denomina así aquella trampa refinada y malévola, tramada para que alguien caiga en un error. Los saduceos, secta judaica fundada por Sadoq, intentaron ridiculizar a Cristo con una cuestión acerca de la resurrección (Mt. 22, 23; Mc. 18, 27): si una mujer ha tenido siete maridos, cuando resuciten, ¿de cuál de ellos será esposa? Jesús contestó: «Cuando resuciten, ni ellos tomarán esposa ni ella marido, porque serán como los ángeles del cielo».

SAGRADA FAMILIA

La expresión sirve para designar a la familia de Jesús, es decir, a José, María y el niño Jesús.

♦ ***Icon.*** *La Sagrada Familia* representa generalmente a José, María y Jesús, rodeados o no de santos y oferentes, y a veces incluye a Juan Bautista o a Ana: Rafael, *La Sagrada Familia* (de Francisco I), 1518, París; Miguel Ángel, siglo XVI, Viena; El Greco, 1547, Toledo.

SAL

La sal sirve para sazonar y conservar los alimentos. Los hebreos, así como otros pueblos, le atribuían un valor puri-

Miguel Ángel, *La Sagrada Familia*, Viena, Museo Imperial

ficador: «A toda oblación que presentes le pondrás sal» (Lev. 2, 13). Eliseo purifica con sal el manantial de Jericó (2Re. 2, 19-22).

Los nómadas la utilizaban en las comidas de amistad o de alianza, de ahí la expresión «alianza de sal» para expresar la estabilidad de la alianza entre Dios y su pueblo (Núm. 18, 19).

La sal simboliza la sabiduría, la pureza, la fuerza moral. Jesús dice a sus discípulos: «Vosotros sois la sal de la tierra, pero si la sal se desvirtúa, ¿con qué se la salará? Para nada aprovecha ya sino para tirarla y que la pisen los hombres» (Mt. 5, 13; Lc. 14, 34).

Durante el bautismo*, el nuevo cristiano recibe en la boca unos granos de sal acompañados de estas palabras: «Recibe la sal de la sabiduría; que te ayude a obtener el perdón para alcanzar la vida eterna».

♦ ***Lengua.*** *La sal de la tierra.* Aquellos que, a través de la historia, mantienen en las sociedades humanas vigor e ideales.

Negarle a alguien el pan y la sal. Mostrar rechazo hacia una persona o no reconocer sus méritos. La expresión proviene de una costumbre de algunos pueblos de la Antigüedad, que consistía en ofrecer a todo visitante, independientemente de su condición, un pedazo de pan y unos granos de sal.

SALMO

Poema religioso. La palabra «salterio», que designa la recopilación de 150 salmos bíblicos, procede del griego *psalterion,* instrumento de cuerdas que acompañaba los cantos. Algunos de los cánticos se atribuyen a David*, si bien corresponden a épocas y autores diferentes.

El Salterio agrupa poemas y géneros variados que responden a intenciones diversas: himnos* que celebran el Reino de Dios o la ciudad santa, súplicas individuales o nacionales lamentándose por el desamparo, cantos de acción de gracias, lamentos o plegarias de confianza. Es la recopilación de los cantos religiosos de Israel, que se unirá a la liturgia del Templo* y más tarde a la oración* de la sinagoga*.

La oración de Jesús y de María (magníficat*, Lc. 1, 46 y s.) se nutre de los salmos. Las últimas palabras de Jesús al morir son citas de los salmos: «Dios mío, Dios mío, ¿por qué me has abandonado?» (22, 2) y «En tus manos encomiendo mi espíritu» (31, 6).

También los salmos ocupan un lugar importante en la liturgia de la Iglesia cristiana, que les proporciona un carácter propio añadiendo al final de cada salmo la fórmula: «Gloria* al Padre, al Hijo y al Espíritu Santo».

Muchos pasajes del Corán* dedicados a la gloria de Alá presentan una estructura semejante a la de los salmos.

Por su indudable belleza literaria los salmos han inspirado especialmente a los traductores y los artistas.

♦ ***Lit.*** Los comentarios del Salterio se van sucediendo a través de los siglos desde la Antigüedad. Lutero comentó salmos antes de traducir el NT (1522), tomando como referencia el texto griego publicado por Erasmo (1516), y también adaptó algunos salmos en verso. Marot tradujo los *Salmos de David* (1541). Los 30 primeros le valieron la condena de la Sorbona, lo que no impidió que publicara más en 1543. Algunos de ellos fueron adoptados por la liturgia protestante. Théodore de Bèze continuó el salterio de Marot, que fue musicado por Goudimel, Du Baïf y Desportes. Fray Luis de León tradujo al castellano los salmos, en los que el rey David se incorpora plenamente a la lengua castellana. También en el siglo XVI, Fernando de Herrera se inspira en los salmos para elaborar su producción poética. El beato Juan de Ávila escribió un comentario al salmo *Audi filia et vide,* 1557.
En el siglo XVII la paráfrasis de los salmos se convirtió en u

género literario religioso: Bertaut, *Paráfrasis del salmo 148,* 1601; Malherbe, *Paráfrasis del salmo 145,* 1627: «Dejemos de confiar, alma mía, en las promesas del mundo». Corneille ofrece una traducción de *Siete salmos penitenciales,* 1670. La Fontaine, convertido al jansenismo al final de su vida, tradujo también himnos y salmos. Patrice de la Tour du Pin, *Salmos,* 1938. José Agustín Goytisolo, *Salmos al viento,* 1958: sobresale su aguda capacidad para la sátira acre y despectiva.
♦ ***Mús.*** El salmo francés hugonote es una adaptación del coral, también procedente de la canción alemana y adaptado en el siglo XVI al oficio luterano. Pero Josquin des Prés (siglos XV-XVI) sería el precursor del salmo musical, que alcanzó su plenitud con Bach, Pretorius, Purcell o Vivaldi. El maestro del salmo concertante es Monteverdi, *Vísperas de la Virgen,* 1610, y *Salmos* (109, 110, 112, 121, 126, 131, 150). Stravinsky, *Sinfonía de los salmos,* 1930. Darius Milhaud, *Cantata de los salmos,* 1967, sobre traducciones de Claudel.
Existen numerosas versiones musicales de los salmos 150 *(Alleluia)* y 130 *(De profundis):* entre otros, Honegger, *Sinfonía litúrgica,* 1946, 2.ª y 3.ª partes.

SALOMÉ

Hija de Herodías* y de Herodes Filipo. Bailó ante Herodes Antipas el Tetrarca, y, obligada por su madre, le pidió la cabeza del profeta Juan Bautista (Mc. 6, 21-26). Se casó con su tío Filipo el Tetrarca.

♦ ***Lit.*** Es uno de los temas de la literatura decadente de finales del siglo XIX: Mallarmé, *Herodías,* 1869. Flaubert, *Tres cuentos,* 1877, «Herodías».

Moreau, *Salomé danzando delante de Herodes,* Nueva York, colección Huntington Hatfor

Huysmans, *Al revés,* 1884: el protagonista del libro comenta los cuadros de Gustave Moreau. Jules Laforgue, *Moralidades legendarias,* 1887: en una de ellas trata el tema con humor relajado. Oscar Wilde, *Salomé,* 1896: descubre la leyenda de la pasión vampírica de Salomé. Apollinaire, *Alcools,* 1913, «Salomé».

♦ ***Icon.*** *Herodes y Salomé,* capitel, siglo XII, Toulouse. *Salomé:* Tiziano, 1560, Museo del Prado; Caravaggio, 1607, Londres. *Salomé bailando,* Gustave Moreau, 1876, París; Aubrey Beardsley, 1894, ilustraciones para la obra de Oscar Wilde; Franz von Stuck, 1906, Munich. Moreau, *Salomé danzando delante de Herodes,* siglo XIX, Nueva York.

♦ ***Mús.*** Massenet, *Herodías,* ópera, 1881, basada en una obra de Flaubert. Richard Strauss, *Salomé,* ópera, 1905. Florent Schmitt, *Salomé,* 1913, ballet creado por Diaghilev, París.

♦ ***Cin.*** *Salomé:* Vitagraph, 1908; Samuel Gordon Edwards, 1918; Charles Bryant, 1922: tres imágenes de la mujer fatal.
William Dieterle, *Salomé,* 1953, con Rita Hayworth: de mal gusto, no tiene nada que ver con la Biblia.

SALOMÓN

Hijo de David* y de Betsabé*, último soberano del reino unificado de Israel (970-931 a. C.). Accedió al poder como consecuencia del complot organizado por su madre y el profeta Natán contra su hermano mayor Adonías. Su reinado marcó el apogeo de la grandeza de Israel. Hábil hombre de negocios, político sagaz, se casó con la hija de un faraón, logrando de este modo la amistad con el pueblo egipcio. Dividió el país en 12 provincias que estaban obligadas a pagar impuestos, los cuales se ingresaban en el tesoro central para financiar los elevados costes de las construcciones que realizaba en Jerusalén.

Durante su reinado, el Templo, magníficamente construido gracias a su interés y dedicación, se convirtió en el principal lugar de culto para toda la nación. También mandó edificar un espléndido palacio, se ocupó de fortificar diversas ciudades y mantuvo un poderoso ejército con 1.400 carros; pero todo el fasto y toda la gloria no fueron sino atributos efímeros del reino de Israel. En realidad, después de su muerte, estalló una guerra civil y el país se dividió en dos (2Sam. 12; 1Re. 1-12; 2Cr. 1-9).→ CISMA.

Salomón es famoso por su amor a la riqueza y a la voluptuosidad (el libro de los Reyes le atribuye 700 esposas y 3.000 concubinas), pero también por su sabiduría: «Fue el rey Salomón más grande que todos los reyes de la tierra por riquezas y por sabiduría» (2Cr. 9, 22). La historia del juicio de Salomón ilustra su habilidad: dos mujeres se presentan un día en su tribunal pretendiendo ser las dos las madres de un mismo niño de pecho. Una acusa a la otra de haber dejado morir al suyo por negligencia y de haberse apoderado de su hijo. Salomón manda traer el niño y ordena que le corten en dos y luego entreguen la mitad a cada mujer. Entonces se descubre quién es la verdadera madre: la que prefiere que el niño vivo se le entregue a la otra antes que verle morir de un modo tan terrible (1Re. 3, 16-28).

El Corán concede a «Solimán el Magnífico» un aura legendaria y un poder mágico gracias a su célebre anillo.

Salomón y la reina de Saba, políptico etíope en madera, Madrid, colección Ramírez de Lucas

♦ ***Lengua.*** *Juicio salomónico.* Se denomina así a la determinación absolutamente justa. El adjetivo alude a Salomón y al pasaje narrado en 1Re. 3, 16-28.

♦ ***Lit.*** Fray Luis de León, *Traducción literal y declaración del Libro de los Cantares de Salomón,* 1580. Lope de Vega, *El Isidro,* 1599: cita a Salomón señalando también sus faltas; *Jerusalén conquistada,* 1609: Salomón es el símbolo de la ciencia y la sabiduría, así como fundador del famoso templo de Jerusalén; *Soliloquios amorosos de un alma de Dios,* 1629: alude a Salomón en el prólogo; *Los pastores de Belén,* 1612: se cita a Salomón como antepasado en la genealogía de Jesús. Voltaire, *Diccionario filosófico,* 1764: el autor relega los personajes de la Biblia a una lejana arqueología que los hace extraños al espíritu de sus contemporáneos, y denuncia sus inclinaciones inmorales (Moisés, David y Salomón).
Gérard de Nerval, *Viaje a Oriente,* 1851, «Las noches de Ramazan»: Solimán se muestra en toda su gloria frente a la reina de Saba*, Balkis. Robert Browning, *Salomon and Balkis,* poemas, 1883. Hayim N. Bialik, *Salomón y la reina de Saba,* poemas, principios del siglo XX.

♦ ***Icon.*** Salomón figura entre los reyes de Israel en el pórtico de las catedrales góticas, como estatua-columna: Chartres, Corbeil y Mans. *Salomón y la reina de Saba,* políptico etíope en madera, Madrid. *El juicio de Salomón:* Signorelli, siglo XV, Siena; Rafael, 1508, Roma; vidrieras, 1524, Saint-Jean de Troyes, y 1531, Saint-Gervais, París; Nicolas Poussin, 1649, París; William Dyce, siglo XIX, Edimburgo. Gustave-Adolf Mossa, *Salomón,* 1908, Niza → SABA.

♦ ***Mús.*** Clément Janequin, *Proverbios de Salomón,* siglo XVI. *El juicio de Salomón:* Giacomo Carissimi, 1669; Marc Antoine Charpentier, 1702.

♦ ***Cin.*** King Vidor, *Salomón y la reina de Saba,* 1959.

SALVACIÓN

La salvación a la que se refiere la Biblia significa, en primer lugar, liberación: Dios saca de Egipto a los hebreos cautivos (Éx. 15, 2); luego los protege de todos los peligros, especialmente de la invasión extranjera (2Re. 19; 1Mac. 3, 18) y les concede la paz. Para merece esta ayuda, el pueblo tiene que comportarse de acuerdo con la Ley. Los profetas insistirán en la estrecha unión que existe entre la salvación y la instauración de la justicia (Is. 59; 60, 17-18).

Después del exilio se irán perfilando, progresivamente, la figura de un mesías* portador de la salvación de Dios, no solamente para Israel sino para toda la tierra (Is. 49, 6-8), y la espera de una salvación definitiva en el «día del Señor» (Juicio final). La plegaria de los salmos proclama: «De Yahvé viene la salvación de los justos» (Sal. 37) y su repercusión es cada vez mayor a medida que se extiende la idea de una vida después de la muerte (Dan. 12, 2-3).

Para los cristianos, Jesús es el Salvador que da su vida para reconciliar al hombre con Dios y arrancarle del pecado* y de la muerte. Con él la salvación ya ha sido otorgada y se realizará plenamente en la resurrección final (Rom. 5, 9-10).→ REDENTOR/REDENCIÓN/RESCATE, REINO/REINADO.

♦ **Lit.** *La salvación como liberación que pone fin al mal.* → REDENTOR/REDENCIÓN/RESCATE.

Salvación y predestinación. Juan Calvino, *La institución de la religión cristiana,* 1541. En general, la Reforma protestante afirma categóricamente que la salvación procede de la gracia divina y no está relacionada con méritos humanos. → GRACIA.

Dificultad de acceder a la salvación.
San Juan de la Cruz, *La ascensión al monte Carmelo,* 1518 (edición póstuma, 1618).
Pascal, *Pensamientos,* 1670: en el argumento de la «apuesta», define positivamente la salvación como «una infinidad de vida infinitamente dichosa».

SALVADOR

Liberador; persona compasiva en la que se confía. Dios es el salvador por excelencia: «No hay Dios justo y salvador fuera de mí; volveos a mí y seréis salvos» (Is. 45, 21-22).

Los cristianos también nombran así a Jesús, que libera a sus fieles de la esclavitud del pecado, de la sumisión a las fuerzas del mal, del poder de la muerte: en cada creyente muere el hombre pecador y vive un hombre nuevo gracias al Espíritu (Tit. 3, 5). El Cristo Salvador es el eje principal de la teología de Pablo. La esperanza mesiánica en una restauración temporal de la realeza davídica, todavía presente en los Hechos de los Apóstoles (Act. 1, 6), se convierte en la esperanza en el Reino* de los cielos.→ MESÍAS, REDENTOR/REDENCIÓN/RESCATE, SALVACIÓN.

SAMARIA

Ciudad situada a 100 kilómetros al norte de Jerusalén, a medio camino entre el valle del Jordán y la costa. Fundada por Omri hacia el año 880 a. C., se convirtió en la capital del reino del Norte, y lo siguió siendo hasta su destrucción por los asirios en 721.

En el AT, Samaria era el símbolo del reino de Israel, como Jerusalén lo era de Judá. La Biblia la condena por la idolatría que hicieron reinar en ella sus soberanos, especialmente Acab*, que alzó un templo a Baal* (1Re. 16, 31-33), y Jezabel*, que sentó a los profetas de Baal a su mesa y se enfrentó con Elías* (1Re. 18-19). Los profetas se mostraron muy severos contra la impiedad y la inmoralidad que reinaban allí (Os. 4-5; Am. 4; Miq. 1).

Exiliados en 721, los samaritanos fueron sustituidos por colonos extranjeros; estos elevaron un altar en el monte Garizim, que dominaba su ciudad. Desde entonces, la enemistad no hizo sino aumentar entre Samaria y Jerusalén. Por ello, al regreso del exilio, los samaritanos intentaron oponerse a la reconstrucción del Templo de Jerusalén (Esd. 4) y bajo Antíoco IV se aliaron con los paganos contra los habitantes de Judea (1Mac. 3, 10).

En tiempos de Jesús, la hostilidad entre judíos y samaritanos todavía se mantiene (Mt. 10, 55; Lc. 9, 53; Jn. 4, 9) y Jesús elige a un samaritano como ejemplo para ilustrar la atención que se debe dedicar al prójimo (la parábola* del buen samaritano, Lc. 10, 29-37). → PRÓJIMO.

Jesús también manifiesta su disconformidad con la opinión general que existe sobre los samaritanos y se presenta como el Mesías a una mujer de Samaria a la que encuentra junto al pozo de Jacob*. Distanciados de las prácticas judías, los samaritanos parecen haber recibido favorablemente el mensaje cristiano predicado por el apóstol Felipe (Act. 8, 4-8).

♦ ***Lengua.*** *Un buen samaritano.* Se denomina así a la persona que acude sin vacilar a socorrer a quien está en dificultades.

♦ **Icon.** *Jesús y la samaritana,* capitel, siglo XII, Moissac. Cuadros del siglo XVI: Annibale Carracci, Milán, Viena y Budapest; Jacopo Bassano, Verona; Veronés, Viena; Nicolas Poussin, siglo XVII, París. *El buen samaritano,* vidrieras, siglo XIII, Chartres, Ruán, Sens, Bourges. Cuadros: Jacopo Bassano, siglo XVI, Londres; Luca Giordano, siglo XVII, Ruán.

SAMUEL

(Heb., «Su nombre es Él».) Hijo de Elcaná y de su mujer, Ana, que era estéril, fue consagrado a Dios desde la infancia y educado en el templo de Siló: una llamada de Dios le confiere el carácter de profeta (1Sam. 3). Juez itinerante, conduce a los israelitas en su lucha contra los filisteos. Cuando Israel reclama un rey, confiere la unción* real a Saúl (1Sam. 11, 12-14), pero Dios lo rechaza (1Sam. 15, 10) por haber transgredido la ley del anatema*; entonces, por orden divina, Samuel elige a David entre los hijos de Jesé. Después de la muerte de Samuel, Saúl, que deseaba consultarle, evoca el espíritu de Samuel a través de la pitonisa de Endor; este le anuncia su derrota y su muerte próxima (1Sam. 28, 3-25).

Para la tradición, Samuel es, sobre todo, el vidente (1Cr. 9, 22) o el profeta (Act. 3, 24), y un intercesor ante Dios, como Moisés (Sal. 99, 6; Jer. 15, 1).

♦ **Icon.** *La consagración de Samuel,* fresco, siglo III, sinagoga de Dura-Europos. *La sombra de Samuel se aparece a Saúl:* Salvatore Rosa, siglo XVII, París; Benjamin West, 1777, Londres. Joshua Reynolds, *Samuel niño en oración,* siglo XVIII, Londres, Montpellier.

SANCTASANCTÓRUM

(Heb. *debir,* «parte de atrás de una estancia».) Es la parte más sagrada del Templo*, el lugar donde estuvo colocada el arca* de la alianza hasta el exilio; solo el sumo sacerdote entraba en ella, una vez al año, para cumplir el ritual de la expiación (Lev. 16). El sanctasanctórum estaba separado del *hekal* (el Santo) por una puerta que, en el segundo Templo de Jerusalén, fue sustituida por un velo (2Cr. 3, 14). Según Mc.

15, 38, el velo se desgarró en el instante en que murió Jesús.

♦ ***Lengua.*** *Entrar en el sanctasanctórum.* En el lenguaje familiar significa tener acceso a la parte más secreta de una vivienda, de una organización, de una persona...

SANCTUS

La fórmula de alabanza del *sanctus,* o tres veces santo, o *trisagion,* se encuentra en Is. 6, 3, y se recupera en Ap. 4, 8. Forma parte de la liturgia de la misa* (rito católico) y del Santo Sacrificio (rito ortodoxo), y se canta en la Iglesia reformada.

SANEDRÍN

(Derivado del gr., «consejo, tribunal».) Al regresar del exilio*, los judíos recibieron de los persas el derecho a juzgar sus litigios (Esd. 7, 25-26). Progresivamente fue tomando forma un consejo gubernamental, un senado, de cuya existencia hay testimonios desde el siglo III a. C.

El Sanedrín estaba compuesto por 70 miembros, además del sumo sacerdote, que lo presidía en el Templo* o en su propia casa. Como corte suprema, disponía de policía y estaba capacitado, según parece, para pronunciar sentencias de muerte, aunque durante la ocupación romana dichas sentencias debían ser ratificadas por el procurador. Sus miembros estaban divididos en tres categorías: los ancianos, los sumos sacerdotes (saduceos) y los doctores de la Ley (fariseos). El Sanedrín juzgó a Jesús y a los apóstoles Pedro y Juan (Act. 4, 5), y a Esteban y Pablo (Act. 6, 12; 23). Nicodemo y José de Arimatea formaban parte de él. Se disolvió tras la ruina de Jerusalén.

♦ ***Icon.*** Alexandre Bida, grabado en *Los evangelios,* París, 1873.

SANGRE

En el AT, la sangre es el principio vital de los seres animados, hombres y animales. La palabra «sangre» se emplea con mucha frecuencia en la Biblia para expresar la vida. Como Dios es el único amo de la vida, al hombre le está prohibido derramar sangre humana, es decir, matar. Los «hombres sangrientos», también llamados homicidas, horrorizan a Dios (Gén. 9, 6). La sangre humana injustamente derramada reclama venganza (Job 16, 18).

La sangre de los animales, derramada en los sacrificios, da fe de la consagración de toda forma de vida a Dios (Lev. 17). Como la sangre pertenece a Dios, también al hombre le está prohibido comer la carne de los animales con sangre: la carne tiene que ser sangrada antes de ser consumida (carne *casher),* según las prescripciones aún en vigor para judíos y musulmanes.

En el NT, la sangre de Jesús inmolada como un cordero* es la forma suprema del don personal. Esta sangre del sacrificio sella una alianza* nueva con Dios, como lo hizo la sangre derramada por Moisés sobre el pueblo en el momento de la conclusión de la alianza en el Sinaí (Éx. 24, 8). Los que beben el vino eucarístico (signo de la vida de Cristo) también participan en la vida divina y en el don de la vida.

→ EUCARISTÍA.

♦ ***Lengua.*** *La carne y la sangre* (Mt. 16,17). Esta expresión designa la naturaleza humana en su materialidad y sus límites.

SANSÓN

Es uno de los 12 «jueces» mencionados en el libro del mismo nombre (Jue. 13-16), que se distingue de los demás porque no es un jefe militar ni un jefe político, sino más bien un héroe local del que se cuentan sus hazañas con humor.

Sansón, consagrado a Dios desde el momento de su concepción, está dotado de una fuerza excepcional para jugar malas pasadas a los filisteos*. La tradición que se refiere a él posee el encanto de los cuentos populares. Sansón es famoso, sobre todo, por sus enredos con Dalila*. Murió heroicamente, utilizando por última vez la fuerza con que Dios le había dotado para sacudir violentamente las columnas del templo de Dagón, dios de los filisteos.

♦ ***Lit.*** Lope de Vega, *Jerusalén conquistada,* 1609: en el libro IV se hace una rememoración de la historia del pueblo judío con sus héroes más destacados, entre los que se encuentra Sansón, enumerando todas sus proezas y su trágico final. Milton, *Sansón agonista,* 1671: Dalila explica su traición y asume la responsabilidad de su obra. Choderlos de Laclos, *Las amistades peligrosas,* 1782: Madame de Merteuil se compara con una nueva Dalila que maneja con sus tijeras a los modernos sansones, que son los hombres. Vigny, *Los destinos,* 1864, «La cólera de Sansón»: «la bondad del hombre» vencida por «la astucia de la mujer». Henri Bernstein, *Sansón,* teatro, 1907. Jean Giraudoux, *Sodoma y Gomorra,* 1943: una orgullosa Dalila se resguarda de la fuerza de Sansón para proseguir su larga contemplación de sí misma. Jean Grosjean, *Sansón,* 1989.

♦ ***Icon.*** Jorg Breau, *La historia de Sansón,* siglo XV, Basilea. Durero, *Sansón matando a un león,* grabado, 1496. Rembrandt, *Sansón cegado por los filisteos,* 1636, Berlín. Rubens, *Sansón y Dalila,* siglo XVII, Londres. Gustave Doré, *La Biblia,* 1866, «Muerte de Sansón», París.

♦ ***Mús.*** Haendel, *Sansón,* oratorio, siglo XVIII. Saint-Saëns, *Sansón y Dalila,* 1877.

♦ ***Cin.*** Cecil B. de Mille, *Sansón y Dalila,* 1949.

SANTIAGO

Nombre equivalente al hebreo Jacob.

Santiago el Mayor

Hijo de Zebedeo y hermano mayor de Juan. Fue uno de los Doce y, como su hermano, recibió de Jesús el apodo de Boanerges, es decir, hijo del trueno. Con Pedro y Juan, Santiago estuvo presente en los acontecimientos más importantes de la vida de Jesús: la transfiguración* (Mt. 17, 1), la reanima-

El Greco, *Santiago el Mayor,* Nueva York, Hispanic Society

ción de la hija de Jairo* (Lc. 8, 40-56), la agonía en el huerto de Getsemaní* (Mt. 26, 37), etcétera.

Murió mártir*, decapitado hacia 41 d. C. por orden de Herodes Agripa I (Act. 12, 2). Según Mateo y Marcos, Jesús le anunció su muerte cuando él y su hermano Juan tuvieron la osadía de pedirle el privilegio de sentarse uno a su derecha y otro a su izquierda en la gloria (Mc. 10, 35-40). Según una tradición legendaria, Santiago el Mayor evangelizó España; se le venera en Santiago de Compostela.

♦ ***Icon.*** El Greco, *Santiago el Mayor,* siglo XVI, Nueva York.

Santiago el Menor

A menudo se le confunde con Santiago, hijo de Alfeo. En realidad Santiago el Menor (el Joven), pariente de Jesús, hijo de Cleofás y de María, una de las santas mujeres*, no era uno de los Doce: ni siquiera fue discípulo de Jesús mientras este vivió. Pero después se convirtió en el guía de los «judeocristianos» y jugó un papel de primer orden en la comunidad de Jerusalén, especialmente durante la controversia sobre la necesidad de imponer la circuncisión a los paganos convertidos (Act. 15, 13-21).

Tradicionalmente se le ha atribuido la Epístola de Santiago, la primera epístola católica (ver la Biblia de los católicos, pág. XXIII), pero su autoría está siendo actualmente discutida. Según el historiador judío Flavio Josefo (37-100 d. C.), fue lapidado en el año 62.

Santiago, hijo de Alfeo

Uno de los 12 apóstoles* (Mc. 3, 18).

SANTO

Dios es el Santo por excelencia, es decir, «el separado», el «diferente». En él se convierte en santo el pueblo de Israel que él ha «separado» de los demás para hacerlo su pueblo y realizar su proyecto de salvación.→ SANCTUS.

El hombre poseído por un espíritu impuro (Mc. 1, 24) reconoce en Jesús al «Santo de Dios».

El espíritu que Jesús envía a sus apóstoles después de su Ascensión* es el Espíritu* Santo, porque es el Espíritu de Dios.

En la comunidad primitiva, los que han sido bautizados en

Jesús son llamados «santos», porque han sido santificados por Cristo. La Iglesia venera especialmente a los mártires, aquellos que murieron por haber dado testimonio de Jesús muerto y resucitado. Posteriormente, el culto se extiende a los que, sin morir por esta causa, proclamaron su fe en Jesús, y a los que llevaron una vida ejemplar.

En 993 la Iglesia «canonizó» por primera vez a un cristiano. El culto a los santos, establecido de hecho en fechas anteriores, adquirió una extensión extraordinaria (peregrinaciones, procesiones, culto a las reliquias, relatos de «milagros», hagiografías). Este culto fue rechazado por las Iglesias reformadas del siglo XVI, mientras la Iglesia católica continúa «beatificando» (declarando bienaventurado) y luego «canonizando» (proclamando santo), después de un «proceso», a aquellos de entre sus miembros que llevaron hasta el heroísmo la práctica de las virtudes evangélicas.

♦ ***Lengua.*** *No ser santo de la devoción de alguien.* Desagradar algo a una persona o no tener simpatía hacia alguien. *Tener el santo de cara o de espaldas.* Tener la suerte a favor o en contra. Es habitual invocar a un santo para tener éxito en alguna acción. Prácticamente, existe un santo para cada cosa.

SANTUARIO

El santuario (del lat. *sanctus,* «santo») es el templo en su conjunto. Más generalmente, es un lugar de culto, sagrado por la presencia de Dios, al menos durante la ceremonia del culto.

Actualmente, un santuario es un lugar sagrado, separado del mundo profano, donde se imponen el recogimiento y el respeto.

SAPIENCIALES (LIBROS)

(Lat. *sapientia,* «sabiduría».) En el AT reciben esta denominación los libros de Job*, Proverbios*, Eclesiastés*, Sirácida (o Eclesiástico) y de la Sabiduría*, a los que a veces se unen los Salmos* y el Cantar* de los Cantares. Se vinculan a todo un conjunto de literatura «sapiencial» que ha producido obras de gran calidad, especialmente en Egipto *(Sabiduría de Ani, Enseñanza de Amenemope)* y en Mesopotamia *(El justo doliente, Sabiduría de Ajicar).* Estas obras influyeron en los autores bíblicos.

SARA o SARAH

Mujer de Abraham* y madre de Isaac*. La Biblia nos cuenta que era muy bella (Gén. 12, 11), pero también estéril. Entregó a su sirvienta Agar a Abraham* para que tuviera con ella un descendiente (ver Ismael*). Sin embargo, Sara también tendrá un hijo, Isaac, el «hijo de la promesa*», que nació cuando Sara era una anciana.

El tema de la madre mayor o estéril (como Ana, madre de Samuel*, o Isabel*) quiere subrayar el poder de Dios, Señor de lo imposible. El relato del anuncio de este nacimiento, durante la aparición en Mambré (Gén. 18, 1-15), es uno de los textos más bellos del AT.

En el NT, a Sara se la cita como la madre de los hijos de la promesa (Rom. 4, 19), un ejemplo de fe (Heb. 11, 11) y un modelo para las esposas cristianas por su sumisión a Abraham, al que llama su señor.

SATANÁS

A Satanás se le ha identificado:

—con la serpiente* del capítulo 3 del Génesis (Sab. 2, 24), que conduce a Eva a la desobediencia;

Tintoretto, *Cristo tentado por Satanás,* Venecia, iglesia de San Roque

—con una especie de ángel acusador público o de demonio* subordinado a Dios que representa al «calumniador» (en gr. *diabolos,* «el que divide»), adversario de los hombres (1Cr. 21, 1; Job 1, 6; Zac. 3, 1-2);

—con el «príncipe de este mundo», que es rechazado por Jesús, desde las tentaciones en el desierto (Mt. 4, 2-11) hasta la cruz;

—con el enemigo que siembra la cizaña en el campo del padre de familia (Mt. 13, 39), o que arranca del corazón de los hombres la semilla* de la palabra de Dios; con el león hambriento que merodea sin cesar alrededor de los fieles (1Pe. 5, 8); con «el enorme dragón»; con el «seductor del mundo entero» (Ap. 12, 9). A Satanás se le considera responsable de la hostilidad del mundo en el proceso de propagación del Reino de Cristo, pero será vencido al final de los tiempos (Ap. 20, 1-10).

El AT habla en raras ocasiones de Satanás, mientras este (en singular o en plural: «los demonios») interviene con mayor frecuencia en el NT, pues Cristo anticipa el fin de los tiempos y el Juicio final. Satanás es un ser subordinado, una criatura, un adversario de los hombres, inasequible e invisible, pero que nada puede contra Dios (no hay dualismo entre un Dios bueno y un Dios malo).

El origen de Satanás es un enigma: se ha pensado en la mitología babilónica, pero las Escrituras guardan silencio sobre el tema. Como era difícil no plantearse la cuestión del origen del mal y al mismo tiempo imposible imaginar un dios del mal, todo condujo a pensar que Satanás había sido creado bueno pero se había desviado de Dios (Orígenes, san Agustín). Incluso se pensó que era uno de los ángeles principales, llamado más tarde Lucifer*. Al orgullo se atribuyó, sobre todo, la caída de Satanás, poniendo en su boca las palabras que Isaías presta a la orgullosa Babilonia: «Subiré a los cielos; en lo alto, sobre las estrellas de Dios... Seré igual al Altísimo» (Is. 14, 13-14).

→ DIABLO, ISLAM.

♦ ***Lengua.*** *El príncipe de las tinieblas.* Esta expresión designa a Satanás, «príncipe de este mundo», de cuyo poder Dios arranca al pagano para conducirle a la luz.

♦ ***Lit.*** Manes, creador de la doctrina denominada maniqueísmo: *Shapurakan, Tesoro de la vida, Libro de los misterios, Libro de los preceptos* y *El sol de la certeza,* siglo III: en todas ellas, la gran preocupación es resolver el problema del mal; la ontología maniquea está basada en un dualismo que enfrenta dos reinos, dos principios: Dios, principio espiritual de la luz y del bien, y Satanás, principio material de las tinieblas y del mal.

Quevedo, *Política de Dios, gobierno de Cristo, tiranía de Satanás,* 1626: tratado político-religioso, integrado por una serie de reflexiones políticas de orden abstracto inspiradas en las normas cristianas y el ejemplo de la Iglesia de Roma. Según Pierre Albouy, en la literatura existen dos imágenes de Satanás.

Por una parte, representa la belleza del mal: grandiosidad de belleza, inteligencia y orgullo en Milton, *Paraíso perdido,* 1667, donde simboliza la independencia republicana, y «el más sabio y el más bello de los ángeles» en Baudelaire, *Las flores del mal,* 1857, «Las letanías de Satanás». Esta imagen pertenece a la literatura fantástica; conduce a una mitología del mal cuya expresión más acabada se encuentra en Lautréamont, *Los cantos de Maldoror,* 1869. → DIABLO.

En el siglo XX, Jean Genet, tal como Jean-Paul Sartre lo describe en *San Genet, comediante y mártir,* 1952, lleva a su término la inversión de valores que representa el satanismo. En este misticismo descarriado, el propio príncipe de las tinieblas ha desaparecido, ha sido sustituido por el escritor-presidiario de irrisoria soberanía. → DEMONIO, DIABLO.

Por otra parte, Satanás es el rebelde salvado. Klopstock, *La Mesíada,* 1773, ofrece la idea de una posible redención en los infiernos por medio del amor; el Satanás de Vigny, el Tentador, hubiera podido salvarse si Eloa le hubiera tendido la mano *(Eloa,* 1824). También el mito de la redención de Satanás se desarrolla según la perspectiva romántica y humanitaria de una «literatura socialista»: Satanás, salvado por el amor de la mujer, se convierte en «el arcángel de la rebelión legítima» (George Sand, *Consuelo,* 1843), en el símbolo del progreso por la rebelión. Victor Hugo, *El fin de Satán,* 1886, ilustra al mismo tiempo una metafísica y una filosofía de la historia: el mal es un momento necesario en la evolución universal, un motor esencial de la historia; sin la rebelión de Satanás la libertad no hubiera sido posible.

♦ ***Icon.*** A Satanás se le representa como a un monstruo en las composiciones del *Juicio final:* Coppo di Marcovaldo, siglo XIII, baptisterio de Florencia. Suele ser un hombre guapo y embaucador: *El tentador,* 1280, catedral de Estrasburgo. Su cuerpo es atlético: Rubens, *La caída de los ángeles rebeldes,* 1620, Munich. William Blake, *Satanás impone una úlcera maligna a Job,* 1826, Londres. Jean Delville, *Los tesoros de Satanás,* 1895, Gante. Tintoretto, *Cristo tentado por Satanás,* siglo XVI, Venecia. → TENTACIÓN.

♦ ***Mús.*** Mussorgsky, *Una noche en el monte Pelado,* 1867.

SAÚL

Miembro de la tribu de Benjamín, Saúl, que había ido en busca de una manada de asnos extraviados, encuentra al juez Samuel*, y este le confiere la unción regia (1Sam. 9). Otra tradición afirma que el destino le designó como rey, durante una asamblea convocada por Samuel* en Mispé (1Sam. 10, 17-25), o también que fue elegido por el pueblo en Guilgal (1Sam. 11, 12-15).

Primer rey del reino unificado de Israel (hacia 1030-1010 a. C.), se le conoce sobre todo como jefe militar. Desautorizado por Dios (1Sam. 15, 11), pierde la realeza, que será entregada a David*. En su desesperación se opone a la amistad de su hijo Jonatán con David, a quien intenta matar varias veces (por ejemplo, durante su noche de bodas con Micol, su propia hija). Consulta con el espíritu de Samuel mediante la hechicera de Endor y de este modo se entera de su próxima muerte. Efectivamente, sucumbe con tres de sus hijos en la batalla de Gélboe (1Sam. 31). Es un hombre sobre el que pesa un trágico destino y no comprende la misteriosa conducta de Dios para con él.

♦ ***Lit.*** Jean de la Taille, *Saúl furioso,* 1572: el autor se inspira en la Biblia (libro de los Reyes), en Séneca y en el Ariosto para desarrollar el tema del héroe perseguido por un destino hostil. Lope de Vega, *Jerusalén conquistada,* 1609: en su canto IV expone una visión panorámica de la historia de Jerusalén con sus principales reyes, entre los que sobresale Saúl, ya que su reinado es mezcla, a la vez, de gloria y vileza, prueba de los designios de Dios para su pueblo, Israel. Vittorio Alfieri,

Saúl, teatro, 1782. Robert Browning, *Men and Women,* 1855, «Saul»: David cuenta que sus cantos han alegrado la melancolía del anciano rey. André Gide, *Saúl,* drama, 1903: a partir del primer libro de Samuel, Gide imagina un drama homosexual: un joven y bello pastor, Daoud (David) ama a Jonatán, hijo del rey Saúl, el cual, seducido por el encanto de David, cede a sus propios demonios.

♦ ***Icon.*** Rembrandt, *Saúl y David,* 1628, La Haya. Benjamin West, *Saúl y la hechicera de Endor,* 1777, Hartford.

♦ ***Mús.*** Marc Antoine Charpentier, *La muerte de Saúl y de Jonatán,* oratorio, siglo XVII. Haendel, *Saúl,* oratorio, siglo XVIII. Carl Nielsen, *Saúl y David,* ópera, siglo XX.

SEDECÍAS

(Heb., «justicia de Yahvé».) Último rey de Judá. Se negó a escuchar al profeta Jeremías*, que condenaba la idolatría en el Templo y las injusticias (Jer. 21, 11-12), y aconsejaba la resignación frente a las exigencias de Nabucodonosor*. Se rebeló contra este y huyó de Jerusalén cuando terminó el asedio. Juzgado y condenado por el rey de Babilonia, fue obligado a asistir a la ejecución de sus dos hijos antes de quedarse ciego; murió en cautividad en Babilonia (2Re. 24-25).

♦ ***Lit.*** Robert Garnier, *Los judíos,* 1583.

SEM

Sem era el hijo mayor de Noé*. En la época del diluvio estaba casado pero todavía no tenía hijos. Después de la catástrofe, Noé se embriagó y Sem mostró hacia su padre el respeto filial debido. Por eso, Noé le dio su bendición (Gén. 9, 23-27). Se le considera el antepasado de los semitas.

Semitas

Conjunto de pueblos oriundos del Próximo Oriente, cuyo parentesco es esencialmente lingüístico: asirio-babilonios, hebreos, fenicios, cananeos y árabes.

Algunos pueblos no semitas hablaron lenguas semitas, como los filisteos en Palestina.

SEMANA

Serie de siete días que termina el sábado*. En el siglo I d. C., la semana judía sustituyó a la semana romana de ocho días;

la Iglesia primitiva favoreció esta transformación al trasladar al domingo, primer día de la semana, el descanso del sábado*.

La fiesta de las Semanas (Éx. 34, 22), o fiesta de la Recolección del trigo (Éx. 23, 16), se celebraba siete semanas o 50 días después de Pascua, de ahí su nombre griego de Pentecostés*. Posteriormente, se convirtió en la fiesta que conmemoraba la promulgación de la Ley* en el Sinaí*.

SEMILLA/SEMBRADOR

La siembra tenía lugar durante las lluvias de otoño. Se sembraba delante del arado, que cubría las semillas sin cavar verdaderos surcos.

Jesús vivió muy de cerca las faenas de la tierra. En una parábola* compara la palabra de Dios con la semilla y se compara a sí mismo con el sembrador; sus seguidores son la tierra que recibe la semilla. Si la tierra es pedregosa, la semilla crece bien, pero como carece de raíces no resiste el ardiente sol de mediodía. Si está cubierta de zarzas, la semilla se ahoga antes de crecer, pero si la tierra es buena, da fruto por centuplicado (Mt. 13, 1-9; Mc. 4, 3-8; Lc. 8, 4-8).

SEÑAL DE LA CRUZ

Santiguarse es trazar sobre uno mismo, con la mano, una cruz que parte de la frente. La señal significa la pertenencia a la comunidad cristiana. En el momento del bautismo*, el sacerdote traza la señal de la cruz sobre la persona que se dispone a entrar en la comunidad. La cruz evoca la muerte de Jesús y su misión de salvación* de los pecadores. Mediante la señal de la cruz los cristianos recuerdan que han comprometido su vida a seguir a Jesús.

La víspera de su victoria contra Majencio, en 312 d. C., el emperador Constantino vio una cruz de fuego en el cielo con estas palabras: *«In hoc signo vinces»* («Con esta señal vencerás»). Este relato muestra hasta qué punto la señal de la cruz pudo adquirir en los espíritus un valor de protección contra los enemigos personales, las fuerzas demoníacas o los peligros diversos.

→ CRUZ/CRUCIFIXIÓN.

SEPULCRO

Según Mateo, Jesús, dirigiéndose a los escribas y a los fariseos*, exclamó: «Ay de vosotros, escribas y fariseos, hipócritas, que os parecéis a sepulcros blanqueados, hermosos por fuera, mas por dentro llenos de huesos de muertos y de toda suerte de inmundicia» (Mt. 23, 27).

Santo Sepulcro.
→ SEPULTURA.

SEPULTURA

Los cuatro evangelistas narran, en términos casi idénticos, el amortajamiento y sepultura de Jesús, según los ritos israelitas, la misma tarde de su muerte (Mt. 27, 57-61; Mc. 15, 42-47; Lc. 23, 50-55; Jn. 19, 38-42).

Con la autorización de Pilato, sus discípulos bajaron a Jesús de la cruz y se llevaron su cuerpo; según Mateo, Marcos y Lucas, lo envolvieron en una mortaja y, sin duda, le cubrieron la cabeza con un sudario* (paño para tapar la cara de un muerto); según Juan, lo vendaron. Luego, fue colocado en una tumba tallada en la misma roca que pertenecía a un notable, discípulo de Jesús, llamado José de Arimatea; por último, llevaron rodando una gran piedra a la entrada del sepulcro y se fueron. Entre los discípulos se encontraban por lo menos dos mujeres: María* de Magdala y «la otra María».

♦ ***Icon.*** *La sepultura de Cristo:* Fra Angélico, 1440, Florencia; Van der Weyden, siglo XV, Florencia; Rafael, 1507, Roma; Cristóvão Figueiredo, siglo XVI, Lisboa; Tiziano, 1525, París. A finales de los siglos XV y XVI se esculpieron numerosas *sepulturas:* Tonnerre, Semur-en-Auxois, Chacurce, Salers, Chatillon-sur-Seine, Carennac; Paul Delvaux, 1897; Emil Nolde, 1915, Seebull.

SERAFÍN

Los serafines, es decir, los «ardientes», alaban la santidad de Dios (Is. 6, 3; 6, 7).

En la iconografía de la Edad Media, aparecen pintados de rojo para simbolizar el fuego, y tienen seis alas.

En la tradición cristiana forman parte del grupo de los ángeles.

♦ ***Icon.*** Los serafines son frecuentes en las miniaturas medievales y en la escultura románica (tímpano, siglo XII, Notre-Dame du Port, Clemont-Ferrand) o gótica (bóvedas, siglo XIII, Bourges). Mosaicos, siglo XIV, Cefalu. Domenico Spinelli di Niccolo decoró con serafines las marqueterías de la capilla de los Señores de Siena, 1428. Cristo aparece representado como un serafín en un cuadro de Giotto, *San Francisco recibiendo los estigmas,* siglo XIV, Museo del Louvre.

SERPIENTE

El relato del primer pecado se inicia con la mención de la serpiente, a la que se describe como «el más astuto de los animales del campo que Dios había hecho».

En los cultos del antiguo Oriente se reconocía en la serpiente un poder curativo, procedente sin duda de la creencia de que la serpiente rejuvenece perpetuamente cuando muda la piel. Encontramos indicios de este culto dedicado a las serpientes (siglo XIV-XV a. C.) en el relato del libro de los Números que se refiere a la serpiente de bronce (Núm. 21, 6-9).

En el mundo oriental se considera a la serpiente como un animal sagrado que está en contacto con el mundo divino, con la vida y la sabiduría. El relato del Génesis así la muestra, prometiendo a Eva la vida y un conocimiento superior al de los dioses (Gén. 3, 1-5), pero también se la desmitifica para luchar contra la atracción por los cultos mágicos: la serpiente no es un animal salvador, sino una bestia maldita. No da la vida, sino la muerte. Es fácilmente comprensible que se la haya asimilado con Satanás*, adversario del hombre.

El Corán no conoce serpiente alguna en el relato de la caída de Adán. La tradición y la leyenda introdujeron la serpiente y el pavo real en la cohorte de Iblis, tentador de la pareja.

♦ ***Lit.*** Milton, *Paraíso perdido,* 1667: la serpiente magnífica del Edén (libro IX) se transforma en monstruosa pitón en el infierno (libro X). Valéry, *Charmes,* 1922: «Boceto de una serpiente», o la tentación del conocimiento orgulloso. ♦ ***Icon.*** La serpiente figura entre Adán y Eva en las escenas de la tentación: Rafael, 1508, Roma. Augusto Giacometti, *Adán y Eva,* 1907, Zurich. Tiene el tamaño de una pitón, pero puede tener cabeza de mujer: Filippino Lippi, *Tentación de Eva,* siglo XV, Florencia.

Serpiente de bronce

Moisés enrolló en una estaca una serpiente de metal

cuando los israelitas estaban en el desierto. Las víctimas de mordeduras de serpientes vivas tenían que volverse hacia ese emblema y tener fe en la curación prometida por Dios (Núm. 21, 8). Conservada en el Templo, la serpiente de bronce llegó a ser objeto de un culto supersticioso y Ezequías la mandó destruir (2Re. 18, 4).

Jesús habló de su próxima crucifixión comparándose con la serpiente de bronce que salva al que tiene fe en él (Jn. 3, 14-15).

♦ ***Icon.*** *Misceláneas,* manuscrito de la British Library, Francia, 1280. Cuadros: Miguel Ángel, 1512, Roma; Tintoretto, siglo XVI, Venecia; Van Dyck, siglo XVII, Madrid; Rubens, siglo XVII, Londres.

SERVIDOR DE DIOS

En el antiguo Próximo Oriente a cualquier vasallo se le llamaba «servidor» de su soberano, el cual también podía ser servidor de otro. Este apelativo no se utiliza solo respecto al rey, sino que se extiende, por ejemplo, a los profetas y a todo el pueblo de Israel.

Sin embargo, la Biblia insiste en el hecho de que el rey, o cualquier otro intermediario jerárquico, no puede ser, como en las demás naciones, un amo despótico. Tiene que servir realmente a Dios y a su pueblo. Por ello, el prototipo de servidor es el «servidor doliente», ensalzado en cuatro pasajes del deutero-Isaías* (Is. 42, 1-3; 49, 1-9a; 50, 4-11; 53, 1-12), que también se denominan «cantos del servidor». El servidor, pues, permanece fiel a la Ley de Dios hasta la muerte y, al ser perseguido, salva a su pueblo. El NT identifica esta figura mesiánica con Jesús.

SET

Nacido de Adán* y Eva* después de que Caín hubiera matado a Abel*. Su hijo Enoc* es el primero en invocar el nombre de Dios (Gén. 4, 25-26).

SETENTA (VERSIÓN DE LOS)

Traducción griega del AT —la más antigua de todas—, realizada en Alejandría durante los siglos III y II a. C., en honor de los judíos helenizados. Según la *Carta de Aristeos* (muy legendaria), el rey Tolomeo II (285-246) reunió a 72 traductores (seis por cada tribu de Israel), que llevaron a cabo su obra en 72 días (de ahí el nombre de «setenta»). Sin duda, el Pentateuco se tradujo en esa época, y a continuación, progresivamente, el resto del AT.

Los Setenta tiene gran interés porque es el testimonio de un texto hebreo más primitivo que el que hoy se conoce por el nombre de «texto masorético» (los masoretas son judíos de Palestina y de Babilonia que, entre los siglos V y X, fijaron la lectura del texto hebreo de la Biblia mediante anotaciones, acentos y signos vocálicos, pues la escritura hebraica, hasta entonces, solo tenía consonantes).

Además, desde su origen, los Setenta fue la Biblia de la Iglesia: es el libro que se menciona en el NT y el que citan los Padres de la Iglesia.

SHEMA ISRAEL

«Oye Israel, Yahvé es nuestro Dios, Yahvé es único. Amarás a Yahvé, tu Dios, con todo tu corazón, con toda tu alma, con todo tu poder...»

Este pasaje del Deuteronomio (6, 4-9; 11, 13-21) ha sido, junto con Núm. 15, 37-41, la oración fundamental recitada mañana y noche por los judíos. Tradicionalmente, también era la última oración que rezaban los mártires judíos.

SHOAH

«Catástrofe», «destrucción total»; la palabra deriva de una raíz semítica procedente de la voz árabe *saoua,* «infamia». En la Biblia, la *shoah* es la tempestad que se abatirá sobre el pueblo aterrorizado, la desolación y la ruina (Job 30, 3), la catástrofe que destruirá Babilonia (Is. 47, 11). Actualmente el término se utiliza para designar el martirio sufrido por los judíos en los campos de concentración y de exterminio durante la Segunda Guerra Mundial. La palabra confiere al genocidio una dimensión religiosa, pues algunos lo interpretan como el abandono por Dios de su pueblo. Como recuerdo a los millones de muertos, la liturgia judía ha instituido un día de duelo: «El día del aniquilamiento».→ HOLOCAUSTO, JOB.

♦ ***Lit.*** A pesar de la opinión de Adorno (escribir poesía después de Auschwitz es un acto de barbarie), la poesía judía actual se nutre de la experiencia de la *shoah:* Edmond Fleg, André Spire, Benjamin Fondane, Nelly Sachs, citados en Pierre Haïat, *Antología de la poesía judía,* 1985, y Karl Wolfskehl, *Job y los cuatro espejos,* 1950.

Entre los numerosos novelistas que trataron el tema: André Schwartz-Bart, *El último de los justos,* 1959, y Élie Wiesel (a quien los israelitas saludan como «la voz viva de los millones de judíos que perecieron»), *La noche,* 1958, y *El mendigo de Jerusalén,* 1968 («Dios se burla del ser humano, su juguete preferido»).

♦ ***Cin.*** Claude Lanzmann, *Shoah,* 1986.

SILOÉ

(Heb. *shiloah,* «enviado».) Piscina situada al sur de Jerusalén, que recibía las aguas del manantial de Guijón gracias al canal cavado por Ezequías en el siglo VIII a. C. De ahí se sacaba el agua, símbolo de las bendiciones mesiánicas, durante la fiesta* de los Tabernáculos (heb. *soukkot).*

Un día, Jesús, después de haber untado los ojos de un ciego de nacimiento con un poco de saliva, le envió a lavarse a la piscina de Siloé: «El ciego fue y se lavó y recobró la vista» (Jn. 9, 6-7).

♦ ***Lit.*** Paul Gadenne, *Siloé,* 1941: uno de los epígrafes de esta novela es Jn. 9, 11: *«Et abii, et lavi, et video»* («Fui, me lavé y recobré la vista»).

SIMÓN EL MAGO

Los Hechos* de los Apóstoles cuentan que fue bautizado por Felipe (Act. 8, 9-24). Después propuso a Pedro* y a Juan* comprarles su poder de curación; de este hecho proviene el término «simonía», que se aplica para denominar el tráfico de bienes espirituales.

♦ ***Icon.*** *La caída de Simón el Mago,* capitel, siglo XII, Saint-Lazare-d'Autun.

SINAGOGA

(Gr., «asamblea, lugar de reunión».) Después de la destrucción del Templo* de Jerusalén y la abolición de los sacrificios (70 d. C.), la sinagoga se convirtió en lugar de oración y en sala de reuniones de las comunidades judías.

Como institución, la sinagoga marca una revolucionaria innovación en la vida religiosa del antiguo Oriente: es el primer edificio de culto donde los fieles pueden asistir al conjunto de los ritos. Las iglesias cristianas y las mezquitas musulmanas recogieron sus principios.

La aparición de las sinagogas implica una profunda reestructuración interna de la religión judía: a partir de entonces, se abandona el rito del sacrificio y se concede la máxima relevancia al estudio de la Ley, su enseñanza y su meditación (ver Sal. 119).

Todavía el origen de las sinagogas es una cuestión debatida (¿reforma de Josías, en 621 a. C., o de Esdras?). Vestigios arqueológicos demuestran que tales edificios existían al menos desde la época herodiana (Masada, Herodium), es decir, durante el período del segundo Templo. Después de la destrucción del Templo, comienza una era de grandes construcciones: entre los siglos III y IV, numerosas sinagogas, a menudo ricamente adornadas, se alzaron en Judea, en Galilea y en las ciudades de la diáspora (Ostia, Sardes, Apamea, Dura-Europos...).

El plano de la gran mayoría de estos edificios es basilical, con tres naves, cuya orientación permite a los fieles recitar sus plegarias vueltos hacia Jerusalén, tal como lo expresa la Biblia (Dan. 6, 11). El estilo del edificio y los ornamentos adoptaban el lenguaje de la arquitectura de la época. La apariencia de basílica y la orientación hacia Jerusalén se mantuvieron en las sinagogas de la Edad Media.

La organización del espacio interno de las salas de oración ha variado poco a lo largo de los siglos. El arca-armario que contenía los rollos de la *Torá* está empotrado en el muro orientado hacia Jerusalén; el atril del lector —*bimá*— puede estar enfrente, en el centro de la sala o en el otro extremo del eje (Italia, Provenza). Las mujeres suelen ocupar las galerías, disposición probablemente tardía, cuya fecha, sin embargo, no ha podido determinarse.

♦ ***Lit.*** Guillaume Apollinaire, *Alcools,* 1913, «La sinagoga»: dos judíos se dirigen a la sinagoga una mañana de sábado por la orilla del Rin, discutiendo ardientemente, antes de encontrarse en la paz del templo.

♦ ***Icon.*** Subsisten algunas sinagogas, a veces reconstruidas, en Carpentras y en Cavaillon, por ejemplo. Hector Guimard edificó en 1913, en París, rue

Pavée, una sinagoga *art nouveau.*

El arte cristiano ha representado la sinagoga con los rasgos de una mujer con los ojos vendados, porque no reconoció al Mesías en Jesús: estatua, siglo XIII, pórtico sur de la catedral de Estrasburgo; Konrad Witz, *Espejo de la salvación,* retablo, 1435, Basilea.

SINAÍ

Actualmente, península que penetra en el mar Rojo, entre el golfo de Suez, al oeste, y el golfo de Aqaba, al este.

En la Biblia, el nombre se aplica al desierto que atravesaron los hebreos durante el éxodo* (Éx. 15, 22 y s.; Núm. 33, 15); igualmente, designa la «montaña de Dios», también llamada «Horeb» (cuya exacta localización ha sido imposible de concretar). Allí le fue revelado a Moisés el nombre de Dios, en la zarza ardiendo, y recibió su misión de liberación (Éx. 3). Allí, después de la salida de Egipto, durante una teofanía*, Dios estableció la alianza* y dio su Ley a Israel (Éx. 19-24); también allí se dirigió el profeta Elías para reunirse con Dios (1Re. 19, 8) (ver mapa del éxodo, pág. 149).

SINÓPTICOS

(Del gr. *syn,* «conjunto», y *opsis,* «visita».) Esta es la denominación habitual de los tres primeros evangelios —Mateo, Marcos y Lucas—, cuya composición sigue, aproximadamente, la misma estructura, de tal modo que se pueden presentar en «sinopsis», es decir, en columnas paralelas.

También se habla del «problema sinóptico» cuando se trata de reconstruir la historia, muy complicada, de la redacción de los tres evangelios, los cuales se elaboraron en etapas sucesivas, influyéndose mutuamente o recurriendo a las mismas fuentes. En la actualidad, los exégetas no han llegado a una conclusión unánime al respecto.

SIÓN

Una de las colinas sobre las que Jerusalén fue edificada. En la colina de Sión u Ophel, entre los valles del Cedrón y del Tiropeón, se alzaba la ciudad de Jebús, de la que se apoderó David y donde instaló el arca (2Sam. 5, 7).

La palabra Sión perdió su contenido geográfico y pronto se utilizó para designar a Jerusalén; en este sentido la emplearon, sobre todo, los profetas (Is. 2, 3-4; Am. 1, 2) y los Salmos (76, 3). Sión o la «hija de Sión» se han convertido en la personificación del pueblo elegido (Is. 62).

Sionismo

El término «sionistas» suele utilizarse para designar a los judíos liberados por Ciro II, que regresaron a Israel en 538 para reconstruir el Templo. El libro de Esdras ofrece detalles sobre los sionistas.

El sionismo es un movimiento político que originalmente tenía por objeto la constitución de un Estado israelita en Palestina. El regreso a Sión ha sido un proceso lento que iniciaron colonos judíos de Europa Oriental hacia 1880. En 1895, Théodore Herzl publicó *El Estado judío,* y en 1897 reunió el primer congreso sionista, que proporcionó al movimiento un programa y medios de acción.

Desde la creación del Estado de Israel en 1948, el sionismo tiene como misión reforzar este Estado, reunir a los exiliados en tierra de Israel y preservar la unidad del pueblo judío.

♦ ***Lit.*** Edmond Fleg, *Antología de la literatura judía,* 1956, París.

SIQUEM

Ciudad fortificada a 50 kilómetros al norte de Jerusalén y a nueve kilómetros al sudeste de Samaria (actualmente Tell Balata, junto a Nablus). Cuando Abraham acampó cerca de Siquem, Dios le prometió que le daría la tierra a él y a su descendencia (Gén. 12, 6).

Siquem es el lugar de la gran asamblea de las tribus de Israel donde Josué «establece una alianza con el pueblo y determina un estatuto y un derecho» (Jos. 24, 1-28): supone la aceptación por las tribus de la alianza que Moisés acordó en el Sinaí.

El cisma* entre Judá e Israel tiene lugar en Siquem (1Re. 12, 1; 2Cr. 10, 1), cuando Roboam pretende ser reconocido como rey de Israel y los israelitas llaman a Jeroboam a la asamblea y le proclaman rey. Él convierte a la ciudad en la primera capital del reino del Norte.

Después de la caída de Samaria, en 721 a. C., Siquem llega a ser la ciudad principal de los samaritanos; su santuario está en el monte Garizim. Jesús encuentra allí a la samaritana, en el pozo de Jacob (Jn. 4, 5).

SODOMA Y GOMORRA

Dos ciudades situadas al sur del mar Muerto, famosas por sus pecados: desprecio por las reglas de la hospitalidad (Gén. 19, 8), homosexualidad (Gén. 19, 4-11), orgullo (Eclo. 16, 8), etc. Dios no encuentra en las ciudades ni siquiera a 10 hombres justos (Gén. 18, 32). Como castigo, las aniquila haciendo que «llueva azufre y fuego» (Gén. 19, 25; Dt. 29, 22); solo se salva Lot*. El destino de las dos ciudades es un «ejemplo para los futuros impíos» (2Pe. 2, 6).

Los profetas las citan como símbolo de la corrupción y la impiedad (Is. 1, 9-10; Ez. 16, 46-58), y en el Apocalipsis* a Jerusalén se la denomina Sodoma.

♦ ***Lit.*** Marcel Proust, *En busca del tiempo perdido,* 1921, «Sodoma y Gomorra»: la maldición y el sufrimiento están unidos a los «descendientes de los habitantes de Sodoma que se salvaron del fuego del cielo». Jean Giraudoux, *Sodoma y Gomorra,* 1943: obra sobre la incomprensión entre los hombres y las mujeres; el rayo de Dios cae sobre la humanidad dividida en dos sexos enemigos. Pierre Emmanuel, *Sodoma,* 1944.

♦ ***Cin.*** Robert Aldrich y Sergio Leone, *Sodoma y Gomorra,* 1962.

SUDARIO

Paño que se utilizaba para envolver el rostro de un muerto; por extensión, la mortaja.

Cuando estaba en su sepultura, envolvieron la cara de Jesús con un sudario.→ FAZ.

SUEÑO

Los hebreos, como todos los demás pueblos del antiguo Oriente, creían que los sueños eran un lugar privilegiado de comunicación entre el hombre y la divinidad.

En la Biblia, los sueños subrayan el carácter divino del mensaje percibido. En el AT: sueños de José*, de Jacob*, de Salomón* (1Re. 9, 1-9) y de Nabucodonosor* (el coloso con los pies de barro, Dan. 2, 1-49). En el NT: sueños de los reyes magos* y de la mujer de Poncio* Pilato.

SULAMITA

(Seguramente, «la que pertenece a Salomón*», que representa al amado.) Nombre dado a la esposa en el Cantar de los Cantares* (7, 1).

SUMO SACERDOTE

Era el sacerdote que tenía «preeminencia sobre sus hermanos» (Lev. 21, 10); solo él podía entrar, una vez al año, durante la fiesta de la Expiación *(Yom Kippur),* en el sanctasanctórum*.

Aarón, hermano de Moisés, fue el primer sumo sacerdote; la Biblia describe su solemne consagración (Éx. 28-29). Desde David hasta el siglo II a. C., los sumos sacerdotes fueron elegidos entre la descendencia de Sadoq. A partir del reinado de Herodes (37 a. C.), fueron designados por la autoridad política, es decir, por el ocupante romano, lo que les hizo objeto de numerosas críticas. Caifás ejercía esta función en el momento de la muerte de Jesús en Jerusalén. Dejó de haber sumo sacerdote judío a partir de la destrucción del Templo, en 70 d. C.

El autor de la Epístola a los Hebreos utiliza la figura profética del sumo sacerdote para presentar a Jesús: «Sí, tal convenía que fuese nuestro Pontífice, santo, inocente, inmaculado, apartado de los pecadores y más alto que los cielos» (Heb. 7, 26).

♦ ***Icon.*** La imagen que se tenía del sumo sacerdote está representada por Zacarías en la *Boda de la Virgen,* en la que preside el matrimonio de María con José.→ MATRIMONIO.

SUNEM o SUNAM

Ciudad situada en el territorio de Isacar, en la llanura de Yizreel. Eliseo* fue recibido allí en casa de una mujer a cuyo hijo resucitará (2Re. 4, 32-37; 8, 1). También es la patria de Abisag, compañera de los últimos momentos de David (1Re. 1-4) y deseada por su hijo Adonais (1Re. 2, 17).

♦ ***Icon.*** Rembrandt, *La marcha de la sunamita,* 1628, Londres. Lord Leighton, *Eliseo cura al hijo de la sunamita,* siglo XIX, Londres.

SUSANA

Mujer de un tal Joaquín, «bellísima y temerosa de Dios», rechaza a los dos viejos que la desean mientras toma un baño en su jardín. Acusada de adulterio por el falso testimonio de estos, el joven Daniel* confunde a los viejos y la salva de la muerte (Dan. 13).

Este relato popular solo se conserva en griego.

♦ ***Lit.*** Lope de Vega, *El Isidro,* 1599, y *Los pastores de Belén,* 1612: en ambas, escritas en prosa, se relata la historia de la casta Susana, ejemplo de mujer bíblica. André Chénier, *Susana,* siglo XVIII, poema bíblico en seis cantos, inacabados: mientras unos «ángeles benéficos» protegen a Susana y sus compañeras, Belial, el «dios de la orgía», guía a los viejos libidinosos hacia la inocente esposa que está en el baño.
Vigny, *Poemas antiguos y modernos,* 1837, «El baño»; entre los poemas no seleccionados por el autor, «Canto de Susana en el baño», 1821, inspirado en el *Cantar de los Cantares.*
♦ ***Icon.*** Los pintores sacaron partido de este episodio, enfrentando una mujer desnuda e inocente a dos viejos lascivos: Albrecht Altdorfer, 1526, Munich; Tintoretto, 1560, Viena; Artemisia Gentileschi, 1619, Pommersfelden; Rubens, siglo XVII, Roma; Jean-Jacques Henner, 1865, París. Natalia Gontcharova, *Misterio litúrgico: Susana y los viejos,* 1915-1916.

T

TABERNÁCULO

(Del latín *tabernaculum,* «tienda».) En la liturgia cató-
ica, es el receptáculo en el que
e guarda el pan eucarístico.
→ ARCA, FIESTAS RELIGIOSAS.

TABOR O THABOR

Monte de la Baja Galilea, a
uyo pie se encuentra la ciudad
del mismo nombre (Jos. 19, 22;
Cr. 6, 62).

Una tradición cristiana del
iglo III d. C. localiza en él el
pisodio de la transfiguración*
de Jesús, aunque los evangelis-
as solo mencionan una mon-
aña, sin precisar su nombre
Lc. 9, 28).

TALIÓN

El principio de la ley del ta-
ión se expresa en el famoso
Ojo por ojo y diente por
iente» (Éx. 21, 24). La ley del
alión incluida en el famoso có-
igo de Hammurabi propor-
ciona el castigo al daño causado. A pesar de su severidad, representa un esfuerzo por limitar los excesos de la venganza. Por otra parte, su aplicación se suavizó y aquel que en su origen se consideraba el «vengador* de la sangre» *(goel,* Núm. 35, 19) se fue convirtiendo poco a poco en su protector→REDENTOR/REDENCIÓN/RESCATE. Paralelamente, en el ámbito privado, el valor del perdón se fue imponiendo progresivamente (Lev. 19, 17-18).

Jesús, cuando enseña el perdón de la ofensa, anula explícitamente la ley del talión: «Al que te hiere en una mejilla ofrécele la otra, y a quien te tome el manto no le niegues tomar la túnica» (Lc. 6, 27-28).

Los musulmanes también prescriben el talión basándose en el Corán*.→ OJO, PERDÓN.

♦ ***Lengua.*** *Ojo por ojo y diente por diente.* Esta expresión significa vengarse en la medida de la ofensa sufrida.

TALMUD

(Heb., «enseñanza».) Recopilación de la enseñanza tradicional que reglamenta la vida religiosa de los judíos. El *Talmud* de Jerusalén, recopilado entre los años 350 y 400, contiene las enseñanzas de los doctores de Palestina. El *Talmud* de Babilonia, cuya redacción fue terminada hacia finales del siglo V, encierra las enseñanzas de los rabinos de las escuelas orientales. En las ediciones impresas del *Talmud,* la compaginación permite distinguir los dos componentes principales del texto: los extractos de la *Misná,* código de las leyes religiosas redactado hacia el año 200 y fundamento del judaísmo rabínico, y la *Guemará,* suma de las discusiones de los rabinos de épocas sucesivas respecto a la aplicación de estas leyes.

♦ ***Lit.*** J.-Cl. Lattès, *Cuentos del Talmud,* 1980, con prólogo de Claude Vigée: traducción de algunas páginas del *Talmud* que resaltan su carácter religioso y narrativo. Chaïm Potok, *La promesa,* siglo XX.

TEMPLO DE JERUSALÉN

Después de haber establecido en Jerusalén la capital de la monarquía, David mandó trasladar allí el arca* de la alianza (hacia el año 1000 a C.) y decidió construir un Templo para guardarla. El proyecto lo llevó a cabo su hijo Salomón (hacia 960), quien llamó a artesanos de Tiro. Hiram fue su maestro de obras.

El plano del Templo adoptó el modelo de los tabernáculos del desierto: un vestíbulo accesible a todos los hombres en estado de pureza *(ulam),* el Santo *(hekal)* abierto a los sacerdotes y el Santo de los Santos *(debir),* donde se instaló el arca, cubierta del propiciatorio y coronada de querubines (accesible al sumo sacerdote solamente una vez al año). La decoración del Templo constaba de un revestimiento de madera y frisos adornados de palmas y querubines. Delante del Santo se alzaban el mar de bronce, estanque de purificación montado sobre 12 bueyes orientados de tres en tres hacia los cuatro puntos cardinales, y el altar de los holocaustos. La entrada del Templo estaba flanqueada por dos columnas, Yakin y Boaz, nombres cuyo significado todavía se desconoce.

Este primer Templo, famoso por su magnificencia, quedó destruido durante la toma de Jerusalén por Nabucodonosor, rey de Babilonia, en 587 a. C. El arca desapareció; según unos, fue llevada al exilio, y, según otros, el profeta Jeremías la escondió hasta el fin de los tiempos.

Al final del exilio, los reyes persas Ciro II y Darío I animaron a los judíos a reconstruir el Templo. Sin embargo, el segundo edificio fue mucho más modesto que el primero. Este segundo Templo, llamado de Zorobabel, fue profanado por Antíoco IV Epífanes en 169 y más tarde purificado por Judas Macabeo.

Herodes el Grande (37-4 a. C.) deseaba devolver al Templo su antiguo esplendor. Los trabajos, iniciados hacia el año 20 a. C., duraron más de 18 años. Los planos respetaban la ordenación original. Un primer atrio estaba abierto a todos los visitantes, incluidos los paganos (comerciantes y cambistas se reunían allí). Una balaustrada delimitaba el atrio de las mujeres, y, en el interior, el de los hombres en estado de pureza. Al recinto que rodeaba el edificio solo podían acceder los sacerdotes. El propio edificio estaba dividido, como el primer Templo, en tres piezas: el vestíbulo; el Santo, donde se encontraba el altar del incienso, la mesa de los panes de oblación y el candelabro de siete brazos *(menorah),* y el Santo de los Santos, aunque este ya no guardaba el arca.

Todo el complejo arquitectónico, edificio y atrio, se rodeó de cuatro columnatas monumentales, cuyos vestigios se han exhumado recientemente en la zona sur.

Este segundo Templo fue destruido en 70 d. C. por los romanos, y su mobiliario (candelabro, mesa de los panes de oblación, etcétera) fue llevado por Tito a Roma.

El Templo de Jerusalén era el único lugar autorizado para los sacrificios: como carecía de recursos propios, las autoridades israelitas o, en su caso, el soberano extranjero, se encargaban de atender sus necesidades. Todos los días, mañana y tarde, para el holocausto perpetuo, se sacrificaba un cordero; el día del sábado, otros dos corderos. El primer día del mes y los días de fiesta se necesitaban, además, toros, carneros y machos cabríos.

El Templo era la casa de Dios entre su pueblo (1Re. 8, 10) y su carácter único era el símbolo del Dios Uno. Con su destrucción, el pueblo de Israel perdió su centro espiritual, y, según las enseñanzas de la religión judía, la reconstrucción anunciaría la llegada de la era mesiánica.

Jesús y sus discípulos demostraron siempre un profundo respeto por el Templo, al que acudían a rezar. Jesús anunció su destrucción (Mt. 24, 1-3) y su reconstrucción en tres días (Jn. 2, 20), es decir, su propia muerte y su resurrección: su cuerpo glorioso era la señal de la presencia de Dios.

♦ ***Icon.*** En el arco de Tito en Roma hay un bajorrelieve que representa el saqueo del Templo en el año 70.

TENTACIÓN

La Biblia considera la vida humana como un camino que se ha de recorrer con Dios como compañero y como guía (alianza*): vocación de Abraham, salida de Egipto y entrada en la Tierra Prometida, etc. Cada individuo —y todo el pueblo— siempre puede escuchar a otros (malos) guías y perderse por el mal camino Como tiene libertad de elec ción, el hombre está expuesto a la tentación. Así pues, se trata de una fórmula eficaz para po nerlo a prueba y de un factor de progreso; pero también consti tuye un riesgo que puede ser te mible. De ahí su carácter ambi guo: puede provenir de Dios en forma de malos guías más o menos diabólicos.

Para la Biblia, el luga ejemplar de la tentación es e desierto: los 40 años de éxodo los 40 días de la marcha de Elías hacia el Sinaí y de Jesú en el desierto (Mt. 4). Estas ex periencias tuvieron una gran re percusión entre los cristianos sobre todo en Egipto, princi palmente entre un cierto nú mero de monjes o ermitaños, e más famoso de los cuales e san Antonio.→ DIABLO.

♦ ***Lengua.*** *Llevar al pinácul* (Mt. 4, 5). El diablo, para ten tar a Jesús, le lleva a lo má alto del Templo (el pináculo) le propone una gloria total mente humana. De ahí proced el sentido de elevar a alguie por encima de todos los de más.

♦ ***Lit.*** Tomando como referen cia dos relatos bíblicos esen ciales, la tentación de Adán y Eva y la tentación de Jesús en el desierto, este tema se ha convertido en uno de los más tratados en la literatura: comprende todas las amenazas que acechan al hombre en el camino de la salvación.

Adán, siglo XII: la tentación de Eva por el diablo. Sem Tob, *Proverbios morales,* 1345: exponente de la poesía didáctico-moral en este siglo. Micer Francisco Imperial, *Dezir a las siete virtudes,* siglo XV: poesía alegórica en la que aparecen siete serpientes que simbolizan las tentaciones de los siete pecados capitales. Alfonso Martínez de Toledo, Arcipreste de Talavera, *Corbacho o reprobación del amor mundano,* 1438: dividida en cuatro partes, de las que la primera es una exposición doctrinal sobre las tentaciones y pecados que se derivan del «loco amor». San Ignacio de Loyola, *Exercitia spiritualia,* 1548: la disciplina y el dominio de la voluntad son las mejores armas contra la tentación y el pecado. Santa Teresa de Jesús, *Camino de perfección,* 1563: tratado ascético dirigido a sus monjas con una orientación para evitar las tentaciones. En el siglo XVI, el P. Juan de Mariana escribió tratados teológicos y ascéticos con numerosos consejos para vencer la tentación.

Pierre Emmanuel, *Tú,* 1978, «La tentación en el desierto». «Vestíos de toda la armadura de Dios para que podáis resistir a las insidias del diablo... Abrazad en todo momento el escudo de la fe... Tomad el yelmo de la salud y la espada del espíritu» (Pablo, Ep. 6, 11-17). Estas imágenes son, en su origen, numerosas alegorías del alma cristiana, representada como un caballero, que sufre los ataques de las fuerzas perversas (Edmund Spenser, *La reina de las hadas,* 1596), o como una ciudad asediada por Diabolus (John Bunyan, *La guerra santa,* 1682). Quevedo, *Las cuatro pestes del mundo,* 1651: obra de carácter ascético que nos advierte de las tentaciones en la vida terrenal y mundana.

John Bunyan, *El viaje del peregrino,* 1684. Thackeray, *La feria de las vanidades,* 1842. Flaubert, *La tentación de san Antonio,* 1874. Dostoievski, *Los hermanos Karamazov,* 1880: el gran inquisidor reprocha a Jesús no haber cedido a las tres tentaciones de Satanás; por querer que los hombres sigan siendo libres, por negarse a someterlos a través del poder de los milagros, los ha hecho desdichados y los ha dejado desamparados, condenados a buscar antes que a agacharse. Apollinaire, *Alcools,* 1913, «El ermitaño». T. S. Eliot, *Asesinato en la catedral,* tragedia con coro, 1935: Thomas Becket, lord canciller de Inglaterra convertido en arzobispo de Canterbury, está decidido a defender la autonomía de la Iglesia frente al poder real. Thomas se enfrenta a cuatro tentadores, alegorías de las pérfidas tentaciones: sensualidad, afán de poder, traición y gloria del martirio.

♦ ***Icon.*** *La tentación de Cristo* tiene dos personajes, Jesús y Satanás, y a veces varias escenas sobre la misma imagen: capiteles, siglo XII, Saint-Lazare d'Autun, Saint-Andoche de Saulieu; Ghiberti, puerta de bronce, 1425, baptisterio de Florencia; Botticelli, 1481, Capilla Sixtina, Roma; altorrelieve, 1612, coro de la catedral de Chartres; Ary Scheffer, 1854, Liverpool. Pol Limbourg, *Las muy ricas horas del duque de Berry,* 1416, Chantilly. *La tentación de san Antonio* inspira a los pintores para imaginar monstruos: Mathias Grünewald, retablo, 1516, Issenheim, Colmar; Martin Schongauer, grabado, 1473; El Bosco, *La tentación,* tríptico Lisboa; Félicien Rops y Fernand Khnopff, siglo XIX, Bruselas.

TEOFANÍA

(Del griego *theos,* «dios», y *phaino,* «aparezco».) Para los griegos, designaba la aparición de una divinidad. Esta palabra no se encuentra en la Biblia que, sin embargo, contiene numerosos relatos de apariciones divinas. Existe una convicción presente tanto en el AT como en el NT: «A Dios nadie le vio jamás» (Éx. 33, 20 y Jn. 1, 18). Las pocas excepciones (Éx. 24, 10-11; 33, 11) sirven para subrayar este principio.

En el AT se afirma la presencia de Dios, pero su trascendencia prohíbe toda manifestación directa. Así, Dios «se muestra» a Abraham por medio de tres hombres que le visitan y a los que Abraham se dirige como si fueran uno solo (Gén. 18, 1). Moisés ve una zarza ardiendo mientras Dios le llama (Éx. 3, 2-4). La gran teofanía del Sinaí* va acompañada de signos físicos: rayos, temblores de tierra, nubes*, fuego* (Éx. 19, 16). El redactor del libro de los Reyes subraya que Dios no está encerrado en ningún fenómeno exterior: para Elías, el signo de esta presencia es solamente «el susurro de una brisa ligera», y Elías se cubre la cara con un velo cuando lo oye (1Re. 19, 12).

En el NT no abundan los relatos sobre las manifestaciones de Dios. Durante el bautismo* de Jesús: «Este es mi hijo muy amado, en quien tengo mis complacencias», dice una voz que viene del cielo (Mt. 3, 17). La transfiguración* de Jesús vuelve a manifestar, en los mismos términos, el apoyo divino (Mt. 17, 5). En Pentecostés* los discípulos se llenan del Espíritu Santo, y los signos son lenguas de fuego sobre cada uno de ellos (Act. 2). Durante mucho tiempo se ha llamado «teofanía» a la fiesta de la Epifanía*, primera manifestación de Cristo en el mundo (Mt. 2, 10).

TEÓFILO

(Gr., «Amigo de Dios».) Nombre de un personaje de Antioquía a quien Lucas dedicó su evangelio y los Hechos*, a menos que el nombre designe a todo lector amigo de Dios.

TESTAMENTO

(Heb. *berit,* gr. *diateke;* lat. *testamentum.)* Una serie de traducciones sucesivas ha llevado hasta este término, que designa las dos partes (AT y NT) que componen la Biblia cristiana. En el lenguaje habitual, se utiliza esta palabra para referirse al documento mediante el cual se dispone de los bienes propios y donde se detalla su reparto; en sentido figurado, es la exposición sintética del mensaje de un gran hombre, de un artista, etc. Estos significados no son totalmente ajenos a la utilización bíblica de la palabra; la idea de testigo y testimonio (lat. *testis)* condujo probablemente a la elección del equivalente latino: los libros bíblicos testifican la acción de Dios en la historia. Sin embargo, cuando se trata de la Biblia, la palabra «testamento» tiene un sentido especial: es sinónimo de alianza* y designa la que Dios estableció con su pueblo* —el pueblo elegido (antigua alianza)—, y posteriormente, para los cristianos, con el conjunto de los creyentes, reunidos como pueblo en la nueva alianza fundamentada en Jesús.

→ ALIANZA, PUEBLO DE DIOS.

TETRAGRAMA

(Gr. *tetra,* «cuatro» y *gramma,* «letra».) Designa las cuatro consonantes hebraicas YHVH que representan el nombre impronunciable de Dios. Para realizar la lectura vocal de las Escrituras y la oración, la palabra se sustituye por Adonay («Señor mío») o *ha-Shem* («el Nombre»).

Por respeto a los judíos, algunas traducciones evitan la palabra Yahvé* y la sustituyen por «el Señor».

→ ADONAY, JEHOVÁ O JEHOVÁH, YAHVÉ.

TETRARCA

Este título, creado por Filipo de Macedonia en el siglo IV a. C., designaba al gobernador de una tetrarquía, es decir, la cuarta parte de una provincia. En realidad, es un príncipe subalterno al que algunas veces se llama rey por cortesía. Herodes* Antipas fue tetrarca de Galilea* (Mt. 14, 1; Mc. 6, 14).

TIBERÍADES

Entre los años 14 y 18 d. C., Herodes* Antipas fundó a orillas del lago Genesaret* una ciudad a la que llamó así en honor del emperador reinante; de ella hizo su capital. Como el lugar era un antiguo cementerio judío, y, por tanto, impuro, fue necesario llevar colonos a la fuerza, si bien, posteriormente, la fama de sus baños calientes atrajo a mucha gente. Las instituciones de la ciudad eran griegas pero había una sinagoga; la mayoría de los habitantes judíos eran pescadores del lago. Jesús siempre evitó esa ciudad de cultura griega. Después de la ruina de Jerusalén, en 70 d. C., se convirtió en el centro de la vida nacional judía gracias a la presencia de una importante escuela rabínica.

TIBERIO

Tiberio César, sucesor de Augusto, fue el segundo emperador romano. Durante su reinado (14-37 d. C.), Juan* Bautista y Jesús llevaron a cabo su ministerio.

TIERRA PROMETIDA

Objeto de la promesa* que Dios hizo a Abraham* (Gén. 12, 7; Ez. 20, 28), la tierra jugará un papel de primer orden a lo largo de la historia de Israel. Idealizada por la tradición, esta «tierra que mana leche y miel» (Núm. 13, 27) no fue conquistada por las armas, sino concedida por Dios (Sal. 44, 2-8; 78, 54-55; Dt. 9, 1-6).

Se convertirá, después del exilio, en el objeto central de la esperanza de Israel (Sal. 133), y la idea del regreso, unida a la fidelidad a la Ley (Ez. 20, 41-42), alimentará el pensamiento y la oración judíos hasta la época moderna.→ ÉXODO.

♦ ***Lit.*** En el espíritu de los primeros colonos cristianos del Nuevo Mundo, la conquista del territorio americano (Estados Unidos, Canadá) se asocia a los relatos bíblicos que se refieren a la Tierra Prometida: Timothy Dwight, *The conquest of Canaan,* 1785 (acercamiento entre Josué y George Washington). Steinbeck, *Las uvas de la ira,* 1939: humildes campesinos desposeídos atraviesan regiones inhóspitas antes de llegar a California, donde se les promete la abundancia. Inevitablemente, el lector descubre una relación entre el relato del éxodo y el de Steinbeck, sin que aparezca una referencia explícita a la Biblia.

Paul Claudel, *Cinco grandes odas,* 1910, «Magníficat»: el poeta, cuando se convierte en padre, bendice a Dios y evoca a Josué al entrar en la Tierra Prometida. Pär Lagerkvist, *La Tierra Santa,* 1964.

→ ISRAEL, JERUSALÉN.

♦ ***Mús.*** Jules Massenet, *La Tierra Prometida,* siglo XIX.

TINIEBLAS

Ausencia total de luz que evoca el caos primitivo (Gén. 1, 2-5), la angustia (Sal. 107, 13-14) y la muerte (Jer. 13, 16; Job 20-26), pero que no escapa a la presencia de Dios (Is. 45, 7; Job 34, 22).

En el NT, las «tinieblas exteriores» son el lugar de castigo de los malos (Mt. 8, 12), y el «poder de las tinieblas» (Lc. 22, 53) representa el mal que existe en el mundo. Además, «pasar de las tinieblas» a la luz (2Cor. 4, 6) es la imagen de la conversión.→ LUZ.

♦ ***Mús.*** Marc Antoine Charpentier, *Lecciones de tinieblas,* 28 piezas, siglo XVII. Delalande, *Lecciones de tinieblas,* 3 piezas. Couperin, *Lecciones de tinieblas,* 9 piezas de las cuales 6 se han perdido, principios del siglo XVIII.

El oficio de las tinieblas es el característico de las mañanas de los tres días que preceden a Pascua: la extinción de las luces al final de la ceremonia simboliza el abandono de Jesús por sus discípulos. Cada oficio consta de tres lecturas (lat. *lectio,* de ahí el término de lección) procedentes de las lamentaciones de Jeremías*.

TIRO

(Heb. *tsor,* «roca».) Ciudad fenicia construida sobre un islote rocoso en el tercer milenio a. C., ampliada y embellecida en el siglo X a. C. por el rey Hiram. Este mantuvo buenas relaciones con David y Salomón (2Sam. 5, 11; 1Re. 5, 15-25) y proporcionó guarniciones y artesanos para la edificación del Templo de Jerusalén.

Tiro fundó colonias lejanas, de entre las que sobresale especialmente Cartago (el nombre de «púnico» viene de «fenicio»). En el siglo XI, Tiro estaba estrechamente unida a Israel (Jezabel, hija del rey Etbaal, se casa con Acab); pero las relaciones se deterioraron y los profetas la condenaron duramente (Am. 1, 9-10; Is. 23; Ez. 26-28), sobre todo por haber querido llevar a Israel a una política de alianza con Asiria y celebrar que Nabucodonosor tomara Israel.

Alejandro el Grande consiguió apoderarse de Tiro, pero la ciudad recuperó la libertad y la prosperidad bajo los soberanos seléucidas y romanos.

Tiro y su vecina Sidón se mencionan a menudo en el NT, quizás para designar el conjunto de la región pagana de la Alta Galilea.

TOBÍAS (LIBRO DE)

Seguramente escrito en Egipto en el siglo III a. C., para los judíos de la diáspora, este libro es una historia familiar novelada de la que se han descubierto, cerca del mar Muerto, varios fragmentos hebreos y arameos.

En Nínive, el anciano Tobit, un desterrado de la tribu de Neftalí, piadoso y caritativo, se ha quedado ciego. Su pariente tiene una hija, Sara, que ha visto morir a sus siete prometidos. Los dos piden a Dios que les libere de la vida. Dios convierte sus plegarias en una gran felicidad: envía a Rafael* para que conduzca a Tobías, hijo de Tobit, hasta Sara, con la que se casa, y el ángel le da un remedio para curar al anciano ciego.

Moreelse, *Tobías y el ángel*

El libro de Tobías presenta a un Dios benévolo y desarrolla una noción muy elevada del matrimonio. Tobit, igual que Job, aunque sin su profundidad trágica, es un ejemplo de perseverancia y confianza en la adversidad; refleja un ideal de piedad razonable.

♦ ***Lit.*** Paul Claudel, *La historia de Tobías y de Sara,* 1942.
♦ ***Icon.*** Pórtico norte, siglo XIII, catedral de Chartres; vidriera, siglo XV, catedral de Troyes. *Tobías y el ángel,* Adam Elsheimer, 1625, Londres; Moreelse, siglo XVII. Pieter Lastman, *Tobías, el pez y el ángel,* 1630. Rembrandt, *El ángel Rafael dejando a Tobías,* 1637, París. Schnorr von Carosfeld, *La Biblia en imágenes,* 1852, «Tobías».

TOMÁS

Uno de los 12 apóstoles (Mt. 10, 3), que duda y reclama señales evidentes (Jn. 20, 24-29). Se le atribuye un evangelio apócrifo*. Según algunos, evangelizó a los partos, según otros, la India.

♦ ***Lengua.*** *Poner el dedo en la llaga.* Hablar de la realidad aunque esta sea dura o perjudicial; tratar la parte más delicada de una cuestión. El origen de este dicho se encuentra en el episodio del NT que narra la actitud de Tomás cuando Cristo se apareció a sus discípulos tras la resurrección. Él no creía que aquel fuera su maestro y para comprobarlo metió los dedos en la llaga del costado.
Ser como santo Tomás. No creer sino en hechos probados o que uno ha podido comprobar por sí mismo.
♦ ***Icon.*** A Tomás se le representa tocando con el dedo las llagas de Cristo, para asegurarse de que realmente ha re-

Luca della Robbia, *Santo Tomás apóstol,* Florencia, iglesia de Santa Cruz

sucitado: marfil, siglo X, Berlín; mosaicos, siglo XI, Dafni, y siglo XII, Monreale; tímpano, siglo XIV, iglesia de Santo Tomás, Estrasburgo; Verrocchio, grupo en bronce, 1483, Florencia; Luca della Robbia, siglo XV, Florencia; Gerritt van Honthorst, siglo XVII, Madrid; Caravaggio, 1602, Potsdam; Georges de La Tour, 1626, París.

TORÁ

→ PENTATEUCO.

TRADICIÓN

(Lat. *traditio,* «acción de comunicar y de transmitir».) Todas las sociedades humanas aseguran su continuidad transmitiéndose ideas, valores, costumbres e instituciones de una generación a otra. Y cada generación, lejos de recibirlo pasivamente, lo selecciona y transforma, aunque preservando su identidad.

El pueblo de la Biblia* ha transmitido a través de los tiempos relatos, costumbres, leyes, etcétera, muchos de los cuales se han escrito: las Escrituras son, pues, una expresión privilegiada de la tradición, ya que también comprenden la tradición oral (el *Talmud** para los judíos).

Jesús recibió de su pueblo las Escrituras, transmitidas de generación en generación; la Ley y los profetas no deben «abolirse» sino «cumplirse» (Mt. 5, 17). En cambio rechaza lo que él llama «la tradición de los hombres», que puede anular la Ley (Mc. 7, 8). Jesús enseña y actúa «como quien tiene autoridad y no como los escribas» (Mc. 1, 22). Por sus palabras y sus actos es el origen de una nueva tradición, predicada después por sus discípulos. Incluso cuando el NT queda cerrado, su tradición permanece viva en el corazón de los cristianos. Sin embargo, hay que distinguir entre la tradición inseparable de las Escrituras (AT y NT) y las muy diversas tradiciones aparecidas en la historia.

TRANSFIGURACIÓN

Según Mateo, Marcos y Lucas, Jesús reunió un día a tres de sus apóstoles, Pedro*, Santiago* y Juan* y los llevó a «una alta montaña», que suele identificarse con el monte Tabor*. Allí, «se transfiguró» ante ellos; sus ropas brillaron intensamente y su rostro resplandeció como el sol. Moisés* y Elías*, como representantes de la Ley* y de los profetas*, aparecieron a su lado. Una nube* luminosa lo envolvió y una voz que procedía de la nube, dijo: «Este es mi hijo muy amado en quien tengo mis complacencias. Escuchadle».

Entonces Pedro quiso levantar tres tiendas, pues creía que había llegado la hora de la gloria* definitiva y de la celebración eterna de la fiesta* de los Tabernáculos. Pero enseguida los tres apóstoles volvieron a ver solamente a Jesús (Mt. 17, 1-8).

El relato de la transfiguración se sitúa entre el momento en que Jesús anuncia su próxima muerte y el de su resurrección. En esta escena, la presencia de Moisés y de Elías al lado de Jesús significa la continuidad entre la antigua y la nueva alianza*. La luz que transfigura a Jesús es, al mismo tiempo, el reflejo de la gloria divina (como para Moisés en el Sinaí, Éx. 34, 29) y la anticipación de su gloria de resucitado; no volverá a posarse sobre él hasta que haya pasado por la prueba de la muerte. Los tres testigos de la transfiguración serán también los de la agonía* de Jesús.

Penni, *La transfiguración del Señor*, Madrid, Museo del Prado

♦ ***Lit.*** Rabelais, *Gargantúa,* 1534, capítulo X, «De lo que significan los colores blanco y azul»: «El blanco significa alegría, dicha y regocijo... En la transfiguración de Nuestro Señor, *vestimenta ejus facta sunt alba sicut lux,* sus ropas se transformaron en blancas como la luz, y su luminosa blancura daba a entender a sus tres apóstoles la idea e imagen de las dichas eternas».

Pierre Emmanuel, *Tú,* 1978, «Transfiguración».

♦ ***Icon.*** Iconos de *La transfiguración:* Andrei Rublev, 1405; Teófanes el Griego, siglo XV, Moscú. Cuadros: Fra Angélico, 1441, Florencia; Giovanni Bellini, 1480, Nápoles; Rafael, 1520, Vaticano; Francesco Penni, siglo XVI, Museo del Prado.

♦ ***Mús.*** Franz Liszt, *In festo Transfigurationis Domini nostri,* siglo XIX, para piano. Olivier Messiaen, *La transfiguración de Nuestro Señor Jesucristo,* oratorio, 1969, para coro y orquesta.

TRANSUSTANCIACIÓN

(Del lat. *trans,* «más allá» y *substantia,* «sustancia».) Término creado para expresar la idea de que en la eucaristía, el pan y el vino se convierten realmente (en su sustancia) en el cuerpo y la sangre de Cristo.

Esta doctrina se convirtió en dogma católico en el concilio de Trento (siglo XVI), después de que los teólogos medievales hubieran provocado un debate sobre la naturaleza del pan y del vino en el momento de la consagración, cuando el celebrante repite las palabras pronunciadas por Jesús durante la última Cena*: «Este es mi cuerpo... esta es mi sangre».

→ EUCARISTÍA.

TRIBU

Grupo de familias o de clanes que viven en una misma región bajo la autoridad de un mismo jefe. Según la tradición, Israel posee como estructura fundamental 12 tribus, cuyos ancestros epónimos son los 12 hijos de Jacob: Rubén, Simeón, Leví, Judá, Isacar, Zabulón, José, Benjamín, Dan, Neftalí, Gad y Aser. Pero esta relación inicial sufrirá muchas modificaciones (Leví desaparece, José se escinde en Efraín y Manasés, etcétera).

Durante la conquista y el posterior establecimiento en Canaán, el reparto del territorio refleja una situación bastante compleja. En realidad, las 12 tribus corresponden más a una voluntad política (la organización en 12 distritos bajo el reinado de Salomón; 1Re. 4, 7) que a una realidad.

TRIBUTO

Suma de dinero que debían entregar los vencidos como señal de dependencia. Israel obligó a pagar a sus vecinos (2Sam. 8, 2) o, por el contrario, debió entregarlo cuando estuvo sometido (Jue. 3, 15-18; 2Re. 17, 3-4). Durante la ocupación romana, son los publicanos quienes perciben el tributo; Jesús confirma que debe pagarse al César (Mc. 12, 14; Lc. 20, 25), porque las obligaciones hacia Dios y las obligaciones hacia la autoridad pública son diferentes.

También se llama tributo al canon que, desde Moisés, el judío mayor de 20 años debe entregar al Templo: medio siclo o dos dracmas (didracma).

Cuando el recaudador de Cafarnaúm pregunta a Pedro si su señor paga el impuesto al Templo, el apóstol responde afirmativamente, porque Jesús no quiere ponerse en contra de «esa gente» (Mt. 17, 24-25), ni que le tomen por un zelote* por negarse a pagar el impuesto romano.

♦ ***Icon.*** Tommaso Masaccio, *El pago del tributo,* fresco, 1426, Santa Maria de Carmine, Florencia.

TRINIDAD

(Lat. *trini,* «en número de tres».) Es la afirmación fundamental del cristianismo: la de un solo Dios en tres «personas».

Esta palabra no aparece ni en el AT ni en el NT, sino que constituye una reflexión teológica que se fue elaborando progresivamente (Tertuliano, en el siglo III; concilio de Nicea, en 324; concilio de Constantinopla, en 381). Dicha reflexión se fundamenta en la relación filial que une a Jesús con su Padre* y con el Espíritu* Santo, tal como se afirma en el NT (Jn. 15, 26). La doctrina de la Trinidad forma parte de la tradición del monoteísmo (judaísmo e islam), pero Dios está incluido como «comunión». Las diferentes interpretaciones que existen entre cristianos occidentales y ortodoxos sobre las relaciones recíprocas de las «personas», Padre, Hijo y Espíritu Santo, no ensombrecen su fe común en el Dios trinitario.

♦ ***Lengua.*** *En Pascua o en Trinidad.* La fiesta de la Trinidad tiene lugar el primer domingo después de Pentecostés en los países occidentales; por tanto, su fecha varía con los años, como la de Pascua. La expresión significa: en una fecha incierta, indeterminada, lejana, incluso jamás.

♦ ***Lit.*** San Hilario (autor latino nacido en Galia), *Sobre la Trinidad,* tratado en 12 libros, siglo IV d. C.: una defensa rigurosa de la ortodoxia cristiana severamente criticada por el arrianismo, que negaba la divinidad de Jesús.

San Agustín, *De la Trinidad,* 399-422: Agustín prosigue la lucha de san Hilario contra el arrianismo y examina la posibilidad de imaginar a «tres en uno» por una serie de analogías procedentes de la psicología humana (Henri Chadwick, *Agustín,* 1987).

San Juan de la Cruz, *Romanzas,* siglo XVI, I, «Sobre el evangelio *"in principio erat verbum"* que se refiere a la Santísima Trinidad», poema teológico y místico.

En el siglo XVIII, los racionalistas se mofan del dogma de la Trinidad. Por ejemplo, Montesquieu, *Cartas persas,* 1721, XXIV, critica al mago al que llaman «el Papa», que hace creer a los cristianos, incluido el rey de Francia, «que tres no forman sino uno».

Jean-Claude Renard, *Metamorfosis del mundo,* 1951, «Conocimiento del tercer tiempo».

♦ ***Icon.*** *La Trinidad* se puede representar mediante tres personas parecidas: Andrei Rublev, 1411, Moscú; tapiz flamenco, siglo XV, San Justo de Narbona. Jean Fouquet, *Coronación de la Virgen,* 1455, Chantilly.

El Trono de Gracia agrupa a Dios Padre sosteniendo al Hijo, Jesús crucificado, con el Espíritu en forma de paloma: Masaccio, 1427, Florencia; Maestro de Flémalle, siglo XV, Frankfurt; Durero, 1511, Viena; Ribera, 1636, Museo del Prado.

♦ ***Mús.*** Francis Poulenc, *Meditaciones sobre el misterio de la Santísima Trinidad,* 1972.

TROMPETA

Trompeta o trompa designan el *shofar,* instrumento formado por un cuerno de carnero o de macho cabrío, que se utiliza en las proclamaciones solemnes.

El toque de trompeta advierte de la inminencia de un peligro; anuncia el castigo de Israel (Is. 18, 3; Os. 8, 1) y la llegada del Día de la Cólera (Jl. 2, 1-15; Ap. 8, 6-9, 21).

En el Apocalipsis*, las cuatro primeras trompetas anuncian el granizo y el fuego mezclados con sangre, el aniquilamiento de la tercera parte de las criaturas del mar, la caída de un globo de fuego y el oscurecimiento del sol, la luna y las estrellas; la quinta anuncia la invasión de las cuatro plagas de la langosta; la sexta, los caballeros de los partos; la séptima, la cólera de Dios.

El toque de trompeta también sirve para convocar las asambleas religiosas (Núm. 10, 2), y dará la señal de la gran reunión de los elegidos en el último día (Is. 27, 13; 1Tes. 4, 16-17; 1Cor. 15, 52).→ JERICÓ.

♦ ***Lit.*** Isaac Bashevis Singer, *El cuerno del macho cabrío,* 1955, en yiddish: a mediados del siglo XVII, en la pequeña ciudad polaca de Goray (provincia de Lublin), en la cual las familias judías han quedado diezmadas, algunos afirman haber oído sonar el gran cuerno del macho cabrío anunciando los últimos tiempos. Precisamente los iniciados de la cábala* previeron para 1665 la llegada del Mesías.

TRUENO

Los rayos y los truenos suelen acompañar las manifestaciones del poder divino (teofanías*). La voz de Dios se compara con el trueno (Éx. 19, 19): «Dios tronó en los cielos; el Altísimo* dejó oír su voz» (Sal. 18, 14). Todo el salmo 29 es un himno al señor de la tempestad.

En el NT, en Pentecostés*, un violento ruido precedió a la aparición de las lenguas de fuego (Act. 2, 2).

→ RELÁMPAGO/RAYO.

TUBALCAÍN

Un pasaje del Génesis evoca a dos primos, Jubal y Tubalcaín, antepasados de los músicos y artesanos que trabajaban el bronce y el hierro. Al parecer, ambos eran descendientes de Caín (Gén. 4, 20-22).

TÚNICA

Túnica de Jesús

Después de la crucifixión*, los soldados romanos se repartieron la ropa de Jesús. Como su túnica carecía de costuras y estaba «tejida de una sola pieza de arriba abajo», no quisieron des-

Velázquez, *La túnica de José,* Madrid, monasterio de El Escorial

garrarla y resolvieron echarla a suertes (Jn. 19, 23).

Sin duda, Juan utiliza un símbolo para aludir al sacerdocio supremo de Jesús, porque el sumo sacerdote llevaba una túnica sin costuras.

Para la tradición cristiana, esta túnica simboliza la unidad de la Iglesia*; los cismas y las herejías no son sino desgarrones.

Túnica de José

José* era el hijo preferido de Jacob* y sus hermanos tenían celos de él. Después de dudar si lo mataban, lo despojaron de la túnica que su padre había mandado hacer para él y lo vendieron a unos comerciantes ambulantes, con quienes llegó a Egipto. Luego degollaron a un macho cabrío, empaparon la túnica con su sangre y la enviaron a su padre para hacerle creer que José había sido devorado por bestias feroces (Gén. 37).

♦ ***Icon.*** Velázquez, *La túnica de José,* 1630, El Escorial, Madrid. Ford Maddox Brown, *El vestido de colores,* siglo XIX, Liverpool.

♦ ***Cin.*** Henry Koster, *La túnica sagrada,* 1953: del Evangelio de san Juan al gran espectáculo.

U

UNCIÓN

Acción que consiste en verter un poco de aceite* sobre un objeto o sobre la cabeza de una persona que ha sido designada para realizar una función especial (sacerdocio o realeza). Samuel* unge a David*, destinado a convertirse en rey (1Sam. 16), y le confiere un carácter sagrado. La unción hecha con crisma (mezcla de aceite y de perfumes [Éx. 30, 22 y sig.]) se reserva a los sacerdotes y a los objetos de culto, especialmente al altar de los holocaustos* (Éx. 29, 36). La figura del rey-ungido o mesías* fue adquiriendo, poco a poco, una importancia primordial en la religión de Israel. Los cristianos han mantenido el gesto de la unción en algunos sacramentos*: bautismo, confirmación y extremaunción o sacramento de los enfermos. → CRISTO, MESÍAS, SACRAMENTO.

♦ ***Icon.*** *Unción de David,* siglo III, sinagoga de Dura-Europos.

UNDÉCIMA HORA

En la parábola de los trabajadores enviados a la viña que cuenta Mateo (20, 1-16), los de la undécima hora reciben el mismo salario que los que han «llevado el peso del día y del calor»: de lo que se habla no es de la justicia humana, sino de la bondad divina, que va más allá de la justicia.

♦ ***Lengua.*** *Los trabajadores de la undécima hora.* La expresión designa a los que llegan rezagados a la fe o a cualquier actividad.

V

VACAS GORDAS / VACAS FLACAS

José*, que había logrado salir de su encarcelamiento por saber interpretar los sueños (Gén. 40), supo explicar un sueño del faraón (Gén. 41, 1-32): siete vacas gordas salían del Nilo y eran devoradas por siete vacas flacas. José anunció que las vacas gordas representaban siete años de abundancia, a los que seguirían siete años de hambre (las vacas flacas). Nombrado «maestro de palacio» por el faraón, José hizo reservas de grano durante la época de prosperidad, evitando así que los egipcios pasaran hambre.

♦ ***Lengua.*** *Estar en época de vacas flacas o de vacas gordas.* Pasar una temporada de sufrimientos y de penurias o de beneficios y bondades. Esta expresión está basada en el hecho bíblico que se narra en Gén. 41, 1-32.

♦ ***Icon.*** *José interpreta los sueños del faraón:* fresco, siglo XII, Saint-Savin; mosaico, siglo XIII, San Marcos de Venecia; vidriera, siglo XIII, catedral de Bourges.

VADE RETRO SATANAS

«Apártate, Satanás.» Estas palabras de Jesús, tentado por el diablo en el desierto, aparecen en el Evangelio de Mateo (4, 10).

♦ ***Lengua.*** *Vade retro.* Expresión que se utiliza para echar a alguien y rechazar sus proposiciones deshonestas.

VAE SOLI

(Lat., «¡Ay del hombre solo!».) Así habla el maestro de la sabiduría, y con estas palabras expresa la dificultad que se le presenta a un ser aislado para salir de situaciones peligrosas: en caso de caída no hay nadie para levantarle. Y también constata la dulzura de ser dos: «Si duermen dos juntos, uno a otro se calientan; pero él solo, ¿cómo podrá calentarse?» (Ecl. 4, 9-12). De ahí la sentencia *vae soli,* «Ay del hombre aislado», que suele interpretarse de modo más preciso: «Ay de aquel que no toma esposa».

→ ECLESIASTÉS O QOHELET.

♦ ***Lit.*** Milton, *Paraíso perdido,* 1667, capítulo VIII: cuando Adán se queja de su soledad en el Edén, Dios le dice: «No es bueno que el hombre esté solo», palabras que recogen el Génesis (Gén. 2, 18) y el Eclesiastés. Y Dios creó a Eva.

VALLE DE LÁGRIMAS

Expresión literaria para designar la tierra y las lágrimas de sufrimiento o de arrepentimiento que derrama el pecador mientras aguarda la dicha del paraíso. No figura en la Biblia.

♦ ***Icon.*** Gustave Doré, *El valle de lágrimas,* 1883, Petit-Palais, París.

VANIDAD

El término hebreo traducido por «vanidad» significa «vaho, vapor». Forma parte del repertorio de imágenes que utiliza el pensamiento hebraico para expresar la fragilidad humana (junto con el agua, las sombras o el humo).

El tema de la «vanidad» es el tema del Eclesiastés*.

♦ ***Lit.*** San Juan Crisóstomo, *El favor de Eutropio,* homilía, siglo IV: Eutropio había caído en desgracia y se había refugiado al pie de la cruz; el orador recupera y comenta a su manera la «vanidad de vanidades» del Eclesiastés: «¿Dónde están ahora las brillantes insignias del consulado? ¿Dónde están los aplausos, los coros, los banquetes, las fiestas?... Todas esas cosas eran noche y sueño». Fray Juan de los Ángeles, *Tratado de la vanidad del mundo,* 1565: obra de orientación franciscana y platónica.
Conviene destacar la traducción del libro del Eclesiastés en la versión autorizada de la Biblia en inglés (1611), por su gran valor poético.
Montaigne, *Ensayos,* 1580-1588, II, 12: se refiere implícitamente al Eclesiastés para

guiar al hombre a la humildad y denunciar los resultados perniciosos del antropocentrismo: «Nuestra sensatez no es sino locura ante Dios; de todas las vanidades la más vana es el hombre».

Bossuet, *Sermones fúnebres de Enriqueta de Inglaterra,* uno de los cuales fue pronunciado el 21 de agosto de 1670 en Saint-Denis: frente a la joven princesa muerta a la edad de 21 años, el orador invita a sus oyentes a meditar sobre la fragilidad y la ilusión de todo lo que es grandeza terrestre, refiriéndose al Eclesiastés («¡Oh vanidad! ¡Oh la nada! ¡Oh mortales ignorantes de su destino!»).

Camus, *El mito de Sísifo,* 1942: se niega a ver en Don Juan a «un hombre educado en el Eclesiastés»: para Don Juan, en la vida nada es «vanidad», sino la esperanza de otra vida. Para Camus, «ese loco es un gran sabio», pues «esa vida le llena».

♦ ***Mús.*** Brahms, *Cuatro cantos serios,* 1896. Georges Migot, *El Eclesiastés,* 1963.

VENGADOR

En el AT, el *goel* o «vengador de sangre» es el pariente cercano de una víctima, encargado, cuando ha habido una muerte, de matar al asesino (Núm. 35, 19).

A Dios también se le llama el *goel* de Israel porque venga a su pueblo perseguido (aunque la palabra va perdiendo poco a poco este sentido y se utiliza la de «redentor», el que rescata y protege; Sal. 19, 15; Is. 41, 14). Sin embargo, el tema de la venganza divina contra los opresores de Israel aparece en los textos apocalípticos* (Jer. 46, 10), y a Dios incluso se le compara con un guerrero con la espada llena de sangre (Is. 34, 6). → CÓLERA, JUICIO FINAL.

♦ ***Lit.*** Todo grupo perseguido tiende a apelar a Dios para que sea su defensor y vengador. El protestante Agrippa d'Aubigné, *Los trágicos,* 1616, invoca a un justo vengador que golpeará a Roma con rayos y pestes, y destrozará a los príncipes católicos y a sus cortesanos.

Lope de Vega, *El castigo sin venganza,* comedia en verso, 1631, y *La Dorotea,* obra de teatro en prosa, 1632: Vengador es uno de los personajes del coro de Venganza. Racine, *Esther,* 1689, y *Atalía,* 1691:

los judíos fieles adoran a un Dios temible cuya justicia se ejerce con la sangre. Los hombres se convierten en instrumentos de su venganza masacrando a los impíos (Atalía).

VERBO

(El lat. *verbum,* «palabra», traduce del heb. *dabar,* «palabra» y «acontecimiento».) La noción hebraica de palabra es mucho más amplia y menos abstracta que el concepto griego de *logos* («razón, sabiduría») y supera en significado el sentido literal de la palabra latina *verbum.* La palabra viva, activa, prolonga aquella de la que emana. Tiene fuerza creadora y salvadora: por su palabra Dios creó el mundo (Gén. 1) y a través de ella comunica su proyecto de salvación* por medio de la Ley (Decálogo*), las profecías, la sensatez de los pueblos y la oración.

La palabra de Dios, ya en el AT, «trabaja» el mundo (creación de un universo autónomo, transformación de los corazones y las relaciones humanas). Con el libro de la Sabiduría, la palabra incluso parece poseer cierta personalidad «respecto a Dios».

El NT, concretamente en el Evangelio de Juan, incluye otra interpretación: «Al principio era el Verbo y el Verbo está en Dios y el Verbo era Dios. Y el Verbo se hizo carne y habitó entre nosotros» (Jn. 1, 1- 14). La palabra de Dios adquiere un rostro, el de Jesús de Nazaret. Esta afirmación ha fascinado a poetas, filósofos y teólogos, no solamente por el estatuto que da a la palabra (al comienzo), sino también por la afirmación de una diferencia en Dios. Este texto es uno de los fundamentos de la doctrina de la Trinidad* (Dios Padre, Hijo y Espíritu Santo) y de la encarnación* (Jesús, hombre y Dios).

♦ ***Lit.*** Jean-Claude Renard, *En une seule vigne,* 1959, «La Langue du sacre»: «el encuentro de la palabra y la Palabra» (André Alter).

VERDAD

Conforme a su visión concreta de las cosas, la Biblia no limita la verdad a una concepción intelectual (la expresión de lo que corresponde a la realidad), sino que contiene una visión más completa y dinámica: es verdad lo que dura y resiste. Dios y el hombre son verdaderos porque son fieles: lo que hacen corresponde a lo que han dicho y prometido, y se puede confiar en ellos (contrariamente al «hombre mentiroso»).

La noción de verdad se relaciona, pues, con otros temas: la fidelidad de Dios a la alianza*, su misericordia y su santidad, pero también la revelación del «misterio» de la salvación.

♦ ***Lengua.*** La palabra *amén** (traducida normalmente por «así sea»), que se incluye al final de la oración, no expresa principalmente un deseo, sino la fe en lo que acaba de decirse y que se tiene por verdadero. Suele citarse la pregunta de Pilato *«¿Y qué es la verdad?»* (Jn. 18, 38) como la expresión del escepticismo frente a las afirmaciones de la fe.

VERÓNICA

Verónica no aparece en los evangelios entre las santas mujeres* que acompañaron a Jesús al Calvario. Pero la tradición cristiana da este nombre a la mujer que enjugó el sudor y la sangre del rostro de Jesús en el camino del Gólgota*; el rostro quedó impreso en el paño. El recuerdo de este gesto representa la sexta estación del vía* crucis.→ FAZ.

El Greco, *La Verónica,* Toledo, Museo de San Vicente

♦ ***Lit.*** Pierre Jean Jouve, *Sueur de sang,* 1935, «¡Crachats!». Pierre Emmanuel, *Jacob,* 1970.

♦ ***Icon.*** La representación de esta santa imaginaria es inseparable de la Santa Faz impresa en el velo: estatua, 1310, Notre-Dame d'Écouis; Maestro de Flémalle, siglo XV, Frankfurt; El Greco, 1579, Toledo; Georges Rouault, 1945, París.

VERSÍCULO

El término designa una pequeña unidad de texto bíblico que suele corresponder a una, dos o tres frases en los textos poéticos.

Del mismo modo que la numeración en capítulos, la división del texto en versículos se remonta a los comienzos de la imprenta (Robert Estienne, 1555).

♦ ***Lit.*** El versículo fue utilizado en poesía o en prosa poética por: Lamennais, *Palabras de un creyente,* 1834; Gide, Claudel, Milosz, Loys Masson y muchos otros en el siglo XX.

VESTIMENTA

La vestimenta forma parte de las necesidades vitales del hombre, como el alimento y la vivienda (Gén. 28, 20; Éx. 21, 10). Según Mateo (7, 25-31), Jesús invita a confiar más en Dios cuando dice que la vida es mucho más que el alimento, y el cuerpo mucho más que la ropa; los lirios del campo «no se fatigan ni hilan» y «ni Salomón en toda su gloria se vistió como uno de ellos».

Sin embargo, el único fin de la vestimenta no es cubrir al hombre; también le define: por su traje se reconoce al que lo lleva. En consecuencia, el disfraz se considera una mentira, aunque sirva para que se cumplan los designios de Dios, como en la historia de Jacob* (Gén. 27, 15).

Los sacerdotes llevan una vestimenta que les distingue, cuyos detalles aparecen minuciosamente descritos (Éx. 28; Lev. 16, 32); también son reveladoras las vestiduras de los ángeles (Lc. 24, 4), del profeta (Zac. 13, 4), de los reyes (Mt 11, 8; Act. 12, 21), de los ricos (Sant. 2, 2), de la viuda (Gén 38, 14-19), de los leprosos (Lev. 13, 45), de la prostituta (Gén. 38, 14-19). La vestimenta también revela el estado de ánimo: dicha, duelo, penitencia, etcétera.

La unidad entre la vestimenta y la persona se manifiesta en gestos significativos: por ejemplo, cuando Jonatán entrega su manto a David expresa que se une a él (1Sam 18, 4), y Eliseo se pone el manto de Elías para demostrar su filiación (2Re. 2, 13).

Por ello, no hay que extrañarse de que verbos como «despojarse» y «revestir» hayan podido relacionarse con la elección, el bautismo, la vocación y la salvación. Por ejemplo, revestir el vestido blanco del bautismo significa convertirse en un hombre nuevo (Rom. 13, 12; Ef. 4, 22). Del mismo modo, Jesús «reviste del poder de lo alto» (Lc. 24

Valdés Leal, *Vía crucis,* Nueva York, Hispanic Society

9) a aquellos a los que encarga un ministerio* especial. → PROVIDENCIA, RASGARSE LAS VESTIDURAS.

VÍA CRUCIS

Es el camino —*via dolorosa:* «vía dolorosa»— que siguió Jesús cargado con su cruz, a través de Jerusalén, desde el pretorio (residencia del gobernador romano), donde fue condenado a muerte, hasta el Gólgota*, donde fue crucificado. Se ignora el itinerario exacto, pero desde la época de las cruzadas la tradición propuso un recorrido basado en la identificación del pretorio con la fortaleza Antonia, próxima al Templo.

En la mayoría de las iglesias, cuadros, bajorrelieves o

simples cruces, el vía crucis se evoca en 14 «estaciones»: 1. Jesús es condenado a muerte; 2. Jesús carga con la cruz; 3. Jesús cae por primera vez; 4. Jesús encuentra a su madre; 5. Simón Cirineo ayuda a Jesús; 6. Verónica* enjuga el rostro de Jesús; 7. Jesús cae por segunda vez; 8. Jesús encuentra a las mujeres de Jerusalén; 9. Jesús cae por tercera vez; 10. Jesús es despojado de su manto; 11. Jesús es clavado en la cruz; 12. Jesús muere en la cruz; 13. Jesús es bajado de la cruz; 14. Jesús es sepultado.

Los fieles reviven este camino, doloroso, sobre todo el Viernes Santo, día que conmemora la muerte de Jesús. → CRUZ/CRUCIFIXIÓN.

♦ ***Icon.*** Valdés Leal, *Vía crucis,* siglo XVII, Nueva York. ♦ ***Mús.*** Franz Liszt, *Vía crucis,* 1879. Marcel Dupré, *Vía crucis,* 1932.

VID

Esta planta mediterránea está muy adaptada al clima de Palestina; requiere un trabajo minucioso al que, con frecuencia, se alude en la Biblia (Is. 5).

La fiesta* de la vendimia formaba parte de la fiesta de la Cosecha (Éx. 23, 14; Dt 16,13), o fiesta de las Cabañas (también llamada de las Tiendas o de los Tabernáculos), que se celebraba en otoño: iba acompañada de cantos y danzas (Jue. 21, 19-21). Seguramente las cabañas recordaban a las chozas de ramas que se alzaban en los huertos y en los viñedos en el momento de las cosechas.

En sentido figurado, fue Oseas el primero que comparó la tierra de Israel con una vid fértil (Os. 10, 1). Isaías dio la vuelta a la comparación: Israel es una vid estéril a pesar de los cuidados de Dios; Dios va a abandonarlo (Is. 5, 1-7; tema que vuelve a aparecer en Jer. 2 21 y Ez. 17, 1-10). Después del exilio, todos pedían a Dios que cuidara de nuevo de la vid (Sal 80, 9-17; Is. 27, 2-11).

En los evangelios sinópticos*, Jesús utiliza la imagen de la vid como parábola* del Reino de Dios (Mt. 20, 1-8 21, 28-31; 21, 33-41). En el Evangelio de Juan, durante la Cena*, él mismo se proclama la verdadera vid, aquella cuyos frutos no defraudarán la espera del vendimiador (Jn 15, 1-5).

VIERNES SANTO

Es el viernes que precede a Pascua*. Ese día los cristianos conmemoran la muerte de Jesús en el Gólgota*.→ CRUZ/CRUCIFIXIÓN, PASIÓN.

VINO

El Génesis atribuye la vinificación al patriarca Noé* (Gén. 9, 20), demostrando, de ese modo, la antigüedad de su cultura.

El vino se ofrecía en libación con el holocausto* cotidiano en el Templo* de Jerusalén (Éx. 29, 40). Para el consumo, normalmente se mezclaba con agua, y la embriaguez, como todos los excesos, estaba condenada (Prov. 20, 1; 23, 29-35). También se utilizaba el vino como medicina: para desinfectar las heridas (Lc. 10, 34) o, mezclado con mirra, como estupefaciente (Jesús se negó a tomarlo, Mt. 27, 34).

Durante la Cena*, Jesús presenta la copa de vino a sus apóstoles diciendo: «Esta es mi sangre» (Mt. 26, 27; Mc. 14, 23) y aún en la actualidad, en la liturgia cristiana, el vino simboliza la sangre de Cristo* sacrificado.

♦ ***Lengua.*** *No se echa el vino nuevo en cueros viejos.* Proverbio citado en Mt. 9, 17, que añade: «De otro modo se romperían los cueros y el vino se derramaría». En el lenguaje habitual, esta expresión significa que las nuevas ideas se adaptan mal a las antiguas estructuras; no pueden extenderse sin hacerlas explotar. ♦ ***Lit.*** De autor desconocido son los *Denuestos del agua y el vino,* siglo XIII, obra en verso de carácter satírico burlesco en la que ambos se recriminan sus respectivos defectos. Alberto Lista y Aragón, *El vino y la amistad,* siglo XIX. Romain Rolland, *Colas Breugnon,* 1919: bromeando llama al vino «el agua de Noé». Jean-Claude Renard, *Incantation des Eaux,* 1961: meditación poética sobre los símbolos bíblicos del agua, el vino y el fuego.

VIRGEN/VIRGINIDAD

La virginidad de las muchachas forma parte de las disposiciones legales que conciernen al matrimonio. El Deuteronomio* prevé el castigo de muerte por lapidación para la joven a la que su esposo acusa públicamente y que no puede aportar los signos de la virginidad el día de su boda. En cuanto al marido, convicto de difamación si la joven es inocente, recibe un castigo y tiene que pagar una cantidad al padre de esta para lavar el deshonor (Dt. 22, 13-20).

En el NT, el Evangelio de Mateo hace alusión a esta ley a propósito de María* y José*, que quiso repudiar a su prometida cuando descubrió que estaba encinta (Mt. 1, 18-20).

Vírgenes necias, vírgenes prudentes

Alusión a una parábola evangélica (Mt. 25, 1-13). Diez muchachas esperan al esposo durante toda la noche; cinco «necias» (nada previsoras) no han cogido bastante aceite para las lámparas; salen a comprarlo y no están de vuelta para entrar con sus esposos en la sala nupcial. Según la interpretación alegórica, las vírgenes representan las almas* que esperan a Dios o al juicio: «Velad, ya que no sabéis el día ni la hora». → BODAS, REINO/REINADO.

♦ ***Lengua.*** *Aparecérsele a alguien la Virgen.* Tener mucha suerte, especialmente cuando se está en una situación extrema.
Fíate de la Virgen y no corras. Locución que expresa incredulidad, desconfianza hacia todo y todos. Una interpretación acerca del origen de esta frase la sitúa en el siglo XIX, en la primera guerra carlista. El aspirante al trono, Carlos María Isidro, nombró a la Virgen de los Dolores generalísima de sus ejércitos. Cuando los carlistas fueron derrotados, huyeron del campo de batalla. Parece que, tras este suceso, los isabelinos crearon el dicho.

♦ ***Lit.*** *Las vírgenes prudentes y las vírgenes necias,* drama litúrgico en latín, siglo XI: en los límites entre el teatro y la ceremonia religiosa.

♦ ***Icon.*** Las 10 vírgenes fueron esculpidas en las bóvedas de las iglesias románicas y góticas, grabadas en cobre por Martin Schongauer, siglo XV, y Abraham Bosse, siglo XVII. Existen pocas escenas de conjunto: fresco, 1512, Santa Cecilia de Albi; William Blake, acuarela, 1826, Londres.

VISITACIÓN

Visita que María hizo a su prima Isabel (Lc. 1, 40-42), cuando se enteró de que esta esperaba un hijo.

♦ ***Icon.*** Tímpano, siglo XII, La-Charité-sur-Loire. Grupo

Rafael, *La Visitación,* Madrid, Museo del Prado

escultórico, siglo XIII, catedral de Reims. Tapiz, siglo XV, Notre-Dame de Beaune. Ghirlandaio, fresco, Santa Maria Novella, Florencia, y cuadro, 1491, París; Rafael, 1519, Museo del Prado. Corrado Giaquinto, 1762, Montreal. Zadkine, *La Visitación*, bronce, 1963, París.

VOCACIÓN

(Del lat. *vocare,* «llamar».) Llamada. Los relatos de las vocaciones, de la llamada de Dios a un hombre, ocupan un importante lugar en la Biblia. En el AT: especialmente a Abraham (Gén. 12, 1), a Moisés (Éx. 3, 4), a Isaías (Is. 6) y a Jeremías (Jer. 1); en el NT: a los apóstoles (Mt. 4, 21) y a Pablo (Gál. 1, 15).

Incluso el relato de la Anunciación* (Lc. 1, 26-38) está elaborado con el esquema de los relatos bíblicos de la vocación. Cuando Dios se muestra, el hombre expresa su temor mediante un gesto, un grito, una objeción, a la que Dios responde: «Estoy contigo... no tengas miedo». A menudo se da una señal en el momento en que se confía la misión.

La llamada también puede ser colectiva: la vocación del pueblo de Israel es su misión y su vinculación a la alianza* propuesta por Dios: «Yo te llamé por tu nombre y tú me perteneces» (Is. 43, 1).

Jesús también llama a algunos hombres y les manda llevar la buena nueva de Dios. La Iglesia naciente está formada por los «llamados de Jesucristo», «los santos por vocación», reunidos en la misma esperanza (Rom. 1, 6-7; Ef. 4, 4).

VULGATA

(Lat. *vulgatus,* «difundido».) Traducción latina de la

Biblia por san Jerónimo, acabada hacia el año 405.

Para el NT, revisa una versión latina existente. Para el AT, tras aprender hebreo en Palestina con los rabinos, emprende una nueva traducción a partir del texto original. La traducción de san Jerónimo es la «Vulgata», muy difundida y durante mucho tiempo oficial en la Iglesia católica.

Y

YAHVÉ

Término procedente de la vocalización arbitraria, y no conforme a la tradición judía, del nombre divino de cuatro letras YHVH, también denominado tetragrama*. Su etimología corresponde a una forma del verbo «ser», «existir». Es el nombre que Dios revela a Moisés en la zarza ardiendo (Éx. 3, 14-15). La tradición judía prohíbe la pronunciación del tetragrama y lo sustituye por la de Adonay («Señor») o *ha-Shem* («el Nombre»). Jehová* es otra deformación de este nombre. → ADONAY, ÉL, ELOAH, SANTO.

YOD

Letra de los alfabetos hebreo y arameo; es la más pequeña de todas. En la traducción de los Setenta*, se convierte en la *iota,* la letra más pequeña del alfabeto griego.

Jesús dice a sus discípulos (Mt. 5, 17-18): «No penséis que he venido a abrogar la Ley o los profetas... Porque en verdad os digo que antes pasarán el cielo y la tierra que falte una yod o una tilde de la Ley hasta que todo se cumpla».

♦ ***Lengua.*** *No saber ni jota.* Ser muy ignorante en algo. La letra *jota* de nuestra lengua procede, en su nombre, de la *iota* griega, y esta de la *yod* (iod) de algunas lenguas semíticas. La *yod* es la letra más pequeña y la que tiene el trazo más sencillo; además, dicho trazo forma parte de otras letras, con lo cual, si no se sabe hacer la *yod* no se pueden hacer las demás.

Sin cambiar una jota. Sin cambiar nada, respetando totalmente el original (texto, palabra, pensamiento...).

Sin faltar una coma o una jota. Íntegramente, por completo. Estas dos últimas expresiones tienen su origen en las palabras pronunciadas por Jesucristo en el Sermón de la Montaña (Mt. 5, 17-18).

YOYAQUIM

Rey de Judá* (609-598 a. C.). Vasallo de Nabucodonosor* durante tres años, se rebeló contra Babilonia. Idólatra, persiguió a los profetas y se atrajo la cólera de Jeremías* («Desgracia para el que construye su palacio sin justicia», Jer. 22, 13-19).

Z

ZACARÍAS

Zacarías es uno de los 12 «profetas* menores»; su actividad se extiende de 520 a 518 a. C. (aunque la segunda parte del libro que lleva su nombre —capítulos 9 a 14— es casi dos siglos posterior a él). Zacarías anima a los judíos a llevar a cabo la reconstrucción del Templo* y anuncia el advenimiento de una era mesiánica.

También es el nombre de un sacerdote, marido de Isabel y padre de Juan Bautista. Es un anciano sin descendencia cuando el ángel Gabriel* le anuncia el nacimiento de su hijo. Lucas cuenta que se quedó mudo hasta la circuncisión* del niño por haber dudado; tras recuperar la palabra pronuncia el cántico del *Benedictus* relatado por Lucas y hace profecías (Lc. 1, 5-22; 1, 59-79). La leyenda ha insistido mucho en los cuidados que proporcionó a María, pariente de Isabel, y le atribuye la ejemplar muerte del mártir.

Ghirlandaio, *Aparición del ángel a san Zacarías,* Viena, Galería Albertina

♦ ***Icon.*** Imágenes del profeta Zacarías: Claus Sluter, *Pozo de Moisés,* 1404, Dijon. Ghirlandaio, *Aparición del ángel a san Zacarías,* siglo XV, Viena. → MATRIMONIO (DE LA VIRGEN).

ZAQUEO

Jefe de los publicanos de Jericó, tenía mala fama en la ciudad por su profesión. Hombre de baja estatura, se subió a un sicomoro para ver a Jesús, pues la multitud lo ocultaba a su vista. El Maestro lo advirtió y le dijo: «Hoy me hospedaré en tu casa». Los judíos consideraban impuros a los que trataban con los publicanos, por lo que el gesto atrevido de Jesús les sorprendió; pero cuando empezaron a murmurar Jesús respondió: «El Hijo* del hombre ha venido a buscar y salvar lo que está perdido». Efectivamente, Zaqueo prometió devolver el cuádruplo del importe de las sumas que había sustraído en el ejercicio de sus funciones (Lc. 19).

ZELOTES

(Gr. *zelo,* «doy prueba de celo».) Grupo político religioso. La lista de los 12 apóstoles de Jesús incluye a Simón el Zelote (Mt. 10, 4).

El historiador Flavio Josefo menciona a este grupo de guerrilleros nacionalistas a partir de 66 d. C. Pretendían ser los paladines de la ortodoxia judía y del integrismo e intentaban levantar al pueblo contra el ocupante romano. Jugaron un importante papel durante la gran revuelta (66-70). La mayoría perecieron en el transcurso de la toma de Jerusalén por Tito, en el año 70.

♦ ***Lit.*** Flavio Josefo, *La guerra de los judíos,* en griego, 75-79.

ZOROBABEL

Príncipe judío nacido en Babilonia*, fue, junto con Josué, uno de los 12 guías que condujeron a Jerusalén una caravana de repatriados, entre 536 y 522 a. C. Apoyados por los profetas Ageo y Zacarías, que los describen como «los dos hijos del óleo, que están delante del Señor de toda la tierra» (Zac. 4, 11-13), Zorobabel, gobernador de Judea, y Josué, sumo sacerdote, emprendieron la reconstrucción del Templo*. Hubo esperanzas de restauración monárquica, primero en el príncipe y luego en el sumo sacerdote, pero sin éxito (Zac. 6, 11).

Mateo y Lucas incluyen a Zorobabel en la genealogía de Jesús (Mt. 1, 12; Lc. 3, 27).

LA BIBLIA Y LA LITERATURA ESPAÑOLA

INTRODUCCIÓN

La Biblia es uno de los libros más editados en lengua española a lo largo de su historia. Por tanto, es fácil imaginar la gran repercusión que ha tenido también en la literatura española.

Consta de dos partes: Antiguo Testamento y Nuevo Testamento. Esta última fue incorporada al Libro Sagrado de los judíos (Antiguo Testamento) en el siglo I d. C., quedando desde entonces establecido el contenido definitivo de la Biblia, sin nuevas adiciones. Estaba escrita en diversas lenguas y fue san Jerónimo quien hizo una traducción al latín denominada *Vulgata.* A través de esta traducción latina pasó a las lenguas románicas que empezaban a forjarse en España y fue uno de los libros más importantes para culturizar al pueblo.

La formación del español no habría sido la misma sin las palabras o vocablos que se introdujeron por influencia de la Biblia, al traducirla del latín para catequizar al pueblo en su propia lengua vernácula. Los primeros documentos de los orígenes del español son las *Glosas silenses,* denominadas así por haber sido encontradas en el monasterio de Silos, que constituyen un vocabulario latino-español de textos bíblicos y religiosos, puesto que el latín en el siglo XI no era comprendido perfectamente por el vulgo, que ya hablaba lo que más tarde denominaríamos español o castellano. Los monasterios y, en general la Iglesia, constituyeron el vehículo más importante de transmisión de cultura popular, y ello contando siempre con la ayuda, casi exclusiva, de un libro: la Biblia.

INFLUENCIA EN LA HISTORIA DE LA LITERATURA ESPAÑOLA

Remontándonos a sus orígenes, el español y su literatura surgen, como lengua culta, en los monasterios y conventos, por lo que la Biblia siempre fue un forzado punto de referencia e influencia. El mester de clerecía (siglos XII-XIII-XIV) floreció hasta la llegada del Renacimiento a España, siempre cultivado por clérigos y con continuas alusiones bíblicas, bien en el contenido, bien en el vocabulario. Gonzalo de Berceo y el Arcipreste de Hita, entre otros escritores medievales, plasman en sus obras las ideas cristianas contenidas en la Biblia, de manera que casi podríamos hablar de que era este el único libro a disposición de los lectores del medievo.

La llegada del Renacimiento, a pesar del resurgir de la antigüedad clásica, no quitó importancia a la influencia de la Biblia, aunque hay que remarcar que los nombres bíblicos fueron sustituidos por otros de clara alusión grecolatina. La religión cristiana seguía estando muy arraigada en las vidas y costumbres y eso influía también en la literatura. En el siglo XVI, la literatura española alcanza una de sus cotas más elevadas (llamado, por ello, Siglo de Oro), con el florecimiento de dos tipologías literarias: la ascética y la mística, ambas encuadradas en el ámbito de la concepción cristiana de la vida y con clarísimas alusiones y referencias a elementos bíblicos en su fondo y en su forma literaria.

No hay que olvidar que es entonces cuando se llevan a cabo las mejores traducciones de la Biblia al castellano, entre las que cabe destacar la versión del libro del *Cantar de los Cantares* realizada por fray Luis de León. Son innumerables las obras de esa época que destacan por su contenido o alusiones bíblicas, ya que los místicos y ascéticos pertenecían todos al estamento religioso. En España sobresalieron, entre otros, santa Teresa de Jesús, san Juan de la Cruz y el beato Juan de Ávila. En América, donde se introdujo la Biblia a través de los conquistadores españoles en el siglo XVI, también florecieron los escritores religiosos, destacando especialmente sor Juana Inés de la Cruz.

Siguiendo esta panorámica a través de la historia de la literatura española, nos encontramos, en el siglo XVI, con la siguiente obra más editada en lengua castellana: *El Quijote* de Miguel de Cervantes. Las grandes virtudes de este caballero andante nos trasladan al ideal de vida católico, con plena y consciente observancia de los preceptos bíblicos.

El teatro de esta misma época tampoco escapa a dicha influencia. Los temas (el amor, la honra, el honor, el matrimonio, etcétera) siempre toman como punto de referencia la tradición contenida en los preceptos bíblicos y en las Sagradas Escrituras. Y si eso sucedía en las obras de teatro de tema profano, es fácil constatar la total influencia de la Biblia en las de tema religioso: los denominados autos sacramentales, cuyos personajes son siempre alegóricos.

Durante el siglo XVII se mantiene la misma tónica en cuanto al cultivo de la literatura por parte de los religiosos. Incluso un autor tan versátil y prolífico como Lope de Vega, que terminó sus días siendo sacerdote católico, incluyó en su producción los temas anteriormente citados: el honor, la honra de la mujer, el poder del rey otorgado por Dios, todos ellos claramente influenciados por las lecturas y el perfecto conocimiento de las Sagradas Escrituras. El teatro del barroco muestra preocupación por temas como la muerte o la vida supraterrenal, siendo Calderón de la Barca el más claro representante del mismo.

La llegada del siglo XVIII conllevará un cambio rotundo en la manera de concebir la vida, que ya no estará tan imbuida del espíritu filosófico y religioso cristiano. La Biblia, que hasta aquel momento había sido casi el único libro indiscutible e indiscutido, ahora, por influencia del racionalismo, sufre la puesta en tela de juicio de sus contenidos, especialmente de los que están en contra de los nuevos descubrimientos científicos. Surge entonces un movimiento que, en lugar de partir de la Biblia como libro modelo o de clara influencia, lo tiene como antítesis, continua oposición y ataque. Incluso algunos escritores harán de esta lucha antibíblica (o antirreligiosa, por extensión) la constante única de su vida literaria. Este fenómeno se acentúa especialmente en el siglo XIX, por efecto y consecuencia de la revolución francesa de 1789, con sus repercusiones posteriores en España. Pero, de hecho, en la literatura española no aparecieron ataques furibundos como en otras literaturas europeas.

El romanticismo del siglo XIX tuvo dos tendencias casi antagónicas: la tradicional y la revolucionaria. La tendencia tradicional, o romanticismo histórico, conserva los valores tradicionales caballerescos y cristianos, siendo Zorrilla su principal representante. Perdura también, en este siglo, el cultivo de la literatura por parte de los religiosos, sobresaliendo en este campo el sacerdote catalán Jaime Balmes. Pero donde se pueden apreciar claramente las huellas de la Biblia es en la poesía de Gertrudis Gómez de Avellaneda, poetisa nacida en Cuba y que no pertenecía al estamento religioso.

Con la llegada del realismo en la segunda mitad del siglo XIX, la Biblia deja bastante de su antiguo protagonismo e influencia, para pasar a ser atacada, aunque no directamente. Parece que es una moda venida de fuera de España, que se impone y en la que se identifica lo moderno con lo contrario a las enseñanzas de la Biblia. Es un fenómeno que empezó entonces, pero cuyos resultados podemos constatar aún hoy en día, ya que sigue permaneciendo en la literatura española actual. Desde Galdós y Clarín (con sus problemas con la jerarquía católica de su época) hasta los poetas de la Generación del 27 (García Lorca, Rafael Alberti, Miguel Hernández, etcétera) han luchado contra las influencias religiosas (y por tanto bíblicas) en la sociedad española.

ALUSIONES Y TRANSPOSICIONES

Resulta obvio que si se ignora todo el contenido de la tradición bíblica, la comprensión en profundidad de la literatura española es casi imposible. En muchísimas obras se da por supuesto el conocimiento de las prácticas religiosas, oraciones y costumbres cristianas, así como las historias de personajes bíblicos y sus atributos ético-morales.

Las fiestas populares, que han dejado honda huella en la literatura española, tienen su fundamento y razón en el santoral católico, pues cada localidad está adscrita bajo la advocación de su patrón: Jesús, la Virgen (con sus innumerables variantes locales) y los santos.

En toda la literatura española son muy frecuentes las alusiones a personajes o escenas bíblicas, e incluso se han llegado a estereotipar algunas de ellas: Caín (el malo) y Abel (el bueno) simbolizan la lucha fratricida; Sodoma y Gomorra son el prototipo de ciudades de costumbres depravadas; David y Goliat representan la lucha del humilde contra el poderoso. «Lavarse las manos como Pilato» nos evoca la situación del gobernador romano Poncio Pilato, que no quiere mancharse las manos con la sangre de un inocente y, por tanto, evita inculparse y responsabilizarse de algo; «una decisión salomónica» nos lleva al juicio de Salomón con su habitual sabiduría. Los ejemplos son innumerables.

Algunas frases han quedado ya fijadas en la lengua española con su significado propio y originario de la Biblia: «el hijo pródigo», «la sal de la tierra», «los diez mandamientos», «el beso de Judas», «ganar el pan con el sudor de la frente», etcétera. Todas ellas no son más que una pequeña muestra de la gran cantidad de alusiones bíblicas que se incorporaron al lenguaje popular español, como muy bien muestra nuestro refranero, además de su influencia en la literatura y en la lengua culta (incorporación de neologismos bíblicos derivados del latín y del griego).

LA BIBLIA: UNA MITOLOGÍA, UN AMBIENTE, UN ESTILO

La Biblia ha influido en un sector de la producción literaria, cuyo contenido adquiere un valor mitológico, es decir, desvinculado de toda creencia o con intenciones esencialmente decorativas, incluso paródicas.

Pertenece a lo «maravilloso cristiano» el conjunto de las obras dedicadas a Salomé-Herodías, con una coloración arqueológica (Flaubert), decadente (Mallarmé), etcétera. Sin detenernos en la polémica sobre lo maravilloso cristiano (Boileau, *Arte poética),* constataremos que los ángeles, los demonios, los sueños proféticos, los milagros, suponen un tesoro fabuloso para la imaginación poética. En la Edad Media, los cuentos populares, como la *Leyenda dorada,* atribuyen a Dios y a sus santos gran cantidad de milagros ficticios. En el siglo XIX, los autores alemanes y Nodier ponen de moda a los diablos de las leyendas medievales, parientes cercanos de los gnomos y los duendes. La religión se sumerge en el folclore. Más tarde, se añaden la parodia escéptica (Anatole France, *La isla de los pingüinos)* y el humor fantástico (Supervielle).

En la misma línea, pero a menudo con más seriedad, se manifiesta la utilización sistemática de las metáforas bíblicas por Aragon («Mi Francia semejante al Cristo de los ultrajes») durante la Segunda Guerra Mundial. En este caso las metáforas no tienen una función meramente ilustrativa, sino que pretenden sacralizar la historia presente, ofrecer a los mártires de la Resistencia la misma veneración que a los testigos de la fe, aunque a veces la imagen se vea debilitada por la facilidad de la paronomasia: «bello absoluto, bello Absalón» *(La Diana francesa).*

Por último, si nos vamos alejando del contenido, la Biblia también constituye un repertorio de formas. Ha contribuido a la resurrección de la epopeya en el siglo XIX. Sabemos lo que es un estilo «apocalíptico», y también le debe mucho a la escritura bíblica una cierta amplitud poética del versículo y del hálito lírico (Lamennais, Claudel).

Una gran parte del placer que se obtiene con la lectura reside, pues, en tomar conciencia de la fantasía que encierran los textos. La Biblia es la sal de muchos de ellos. ¿En qué se convertirían si esa sal se vuelve insípida o, más bien, si perdemos su sabor?

MÁS ALLÁ DEL HEXÁGONO

La Biblia ha sido fuente de inspiración literaria en Inglaterra, en Francia, en los países germánicos y en la Europa nórdica, sin olvidar España y la Rusia ortodoxa.

Por otra parte, Pierre Haïat y Charles Dobzinski, entre otros, nos han dado a conocer los textos judíos tradicionales y las obras escritas en hebreo o en yiddish. También Israel cuenta con grandes talentos literarios mundialmente reconocidos, como el premio Nobel Samuel Josef Agnon. Con motivo de este trabajo nos hemos sumergido en nuevas lecturas que proponemos a nuestros lectores. A todos aquellos que, con toda la razón, se vieran tentados a reprocharnos la disparidad de nuestras referencias literarias, respondemos de antemano: no son sino ejemplos entre muchos otros; hemos pretendido que sean muy variados para sugerir mil búsquedas posibles. A los lectores les decimos: se puede libar aquí o allá: hagan ustedes su propia miel.

ALGUNAS POSIBLES UTILIZACIONES DEL DICCIONARIO

En el estudio de temas, obras o formas, como el tema del pobre (reagrupamiento de textos); las alusiones a la Pasión de Cristo en *La Diana francesa* (conocimiento de un autor); los mitos de la creación o del paraíso terrenal: la Biblia, Hesiodo, Ovidio (literatura comparada); las mujeres de la Biblia (exposición de un especialista de arte plástico); Herodías (montaje poético y audiovisual); el diablo y el buen Dios en las locuciones populares (estudio de la lengua); el estilo bíblico de Gide en *Los alimentos terrestres* (estudio estilístico).

LA BIBLIA Y LAS ARTES PLÁSTICAS

1. EL ARTE JUDÍO

Como el segundo mandamiento proscribe toda representación visual de Dios, el arte judío evoca la presencia divina mediante el arca de la alianza o la fachada del Templo que la guardaba. Por otro lado, el arte judío posee símbolos que están ligados a la liturgia del santuario, como el candelabro de siete brazos *(menorah) y* el cuerno de carnero *(shofar),* o el de las fiestas, como el ramo de la fiesta de los Tabernáculos (rama de palmera, *lulav;* cidro, *etrog).* Estos objetos rituales están representados en composiciones que decoran pavimentos de mosaico de las sinagogas galileas (Jamat cerca de Tiberíades, Bet Seán, Bet Alfa, Jericó).

Las pinturas murales de la sinagoga de Dura-Europos (245 d. C.) conservan el único ejemplo conocido de una imaginería narrativa antigua basada en el relato bíblico. Entre las pinturas figuran el sacrificio de Isaac, el rey mesiánico rodeado de las 12 tribus, el niño Moisés sacado del Nilo por la hija del faraón, la historia del arca, Moisés conduciendo a los hebreos a través del mar de las Cañas (mar Rojo), el triunfo de Mardoqueo y la visión de Ezequiel de la resurrección de los muertos.

En la Edad Media, el arte judío tenía como soporte principal la ornamentación de los libros manuscritos. La decoración de los rollos de la *Torá* para uso de la sinagoga estaba prohibida, pero las biblias y los libros rituales destinados al uso familiar solían estar decorados, incluso ilustrados. Este arte floreció en primer lugar en Oriente, entre los siglos IX y XI, y más tarde, del XIII al XV, en todos los grandes centros culturales europeos, en Francia, España, Alemania e Italia. Con la difusión de la imprenta, las ilustraciones pintadas fueron sustituidas por grabados. Sin embargo, la ilustración a mano de la *Haggadah* (ritual de Pascua) o del rollo de Esther (leído en la fiesta de *Purim),* así como la de los contratos de matrimonio *(ketubot),* todavía se practica en nuestros días. A partir del siglo XVII, los utensilios utilizados durante las fiestas también son objeto de una ornamentación cada vez más rica, que incluye, a menudo, escenas figurativas de inspiración bíblica.

A finales del siglo XIX, los artistas judíos abandonan el ámbito puramente religioso. Un arte más personal, más en armonía con las grandes corrientes del arte europeo, acaba de surgir. La escuela de París, a principios del siglo XX, cuenta con diversos artistas judíos famosos, como Mané-Katz, Pissarro, Modigliani y, el más ilustre de todos, Marc Chagall. El *Mensaje bíblico* de Chagall, expuesto en el Museo de Niza, se compone de cuadros que evocan episodios del Génesis, del Éxodo y del Cantar de los Cantares. Esta obra es la culminación de su arte, en la que temas tradicionales y recuerdos personales forman una síntesis única, tanto en su originalidad como en su fuerza de expresión.

2. EL ARTE CRISTIANO

La Biblia, y especialmente el Nuevo Testamento en los países católicos, constituyó la fuente esencial del arte hasta el siglo XVI [1].

De esta abundantísima producción hemos seleccionado algunos ejemplos en distintos soportes:

El arte paleocristiano figura en los sarcófagos y las pinturas de las catacumbas, y en los mosaicos de las primeras basílicas.

El arte bizantino se conserva en forma de frescos y mosaicos en Italia (Ravena, Venecia), Grecia, Estambul... La pintura de iconos está inspirada en él.

---

[1] Si no es posible el contacto directo con la obra en su emplazamiento o en un museo, el lector encontrará reproducciones en diccionarios y enciclopedias. A veces la consulta de las guías turísticas permite situar la obra en su marco geográfico.

La escultura románica anima capiteles y tímpanos, sobre todo en Francia y en España, y la *estatuaria gótica* adorna las catedrales.

Se han seleccionado pocas *miniaturas de manuscritos* porque estos, cuidadosamente conservados en las grandes bibliotecas, solo son accesibles en forma de reproducciones.

La parte más significativa de las obras seleccionadas la forman los *cuadros pintados sobre madera o lienzo,* muy numerosos en los siglos XIV al XVII. Algunos autores hubieran podido ser citados más frecuentemente (Giotto, Rafael, El Greco, Rubens y Rembrandt) porque su repertorio iconográfico es el más amplio, pero hemos querido, más allá del siglo XVIII, poco fecundo, dejar un lugar al siglo XIX. A lo largo de él, especialmente en Francia y en los países germánicos, el impulso en la construcción de edificios religiosos propicia un nuevo auge de la pintura de esta temática. Por otra parte, la generación de los libros ilustrados con grabados sobre madera proporcionó un brillo internacional a dos ilustradores: Julius Schnorr von Carosfeld, *La Biblia en imágenes* (1852), y Gustave Doré, *La Biblia* (1866). En el siglo XX, la inspiración religiosa se centra en torno a la Pasión de Cristo, que las dos guerras mundiales y sus terribles experiencias han reactualizado e invertido de algún modo: Jesús crucificado, salvador del mundo, se convierte, en la pintura, en el símbolo del hombre martirizado por sus semejantes.

Las referencias iconográficas que contiene este diccionario indican el nombre del artista, el título de la obra, su fecha y el lugar donde se conserva: generalmente las pinturas están en museos, mientras los mosaicos y las esculturas con frecuencia permanecen *in situ.*

PARA LEER LA OBRA DE ARTE

• Identificar cuidadosamente la obra (artista, fecha de creación, localización actual, naturaleza del material, técnica utilizada).

• Describir e identificar a los personajes, sus gestos, su vestimenta y su situación en un escenario o en un paisaje.

• Analizar la composición de la obra en dos o tres dimensiones: ¿Cómo están encajados los personajes (de cuerpo entero o solo el busto)? ¿Se han respetado las proporciones (el cuerpo tiene siete veces la cabeza), y si no, por qué? ¿Qué sistema de perspectiva se ha utilizado? ¿La obra es homogénea (una sola escena) o compleja (tríptico, retablo, tímpano...)?

• Estudiar los colores utilizados, su valor (más o menos saturado), los contrastes. ¿Existe un simbolismo de los colores, de las convenciones (la túnica de Jesús es roja o blanca, azul el manto de la Virgen)? ¿Se puede ver de dónde sale la luz, cuál es su función?

• A partir de estas observaciones, situar la obra en su contexto histórico: ¿A quién estaba destinada, al pueblo creyente, a los clérigos y a los letrados, o a los príncipes? ¿Se puede analizar la sociedad en la que vivía el artista (por la ropa, el ambiente, o la proximidad de los personajes relacionados con Jesús o con María)? ¿Qué noción de la belleza se deduce del examen de los rostros?

• Creación artística e interpretación del texto: ante un mismo tema, los cuadros cambian, y a veces añaden multitud de variantes, lo que puede plantear problemas de conocimiento e interpretación del texto bíblico. Las referencias bíblicas (nombre del libro, número del capítulo y del versículo) permiten conocer el origen del tema iconográfico y medir la fidelidad del artista al texto.

La noción de estilo artístico surge de la comparación de las obras entre sí: las diferencias entre las *sepulturas* de Van der Weyden y Rafael marcan el paso del gótico al arte del Renacimiento; la *Virgen de las rocas* de Leonardo da Vinci y la *Virgen de los peregrinos* de Caravaggio, del Renacimiento al barroco...

BÚSQUEDAS INTERDISCIPLINARES

La comparación entre el texto bíblico y las obras que ha inspirado da cuenta de la sensibilidad de una época: Salomé, la mujer fatal, es la protagonista de la literatura y la pintura de finales del siglo XIX. El lector advertirá que hay temas abundantemente ilustrados y otros que han sido ignorados por los artistas.

Para ilustrar un relato, se elegirán preferentemente los grabados o cuadros de una misma época:

— Nacimiento de Jesús (Anunciación, Natividad, adoración de los pastores, circuncisión, adoración de los magos, huida a Egipto).

— Pasión de Jesús (prendimiento, flagelación, *Ecce homo,* cruz/crucifixión, sepultura).

— Historia de María (Anunciación, Visitación, Natividad, huida a Egipto, cruz/crucifixión, *pietà,* coronación de la Virgen).

La reconstrucción del programa iconográfico de un edificio religioso, a partir de una referencia, se hará fácilmente con un guía turístico, buscando en cada parte del monumento la voluntad subyacente: ¿qué se desea mostrar? Lo mismo se puede hacer a partir de recursos locales, incluso con edificios poco conocidos.

LA BIBLIA Y LA MÚSICA

La música de los israelitas se evoca con frecuencia en la Biblia. Recientemente, Suzanne Haïk Vantura ha presentado una recopilación de su notación, que está siendo muy discutida.

En casi dos mil años los artistas han producido para el culto cristiano himnos, misas, motetes, corales, cantatas, y se ha puesto música a los grandes textos poéticos: *Salmos, Cantar de los Cantares.* También, la historia sagrada ha inspirado oratorios u óperas destinados a la iglesia, al templo o al teatro.

Conviene distinguir los textos de la misa, posteriores a la redacción de la Biblia y escritos en latín (gloria, credo, *Sanctus, Agnus Dei)* o en griego *(Kyrie),* de las citas bíblicas, que constituyen lo esencial de los motetes, corales o cantatas. Las referencias adquieren mayor importancia en la Europa occidental, en detrimento de la liturgia ortodoxa puramente vocal (en eslavo, griego o siriaco), en razón del más fácil acceso al texto original.

LA BIBLIA Y EL CINE

La Biblia ha inspirado una abundante producción cinematográfica, desde el reportaje sobre la *Pasión de Oberammergau* en Baviera, en 1897, hasta *La Biblia* de Marcel Carné (1977). El vasto cuadro histórico de la historia sagrada se presta a los grandes espectáculos de Hollywood, mientras la historia de Jesús ha inspirado películas de mayor calidad artística y de verdadera sensibilidad religiosa.

Aparte de las películas dedicadas explícitamente a temas religiosos, en otras muchas, de géneros muy diferentes, existen alusiones que conviene descifrar: *Nazarín* de Luis Buñuel *(Ecce Homo)*, *El nombre de la rosa* de Jean-Jacques Annaud (Apocalipsis), *Cielo sobre Berlín* de Wim Wenders (ángel, creación) se apoyan en referencias que el espectador conseguirá descubrir y, entonces, el placer se hace mayor.

Cuando las películas se inspiran en grabados o cuadros, la comparación permite hacer un seguimiento del interés por ciertas representaciones: los elefantes colocados por Gustave Doré en el palacio del rey Baltasar fueron incluidos por Griffith en *Intolerancia* (1917) y por los hermanos Taviani en *Buenos días, Babilonia* (1986).

El estudio literario de los diálogos de la película permite llegar al texto original: por ejemplo, el Cantar de los Cantares, en *Thérèse* de Alain Cavalier (1985).

CUADRO CRONOLÓGICO

	EGIPTO	PALESTINA	SIRIA-FENICIA
8000	REVOLUCIÓN	NEOLÍTICA	
		8.º milenio Jericó	
			6.º milenio - Biblos
3000	Imperio antiguo		
	Culto de Ra	Inmigración de los cananeos	2750 - Fundación de Tiro
2600	Capital: Menfis		Ciudades: Ugarit, Arvad, Sidón
	Construcción de las grandes pirámides	Ciudades: Meguiddó, Gezer, Bet Seán, Jassor, Jericó	
	Culto de Osiris		2300 - Invasión de los amoritas llegados de Anatolia y Armenia
2000			
	2030-1640 - Imperio medio Capital: Tebas Culto de Amón-Ra	2030-1640 - Control egipcio	
	1640-1530 - Dinastía amorita: los Hicsos Hebreos: José	1800-1600 - Migración de las tribus semitas: Abraham, Isaac, Jacob	
1500			
	1550-1070 - Imperio nuevo Amenofis IV (1374-1347) impone el culto de Atón	1550-1070 - Cananeos bajo protectorado egipcio	
	Tutankhamón		1350 - Tablillas alfabéticas de Ugarit
	Ramsés II (1301-h. 1225) 1250 - Éxodo de los hebreos con Moisés	1285 - Victoria egipcia sobre los hititas en Quedes	Los Pueblos del Mar: los filisteos funda cinco ciudades en la costa: Gaza, Asqu-lón, Asdod, Ecrón y Gat
		1220-1200 - Conquista de Canaán por los hebreos venidos de Transjordania	
1200		1200-1025 - Los jueces	
		Conflicto entre Israel y los filisteos	
	1175 - Victoria sobre los Pueblos del Mar 1070-945 - XXI dinastía en Tanis	1030 - Saúl, rey de Israel 1010-970 - David, rey 1003 - Toma de Jerusalén	Someten Edom, Moab y Ammón
		970-931 - Salomón Construcción del Templo	Hiram, rey de Tiro
1000		Cisma de Siquem	
	945-725 - XXII dinastía en Busastis		

MESOPOTAMIA	IRÁN-ASIA MENOR	EUROPA	ESCRITOS
	7000 - Chatal Huyuk, ciudad de Anatolia		
milenio - Eridú			
		Megalitos en Bretaña y en Inglaterra (Stonehenge)	
00-2130 - Sumer racteres cuneiformes			
	2500 - Migraciones amoritas	Civilización minoica en Creta	
50 - Invasión de los ameos llegados del desierto Arabia			
34-2050 - Dinastía semítica Acad urat de Ur	Indo-europeos en Irán	Llegada de los aqueos, primeros helenos	Gilgamés reina en Uruk y se convierte en el héroe de una epopeya
eación de los reinos amoritas: sur, Mari y Babilonia gración de los hebreos	1800-1250 - Hititas en Anatolia Persas y medos en Irán	Palacio de Cnosos	XVIII-VIII - Redacción de los Vedas en la India
25-1595 - Antiguo imperio bilonio 20 - Código de Hammurabi			
31? - Toma de Babilonia por hititas		Civilización aquea en Micenas y Tirinto 1425 - Ruina de Cnosos	
			Alfabeto fenicio
		1250 - Los dorios en Grecia rechazan a los Pueblos del Mar	
		1194-1184 - Guerra de Troya conducida por los aqueos 1150 - Destrucción de Micenas	
00 - Dominación asiria. Los ameos se instalan en Babilo- , Damasco, Coba y Jamat		Argos y Esparta reemplazan a Micenas y Tirinto	
		Etruscos en Italia	
			Los *Proverbios*

	EGIPTO	PALESTINA		SIRIA-FENICIA
		JUDÁ	ISRAEL	
		931-913 - Roboam	931-910 - Jeroboam	
900		911-870 - Asá	885-874 - Omri funda Samaria	
	Eclipse del poder egipcio	870-848 - Josafat		
			874-843 - Acab (Elías)	
		841-835 - Atalía	841-814 - Jehú	
		835-796 - Joás		
800				814 - Los fenicios fundan Cartago África
		781-740 - Osías (740: Isaías)	783-743 Jeroboam II (Amós y Oseas)	
		736-715 - Acaz		732 - Toma de Damasco
			721 - Toma de Samaria por Sargón II Deportación	

	EGIPTO	SIRIA-FENICIA	PALESTINA
			715-687 - Ezequías
700	671-650 Los asirios en Egipto		640-609 - Josías (Jeremías) 622 - Gran reforma religiosa
600			604-587 - Conquista por Nabucodonosor Tres deportaciones en Babilonia (Ezequiel)
	Jeremías es llevado a Egipto Judíos en Elefantina y Tafnes		587 - Toma de Jerusalén y captura de Sedecías
		Conquista persa	538 - Vuelta de los judíos después del edicto de Ciro Fundación del segundo Templo por Zorobabel Judea es un estado autocrático autónomo
	525 - Conquista por el persa Cambises II		
500			
			Esdras y Nehemías

MESOPOTAMIA	IRÁN-ASIA MENOR	EUROPA	ESCRITOS
pertar de Asiria 3-859 - Assurnasirpal		Alfabeto fenicio adoptado por los griegos	
) - Regencia Semíramis	Los medos pagan tributo a los asirios		
		776 - Comienzo de los Juegos Olímpicos 753 - Fundación de Roma	Poemas homéricos: la *Ilíada* y la *Odisea*
1-705 - Sargón II			

ORIENTE MEDIO	GRECIA-ROMA	ESCRITOS
4-681 - Senaquerib 1-621 - Assurbanipal		
	660 - Fundación de Bizancio	660 ? - Nacimiento de Zoroastro, fundador del mazdeísmo
5-539 - Imperio neo babilónico	621 - Legislación de Dracón en Atenas	Primera redacción de los libros de Josué, Jueces, Samuel y Reyes.
2 - Caída de Nínive		605 ? - Nacimiento de Lao-tse, fundador del taoísmo
4-562 - Nabucodonosor reina Babilonia	Dinastía de los Tarquinos en Roma	
		583-563 - Buda
) - Ciro II, rey de los medos y los persas quista de Mesopotamia, Siria, Palestina gipto		571-479 - Confucio
1-486 - Darío I		
	509 - República en Roma	VI-III - Epopeya india: *Ramayana* y la *Bhagavadgita* en la epopeya *Mahabarata*
	499-446 - Guerras médicas (490, Maratón; 480, Salamina)	
5-465 - Jerjes I (Asuero)	478-432 - Pericles en Atenas	Esquilo, Píndaro, Sófocles, Eurípides, Tucídides
5-433 - Misiones de Nehemías		

	EGIPTO	SIRIA-FENICIA	PALESTINA
400			398 ? - El Pentateuco, unificado p Esdras, es aprobado por Artajerjes
			350 - Lós samaritanos construyen templo en el monte Garizim
	......................CONQUISTA	.... POR	.... ALEJANDRO ....
	321 - Fundación de Alejandría		
	323-301	- Campaña de	Tolomeo
300	Lágidas Traducción de los Setenta: la Biblia en griego. Fundación del Museo de Alejandría	Seléucidas	304-197 - Palestina, gobernada pc los lágidas
		223-187 - Antíoco III	
200	Ayuda de Roma para luchar contra los seléucidas		197-142 - Ocupación por los seléucidas Heliodoro en Jerusalén 167-164 - Gran persecución
		175-164 - Antíoco IV	Revuelta de los Macabeos 142-134 - Simón, fundador de los asmoneos 139 - El senado romano reconoce independencia de Judá 130 - Comunidad esenia de Qumr 103-76 - Alejandro Janneo, rey
100			
		64 - POMPEYO conquista Siria y Palestina	
			63 - Toma de Jerusalén
60			
	51-30 - Cleopatra VII Filopátor		
		49-39 - Conquista parta	
	30 - Toma de Alejandría por los romanos Dominación romana	27 - Siria, provincia imperial	37-4 - Herodes el Grande
			13 - Fundación de la Cesarea marítima

ORIENTE MEDIO	GRECIA-ROMA	ESCRITOS
	399 - Muerte de Sócrates	398 - El Pentateuco
		428-347 - Platón
	359 - Filipo II de Macedonia	384-322 - Aristóteles Demóstenes: las *Filípicas* Libros de Las Crónicas, Esdras, Nehemías, Jonás y Tobías
andro conquista el imperio persa 3 - Muerte de Alejandro Babilonia ucidas	336-323 - Alejandro Magno Guerra de los Diádocos	
	279 - Antígono II Gonatas, rey de Macedonia Reino de Pérgamo	La Biblia en griego: traducción de los Setenta
	215 - Guerra de Roma contra la Macedonia unida a Cartago	
		Eclesiástico (Sirácida)
		176 - *Historias* de Polibio Libros de Daniel y Esther ?
	146 - Macedonia, provincia romana Destrucción de Cartago	
	133-121 - Reforma de los Gracos	
- Babilonia, destruida los partos		
	Conquistas de Pompeyo en Oriente	Judith La Sabiduría (Alejandría) Cicerón
	59 - Consulado de Julio César	
	44 - Asesinato de Julio César	Virgilio, Tito Livio
	27 - Octavio César Augusto	
		Horacio 19 - La *Eneida* de Virgilio

	IMPERIO ROMANO	PALESTINA	ESCRITOS
		6 - Nacimiento de Jesús de Nazaret	
14-37	Tiberio	4 a.C.-39 d.C. - Herodes Antipas, tetrarca de Galilea	
	26-36 - Poncio Pilato, procurador de Judea		
		28 - Comienzo del ministerio de Jesús 29 - Decapitación de Juan Bautista 30 - Muerte de Jesús 34 - Martirio de Esteban Conversión de Pablo en Tarso	
37-41	Calígula		
41-54	Claudio Censo del imperio: 6,9 millones de judíos		
		48 - Concilio de Jerusalén	
			50 - Primer texto de Mateo en aran 51-63 - Epístolas de Pablo 58 - Epístola de Santiago 64 - 1.º Epístola de Pedro Evangelio de Marcos
54-68	Nerón 64 - Persecución de los cristianos 64 ó 67 - Martirio de Pedro en Roma 67 - Martirio de Pablo en Roma	66-70 - Revuelta judía en Palestina	
	71 - Triunfo de Tito en Roma	70 - Toma de Jerusalén por Tito. Incendio del Templo 73 - Sitio de Masada	70-80 - Epístolas de Judas y Pe 78 - *La guerra judía* de Flavio Jos 80-90 - Evangelios de Lucas y Ma Los Hechos de los Apóstoles 93 - Las *Antigüedades judai* de Flavio Josefo
		95 - Juan, relegado a Patmos	95-100 - Epístolas y Evangelio de Juan Apocalipsis
98-117	Trajano		
117-138	Adriano	117 - Levantamiento judío en todo Oriente	
		132-135 - Segunda revuelta judía (Simeón ben Koseba) Jerusalén, colonia romana prohibida a los judíos	

ÍNDICE GENERAL

(Términos que son objeto de una voz o que se mencionan dentro de un artículo)

A

Aarón
abba → PADRE
Abel
Abner
Abraham
Absalón
Acab o Ajab
acción de gracias → GRACIA
aceite → UNCIÓN
Adán
Adonay
adoración de los magos → EPIFANÍA, MAGOS
adoración de los pastores → PASTORES
adorar
adulterio
ágapes
Agar → ABRAHAM
Agnus Dei → MISA
agonía de Jesús
agua
agua del bautismo (el) → AGUA
agua destructora (el) → AGUA
agua y vida → AGUA
águila
águila de Patmos (el) → ÁGUILA
aleluya
alfa y omega
alianza
alianza divina en el AT (la) → ALIANZA
alma
Altísimo
amén
amor
amortajamiento → SEPULTURA
Amós
Ana
Anás
anatema
ancianos
Andrés
ángel
ángelus
Anticristo

Antíoco
Anunciación
apocalipsis
Apocalipsis de Juan (el) → APOCALIPSIS
apócrifos
apóstoles
árabe → SEM
arameo
árbol
árbol de Jesé → ÁRBOL
árbol de la ciencia → ÁRBOL
árbol de la cruz → ÁRBOL
árbol de la vida → ÁRBOL
arca
arca de la alianza → ARCA
arca de Noé → ARCA
arcángel
arcilla
arco iris → DILUVIO
arena → ROCA
Ascensión
Asuero
Asunción
Atalía
atar / desatar
avemaría
ayuno
ázimo

B

Baal
Babel
Babilonia
Balaam
balanza → JUICIO FINAL
ballena → JONÁS
Baltasar
Barrabás
Baruc
bautismo
bautismo de Jesús → BAUTISMO
bautismo de Juan Bautista → BAUTISMO
bautismo de los discípulos de Jesús → BAUTISMO
becerro de oro
Behemoth → LEVIATÁN
Belcebú → SATANÁS
Belén
Benjamín
beso de Judas
Betania
Betsabé
Biblia
bienaventurado → BIENAVENTURANZAS
Bienaventuranzas
blasfemia
bodas
Booz
buena nueva → EVANGELIO

C

cábala
cábala cristiana (la) → CÁBALA
Cafarnaúm
caída
caída de los ángeles rebeldes (la) → CAÍDA
caída del hombre (la) → CAÍDA

Caifás
Caín
cáliz
calvario
Calvario (monte) → CALVARIO
Cam
camello
camino de Damasco
Caná (bodas de)
Canaán
cananea
candelabro de los siete brazos
canon de las Escrituras
Cantar de los Cantares
caña
caos
caridad → AMOR
carisma
Carmelo (monte)
carne
casher → JUDAÍSMO
cautividad en Babilonia
celemín
celoso
Cena
cenáculo
ceñirse los lomos
cerdo / puerco
César
chivo expiatorio
ciego
cielo
ciervo / cierva
circuncisión
Ciro II el Grande
cisma
ciudad
cizaña
cólera
Colosenses (Epístola a los) → EPÍSTOLAS
coloso con los pies de barro
columna de nubes → NUBES
comunión → CENA, MISA
condenación → CONDENADO / CONDENACIÓN
condenado / condenación
confesión
Corán
cordero
cordero pascual (el) → CORDERO
Corintios (Epístola a los) → EPÍSTOLAS
corona de espinas → ESPINAS
coronación de la Virgen
cosecha
cosmogonía → CREACIÓN
creación
credo
crismón
cristianismo
Cristo
Cristo con la cruz a cuestas → CRISTO, PASIÓN
crucifixión → CRUZ / CRUCIFIXIÓN
cruz / crucifixión
Cuaresma
cuerno de carnero → TROMPETA
cuerpo
cuerpo glorioso → CUERPO
cumplir las Escrituras

D

Dalila
Damasco → CAMINO DE DAMASCO
Daniel
danza
danza macabra → DANZA
David
Débora
Decálogo
decapitación → JUAN (BAUTISTA)
dedicación
demonio
denario
desatar → ATAR / DESATAR
descanso
descanso del séptimo día → DESCANSO
descanso eterno → DESCANSO
descendimiento de la cruz
descenso de Jesús a los infiernos
desierto
despojarse del hombre viejo
deuterocanónico
Deuteronomio
día de cólera → CÓLERA
diablo
diácono
diáspora
diluvio
Dios
Dios te salve María → ANUNCIACIÓN
discípulo
dispersión → DIÁSPORA
doce → NÚMEROS
Doce (los) → APÓSTOLES
doctores
dragón

E

Ecce homo
Eclesiastés o Qohelet
Edén
Efesios (Epístola a los) → EPÍSTOLAS
effata* o *effatá
Efraín
Egipto
Él
elegido
Eli, Eli, lema sabachtani
Eliacín
Elías
Eliseo
Eloah
Elohim
Emaús
embalsamar
Emmanuel
encarnación
Enoc
entrañas
Epifanía
Epístola a los Hebreos → EPÍSTOLAS
epístolas
epístolas católicas (las) → EPÍSTOLAS
epístolas de Pablo → EPÍSTOLAS
Esaías → ISAÍAS
Esaú
escalera → JACOB

escamas
escándalo
escatología
esclavitud → ESCLAVO / ESCLAVITUD
esclavo / esclavitud
escribas → DOCTORES
Esdras
esenios → QUMRÁN
espada
espada de dolor → ESPADA
esperanza
espiga
espinas
Espíritu / Espíritu Santo
Espíritu Santo → ESPÍRITU / ESPÍRITU SANTO
Esteban
Esther
estigma
estrella
estrella de David → ESTRELLA
estrella de Jacob → ESTRELLA
estrella de la mañana → ESTRELLA
estrella de los magos → ESTRELLA
eucaristía
Eva
evangelio
evangelistas
exilio
éxodo
exterminador
Ezequiel

F

faraón
fariseo
faz
faz de Cristo o Santa Faz → FAZ
faz de Dios → FAZ
fe / fiel
fenicios
fénix
festín
festín de Baltasar → FESTÍN
festín (parábola del) → FESTÍN
fiat
fidelidad
fiel → FE / FIEL
fiestas cristianas → FIESTAS RELIGIOSAS
fiestas judías → FIESTAS RELIGIOSAS
fiestas musulmanas → FIESTAS RELIGIOSAS
fiestas religiosas
filacterias
filisteos
fin del mundo → ESCATOLOGÍA
firmamento
flagelación
foso → DANIEL
fracción del pan
fruto
fuego

G

Gabriel
Gálatas (Epístola a los) → EPÍSTOLAS
Galilea
Gedeón
gehena

genealogía
Genesaret o Queneret
Génesis
gentiles
Getsemaní
gloria
goel → BOOZ, RENDENTOR/REDENCIÓN/RESCATE, TALIÓN, VENGADOR
Gog
Gólgota
Goliat
Gomorra → SODOMA Y GOMORRA
goyim
gracia
gracia (la) → GRACIA
grano
Grial → CÁLIZ
Guemará → TALMUD
gusano

H

Habacuc
Haggadah → PASCUA (JUDÍA)
Hallel
Hamán → ESTHER
hambre
harnero
hebreo (lengua)
hebreos (pueblo)
Hechos de los Apóstoles
Heliodoro
herencia
hermanos
Herodes Antipas
Herodes el Grande
Herodías → SALOMÉ
hiel
hijo
Hijo de David → HIJO
Hijo de Dios → HIJO
Hijo del hombre → HIJO
hijo pródigo → HIJO
hijos de Abraham → ABRAHAM
himno
hisopo
historia sagrada
hoguera
holocausto
Holofernes
hombre → DESPOJARSE DEL HOMBRE VIEJO
Horeb → SINAÍ
hosanna
hostia
huesos → EZEQUIEL
huida a Egipto

I

icono
iconoclasia → ICONO
ídolo
Iglesia
imágenes
imposición de manos
impureza
incensario → INCIENSO
incienso
infancia de Cristo
infiel → FE / FIEL

infierno / infiernos
Inmaculada Concepción
Inocentes (matanza de los)
INRI
iota → YOD
Isaac
Isabel
Isaías o Esaías
Iscariote → JUDAS ISCARIOTE
islam
Ismael
Israel
israelí → ISRAEL
israelita → ISRAEL

J

Jacob
Jairo
Jefté
Jehová o Jehováh
Jeremías
Jericó
Jerjes → ASUERO
Jerusalén
Jesús
Jesús, el cordero de Dios → CORDERO
Jezabel
Joad
Joaquín → ANA
Joás
Job
Job (libro de) → JOB
Jonás
Jonás (libro de)
Jonatán
Jordán
Josafat
Josafat (valle de) → JOSAFAT
José
José (san)
José de Arimatea
Josué
Juan
Juan Bautista → JUAN
Juan, el discípulo amado → JUAN
Jubal → TUBALCAÍN
Judá
judaísmo
Judas Iscariote
Judas Macabeo
Judea
judío (pueblo)
Judith
jueces
Jueces (libro de los) → JUECES
Juicio final
justicia → JUSTO / JUSTICIA
justo / justicia

K

Kaaba
kephas → PEDRO
Kyrie eleison

L

ladrón
Lamentaciones (libro de las) → JEREMÍAS

Lamentaciones (muro de las) → MURO DE LAS LAMENTACIONES
lámpara → CELEMÍN
lapidación
lavatorio de pies
Lázaro
Lázaro el pobre → LÁZARO
Lázaro el resucitado → LÁZARO
lenguas de fuego → PENTECOSTÉS
lentejas → ESAÚ
lepra
Leví
Leviatán
levirato
levitas
Levítico
Ley mosaica → PENTATEUCO
limbo
liturgia
llave
Logos → VERBO
Lot o Loth
Lucas
Lucifer
luz

M

Macabeo
Macabeos (libros de los) → MACABEO
Madona → MARÍA
Magdala → MARÍA DE MAGDALA O MARÍA MAGDALENA
Magdalena → MARÍA DE MAGDALA O MARÍA MAGDALENA
magníficat
Magog → GOG
magos
maligno
malo
mamón
maná
mandamientos → DECÁLOGO
Mané, Thecel, Phares → FESTÍN (DE BALTASAR)
mar
marana tha → ARAMEO
Marcos
Mardoqueo → ESTHER
María
María (madre de Marcos) → MUJERES SANTAS
María (madre de Santiago el Menor) → MUJERES SANTAS
María de Betania
María de Magdala o María Magdalena
María Salomé (madre de Santiago el Mayor y Juan) → MUJERES SANTAS
Marta
mártir / martirio
Mateo
mater dolorosa
Matías
matrimonio
matrimonio de la Virgen → MATRIMONIO
matrimonio místico → MATRIMONIO
Matusalén
Melquisedec

mercaderes del Templo
Mesías
mesianismo judío → MESÍAS
mesianismos cristianos → MESÍAS
Miguel
milagro
ministerio
mirra
misa
Misná → TALMUD
misterio
moabitas
Moisés
Moloc o Molek
moneda
mostaza
Muerto (mar) → MAR
mujeres santas
mundo
muro de las Lamentaciones
música

N

nabí
Nabot
Nabucodonosor
naciones → GENTILES
Naín (viuda de)
nardo
Natán
Natanael
Natividad
Navidad
Nazaret
Nebo (monte)
Nehemías → ESDRAS
Nicodemo
Nínive
Noé
Noli me tangere
nombre
nubes
nueva alianza en el NT (la) → ALIANZA
Nuevo Testamento → TESTAMENTO
números
Números (libro de los) → NÚMEROS
nunc dimittis

O

oblación → SACRIFICIO
óbolo
ocupación romana de Palestina
ojo
olivo
Olivos (monte de los) → AGONÍA DE JESÚS, ASCENSIÓN
omega → ALFA Y OMEGA
oración
oración dominical → PADRENUESTRO
oráculo
Oseas
oveja descarriada
ovejas

P

Pablo
padre
padrenuestro

paganos → GENTILES
paja
palabra → VERBO
Palestina
palmera
Palmira
paloma
pan
Pantocrátor → CRISTO
parábola
paráclito
paraíso
paralítico
parusía
Pascua
Pascua judía → PASCUA
Pasión
pasto → PASTORES
pastor
pastores
Patmos
patriarca
pavo real
pax vobis → PAZ
paz
pecado / pecador
pecado original
pecadora
Pedro
pelícano
penitencia
Pentateuco
Pentecostés
perdón
perdonar los pecados
peregrinación
perfume
perla
pesca milagrosa
pesebre
peste
pez
piedad → PIETÀ O PIEDAD
piedra
pietà o piedad
plagas de Egipto
pobre / pobreza
polvo
Poncio Pilato
pozo
pregonar a voz en grito
prendimiento de Jesús
presentación
presentación de Jesús en el Templo → PRESENTACIÓN
presentación de María en el Templo → PRESENTACIÓN
pretorio
primeros / últimos
primicias
primogénito
procurador
pródigo → HIJO (PRÓDIGO)
profeta
profetas menores → PROFETA
prójimo
promesa
prosélito
Proverbios
Providencia
publicano
pueblo de Dios
puerco → CERDO / PUERCO
puerta

purgatorio
purificación
pureza → IMPUREZA
Putifar

Q

Qohelet → ECLESIASTÉS
Queneret → GENESARET O QUENERET
querubín
Qumrán

R

rabbuni → RABÍ
rabí
Rafael
Ramos
Ramsés II
Raquel
rasgarse las vestiduras
rayo → RELÁMPAGO / RAYO
Rebeca
rebelde → CAÍDA
redención → REDENTOR / REDENCIÓN / RESCATE
redentor / redención / rescate
Reino / reinado
reino de Judá → JUDÁ
Reino de los cielos (el) → CIELO
relámpago / rayo
repudiar
réquiem
rescate → REDENTOR / REDENCIÓN / RESCATE
resurrección
revelación
rey
Reyes (libro de los) → REY
reyes magos → MAGOS
rico
riñones
rito → LITURGIA
roca
rocío
Rojo (mar) → MAR
Romanos (Epístola a los) → EPÍSTOLA
Ruth → BOOZ

S

Saba
Saba (reina de) → SABA
sábado
sabaot
Sabiduría (libro de la)
sacerdocio / sacerdote
sacerdotal (oración) → ORACIÓN
sacerdote → SACERDOCIO / SACERDOTE
sacramento
sacrificio
saduceos
Sagradas Escrituras → BIBLIA
Sagrada Familia
sal
salmo
Salomé
Salomón
Salterio → SALMO
salvación
Salvador
Samaria

samaritana (la) → SAMARIA
samaritano (parábola del buen) → SAMARIA
Samuel
sanctasanctórum
sanctus
Sanedrín
sangre
Sansón
santas mujeres → MUJERES SANTAS
Santiago
Santiago el Mayor → SANTIAGO
Santiago el Menor → SANTIAGO
Santiago, hijo de Alfeo → SANTIAGO
santo
santuario
Sapienciales (libros)
Sara o Sarah
Satanás
Saúl
Saulo → PABLO
Sedecías
Sem
semitas → SEM
semana
sembrador (parábola del) → SEMILLA / SEMBRADOR
semilla / sembrador
seno de Abraham (el) → ABRAHAM
señal de la cruz
seol → INFIERNO / INFIERNOS
sepulcro
Sepulcro (Santo) → SEPULCRO, SEPULTURA
sepultura
serafín
Sermón de la Montaña → BIENAVENTURANZAS
serpiente
serpiente de bronce → SERPIENTE
servidor de Dios
Set
Setenta (versión de los)
shabat → SÁBADO
shema Israel
shoah
shofar → MÚSICA, TROMPETA
sicomoro → ZAQUEO
siete → NÚMEROS, SEMANA
Siloé
símbolo → CREDO
símbolo del festín → FESTÍN
Simeón → NUNC DIMITTIS
Simón Cireneo → VÍA CRUCIS
Simón el Mago
Simón Pedro → PEDRO
simonía → SIMÓN EL MAGO
sinagoga
Sinaí
sinópticos
Sión
sionismo →SIÓN
Siquem
sistro → MÚSICA
Sodoma y Gomorra
sudario
sueño
Sulamita
sumo sacerdote
Sunem o Sunam
sunamita → SUNEM O SUNAM
Susana

T

tabernáculo
Tabernáculos (fiesta de los) → FIESTAS RELIGIOSAS
Tablas de la Ley → DECÁLOGO
Tabor o Thabor
talento → MONEDA
talión
Talmud
tamboril → MÚSICA
Tarso → PABLO
tempestad calmada → MILAGRO
Templo de Jerusalén
tentación
teofanía
Teófilo
Tesalonicenses (Epístola a los) → ESPÍSTOLAS
testamento
testigo → MÁRTIR / MARTIRIO
testimonio → MÁRTIR / MARTIRIO
tetragrama
tetrarca
Thabor → TABOR O THABOR
Tiberíades
Tiberio
Tierra Prometida
Timoteo (Epístola a) → EPÍSTOLAS
tinieblas
Tiro
Tito (Epístola a) → EPÍSTOLAS
Tobías (libro de)
tohou wabohou → CAOS
Tomás
Torá
trabajadores (parábola de los) → UNDÉCIMA HORA
tradición
traición → JUDAS ISCARIOTE
transfiguración
transustanciación
trascendencia → CIELO
tribu
tribu de Judá (la) → JUDÁ
tributo
Trinidad
trompeta
trueno
Tubalcaín
túnica
túnica de Jesús → TÚNICA
túnica de José → TÚNICA

U

últimos → PRIMEROS / ÚLTIMOS
unción
undécima hora
ungido → UNCIÓN
ungir → UNCIÓN
Ur → ABRAHAM

V

vacas gordas / vacas flacas
vade retro Satanas
vae soli
valle de lágrimas
vanidad
vengador

Verbo
verdad
Verónica
versículo
vestimenta
via dolorosa → VÍA CRUCIS
vía crucis
víctima → HOSTIA
vid
Viernes Santo
vino
virgen / virginidad
Virgen (Santa) → MARÍA
vírgenes necias, vírgenes prudentes → VIRGEN / VIRGINIDAD
virginidad → VIRGEN / VIRGINIDAD
Visitación
vocación
voz que clama en el desierto → DESIERTO
Vulgata

Y

Yahvé
yod
Yom Kippur → PERDÓN
Yoyaquim

Z

Zacarías
Zaqueo
Zebedeo → SANTIAGO
zelotes
Zorobabel

ÍNDICE DE LOCUCIONES, EXPRESIONES Y PROVERBIOS

Todas las frases y palabras que componen la siguiente relación están incluidas en los apartados de ***Lengua*** del *corpus* del diccionario.

¿Acaso soy el guardián de mi hermano? → CAÍN.
Al árbol se le conoce por sus frutos → FRUTO, PROFETA.
Allí donde no hay sino llanto y crujir de dientes → GEHENA.
Amén → VERDAD.
Antediluviano → DILUVIO.
Aparecérsele a alguien la Virgen → VIRGEN/VIRGINIDAD.
Apurar el cáliz hasta las heces → CÁLIZ.
Armarse la de Dios es Cristo → CRISTO, DIOS.
Aun hasta los cabellos de vuestra cabeza están contados → PROVIDENCIA.

Bástale a cada día su propio mal → PROVIDENCIA.

Cabalístico → CÁBALA.
Caérsele a alguien el alma a los pies → ALMA.
Caos → CAOS.
Clamar al cielo → CIELO.
Como Dios manda → DIOS.
Construir sobre arena → ROCA.
Correr como alma que lleva el diablo → ALMA, DIABLO.
Creced y multiplicaos → CREACIÓN.
Cumplir con Pascua → PASCUA.

Dar el beso de Judas → BESO DE JUDAS.
Dar palos de ciego → CIEGO.
De menos nos hizo Dios → CREACIÓN.
De Pascuas a Ramos → PASCUA, RAMOS.
De simplicidad evangélica o bíblica → EVANGELIO.
Decir amén a todo → AMÉN.
Decir padrenuestros → PADRENUESTRO.
Defender a capa y espada → ESPADA
Dejado de la mano de Dios → DIOS
Doctores tiene la Santa Madre Iglesia → DOCTORES.

Echar carne a las fieras → CARNE.
Echar leña al fuego → FUEGO.
Echar margaritas a los puercos → CERDO/PUERCO.
Edénico → EDÉN.
El benjamín de la familia → BENJAMÍN.
El dedo de Dios → DIOS.
El demonio de mediodía → DEMONIO.
El día de Reyes → EPIFANÍA.
El óbolo de la viuda → ÓBOLO.
El pan nuestro de cada día → PAN.
El príncipe de las tinieblas → SATANÁS.
El que a hierro mata a hierro muere → PRENDIMIENTO DE JESÚS.
El que no está conmigo está contra mí → DISCÍPULO.
El viento sopla donde quiere → ESPÍRITU/ESPÍRITU SANTO.
En el pecado va la penitencia → PECADO/PECADOR.
En menos que canta un gallo → PEDRO.
En menos que se reza un credo → CREDO.
En Pascua o en Trinidad → TRINIDAD.
En un santiamén → AMÉN.
Encontrar el camino de Damasco → CAMINO DE DAMASCO
Engordar para morir → CERDO/PUERCO.
Entrad por la puerta estrecha → PUERTA.
Entrar en el sanctasanctórum → SANCTASANCTÓRUM.
Eso se remonta al diluvio → DILUVIO.
Eso va a misa → MISA.
Estar como pez en el agua → PEZ.
Estar donde Cristo dio las tres voces → DESIERTO.
Estar en el séptimo cielo → CIELO.
Estar en época de vacas flacas o de vacas gordas → VACAS GORDAS / VACAS FLACAS.
Estar en la edad del pavo → PAVO REAL.
Estar en las nubes → NUBES.
Estar entre la espada y la pared → ESPADA.
Estar limpio de polvo y paja → PAJA, POLVO.
Estar más contento que unas Pascuas → PASCUA.
Estar por las nubes → NUBES.
Esto parece la torre de Babel → BABEL.

Fariseo → FARISEO.
Fiat → FIAT.
Fíate de la Virgen y no corras → VIRGEN/VIRGINIDAD.

Ganarás el pan con el sudor de tu frente → PAN.
Grande como un grano de mostaza → MOSTAZA.

Hablar con parábolas → PARÁBOLA.
Hablar en cristiano → CRISTIANISMO.
Hacer cábalas sobre algo o alguien → CÁBALA.

Hacerse cruces o de cruces → CRUZ/CRUCIFIXIÓN.

Ir al grano → GRANO.
Ir de Herodes a Pilato → HERODES ANTIPAS, PONCIO PILATO.

Jeremiadas → JEREMÍAS.
Juicio salomónico → SALOMÓN.
Jurar en hebreo → HEBREO.

La Biblia en verso → BIBLIA.
La carne y la sangre → SANGRE.
La fe mueve montañas → FE/FIEL.
La levadura esponja la masa → APÓSTOLES.
La Ley y los profetas → BIBLIA.
La mano de Dios, el brazo de Dios → DIOS.
La oveja descarriada → OVEJA DESCARRIADA.
La paja y la viga, o ver la paja en el ojo ajeno → PAJA.
La sal de la tierra → SAL.
Las cañas se vuelven lanzas → CAÑA.
Las llaves de san Pedro → LLAVE.
Lavarse las manos → PONCIO PILATO.
Llevar a alguien al huerto → PRENDIMIENTO DE JESÚS.
Llevar al pináculo → TENTACIÓN.
Llevar la cruz a cuestas → CRUZ/CRICIFIXIÓN.
Llorar como una Magdalena → MARÍA DE MAGDALA O MARÍA MAGDALENA, PECADORA.
Los adoradores del becerro de oro → ÍDOLO.
Los mercaderes del Templo → MERCADERES DEL TEMPLO.
Los padres comieron los agraces y los hijos padecieron la dentera → PECADO ORIGINAL.
Los trabajadores de la undécima hora → UNDÉCIMA HORA.
Los últimos serán los primeros → PRIMEROS/ÚLTIMOS.

Magníficat → MAGNÍFICAT.
Marcharse o irse con la música a otra parte → MÚSICA.
Matar al becerro bien cebado → HIJO (PRÓDIGO).
Meterse alguien a redentor → REDENTOR/REDENCIÓN/RESCATE.
Meterse por el ojo de una aguja → CAMELLO, RICO.
Muchos son los llamados y pocos los elegidos → ELEGIDO.

Nadie es profeta en su tierra → PROFETA.
Nadie puede servir a dos amos → MAMÓN.
Negarle a alguien el pan y la sal → PAN, SAL.
No es palabra del evangelio → EVANGELIO.
No esperéis que el maná os caiga del cielo → MANÁ.
No hay que echar perlas a los cerdos → PERLA.

No quedará piedra sobre piedra → PIEDRA.
No querer la muerte del pecador → PECADO/PECADOR.
No saber de la misa la media → MISA.
No saber ni jota → YOD.
No se echa el vino nuevo en cueros viejos → VINO.
No ser grano de anís → GRANO.
No ser moco de pavo → PAVO REAL.
No ser santo de la devoción de alguien → SANTO.
No solo de pan vive el hombre → PAN.
Non possumus → PEDRO.

Obra de la carne → CARNE.
Ojo por ojo y diente por diente → OJO, TALIÓN.
Otro gallo le cantara (cantaría) → PEDRO.

Para más inri → INRI.
Parirás con dolor → PECADO ORIGINAL.
Pasar las de Caín → CAÍN.
Pastor → PASTOR.
Poner el dedo en la llaga → TOMÁS.
Poner la lámpara bajo el celemín → CELEMÍN.
Poner la otra mejilla → PERDÓN.
Poner por las nubes → NUBES.
Por obra del Espíritu Santo → ESPÍRITU/ESPÍRITU SANTO.
Predicar en el desierto → DESIERTO.
Pregonar a voz en grito → PREGONAR A VOZ EN GRITO.
Profeta maldito → PROFETA.
Prosélito → PROSÉLITO.
Pueblo de la promesa → PROMESA.

Que no sepa tu [mano] izquierda lo que hace tu [mano] derecha → AMOR.
Quien toma la espada a espada morirá → ESPADA.

Rasgarse las vestiduras → CAIFÁS.

Saber a gloria → GLORIA.
Sembrar cizaña → CIZAÑA.
Sentarse a la derecha de Dios → DIOS.
Separar la buena semilla de la cizaña → CIZAÑA, HARNERO.
Separar las ovejas de los cabritos → JUICIO FINAL.
Ser como santo Tomás → FE/FIEL, TOMÁS.
Ser, dar, tener gafe → LÁZARO (EL POBRE).
Ser el chivo expiatorio → CHIVO EXPIATORIO.
Ser la manzana de la discordia → PARAÍSO.
Ser la oveja negra → OVEJA DESCARRIADA.
Ser la piedra de toque → PIEDRA.
Ser más falso que Judas → JUDAS ISCARIOTE.
Ser más malo que Caín → CAÍN.
Ser más viejo que Matusalén → MATUSALÉN.

Ser o estar hecho un Adán → ADÁN.
Ser o tender una trampa saducea → SADUCEOS.
Ser pan comido → PAN.
Ser un coloso con los pies de barro → COLOSO CON LOS PIES DE BARRO.
Ser un falso Mesías → MESÍAS.
Ser un Judas → JUDAS ISCARIOTE.
Ser un pavo → PAVO REAL.
Siembran vientos y recogerán tempestades → COSECHA.
Sin cambiar una jota → YOD.
Sin faltar una coma o una jota → YOD.
Solo nos salva la fe → FE/FIEL.

Taparse la cara → FAZ.
Tener ángel → ÁNGEL.
Tener cara de pocos amigos → FAZ.
Tener el santo de cara o de espaldas → SANTO.
Tener las manos limpias → PONCIO PILATO.
Tener más cara que espalda → FAZ.
Tener más paciencia que Job → JOB.
Tener mucho mundo → MUNDO.
Tocar el cielo con las manos → CIELO.
Todo reino dividido será desolado → REINO/REINADO.

Un buen samaritano → SAMARIA.

Vade retro → VADE RETRO SATANAS.
Venir de perlas → PERLA.
Ver el cielo abierto → CIELO.
Viejo como Herodes → HERODES EL GRANDE.

Y aquí paz, y después, gloria → GLORIA, PAZ
¿Y qué es la verdad? → VERDAD.

ÍNDICE DE ESCRITORES

Hemos incluido las obras anónimas o colectivas, como los *misterios* de la Edad Media y la *Enciclopedia,* y las que poseen varias versiones de autores diferentes

Adán, siglo XII, Francia → ADÁN, CAÍN, DIABLO, EVA, MISTERIO, TENTACIÓN.

ADORNO, Théodor Wiesengrund, 1903-1969, Alemania → JOB, SHOAH.

AGNON, Samuel Josef, 1888-1970, Israel → HOLOCAUSTO, ISRAEL, JERUSALÉN, JUDAÍSMO, JUDÍO, POBRE/POBREZA.

ÁGREDA, sor María de Jesús de, 1602-1665, España → CIUDAD, MARÍA.

AGUSTÍN (san), 354-430, autor latino oriundo del norte de África → ALMA, ÁNGEL, ASCENSIÓN, BABILONIA, BIBLIA, CIUDAD, CONFESIÓN, FE/FIEL, FUEGO, GRACIA, PECADO/PECADOR, PROVIDENCIA, TRINIDAD.

ALCALÁ, Alfonso de, siglo XVI, España → BIBLIA.

ALCOVER, Juan, 1854-1926, España → CAÍN.

ALEICHEM, Shalom, 1859-1916, Estados Unidos, de origen ucraniano → ESPERANZA, JUDÍO, POBRE/POBREZA.

ALEIXANDRE, Vicente, 1898-1984, España → PARAÍSO.

ALEMÁN, Mateo, 1547-h. 1614, España → PERDÓN, POBRE/POBREZA.

ALFIERI, Vittorio, 1749-1803, Italia → DAVID, SAÚL.

ALFONSO X EL SABIO, 1221-1284, España → MARÍA.

ALKABETZ, Salomon, siglo XVII, Palestina → SÁBADO.

ALONSO, Dámaso, 1898-1990, España → CÓLERA, DIOS.

AMBROSIO (san), 330-394, Italia → BIBLIA, HIMNO.

ANSELME, Jean, siglo XX, Francia → JESÚS.

ANSELMO (san), 1033-1109, Italia → FE/FIEL.

Apocalipsis de Saint-Sever, siglo XI, Francia → DANIEL.

APOLLINAIRE, Guillaume, 1880-

1918, Francia → ASCENSIÓN, CANAÁN, FÉNIX, JUDÍO, LEVIATÁN, PASCUA, SALOMÉ, SINAGOGA, TENTACIÓN.

ARAGON, Louis, 1897-1982, Francia → AVEMARÍA, ECCE HOMO, INFIERNO/INFIERNOS, PEDRO.

ARCIPRESTE DE HITA (Juan Ruiz), h. 1283-1350, España → CARNE, CUARESMA, MARÍA.

ARCIPRESTE DE TALAVERA, (Alfonso Martínez de Toledo) 1398-1470, España → TENTACIÓN.

ARISTÓTELES, 384-322 a.C., Grecia → ALMA.

ARNOBIO, h. 260-h. 327, autor latino nacido en África → BIBLIA.

ARTAUD, Antonin, 1896-1948, Francia → DIOS, PENTECOSTÉS.

ASH, Shalom, 1880-1957, Polonia → POBRE/POBREZA.

AUB, Max, 1903-1972, España → JUAN (BAUTISTA).

AUBIGNÉ, Agrippa d', 1552-1630, Francia → ANTICRISTO, CAÍN, CONDENADO/CONDENACIÓN, DIOS, ELEGIDO, FUEGO, INFIERNO/INFIERNOS, JACOB, JEZABEL, JUICIO FINAL, LOT O LOTH, LUZ, PARAÍSO, RESURRECCIÓN, VENGADOR.

Auto de los reyes magos, finales del siglo XII y principios del XIII, España → MAGOS.

BALZAC, Honoré de, 1799-1850, Francia → CIELO, COSECHA, DIABLO, JUDÍO, REDENTOR/REDENCIÓN/RESCATE.

BASILIO (san), 329-379, autor griego oriundo de Cesarea en Asia Menor → ALMA, CREACIÓN, ESPÍRITU/ESPÍRITU SANTO, FE/FIEL.

BATAILLE, Georges, 1897-1962, Francia → DIOS.

BAUDELAIRE, Charles, 1821-1867, Francia → ALMA, CAÍDA, CAÍN, CIEGO, CIELO, DEMONIO, INFIERNO/INFIERNOS, LIMBO, PECADO/PECADOR, PEDRO, SATANÁS.

BAYLE, Pierre, 1647-1706, Francia → DIOS.

BEATO DE LIÉBANA, siglo VIII, España → APOCALIPSIS.

BECKETT, Samuel, 1906-1990, Irlanda → DIOS, JOB.

BÉCQUER, Gustavo Adolfo, 1836-1870, España → CIEGO.

BEDA EL VENERABLE, 673-735, Inglaterra → ALMA, PURGATORIO.

BENSERADE, Isaac de, 1613-1691, Francia → JOB.

BERCEO, Gonzalo de, 1195-h. 1265, España → DIABLO, JUICIO FINAL, MARÍA, MILAGRO, PASIÓN.

BERNANOS, Georges, 1888-1948, Francia → AGONÍA DE JESÚS, DEMONIO, DIOS, GRACIA,

JESÚS, MILAGRO, PECADO/PECADOR, POBRE/POBREZA.
BERNARDIN DE SAINT-PIERRE, Jacques Henri, 1737-1814, Francia → EDÉN.
BERNARDO DE CLARAVAL (san), 1090-1153, Francia → MARÍA.
BERNSTEIN, Henri, 1816-1953, Francia → SANSÓN.
BERTAUT, Jean, 1552-1611, Francia → SALMO.
BÈZE, Théodore de, 1519-1605 → ABRAHAM, SALMO.
BIALIK, Hayim Nahrame, 1873-1934, Palestina → FUEGO, ISRAEL, SALOMÓN.
BLAKE, William, 1757-1827, Inglaterra → APOCALIPSIS, JERUSALÉN.
BLOY, Léon, 1846-1917, Francia → JUDÍO, POBRE/POBREZA.
BOILEAU, Nicolas, 1636-1711, Francia → CRISTIANISMO, MILAGRO.
BORGES, Jorge Luis, 1899-1986, Argentina → BABEL, ENCARNACIÓN, LADRÓN.
BOSSUET, Jacques Bénigne, 1627-1704, Francia → ANDRÉS, ÁRBOL, CRUZ/CRUCIFIXIÓN, CUARESMA, DIOS, JOB, LÁZARO (EL POBRE), LÁZARO (EL RESUCITADO), MARÍA, PABLO, PASIÓN, POBRE/POBREZA, PROVIDENCIA, VANIDAD.
BOURDALOUE, Louis, 1632-1704, Francia → PERDÓN.
BRODSKY, Josef, n. 1940, Rusia → ISAAC.
BROWNING, Robert, 1812-1889, Inglaterra → SALOMÓN, SAÚL.
BUDÉ, Guillaume, 1467-1540, Francia → JESÚS.
BUNYAN, John, 1628-1688, Inglaterra → GRACIA, TENTACIÓN.
BYRON, George Gordon, Lord, 1788-1824, Inglaterra → ADÁN, CAÍN, CREACIÓN, DILUVIO.

CADOU, René Guy, 1926-1951, Francia → FAZ.
CAILLOIS, Roger, 1913-1978, Francia → PONCIO PILATO.
CALDERÓN DE LA BARCA, Pedro, 1600-1681, España → CENA, CRUZ/CRUCIFIXIÓN, DIOS, ELEGIDO, ESPERANZA, FESTÍN (DE BALTASAR), JOSÉ, MÁRTIR/MARTIRIO, PARÁBOLA, PASCUA, PASIÓN, REDENTOR/REDENCIÓN/RESCATE, RESURRECCIÓN.
CALVINO, Juan, 1509-1564, Francia → GRACIA, ÍDOLO, SALVACIÓN.
CAMÓN AZNAR, José, 1898-1979, España → PABLO.
CAMUS, Albert, 1913-1960, Francia → CAÍDA, CREACIÓN, CRUZ/CRUCIFIXIÓN, EXTERMINADOR, JUSTO/JUSTICIA, PECADO/PECADOR, PESTE, VANIDAD.

Cantar de Roldán, h. 1100 → ÁNGEL, MILAGRO, QUERUBÍN.

CARVAJAL, Micael de, h. 1505-h. 1578, España → DIOS, JOSÉ.

CAYROL, Jean, n. 1911, Francia → LÁZARO (EL RESUCITADO), REDENTOR/REDENCIÓN/RESCATE.

CAZOTTE, Jacques, 1719-1792, Francia → DIABLO.

CENDRARS, Blaise, 1887-1961, Francia → PASCUA.

CHASIGNET, Jean-Baptiste, 1571-1635, Francia → JOB.

CHATEAUBRIAND, François René de, 1768-1848, Francia → CARMELO (MONTE), DILUVIO, DIOS, EXILIO, FE/FIEL, JERUSALÉN, JOB, MARÍA, MÁRTIR/MARTIRIO.

CHÉNIER, André, 1762-1794, Francia → SUSANA.

Chevalier au Barizel (Le), siglo XIV, Francia → PENITENCIA.

CHRÉTIEN DE TROYES. V. Troyes, Chrétien de.

CIPRIANO (san), 210-258, autor latino oriundo de Cartago → OVEJA DESCARRIADA.

CISNEROS, Francisco Jiménez de, 1436-1517, España → BIBLIA.

CLAUDEL, Paul, 1868-1955, Francia → AGUA, ANDRÉS, ÁNGEL, ANUNCIACIÓN, APÓSTOLES, BIBLIA, CANTAR DE LOS CANTARES, CRUZ/CRUCIFIXIÓN, DIOS, ESPÍRITU/ESPÍRITU SANTO, GRACIA, ÍDOLO, JOSUÉ, JUDAS ISCARIOTE, JUDÍO, LEPRA, LUZ, MAGNÍFICAT, MARÍA, MARTA, MILAGRO, MISA, NAVIDAD, PALOMA, PARAÍSO, PEDRO, PENTECOSTÉS, PONCIO PILATO, PRIMOGÉNITO, TIERRA PROMETIDA, TOBÍAS (LIBRO DE), VERSÍCULO.

CLEMENTE DE ALEJANDRÍA (san), 150-215, Grecia → FE/FIEL.

COCTEAU, Jean, 1889-1963, Francia → ÁNGEL.

COHEN, Albert, 1895-1981, Suiza → HERMANOS, MÁRTIR/MARTIRIO, PASCUA (JUDÍA).

COINCY, Gautier de, 1177-1236, Francia → MARÍA.

COMMYNES, Philippe de, h. 1447-1511, Francia → PROVIDENCIA.

CONDE, Carmen, 1907-1996, España → PARAÍSO.

Conquista de Jerusalén (La), siglo XII → JERUSALÉN.

CORNEILLE, Pierre, 1606-1684, Francia → CARNE, FUEGO, ÍDOLO, JESÚS, MÁRTIR/MARTIRIO, SALMO.

Cuatro hijos Aymon (Los), siglo XIII, Francia → MILAGRO.

CYRANO DE BERGERAC, Savinien de, 1619-1655, Francia → DIOS.

DADELSEN, Jean-Paul de, 1913-1957, Francia → JONÁS.

Daniel, siglo XII, Francia → DANIEL.
DANTE ALIGHIERI, 1265-1321, Italia → ÁNGEL, BABEL, CONDENADO/CONDENACIÓN, ELEGIDO, INFIERNO/INFIERNOS, LUZ, MARÍA, PARAÍSO, PROVIDENCIA, PURGATORIO.
DAUDET, Alphonse, 1840-1897, Francia → MISA.
DELLA VALLE, Federico, 1560-1628, Italia → ESTHER.
Denuestos del agua y el vino, siglo XIII, España → VINO.
DESMAZURES, Louis, 1515-1574, Francia → DAVID.
DICKENS, Charles, 1812-1870, Inglaterra → NAVIDAD.
DIDEROT, Denis, 1713-1784, Francia → DIOS, MILAGRO, PROVIDENCIA.
DOMENCHINA, Juan José, 1898-1959, España → PARAÍSO.
DOS PASSOS, John Roderigo, 1896-1970, Estados Unidos → NÍNIVE.
DOSTOIEVSKI, Fiodor Mijailovich, 1821-1881, Rusia → ANTICRISTO, CREACIÓN, DEMONIO, INFIERNO/INFIERNOS, JESÚS, JOSÉ, JUSTO/JUSTICIA, POBRE/POBREZA, TENTACIÓN.
DRYDEN, John, 1631-1700, Inglaterra → ABSALÓN.
DU BARTAS, Guillaume, 1544-1590, Francia → CREACIÓN.
DURRY, Marie-Jeanne, siglo XX, Francia → EVA.
DWIGHT, Timothy, 1752-1817, Estados Unidos → TIERRA PROMETIDA.

ECO, Umberto, n. 1932, Italia → APOCALIPSIS.
EFRÉN EL SIRIACO (san), h. 306-373, autor sirio → MARÍA.
ELIOT, Thomas Stearns, 1888-1965, Inglaterra → TENTACIÓN.
EMMANUEL, Pierre (Noël Matthieu), 1916-1984, Francia → AARÓN, ANUNCIACIÓN, ARCILLA, BABEL, BIENAVENTURANZAS, CÓLERA, COSECHA, DIOS, DISCÍPULO, DOCTORES, EMAÚS, FAZ, FE/FIEL, ÍDOLO, INFANCIA DE CRISTO, JACOB, JESÚS, MOISÉS, PADRE, PADRENUESTRO, PLAGAS DE EGIPTO, POBRE/POBREZA, PROFETA, SODOMA Y GOMORRA, TENTACIÓN, TRANSFIGURACIÓN, VERÓNICA.
Enciclopedia, siglo XVIII, Francia → BIBLIA.
ENCINA, Juan del, 1468-1529, España → JESÚS, NAVIDAD, PASIÓN, PASTORES (ADORACIÓN DE LOS), RESURRECCIÓN.
ERASMO DE ROTTERDAM, Desiderio, 1469-1536, Holanda → GRACIA, JESÚS, POBRE/POBREZA, SALMO.
ESCHENBACH, Wolfram von, h. 1170-1220, Alemania → CÁLIZ.

ESPRONCEDA, José de, 1808-1842, España → DEMONIO, ELEGIDO.
ESTANG, Luc, siglo XX, Francia → BIENAVENTURANZAS.
ESTÉBANEZ CALDERÓN, Serafín, 1799-1867, España → EXILIO.
ESTELLA, fray Diego de, 1524-1578, España → DIOS.
EUSEBIO DE CESAREA, 267-340, autor griego nacido en Palestina → IGLESIA.

FAULKNER, William, 1897-1962, Estados Unidos → ABSALÓN, CHIVO EXPIATORIO, JESÚS, MOISÉS.
FÉNELON, François de Salignac de la Mothe, 1651-1715, Francia → ADORAR, EPIFANÍA.
FERNÁNDEZ, Lucas, 1474-1542, España → MARÍA DE MAGDALA O MARÍA MAGDALENA, PASIÓN.
FERNÁNDEZ DE LA REGUERA, Ricardo, n. 1916, España → PARAÍSO.
FEUERBACH, Ludwig, 1804-1872, Alemania → REDENTOR/REDENCIÓN/RESCATE.
FLAUBERT, Gustave, 1821-1880, Francia → JOB, JUAN (BAUTISTA), MOLOC O MOLEK, SALOMÉ, TENTACIÓN.
FLEG, Edmond, 1874-1963, Francia → SHOAH, SIÓN.
FONDANE, Benjamin, 1898-1944, Francia → SHOAH.
FONSECA, Cristóbal de, h. 1550-1621, España → PIETÀ O PIEDAD.
FONTENELLE, Bernard Le Bovier, señor de, 1657-1757, Francia → MILAGRO.
FORTUNATO, Venancio, 530-605, autor latino → HIMNO.
FRANCE, Anatole, 1844-1924, Francia → MARÍA.
FRANCISCO DE ASÍS (san), 1182-1226, Italia → HERMANOS.
FRANCISCO DE SALES (san), 1567-1662, Francia → AMOR, PENTECOSTÉS.
FREUD, Sigmund, 1856-1939, Austria → MOISÉS.
FUEST, Bernard, siglo XX, Francia → PLAGAS DE EGIPTO.

GABIROL, Salomon Ibn, h. 1021-h. 1058, España → JERUSALÉN.
GADENNE, Paul, 1907-1956, Francia → SILOÉ.
GÁLVEZ DE MONTALVO, Luis, 1546-1591, España → PASTORES (ADORACIÓN DE LOS).
GAOS, Vicente, 1919-1980, España → PROFETA.
GARCÍA TASSARA, Gabriel, 1817-1875, España → ELEGIDO, JESÚS.
GARNIER, Robert, 1534-1590, Francia → EXILIO, JEREMÍAS, NABUCODONOSOR, SEDECÍAS.

GAUTIER, Théophile, 1811-1872, Francia → ÉXODO, NAVIDAD.
GENET, Jean, 1910-1986, Francia → SATANÁS.
GERHARDT, Paul, 1607-1676, Alemania → HIMNO.
GERMÁN DE CONSTANTINOPLA (san), siglo VI, Grecia → MARÍA.
GESSNER, Salomon, 1730-1788, Suiza → ABEL.
GHELDERODE, Michel de, 1898-1962, Bélgica → BARRABÁS.
GIDE, André, 1869-1951, Francia → BIENAVENTURANZAS, CIEGO, DAVID, DECÁLOGO, GRANO, HIJO (PRÓDIGO), JOB, NATANAEL, PASTOR, PECADO/ PECADOR, PUERTA, SAÚL, VERSÍCULO.
GIRAUDOUX, Jean, 1882-1944, Francia → JUDITH, SANSÓN, SODOMA Y GOMORRA.
GOETHE, Johann Wolfgang, 1749-1832, Alemania → DIABLO, REDENTOR/REDENCIÓN/RESCATE.
GOGOL, Nicolai Vasilievich, 1809-1852, Rusia → JUDÍO.
GORDON VILNA, Y. L., 1831-1892, Rusia → JERUSALÉN.
GOYTISOLO, José Agustín, h. 1928, España → SALMO.
GOYTISOLO, Juan, n. 1931, España → PARAÍSO.
GRANADA, fray Luis de, 1504-1588, España → CALVARIO, FE/FIEL, PECADO/PECADOR, PIETÀ O PIEDAD.
GRAU, Jacinto, 1877-1958, España → HIJO (PRÓDIGO).
GRÉBAN, Arnoul, 1420-1471, Francia → DIOS, ESPERANZA, HECHOS DE LOS APÓSTOLES, JUDAS ISCARIOTE, PASIÓN, REDENTOR/REDENCIÓN/RESCATE.
GRÉBAN, Simon, siglo XV, Francia → HECHOS DE LOS APÓSTOLES.
GREEN, Julien, n. 1900, Estados Unidos, en lengua francesa → JOB, LEVIATÁN, PECADO/PECADOR.
GREENE, Graham, 1904-1991, Inglaterra → PECADO/PECADOR.
GREGORIO DE NISA (san), 340-394, autor griego, nacido en Cesarea de Capadocia → ALMA, CREACIÓN.
GROSJEAN, Jean, n. 1912, Francia → BIBLIA, ELI, ELI LEMA SABACHTANI, HIJO (DEL HOMBRE), JONÁS, PROFETA, SANSÓN.
GUIMERÁ, Ángel, 1849-1924, España → CAÍN.
GUYON, Jeanne Marie Bouvier de La Motte, 1648-1717, Francia → JESÚS.

HAÏAT, Pierre, siglo XX, Francia → AMOR, DIOS, EXILIO, HABACUC, JUDAÍSMO, PENTATEUCO, SHOAH.

HALEVÍ, Jehudá, 1085-1143, España → FE/FIEL, ISRAEL, JERUSALÉN.
HALKINE, Simon, n. 1898, Rusia → ISRAEL.
HAWTHORNE, Nathaniel, 1804-1864, Estados Unidos → CARNE, PECADO/PECADOR.
HEINE, Heinrich, 1797-1856, Alemania → JUDÍO, SÁBADO.
HEREDIA, José María de, 1842-1905, Francia → EPIFANÍA.
HERMAS, primera mitad del siglo II, Grecia → APOCALIPSIS.
HERRERA, Fernando de, 1534-1597, España → SALMO.
HILARIO DE POITIERS (san), h. 315-367, Francia → JONÁS, TRINIDAD.
HOBBES, Thomas, 1588-1679, Inglaterra → LEVIATÁN.
HOCQUENGHEM, Guy, siglo XX, Francia → JUAN (EL DISCÍPULO AMADO).
HOJEDA, fray Juan Diego de, h. 1570-1615, España → PASIÓN.
HOROZCO, Sebastián de, 1510-1580, España → DIOS.
HOUDENC, Raoul de, 1170-1226, Francia → INFIERNO/INFIERNOS.
HUGO, Victor, 1802-1855, Francia → AGONÍA DE JESÚS, ÁGUILA, ÁNGEL, APOCALIPSIS, BOOZ, CAÍDA, CAIFÁS, CAÍN, CALVARIO, CAM, CAMINO DE DAMASCO, CENA, COSECHA, CRUZ/CRUCIFIXIÓN, DANIEL, DILUVIO, DIOS, ECCE HOMO, EDÉN, ESPERANZA, ESTRELLA, EVA, EVANGELISTAS, EXILIO, HERODES EL GRANDE, HOSANNA, JEHOVÁ O JEHOVÁH, JESÚS, JOB, JOSUÉ, JUAN (EL DISCÍPULO AMADO), JUDAS ISCARIOTE, JUICIO FINAL, LÁZARO (EL RESUCITADO), LEVIATÁN, LUZ, MATER DOLOROSA, OJO, PABLO, PASIÓN, PEDRO, PENTECOSTÉS, POBRE/POBREZA, PROFETA, REDENTOR/REDENCIÓN/RESCATE, SATANÁS.
HURTADO DE TOLEDO, Luis, h. 1523-h. 1590, España → DIOS.
HUXLEY, Aldous, 1894-1963, Inglaterra → DEMONIO.
HUYSMANS, Joris Karl, 1848-1907, Francia → CRUZ/CRUCIFIXIÓN, SALOMÉ.

IGNACIO (san), siglo II, Grecia → MÁRTIR/MARTIRIO.
IGNACIO DE LOYOLA (san), 1491-1556, España → TENTACIÓN.
IMPERIAL, Micer Francisco, h. 1350-h. 1420, España, de origen italiano → JUSTO/JUSTICIA, TENTACIÓN.
IONESCO, Eugène, 1912-1994, Francia, de origen rumano → JOB.
ISIDORO DE SEVILLA (san), 560-636, España → DECÁLOGO.

JABÈS, Edmond, 1912-1991, Francia → DESIERTO, JUDAÍSMO.
JACOB, Max, 1876-1944, Francia → AGONÍA DE JESÚS, CANÁ (BODAS DE).
JACOPONE DI TODI, h. 1230-1306, Italia → MATER DOLOROSA.
JAMMES, Francis, 1868-1938, Francia → AVEMARÍA.
JANSEN, Cornelio, 1585-1638, Holanda → GRACIA.
JARNÉS, BENJAMÍN, 1888-1949, España → HERMANOS.
Jeu courtois d'Arras (Le), principios del siglo XIV, Francia → HIJO (PRÓDIGO).
JOINVILLE, Jean, señor de, 1224-1317, Francia → LEPRA.
JOSEFO, Flavio, 37-h. 100, autor romano nacido en Palestina → JESÚS, ZELOTES.
JOUVE, Pierre Jean, 1887-1976, Francia → ENCARNACIÓN, JESÚS, JUICIO FINAL, MARÍA, RESURRECCIÓN, VERÓNICA.
JUAN CRISÓSTOMO (san), 345-407, autor griego oriundo de Antioquía → PERDÓN, VANIDAD.
JUAN DAMASCENO, 675-749, Grecia → ÁNGEL, PROVIDENCIA.
JUAN DE ÁVILA (beato), 1500-1568, España → CRUZ/CRUCIFIXIÓN, ÍDOLO, SALMO.
JUAN DE LA CRUZ (san), 1542-1591, España → ADORAR, CALVARIO, CANTAR DE LOS CANTARES, ENCARNACIÓN, ESPÍRITU/ESPÍRITU SANTO, FUEGO, NATIVIDAD, PADRE, SALVACIÓN, TRINIDAD.
JUAN DE LOS ÁNGELES, fray, siglo XVI, España → DIOS, PIETÀ O PIEDAD, VANIDAD.
JUAN MANUEL (infante don), 1282-1349, España → PARAÍSO.

KAFKA, Franz, 1883-1924, Checoslovaquia, en lengua alemana → JOB, JUDÍO.
KIERKEGAARD, Sören, 1813-1855, Dinamarca → ABRAHAM.
KLOPSTOCK, Friedrich Gottlieb, 1724-1803, Alemania → CAÍN, DAVID, SATANÁS.

LA FONTAINE, Jean de, 1621-1695, Francia → SALMO.
LA METTRIE, Julien Offroy de, 1707-1751, Francia → DIOS.
LA TAILLE, Jean de, h. 1540-h. 1607, Francia → SAÚL.
LACLOS, Pierre Choderlos de, 1741-1803, Francia → SANSÓN.
LACORDAIRE, Henri, 1802-1861, Francia → MARÍA DE MAGDALA O MARÍA MAGDALENA.
LACRETELLE, Jacques de, 1888-1985, Francia → JUDÍO.
LACTANCIO, 250-h. 325, autor latino → BIBLIA, CÓLERA, CRUZ/CRUCIFIXIÓN.

LAFORGUE, Jules, 1860-1887, Francia → SALOMÉ.

LAGERKVIST, Pär, 1891-1974, Suecia → BARRABÁS, SACRIFICIO, TIERRA PROMETIDA.

LAGERLÖF, Selma, 1858-1940, Suecia → ADULTERIO, PROFETA.

LAMARTINE, Alphonse de, 1790-1869, Francia → ALMA, ÁNGEL, APOCALIPSIS, CAÍDA, CREACIÓN, CRUZ/CRUCIFIXIÓN, DIOS, EXILIO, JACOB, JEHOVÁ O JEHOVÁH, JERUSALÉN, JESÚS.

LAMENNAIS o LA MENNAIS, Félicité-Robert de, 1780-1860, Francia → EXILIO, JESÚS, LÁZARO (EL POBRE), MÁRTIR/MARTIRIO, MESÍAS, POBRE/POBREZA, PROFETA, VERSÍCULO.

LAREDO, fray Bernardino de, siglo XVI, España → ÍDOLO, PIETÀ O PIEDAD.

LATTÈS, J. Cl. siglo XX, Francia → TALMUD.

LAUTRÉAMONT, Isidore Ducasse, conde de, 1846-1870, Francia → BLASFEMIA, JOB, SATANÁS.

LAWRENCE, David Herbert, 1885-1930, Inglaterra → APOCALIPSIS, JUAN (EL DISCÍPULO AMADO), PECADO/PECADOR.

Lazarillo de Tormes, 1554, España → BIENAVENTURANZAS, CIEGO, POBRE/POBREZA.

LECONTE DE LISLE, Charles Marie René, 1818-1894, Francia → CAÍN.

LEFRANC DE POMPIGNAN, Jean-Jacques, 1709-1784, Francia → RESURRECCIÓN.

LEIBNIZ, Gottfried Wilhelm, 1646-1716, Alemania → PROVIDENCIA.

LEÓN, fray Luis de, 1527-1591, España → CALVARIO, CIELO, CRUZ/CRUCIFIXIÓN, DIOS, JESÚS, JOB, SALMO, SALOMÓN.

LESAGE, Alain René, 1668-1747, Francia → DIABLO.

LESSING, Gotthold Efraïm, 1729-1781, Alemania → JUDÍO.

LEVINAS, Emmanuel, 1905-1995, Francia, de origen lituano → JUDAÍSMO.

Leyenda dorada, siglo XIII, Francia → MILAGRO.

LINDGREN, Torgny, siglo XX → BETSABÉ, REY.

LISTA Y ARAGÓN, Alberto, 1775-1848, España → JESÚS, VINO.

LOPE DE VEGA (Félix Lope de Vega y Carpio), 1562-1635, España → ADÁN, AGONÍA DE JESÚS, ALMA, ÁNGEL, BAUTISMO, CALVARIO, CENA, CIUDAD, CÓLERA, COSECHA, CREACIÓN, CRUZ/CRUCIFIXIÓN, DAVID, DECÁLOGO, DEDICACIÓN, DIOS, ESPERANZA, ESTHER, EVA, FE/FIEL, GENEALOGÍA, HERMANOS, HIJO (PRÓDIGO), INOCEN-

TES (MATANZA DE LOS), JACOB, JERUSALÉN, JESÚS, JEZABEL, JOSÉ (SAN), JUAN (BAUTISTA), JUDAS ISCARIOTE, MARÍA, MÁRTIR/MARTIRIO, MATER DOLOROSA, MILAGRO, MOISÉS, PADRE, PALOMA, PASCUA, PASTORES, PECADO ORIGINAL, PEDRO, PENITENCIA, PIETÀ O PIEDAD, POBRE/POBREZA, PROVIDENCIA, SABA, SALOMÓN, SANSÓN, SAÚL, SUSANA, VENGADOR.

LÓPEZ DE AYALA, Pero, 1332-1407, España → MARÍA.

LÓPEZ DE ZÚÑIGA, Diego, m. 1530, España → BIBLIA.

LOTI, Pierre, 1850-1923, Francia → JERUSALÉN.

LUTERO, Martin, 1483-1546, Alemania → BIBLIA, GRACIA, HIMNO, SALMO.

MADRID Alonso de, siglo XVI, España → DIOS, ÍDOLO, PIETÀ O PIEDAD, SALMO.

MAIMÓNIDES (Moisés ibn Maimón), 1135-1204, España → BIBLIA, FE/FIEL, JUDAÍSMO.

MALHERBE, François de, 1555-1628, Francia → INOCENTES (MATANZA DE LOS), PEDRO, SALMO.

MALLARMÉ, Stéphane, 1842-1898, Francia → CIELO, SALOMÉ.

MALÓN DE CHAIDE, Pedro, 1530-1589, España → MARÍA DE MAGDALA O MARÍA MAGDALENA.

MALRAUX, André, 1901-1976, Francia → JOB, LÁZARO (EL RESUCITADO), LIMBO.

MANES, h. 216-276, Persia → PECADO/PECADOR, SATANÁS.

MANN, Thomas, 1875-1955, Alemania → JACOB, JOSÉ.

MANRIQUE, Gómez, 1413-h. 1491, España → JESÚS, JUAN (EL DISCIPULO AMADO), MARÍA DE MAGDALA O MARÍA MAGDALENA, PASIÓN, PASTORES (ADORACIÓN DE LOS), PRIMOGÉNITO.

MANRIQUE, Jorge, 1440-1479, España → DIOS.

MANZONI, Alessandro, 1785-1873, Italia → PENTECOSTÉS, PROVIDENCIA.

MARCADÉ, Eustache, finales del siglo XIV-1440, Francia → REDENTOR/REDENCIÓN/RESCATE.

MARCHENA, José, 1768-1821, España → PASIÓN.

MARÍA DE FRANCIA, segunda mitad del siglo XII, Francia → PURGATORIO.

MARIANA, Juan de, 1535-1624, España → TENTACIÓN.

MARLOWE, Christopher, 1564-1593, Inglaterra → BARRABÁS.

MAROT, Clément, 1496-1544, Francia → INFIERNO/INFIERNOS, SALMO.

MARTÍNEZ DE TOLEDO, Alfonso. V. Arcipreste de Talavera.

MARX, Karl Heinrich, 1818-1883, Alemania → JUDÍO.

MASSILLON, Jean-Baptiste, 1663-1742, Francia → ELEGIDO.
MAUPASSANT, Guy de, 1850-1893, Francia → NAVIDAD.
MAURIAC, François, 1885-1970, Francia → FARISEO, HIJO (DEL HOMBRE), JESÚS, LEPRA, PECADO/PECADOR.
MÁXIMO (san), m. 350, obispo de Jerusalén → ÁNGEL.
MELVILLE, Herman, 1819-1891, Estados Unidos → ACAB O AJAB.
MEMMI, Albert, n. 1920, Francia → JUDÍO.
MENA, Juan de, 1411-1456, España → PECADO/PECADOR, PROVIDENCIA.
MENDOZA, fray Íñigo de, h. 1425-1507, España → JESÚS, PASTORES (ADORACIÓN DE LOS).
MÉRIMÉE, Prosper, 1803-1870, Francia → PURGATORIO.
MESCHONNIC, Henri, n. 1932, Francia → BIBLIA.
MICHEL, Jean, h. 1430-1501, Francia → CUMPLIR LAS ESCRITURAS, MARÍA DE MAGDALA O MARÍA MAGDALENA, PASIÓN.
MICHELET, Jules, 1798-1874, Francia → DEMONIO, JESÚS, MESÍAS, PASIÓN.
MILOSZ, O. V. de Lubicz, 1877-1939, Francia, de origen lituano → ESTRELLA, PABLO, VERSÍCULO.
MILTON, John, 1608-1674, Inglaterra → ABRAHAM, CAÍDA, CREACIÓN, EDÉN, EVA, FUEGO, LUZ, REDENTOR/REDENCIÓN/RESCATE, SANSÓN, SATANÁS, SERPIENTE, VAE SOLI.
MINUCIO FÉLIX Marcus, siglo III, autor latino de origen africano → ÍDOLO.
MIRA DE AMESCUA, Antonio, h. 1574-1644, España → DEMONIO.
MIRÓ, Gabriel, 1879-1930, España → PASIÓN, PRENDIMIENTO DE JESÚS.
Misterio de la paciencia de Job, siglo XV, Francia → JOB.
Misterio del Antiguo Testamento, siglo XV, Francia → DAVID, ESTHER.
MOLIÈRE (Jean-Baptiste Poquelin), 1622-1673, Francia → BLASFEMIA, DIABLO, FUEGO, POBRE/POBREZA.
MOLINA, Luis de, 1536-1600, España → GRACIA.
MONTAIGNE, Michel de, 1533-1592, Francia → DIOS, FE/FIEL, VANIDAD.
MONTCHRÉTIEN, Antoine de, 1575-1621, Francia → ESTHER.
MONTESQUIEU, Charles-Louis de Secondat, barón de la Brède y de, 1689-1755, Francia → JUDÍO, TRINIDAD.
MORO, Tomás, 1478-1535, Inglaterra → CIUDAD.

MUSSET, Alfred de, 1810-1857, Francia → CRUZ/CRUCIFIXIÓN, FE/FIEL, PELÍCANO.

NEBRIJA, Antonio de, 1444-1522, España → BIBLIA.
NEHER, André, siglo XX, Francia → JUDAÍSMO, REDENTOR/REDENCIÓN/RESCATE.
NERVAL, Gérard de, 1808-1855, Francia → AGONÍA DE JESÚS, ELOHIM, INFIERNO/INFIERNOS, JESÚS, JUSTO/JUSTICIA, MARÍA, SABA, SALOMÓN.
NIETZSCHE, Friedrich, 1844-1900, Alemania → ANTICRISTO, DIOS, ECCE HOMO, JESÚS, REDENTOR/REDENCIÓN/RESCATE.
NODIER, Charles, 1780-1844, Francia → DIABLO, SABA.
NOËL, Marie, 1883-1967, Francia → ANUNCIACIÓN, NAVIDAD.
NORGE, Géo (Georges Morin), 1898-1990, Bélgica, en lengua francesa → JACOB.
NOVALIS, Friedrich (barón von Hardenberg), 1772-1801 → MARÍA.

ORÍGENES, h. 185-254, autor griego oriundo de Alejandría → BIBLIA, CREACIÓN, MÁRTIR/MARTIRIO.
OROSIO, Paulo, h. 390-418, autor hispanolatino → PROVIDENCIA.
OROZCO, beato Alonso de, 1500-1591, España → DIOS, ÍDOLO, JESÚS.
OSUNA, Francisco de, h. 1475-h. 1542, España → ÍDOLO.

PADILLA, Juan de, 1468- h. 1522, España → APÓSTOLES.
PADRES DE LA IGLESIA → BIBLIA.
PALACIO VALDÉS, Armando, 1853-1938, España → FE/FIEL, HERMANOS, MARÍA DE BETANIA.
PARDO BAZÁN, Emilia, 1851-1921, España → FE/FIEL.
PASCAL, Blaise, 1623-1662, Francia → ABRAHAM, AGONÍA DE JESÚS, AMOR, ÁNGEL, DIOS, FE/FIEL, FUEGO, GRACIA, IGLESIA, JESÚS, JOB, MILAGRO, PASIÓN, PECADO/PECADOR, PROFETA, REDENTOR/REDENCIÓN/RESCATE, SALVACIÓN.
PÉGUY, Charles, 1873-1914, Francia → ALMA, AMOR, ANTICRISTO, BOOZ, CARNE, CIUDAD, COSECHA, CUERPO (GLORIOSO), DIOS, EDÉN, ELI, ELI, LEMA SABACHTANI, ENCARNACIÓN, ESPERANZA, EVA, EXILIO, FE/FIEL, GENEALOGÍA, INOCENTES (MATANZA DE LOS), JOSÉ, JUDÍO, LEPRA, MARÍA, MATER DOLOROSA, OVEJA DESCARRIADA, PADRE, PARÁBOLA, PECADO/PECADOR, PENITENCIA, POBRE/POBREZA.

PELAGIO, h. 360-422, Inglaterra → GRACIA.
PÉRETZ, Isaac Leib, 1852-1915, Polonia, en yiddish→ JUDÍO.
PESSOA, Fernando, 1888-1935, Portugal → MAGNÍFICAT.
PETRARCA, Francesco, 1304-1374, Italia → MARÍA.
PICHETTE, Henri, n. 1924, Francia → DIABLO.
PLATÓN, h. 428-347 a.C., Grecia → ALMA, AMOR.
POTOK, Chaïm, siglo XX, Estados Unidos → IMÁGENES, TALMUD.
POTTIER, Eugène, 1816-1887, Francia → CONDENADO/CONDENACIÓN.
PRÉVERT, Jacques, 1900-1977, Francia → CENA, DIOS, PADRENUESTRO.
PROUST, Marcel, 1871-1922, Francia → JUDÍO, SODOMA Y GOMORRA.
PRUDENCIO, Clemente Aurelio, 384-415, autor hispanolatino → HIMNO, INOCENTES (MATANZA DE LOS), LUZ.

QUEVEDO, Francisco de, 1580-1645, España → ÁNGEL, DEMONIO, INFIERNO/INFIERNOS, JOB, JUICIO FINAL, PABLO, POBRE/POBREZA, PROVIDENCIA, SATANÁS, TENTACIÓN.
QUINET, Edgar, 1803-1875, Francia → ARCÁNGEL, JUDÍO.

RABELAIS, François, 1483-1553, Francia → CAOS, CUARESMA, GENEALOGÍA, TRANSFIGURACIÓN.
RACINE, Jean, 1639-1699, Francia → ABNER, ACAB O AJAB, ALIANZA, ASUERO, ATALÍA, CELOSO, ELIACÍN, ESTHER, FUEGO, JERUSALÉN, JEZABEL, JOAD, JOÁS, JOB, SABIDURÍA (LIBRO DE LA), VENGADOR.
RATOSH, Jonathan, 1908-1981 → CANAÁN.
RENAN, Ernest, 1823-1892, Francia → JESÚS, JOB, PABLO.
RENARD, Jean-Claude, n. 1922, Francia → AGUA, PADRE, RESURRECCIÓN, TRINIDAD, VERBO, VINO.
RICHTER, Jean Paul, o JEAN PAUL, 1763-1825, Alemania → AGONÍA DE JESÚS, PADRE, RESURRECCIÓN.
RILKE, Rainer Maria, 1875-1926, Austria → HIJO (PRÓDIGO), POBRE/POBREZA.
RIMBAUD, Arthur, 1854-1891, Francia → BLASFEMIA, CIUDAD, DILUVIO, HOSANNA, INFIERNO/INFIERNOS, JESÚS, JOB, JUSTO/JUSTICIA, LEVIATÁN, POBRE/POBREZA.
RODITI, Édouard, siglo XX, Estados Unidos → HABACUC.
ROLLAND, Romain, 1866-1944, Francia → VINO.

ROMANO EL MÉLODA, siglo IV, Grecia → MARÍA.
RONSARD, Pierre de, 1524-1585, Francia → DIOS, HIMNO, JESÚS.
ROSALES, Luis, 1910-1992, España → JESÚS.
ROSENZWEIG, Franz, 1886-1929, Alemania → REDENTOR/REDENCIÓN/RESCATE.
ROTROU, Jean de, 1609-1650, Francia → JESÚS.
ROUSSEAU, Jean-Jacques, 1712-1778, Francia → CREACIÓN, DIOS, EDÉN, FE/FIEL, JESÚS, PROVIDENCIA.
RUIZ, Juan. V. Arcipreste de Hita.
RUTEBEUF, m. 1285, Francia → DIABLO, MARÍA.

SABRAN, Elzéar de, siglo XIX → DESCENSO DE JESÚS A LOS INFIERNOS.
SACHS, Nelly, 1891-1970, Alemania → EXILIO, HOLOCAUSTO, SHOAH.
SAINT-AMANT, Marc Antoine Girard, señor de, 1594-1661, Francia → MOISÉS.
SAINT-VICTOR, Adam de, siglo XII, Francia → MARÍA.
SALTRAY, H. de, Edad Media, Inglaterra → PURGATORIO.
SÁNCHEZ DE BADAJOZ, Diego, 1479-h. 1545, España → DIOS.
SÁNCHEZ DE BADAJOZ, Garci, h. 1460-h. 1526, España → INFIERNO/INFIERNOS.
SAND, George (Aurore Dupin), 1804-1876, Francia → MESÍAS, SATANÁS.
SARTRE, Jean Paul, 1905-1980, Francia → DIOS, ELEGIDO, JUDÍO, MESÍAS, POBRE/POBREZA, PROFETA, SATANÁS.
SCÈVE, Maurice, 1501-h. 1560, Francia → ADÁN, CREACIÓN.
SCHAHAR, David, siglo XX, Israel → CIUDAD, JERUSALÉN.
SCHELER, Lucien, n. 1902 → NAVIDAD.
SCHWARTZ-BART, André, n. 1928, Francia, de origen polaco → JUSTO/JUSTICIA, SHOAH.
SÉNECA, Lucio Anneo, 4 a.C.-65 d.C., España → PURGATORIO.
SHAKESPEARE, William, 1564-1616, Inglaterra → JUDÍO.
SHELLEY, Percy Bysshe, 1792-1822, Inglaterra → APOCALIPSIS.
SIMON, Claude, n. 1913, Francia → PASIÓN.
SIMON, Richard, 1638-1712, Francia → BIBLIA.
SINGER, Isaac Bashevis, 1904-1991, Estados Unidos, de origen judeo-polaco → CÁBALA, CIUDAD, ELEGIDO, JUDAÍSMO, JUDÍO, MESÍAS, PASCUA (JUDÍA), POBRE/POBREZA, TROMPETA.
SÓCRATES, 470-399 a.C., Grecia → ALMA.

SOLZHENITSIN, Alexander, n. 1918, Rusia → INFIERNO/INFIERNOS.
SOULIÉ, Frédéric, 1800-1847, Francia → DIABLO.
SOUMET, Alexandre, 1788-1845, Francia → DESCENSO DE JESÚS A LOS INFIERNOS.
SPENSER, Edmund, 1552-1599, Inglaterra → MAMÓN, TENTACIÓN.
SPINOZA, Baruc de, 1632-1677, Holanda → BIBLIA, JUDÍO, PENTATEUCO.
SPIRE, André, 1868-1966, Francia → SHOAH.
STEINBECK, John, 1902-1958, Estados Unidos → CÓLERA, TIERRA PROMETIDA.
STRAUSS, David Friedrich, 1808-1874, Alemania → JESÚS.
SUE, Eugène, 1804-1857, Francia → JUDÍO.
SUPERVIELLE, Jules, 1884-1960, Francia → ARCA (DE NOÉ), CREACIÓN, EVA.
SWEDENBORG, Emmanuel, 1688-1772, Suecia → CIELO.

TASSO, Torquato, 1544-1595, Italia → JERUSALÉN.
TCHERNIKHOVSKI, Saúl, 1875-1943, Rusia → CANAÁN.
TEILHARD DE CHARDIN, Pierre, 1881-1955, Francia → ALFA Y OMEGA, ESPÍRITU/ESPÍRITU SANTO.
TERTULIANO, Quinto Septimio Florencio, 160-240, autor latino, nacido en Cartago → ALMA, BIBLIA, ÍDOLO, JUICIO FINAL.
TERESA DE JESÚS (santa), 1515-1582, España → ALMA, AMOR, CALVARIO, CARNE, CIUDAD, DEMONIO, ESPÍRITU/ESPÍRITU SANTO, FE/FIEL, INFIERNO/INFIERNOS, LUZ, MÁRTIR/MARTIRIO, PECADO/PECADOR, PENITENCIA, POBRE/POBREZA, PURGATORIO, TENTACIÓN
TEYSSÈDRE, Bernard, siglo XX, Francia → DIABLO.
THACKERAY, William Makepeace, 1811-1863, Inglaterra → TENTACIÓN.
TIRSO DE MOLINA (fray Gabriel Téllez), 1583-1648, España → CONDENADO/CONDENACIÓN, ESPERANZA.
TOB, Sem, h. 1290-h. 1369, España → JUDÍO, TENTACIÓN.
TOLSTOI, Liev (Leo o León) Nicolaievich, conde de, 1828-1910, Rusia → JESÚS, PASCUA.
TOMÁS DE AQUINO (santo), 1225-1274, Italia → ALMA, DECÁLOGO, FE/FIEL, GRACIA.
TORRENTE BALLESTER, Gonzalo, n. 1910, España → PASCUA.
TORRES NAHARRO, Bartolomé de, h. 1476-h. 1524 ó 1531, España → JESÚS, PASTORES (ADORACIÓN DE LOS), PRIMOGÉNITO.

TOUR DU PIN, Patrice de la, 1911-1975, Francia → PASCUA, SALMO.
TOURNIER, Michel, n. 1924, Francia → ADÁN, BALTASAR, CAÍN, LIMBO, MAGOS, PARÁCLITO.
Tristán e Iseo, h. 1362-1420, Francia → PERDÓN.
TROYES, Chrétien de, h. 1135-h. 1183, Francia → CÁLIZ.

UNAMUNO, Miguel de, 1864-1936, España → CALVARIO, DIOS, JESÚS.
UNDSET, Sigrid, 1882-1949, Noruega → PENITENCIA.

VALDÉS, Juan de, h. 1490-1541, España → PIETÀ O PIEDAD.
VALDIVIESO, José, 1560-1638, España → HIJO (PRÓDIGO), JOSÉ (SAN).
VALENTE, José Ángel, n. 1920, España → LÁZARO (EL RESUCITADO).
VALÉRY, Paul, 1871-1945, Francia → ÁRBOL, CREACIÓN, SERPIENTE.
VAN LERBERGHE, Charles, 1861-1907, Bélgica → EVA.
VÉLEZ DE GUEVARA, Luis, 1579-1644, España → DEMONIO, DIABLO.
VENEGAS, Alejo, h. 1493-1554, España → AGONÍA DE JESÚS, PASIÓN.
VERDARGUER, Jacinto, 1845-1902, España → CALVARIO.
VERGARA, Juan de, m. 1557, España → BIBLIA.
VERLAINE, Paul, 1844-1896, Francia → ALMA, FUEGO, MARÍA.
Viaje de san Brandán (El), principios del siglo XII, Inglaterra → JUDAS ISCARIOTE.
VIAU, Théophile de, 1590-1626, Francia → DIOS.
VICENTE, Gil, 1465-1536, España → PASTORES (ADORACIÓN DE LOS), PURGATORIO.
VIGÉE, Claude, n. 1921, Francia → CANAÁN, EXILIO, TALMUD.
VIGNY, Alfred de, 1797-1863, Francia → ADULTERIO, AGONÍA DE JESÚS, ÁNGEL, DALILA, DILUVIO, DIOS, ELEGIDO, JEFTÉ, JESÚS, JOB, JOSUÉ, JUSTO/JUSTICIA, MOISÉS, PALOMA, SANSÓN, SATANÁS, SUSANA.
VILLON, François, 1431-h. 1463, Francia → HERMANOS, JOB, MARÍA, PERDÓN.
Vírgenes prudentes y las vírgenes necias (Las), siglo XI, Francia → VIRGEN / VIRGINIDAD.
VOLTAIRE (François Marie Arouet), 1694-1778, Francia → ALMA, ÁNGEL, BAUTISMO, BIBLIA, DAVID, DIOS, FE/FIEL, HERMANOS, JESÚS, JOB, MUNDO, PECADO/PECADOR, PROVIDENCIA, SALOMÓN.

VIRUÉS, Cristóbal de, 1550-1609, España → PENITENCIA.

WALTARI, Mika, 1908-1979, Finlandia → JESÚS, PABLO.

WEIL, Simone, 1909-1943, Francia → POBRE/POBREZA.

WERFEL, Franz, 1890-1945, Austria → EXILIO.

WIESEL, Élie, n. 1928, Estados Unidos, de origen rumano → BIBLIA, CIUDAD, ELEGIDO, EXILIO, HIJO (DEL HOMBRE) ISAAC, JACOB, JERUSALÉN, JOB, JOSÉ, JUDAÍSMO, MÁRTIR/MARTIRIO, MOISÉS, MURO DE LAS LAMENTACIONES, SHOAH.

WILDE, Oscar, 1854-1900, Irlanda → PERDÓN, SALOMÉ.

WOLFSKEHL, Karl, 1869-1948, Alemania → JOB, MESIAS, SHOAH.

ZAMORA, Pablo de, siglo XVI, España → BIBLIA.

ZOLA, Émile, 1840-1902, Francia → PECADO ORIGINAL.

ZORRILLA, José, 1817-1893, España → MÁRTIR/MARTIRIO.

ZWEIG, Stefan, 1881-1942, Austria → CANDELABRO DE SIETE BRAZOS, EXILIO, JEREMÍAS, RAQUEL.

ÍNDICE DE PINTORES Y ESCULTORES

AIX, Maestro de, siglo XV, Francia → ISAÍAS O ESAÍAS.

ALEIJADINHO, El (Antonio Francisco Lisboa), 1738-1814, Brasil → DANIEL.

ALTDORFER, Albrecht, 1475-1538, Alemania → NATIVIDAD, RESURRECCIÓN, SUSANA.

AMAURY-DUVAL, Eugène, 1808-1885, Francia → ANUNCIACIÓN.

ANDREA DA FIRENZE, 1388-1459, Italia → DESCENSO DE JESÚS A LOS INFIERNOS.

ANGERS, Juan de, siglo XVI, España→ BAUTISMO.

ANTONELLO DA MESINA, 1430-1479, Italia → CRUZ/CRUCIFIXIÓN.

ARCABAS, n. 1900, Francia → INOCENTES (MATANZA DE LOS).

ARGUIS, Maestro de, siglo XV, España → DEMONIO.

BALDUNG, Grien Hans, 1484-1545, Alemania → DILUVIO.

BANCO, Nanni d'Antonio di, h. 1373-1421, Italia → LUCAS.

BARTOLO, Taddeo di, h. 1362-1422, Italia→ PEDRO.

BASSANO, Jacopo da, 1517-1592, Italia → ARCA (DE NOÉ), EPIFANÍA, JACOB, PARAÍSO, SAMARIA.

BATAILLE, Nicolas, 1330-1405, Francia → APOCALIPSIS, ESPADA, NUBES.

BEARDSLEY, Aubrey, 1872-1898, Inglaterra → SALOMÉ.

BECCAFUMI, Domenico, 1486-1551, Italia → BECERRO DE ORO.

BELLINI, Giovanni, 1492-1516, Italia → AGONÍA DE JESÚS, CIRCUNCISIÓN, CRISTO, INFANCIA DE CRISTO, MARCOS, PIETÀ O PIEDAD, TRANSFIGURACIÓN.

BERNINI, Gian Lorenzo, 1598-1680, Italia → ÁNGEL, DANIEL, DAVID.

BERRUGUETE, Alonso, 1490-1561, España → ABRAHAM.

BIDA, Alexandre, 1823-1895, Francia → SANEDRÍN.
BLAKE, William, 1757-1827, Inglaterra → ABEL, APOCALIPSIS, DIOS, EVA, JOB, PESTE, PURGATORIO, SATANÁS, VIRGEN/VIRGINIDAD.
BLOEMAERT, Abraham, 1564-1651, Holanda → JUAN (BAUTISTA).
BÖCKLIN, Arnold, 1827-1901, Suiza → APOCALIPSIS.
BONNAT, Léon, 1833-1922, Francia → JOB.
BOSCO, El (Jeroen Anthoniszoon van Aeken), 1460-1516, Flandes → CREACIÓN, CRISTO (CON LA CRUZ A CUESTAS), DEMONIO, ESPINAS, HIJO (PRÓDIGO), JUAN (EL DISCÍPULO AMADO), JUICIO FINAL, PARAÍSO, PASIÓN, PEZ, TENTACIÓN.
BOSSE, Abraham, 1602-1676, Francia → CANÁ (BODAS DE), VIRGEN/VIRGINIDAD.
BOTTICELLI, Sandro, 1444-1510, Italia → JUDITH, MOISÉS, TENTACIÓN.
BOUGUEREAU, William, 1825-1905, Francia → ABEL, FLAGELACIÓN.
BOUTS, Dierick, 1415-1475, Flandes → EPIFANÍA, MANÁ, PASCUA (JUDÍA).
BRÉA, Louis, 1458-1523, Francia → DESCENDIMIENTO DE LA CRUZ, PIETÀ O PIEDAD.
BREAU, Jorg, 1475-1537, Alemania → SANSÓN.
BRIDAU, Charles-Antoine, 1730-1805, Francia → ASUNCIÓN.
BROEDERLAM, Melchior, 1328-1410, Flandes → HUIDA A EGIPTO.
BRONZINO, Il (Agnolo di Cosimo), 1503-1573, Italia → JUAN (BAUTISTA).
BROWN, Ford Maddox, 1821-1893, Inglaterra → CENA, JACOB, LAVATORIO DE PIES, TÚNICA.
BRUEGEL, Jan, 1568-1625, Flandes → JONÁS.
BRUEGEL EL VIEJO, Pieter, 1525-1569, Flandes → ADULTERIO, BABEL, BELÉN, CIEGO, CUARESMA, EPIFANÍA, INOCENTES (MATANZA DE LOS).
BURNAND, Eugène, 1850-1921, Suiza → APÓSTOLES.

CARAVAGGIO (Michelangelo Amerighi o Merisi), 1569-1609, Italia → DAVID, ECCE HOMO, EMAÚS, ISAAC, LÁZARO (EL RESUCITADO), MARÍA, MATEO, PABLO, PEDRO, SALOMÉ, TOMÁS.
CARPACCIO, Vittore, 1465-1525, Italia → DRAGÓN, ESTEBAN, JERUSALÉN.
CARRACCI, Annibale, 1560-1609, Italia → ESTEBAN, LUCAS, SAMARIA.
CASTIGLIONE, Giovanni Bene-

detto, 1610-1665, Italia → MERCADERES DEL TEMPLO.
CAULERY, Louis de, siglo XVI, Francia → HIJO (PRÓDIGO).
CHAGALL, Marc, 1887-1985, Francia, de origen ruso → ABRAHAM, ÁNGEL, BETSABÉ, CANTAR DE LOS CANTARES, JERUSALÉN, JUDÍO, MOISÉS, NOÉ, PASCUA (JUDÍA).
CHARONTON, Enguerrand, 1410-1461, Francia → CORONACIÓN DE LA VIRGEN, PIETÀ O PIEDAD, PURGATORIO.
CHASSÉRIAU, Théodore, 1819-1856, Francia → ESTHER.
CHRISTUS, Petrus, 1420-1473, Flandes → AVEMARÍA.
CIMABUE, Giovanni, h. 1240-h. 1302, Italia → MARÍA.
COCTEAU, Jean, 1889-1963, Francia → JUDITH.
COPPO DI MARCOVALDO, 1225-1274, Italia → SATANÁS.
CORINTH, Lovis, 1856-1932, Alemania → DESCENDIMIENTO DE LA CRUZ.
CORNEILLE DE LYON, 1505-1574, Francia → ESAÚ.
CORNELIUS, Peter von, 1783-1867, Alemania → JOSÉ.
COROT, Camille, 1796-1875, Francia → ABRAHAM.
CORREGGIO, Il (Antonio Allegri), 1489-1534, Italia → APOCALIPSIS, ASUNCIÓN, MATRIMONIO (MÍSTICO), NATIVIDAD, NOLI ME TANGERE.
COSIMO, Piero di, 1462-1521, Italia → MARÍA DE MAGDALA O MARÍA MAGDALENA, PASCUA (JUDÍA).
COYPEL, Antoine, 1661-1722, Francia → ESTHER, JEFTÉ.
COZZA, Francisco, 1605-1682, Italia → ABRAHAM.
CRANACH, Lucas, 1472-1553, Alemania → ADÁN, EVA, JUDAS ISCARIOTE, JUDITH.
CRISPIN EL VIEJO, siglo XVI → MARCOS.
CRIVELLI, Carlo, 1430-1493, Italia → ANUNCIACIÓN.

DALÍ, Salvador, 1904-1989, España → CENA, CRUZ/CRUCIFIXIÓN.
DANBY, Francis, 1793-1861, Inglaterra → APOCALIPSIS.
DAVID, Gérard, 1450-1523, Flandes → BAUTISMO.
DEGAS, Edgar, 1834-1917, Francia → BABILONIA, JEFTÉ.
DELACROIX, Eugène, 1798-1863, Francia → AGONÍA DE JESÚS, ESTEBAN, HELIODORO, JACOB.
DELVAUX, Paul, 1897-1994, Bélgica → CRUZ/CRUCIFIXIÓN, SEPULTURA.
DELVILLE, Jean, 1867-1953, Bélgica → CRISTO, SATANÁS.
DENIS, Maurice, 1870-1943,

Francia → NABÍ, NOLI ME TANGERE, PARAÍSO.

DEVALLIÈRES, Georges, 1861-1950, Francia → FLAGELACIÓN.

DOMENICHINO, Il (Domenico Zampieri), 1581-1641, Italia → ABRAHAM.

DONATELLO (Donato di Betto Bardi), 1386-1466, Italia → ANUNCIACIÓN, DAVID, JUAN (BAUTISTA), JUDITH, MARCOS, MARÍA DE MAGDALA O MARÍA MAGDALENA.

DORÉ, Gustave, 1832-1883, Francia → ABSALÓN, BIBLIA, CAÍN, CANAÁN, FESTÍN (DE BALTASAR), HOGUERA, MACABEO, PRETORIO, PURGATORIO, SABA, SANSÓN, VALLE DE LÁGRIMAS.

DUCCIO DI BUONINSEGNA, 1260-1319, Italia → DOCTORES, NOLI ME TANGERE, RAMOS.

DURERO, Alberto, 1471-1528, Alemania → ADÁN, APOCALIPSIS, APÓSTOLES, ASCENSIÓN, DESCENDIMIENTO DE LA CRUZ, DIABLO, DOCTORES, ECCE HOMO, EVA, HIJO (PRÓDIGO), INFANCIA DE CRISTO, JOB, LOT O LOTH, MARCOS, PASIÓN, PIETÀ O PIEDAD, SANSÓN, TRINIDAD.

DURET, Francisque-Joseph, 1804-1865, Francia → MIGUEL.

DYCE, William, 1806-1884, Inglaterra → JACOB, SALOMÓN.

ELSHEIMER, Adam, 1578-1610, Alemania → HUIDA A EGIPTO, TOBÍAS (LIBRO DE).

ENGELBRECHTSZ, Cornelius, 1468-1553, Holanda → MATEO.

ENSOR, James, 1860-1949, Bélgica → RAMOS.

ERNST, Max, 1891-1976, Francia, de origen alemán → MARÍA.

FABRIANO, Gentile da, 1370-1427, Italia → PRESENTACIÓN (DE JESÚS EN EL TEMPLO).

FETTI, Domenico, 1589-1623, Italia → MOISÉS.

FIGUEIREDO, Cristóvão, siglo XVI, Portugal → SEPULTURA.

FLANDRIN, Hippolyte, 1808-1864, Francia → BABEL, JONÁS, PIETÀ O PIEDAD, RAMOS.

FLÉMALLE, Maestro de (Robert Campin), h. 1378-1444, Flandes → DIOS, NATIVIDAD, TRINIDAD, VERÓNICA.

FLINCK, Govaert, 1615-1660, Holanda → ISAAC.

FOUQUET, Jean, 1420-1470, Francia → EPIFANÍA, JERICÓ, JOB, MATRIMONIO (DE LA VIRGEN), TRINIDAD.

FRA ANGÉLICO (Guido di Pietro), 1387-1455, Italia → ÁNGEL, ANUNCIACIÓN, ASCENSIÓN, BESO DE JUDAS, CORONACIÓN DE LA VIRGEN, EPIFANÍA, GLORIA, JUICIO FINAL, NOLI ME TANGERE, SEPULTURA, TRANSFIGURACIÓN.

FRÉMIET, Emmanuel, 1824-1910, Francia → MIGUEL.
FÜHRICH, Josef von, 1800-1876, Austria → JACOB.

GADDI, Taddeo, 1300-1366, Italia → PELÍCANO.
GARGALLO, Pablo, 1881-1934, España → PROFETA.
GAUGUIN, Paul, 1848-1903, Francia → CALVARIO, CRUZ/CRUCIFIXIÓN, JACOB, NATIVIDAD.
GELDER, Aert de, 1645-1717, Holanda → BOOZ.
GENTILESCHI, Artemisia, 1593-1652, Italia → DAVID, JUDITH, SUSANA.
GÉRARD, François, 1770-1837, Francia → JOSÉ.
GÉRARD DE SAINT-JEAN, 1465-1495, Flandes → JUAN (BAUTISTA), LÁZARO (EL RESUCITADO).
GHIBERTI, Lorenzo, 1378-1455, Italia → CREACIÓN, HERODES EL GRANDE, ISAAC, JERICÓ, SABA, TENTACIÓN.
GHIRLANDAIO (Domenico di Tommaso Bigordi), 1449-1494, Italia → VISITACIÓN, ZACARÍAS.
GIACOMETTI, Augusto, 1877-1947, Suiza → SERPIENTE.
GIAQUINTO, Corrado, 1703-1765, Italia → VISITACIÓN.
GIORDANO, Luca, 1632-1705, Italia → JACOB, JEZABEL, SAMARIA.
GIOTTO DI BONDONE, 1266-1337, Italia → BESO DE JUDAS, HUIDA A EGIPTO, JUDAS ISCARIOTE, LAVATORIO DE PIES, LÁZARO (EL RESUCITADO), MATRIMONIO (DE LA VIRGEN), MERCADERES DEL TEMPLO, PRENDIMIENTO DE JESÚS, PRESENTACIÓN (DE JESÚS EN EL TEMPLO), SERAFÍN.
GIOVANETTI, Matteo, siglo XIV, Italia → JUAN (EL DISCÍPULO AMADO).
GIOVANNI DI PAOLO, siglo XV, Italia → PARAÍSO.
GISLEBERTUS, siglo XII, Francia → EVA.
GLEYRE, Charles, 1806-1874, Francia → PARAÍSO.
GOERG, Edouard, 1893-1969, Francia → APOCALIPSIS.
GONTCHAROVA, Natalia, 1881-1962, Rusia → SUSANA.
GOUJON, Jean, 1510-1564, Francia → LUCAS.
GOYA, Francisco de, 1746-1828, España → DIABLO, PRENDIMIENTO DE JESÚS.
GOZZOLI, Benozzo, 1420-1497, Italia → HERODES ANTIPAS.
GRAF, Urs, 1485-1527, Suiza → DIABLO.
GRECO, El (Domenico Theotokopoulos), 1541-1614, España → AGONÍA DE JESÚS, APOCALIPSIS, APÓSTOLES, ASUNCIÓN, CIEGO, CRUZ/CRUCIFIXIÓN, GET-

SEMANÍ, MATER DOLOROSA, MERCADERES DEL TEMPLO, PASTORES (ADORACIÓN DE LOS), PEDRO, PENTECOSTÉS, PRENDIMIENTO DE JESÚS, RESURRECCIÓN, SAGRADA FAMILIA, SANTIAGO (EL MAYOR), VERÓNICA.

GRUBER, Francis, 1912-1948, Francia → JOB.

GRÜNEWALD, Mathias, 1420-1528, Alemania → ÁNGEL, ANUNCIACIÓN, CRISTO (CON LA CRUZ A CUESTAS), CRUZ/CRUCIFIXIÓN, GABRIEL, RESURRECCIÓN, TENTACIÓN.

GUERCINO, El (Giovanni Francesco Barbieri), 1591-1666, Italia → CIRCUNCISIÓN.

HENNER, Jean-Jacques, 1829-1905, Francia → SUSANA.

HERNÁNDEZ, Gregorio, 1576-1636, España → PIETÀ O PIEDAD.

HOLBEIN, Hans, 1465-1524, Alemania → CRISTO, DANZA (MACABRA), FLAGELACIÓN, PONCIO PILATO.

HUNT, Holman, 1827-1910, Inglaterra → CHIVO EXPIATORIO, DOCTORES.

JOCZ, Pawel, n. 1943, Polonia → JESÚS.

JOEST, Jan, m. 1519, Holanda→ PENTECOSTÉS.

JORDAENS, Jacob, 1593-1678, Flandes → EVANGELISTAS, MERCADERES DEL TEMPLO.

JUNI, Juan de, 1507-1577, España → DESCENDIMIENTO DE LA CRUZ.

KHNOPFF, Fernand, 1858-1921, Bélgica → TENTACIÓN.

KLIMT, Gustav, 1862-1918, Austria → JUDITH.

LA TOUR, Georges de, 1593-1652, Francia → JOSÉ (SAN), MARÍA DE MAGDALA O MARÍA MAGDALENA, NATIVIDAD, PASTORES (ADORACIÓN DE LOS), TOMÁS.

LANFRANCO, Giovanni, 1582-1647, Italia → PARAÍSO.

LASTMAN, Pieter, 1583-1633, Holanda → TOBÍAS (LIBRO DE).

LEIDEN, Lucas de, 1489-1533, Holanda → JEFTÉ, LOT O LOTH.

LEIGHTON, Frederick, lord, 1830-1896, Inglaterra → SUNEM O SUNAM.

LEMOINE, Jean-Baptiste, 1679-1731, Francia → BAUTISMO.

LEONARDO DA VINCI, 1452-1519, Italia → ANA, CENA, INFANCIA DE CRISTO, JUAN (BAUTISTA), MARÍA.

LIÉDET, Loyse, siglo XV, Francia → PARAÍSO.

LIMBOURG, Pol, siglo XV, Flandes → TENTACIÓN.

LIPCHITZ, Jacob, 1891-1973,

Francia, de origen lituano → MARÍA.
LIPPI, Filippino, 1457-1504, Italia → GABRIEL, SERPIENTE.
LISS, Jan, h. 1597-1631, Alemania → JUDITH.
LORENA, Claudio de (Claude Gellée), 1600-1682, Francia → PABLO, SABA.
LORENZETTI, Pietro, 1280-1348, Italia → CENA, LAVATORIO DE PIES, MARÍA.
LURÇAT, Jean, 1892-1966, Francia → APOCALIPSIS, ARCA (DE NOÉ).

MADERNO, Esteban, 1576-1636, Italia → NICODEMO.
MANÉ-KATZ, 1894-1962, Francia, de origen ruso → JUDAÍSMO, PENTATEUCO.
MANESSIER, Alfred, 1911-1993, Francia → ESPINAS.
MANTEGNA, Andrea, 1431-1506, Italia → AGONÍA DE JESÚS, ASCENSIÓN, CIRCUNCISIÓN, LUCAS, PRESENTACIÓN (DE JESÚS EN EL TEMPLO).
MARMION, Simon, 1425-1489, Francia → MATER DOLOROSA.
MARTIN, John, 1789-1854, Inglaterra → DILUVIO, FESTÍN (DE BALTASAR), JOSUÉ, NUBES, PARAÍSO.
MARTINI, Simone, 1284-1344, Italia → ANUNCIACIÓN, CRISTO (CON LA CRUZ A CUESTAS), INFANCIA DE CRISTO.
MASACCIO, Tommaso, 1401-1428, Italia → ADÁN, CRUZ/CRUCIFIXIÓN, TRIBUTO, TRINIDAD.
MASOLINO, Tommaso, 1387-1447, Italia → ASUNCIÓN.
MATSYS, Jan, 1509-1575, Flandes → LOT O LOTH.
MATSYS, Quentin, 1466-1530, Flandes → ECCE HOMO, JUDITH, MARÍA DE MAGDALA O MARÍA MAGDALENA.
MELOZZO DA FORLI, Marco, 1438-1494, Italia → ISAÍAS O ESAÍAS.
MEMLING, Hans, 1433-1494, Flandes → ADÁN, ÁNGEL, DESCENDIMIENTO DE LA CRUZ, JUAN (BAUTISTA), JUAN (EL DISCÍPULO AMADO), MATRIMONIO (MÍSTICO).
MEUNIER, Constantin, 1831-1905, Bélgica → ECCE HOMO.
MIGUEL ÁNGEL (Michelangelo Buonarroti), 1475-1564, Italia → ADÁN, ARCA (DE NOÉ) DANIEL, DAVID, DILUVIO, DIOS, ISAÍAS O ESAÍAS, JEREMÍAS, JONÁS, JUICIO FINAL, MARÍA, MOISÉS, NOÉ, PIETÀ O PIEDAD, PROFETA, SAGRADA FAMILIA, SERPIENTE (DE BRONCE).
MILLAIS, John Evarist, 1829-1896, Inglaterra → INFANCIA DE CRISTO.
MILLET, Jean-François, 1814-1875, Francia → ÁNGELUS.

MOREAU, Gustave, 1826-1898, Francia → CANTAR DE LOS CANTARES, DANZA, SALOMÉ.
MOREELSE, Paulus, 1571-1638, Holanda → TOBÍAS (LIBRO DE).
MORELLI, Domenico, 1826-1901, Italia → DESIERTO.
MORETTI, Raymond, n. 1931, Francia → PASCUA (JUDÍA).
MOSSA, Gustave-Adolf, 1883-1971, Francia → SALOMÓN.
MOULINS, Maestro de, finales del siglo XV, Francia → JUAN (EL DISCÍPULO AMADO), NATIVIDAD.
MUNCKACSY, Mihaly, 1844-1900, Hungría → PRETORIO.
MURILLO, Bartolomé, 1618-1682, España → ÁNGEL, CANÁ (BODAS DE), INFANCIA DE CRISTO, MARÍA, PARALÍTICO, PASTORES (ADORACIÓN DE LOS), REBECA.

NOLDE, Emil, 1867-1956, Alemania → CENA, JESÚS, PENTECOSTÉS, PROFETA, SEPULTURA.

OVERBECK, Friedrich, 1789-1869, Alemania → JOSÉ, MARTA, RAMOS.

PARMIGIANINO, Il (Francesco Mazzola), 1503-1540, Italia → MARÍA.
PATINIR, Joachim, 1480-1524, Flandes → BAUTISMO.
PENNI, Francesco, 1488-1528, Italia → TRANSFIGURACIÓN.
PERUGINO, El (Pietro Vannucci), 1445-1523, Italia → ASCENSIÓN, MATRIMONIO (DE LA VIRGEN), PEDRO, RESURRECCIÓN.
PIAZZETTA, Giambattista, 1682-1754, Italia → ELÍAS.
PIERO DELLA FRANCESCA, 1410-1492, Italia → ADÁN, BAUTISMO, RESURRECCIÓN, SABA.
PILON, Germain, 1537-1590, Francia → RESURRECCIÓN.
PINTURICCHIO, El (Bernardino di Betto), 1454-1513, Italia → LUCAS.
PISANO, Giovanni, 1245-1314, Italia → INOCENTES (MATANZA DE LOS), NATIVIDAD.
POUSSIN, Nicolas, 1594-1665, Francia → BECERRO DE ORO, BOOZ, CIEGO, INOCENTES (MATANZA DE LOS), JERUSALÉN, MOISÉS, PABLO, PARAÍSO, SALOMÓN, SAMARIA.
PRIKKER, Johan Thorn, 1868-1932, Países Bajos → DESCENDIMIENTO DE LA CRUZ.
PRUDHON, Pierre-Paul, 1758-1823, Francia → CAÍN, CRUZ/CRUCIFIXIÓN.

QUENTIN, Philippe, 1600-1636, Francia → CIRCUNCISIÓN.

RAFAEL (Raffaello Sanzio),

1483-1520, Italia → CAFARNAÚM, CORONACIÓN DE LA VIRGEN, CREACIÓN, DIOS, DRAGÓN, EZEQUIEL, HELIODORO, MARÍA, MATRIMONIO (DE LA VIRGEN), MIGUEL, PABLO, PASCUA (JUDÍA), PEDRO, PESCA MILAGROSA, SAGRADA FAMILIA, SALOMÓN, SEPULTURA, SERPIENTE, TRANSFIGURACIÓN, VISITACIÓN.

REDON, Odilon, 1840-1916, Francia → ÁNGEL.

REMBRANDT (Rembrandt Harmensz van Rijn), 1606-1669, Holanda → ABRAHAM, ANA, ASCENSIÓN, BALAAM, BETSABÉ, CRUZ/CRUCIFIXIÓN, DALILA, DAVID, DESCENDIMIENTO DE LA CRUZ, EMAÚS, HIJO (PRÓDIGO), INFANCIA DE CRISTO, ISAAC, JAIRO, JEREMÍAS, JESÚS, JOSÉ, JUDAS ISCARIOTE, MATEO, MOISÉS, PEDRO, PRESENTACIÓN (DE JESÚS EN EL TEMPLO), RAFAEL, SANSÓN, SAÚL, SUNEM O SUNAM, TOBÍAS (LIBRO DE).

RENI, Guido, 1575-1642, Italia → DAVID, INOCENTES (MATANZA DE LOS), JOSÉ (SAN), MARCOS.

REYNOLDS, sir Joshua, 1723-1792, Inglaterra → SAMUEL.

RIBALTA, Francisco, 1565-1628, España → CENA, JUAN (EL DISCÍPULO AMADO), PASTORES (ADORACIÓN DE LOS).

RIBERA, José de, 1591-1952, España →APÓSTOLES, ELÍAS, JACOB, PASTORES (ADORACIÓN DE LOS), TRINIDAD.

RIEMENSCHNEIDER, Tilman, 1460-1531, Alemania → JUAN (EL DISCÍPULO AMADO), LUCAS.

RIVIÈRE, Britten, 1840-1920, Inglaterra → DANIEL.

ROBERTS, David, 1796-1864, Inglaterra → EXILIO.

ROBBIA, Luca della, 1400-1482, Italia → MATEO, TOMÁS.

RODIN, Auguste, 1840-1917, Francia → DIOS, INFIERNO/INFIERNOS, JUAN (BAUTISTA).

ROPS, Félicien, 1833-1898, Bélgica → TENTACIÓN.

ROSA, Salvatore, 1615-1673, Italia → JACOB, LÁZARO (EL RESUCITADO), SAMUEL.

ROUAULT, Georges, 1871-1958, Francia → BAUTISMO, DAVID, DOCTORES, ECCE HOMO, FAZ, PASIÓN, VERÓNICA.

RUBENS, Pedro Pablo, 1577-1640, Flandes → ASUNCIÓN, CAÍN, CRISTO (CON LA CRUZ A CUESTAS), CRUZ/CRUCIFIXIÓN, DALILA, DESCENDIMIENTO DE LA CRUZ, ELÍAS, EPIFANÍA, EVANGELISTAS, HIJO (PRÓDIGO), LOT O LOTH, MANÁ, PASTORES (ADORACIÓN DE LOS), SANSÓN, SATANÁS, SERPIENTE (DE BRONCE), SUSANA.

RUBLEV, Andrei, 1370-1430,

Rusia → ABRAHAM, ICONO, TRANSFIGURACIÓN, TRINIDAD.
RUNGE, Philipp Otto, 1777-1810, Alemania → HUIDA A EGIPTO, PEDRO.

SAEDELEER, Valerius de, 1867-1941, Bélgica → EZEQUIEL.
SARTO, Andrea del, 1486-1530, Italia → ABRAHAM.
SCHEFFER, Ary, 1795-1858, Francia → TENTACIÓN.
SCHNORR VON CAROSFELD, Julius, 1794-1872, Alemania → ABEL, CANÁ (BODAS DE), CREACIÓN, HUIDA A EGIPTO, PASCUA (JUDÍA), PECADO ORIGINAL, TOBÍAS (LIBRO DE).
SCHONGAUER, Martin, 1434-1491, Alemania → ANUNCIACIÓN, CENA, MARÍA, MIGUEL, TENTACIÓN, VIRGEN/VIRGINIDAD.
SCHWABE, Carlos, 1866-1926, Suiza, de origen alemán → MARÍA.
SEBASTIANO DEL PIOMBO (Sebastiano Luciani), 1485-1547, Italia → FLAGELACIÓN.
SERT, José María, 1876-1945, España → ASCENSIÓN, MERCADERES DEL TEMPLO.
SIGNORELLI, Luca, 1445-1523, Italia → CIRCUNCISIÓN, DEMONIO, JUICIO FINAL, RESURRECCIÓN, SALOMÓN.
SLUTER, Claus, 1340-1406, Francia → DANIEL, JEREMÍAS, MOISÉS, PROFETA, ZACARÍAS.
SOLOMON, J. Solomon, 1860-1927, Inglaterra → DALILA.
SPENCER, sir Arthur, 1891-1959, Inglaterra → RESURRECCIÓN.
SPINELLI DI NICCOLO, Domenico, 1362-1450, Italia → SERAFÍN.
STÖHR, Ernst, 1865-1917, Austria → CRUZ/CRUCIFIXIÓN.
SUTHERLAND, Graham, 1903-1980, Inglaterra → CRUZ/CRUCIFIXIÓN, NOLI ME TANGERE.

TEÓFANES EL GRIEGO, 1350-1410, Rusia → TRANSFIGURACIÓN.
TIÉPOLO, Giambattista, 1696-1770, Italia → JOSUÉ.
TINTORETTO (Jacopo di Robusti), 1518-1594, Italia → ADÁN, CENA, CRISTO (CON LA CRUZ A CUESTAS), DESCENSO DE JESÚS A LOS INFIERNOS, JOSÉ, LAVATORIO DE PIES, MANÁ, MARCOS, MARÍA, MARTA, MOISÉS, PARAÍSO, PEZ, PONCIO PILATO, PRESENTACIÓN (DE MARÍA EN EL TEMPLO), SATANÁS, SERPIENTE (DE BRONCE), SUSANA.
TIZIANO (Tiziano Vecellio), 1490-1576, Italia → ANUNCIACIÓN, ASUNCIÓN, ECCE HOMO, ESPINAS, MARCOS, MARÍA, MARÍA DE MAGDALA O MARÍA

MAGDALENA, MATER DOLOROSA, NOLI ME TANGERE, PELÍCANO, PENTECOSTÉS, PRESENTACIÓN (DE MARÍA EN EL TEMPLO), SALOMÉ, SEPULTURA.

TURNER, William, 1775-1851, Inglaterra → HOGUERA, JACOB, NUBES, PONCIO PILATO.

UCELLO, Paolo, 1397-1475, Italia → ADÁN, ARCA (DE NOÉ), DILUVIO, DRAGÓN.

VALDÉS LEAL, Juan de, 1622-1690, España → DOCTORES, VÍA CRUCIS.

VAN DER GOES, Hugo, 1440-1482, Flandes → APÓSTOLES, PASTORES (ADORACIÓN DE LOS).

VAN DER WEYDEN, Roger o Rogier, 1399-1464, Flandes → ANUNCIACIÓN, DESCENDIMIENTO DE LA CRUZ, JUICIO FINAL, LUCAS, SEPULTURA.

VAN DYCK, Antoon, 1599-1641, Flandes → BESO DE JUDAS, CRUZ/CRUCIFIXIÓN, ESPINAS, SERPIENTE (DE BRONCE).

VAN EYCK, Jan, 1380-1440, Flandes → ADÁN, CORDERO, EVA, MARÍA, RESURRECCIÓN.

VAN HEEMSKERK, Maarten, 1498-1574, Holanda → LUCAS.

VAN HONTHORST, Gerritt, 1590-1656, Holanda → MACABEO, PEDRO, TOMÁS.

VAN SCOREL, Jan, 1495-1562, Flandes → PRESENTACIÓN (DE JESÚS EN EL TEMPLO), SABA.

VELÁZQUEZ, Diego, 1599-1660, España → CORONACIÓN DE LA VIRGEN, FLAGELACIÓN, JUAN (BAUTISTA), JUAN (EL DISCÍPULO AMADO), MARTA, PABLO, TÚNICA.

VERMEER, Jan, 1632-1675, Holanda → MARTA.

VERONÉS (Paolo Caliari), 1487-1553, Italia → CALVARIO, CANÁ (BODAS DE), CORONACIÓN DE LA VIRGEN, CRUZ/CRUCIFIXIÓN, JAIRO, LÁZARO (EL POBRE), MATRIMONIO (MÍSTICO), MERCADERES DEL TEMPLO, PARALÍTICO, SAMARIA.

VERROCCHIO, El (Andrea de Michele), 1435-1488, Italia → TOMÁS.

VIGNON, Claude, 1593-1670, Francia → SABA.

VINCENT, François André, 1746-1816, Francia → LOT O LOTH.

VON STÜCK, Frantz, 1863-1928, Austria → SALOMÉ.

VOUET, Simon, 1590-1649, Francia → JEFTÉ, PRESENTACIÓN (DE JESÚS EN EL TEMPLO).

WEST, Benjamin, 1738-1820, Estados Unidos → SAMUEL, SAÚL.

WITZ, Conrad, 1400-1446, Suiza → PESCA MILAGROSA, SABA, SINAGOGA.

WOHLGEMUTH, Michel de, 1434-1519, Alemania → CRISTO (CON LA CRUZ A CUESTAS), DIOS, EVA.

ZADKINE, Ossip, 1890-1967, Francia, de origen ruso → HIJO (PRÓDIGO), VISITACIÓN.

ZURBARÁN, Francisco de, 1598-1664, España → CIRCUNCISIÓN, ESPINAS, PALMERA.

COMPLEMENTOS

BIZANTINO (ARTE) → ABRAHAM, BAUTISMO, BESO DE JUDAS, CIEGO, CRISTO, DESCENSO DE JESÚS A LOS INFIERNOS, EPIFANÍA, JUAN (EL DISCÍPULO AMADO), MELQUISEDEC, MIGUEL, PARALÍTICO, PASTOR, PAVO REAL, PEDRO.

DURA-EUROPOS (frescos), siglo III → ARCA (DE LA ALIANZA), EZEQUIEL, ISAAC, PASCUA (JUDÍA), SAMUEL, UNCIÓN.

GÓTICO (ARTE, esculturas y frescos) → ABRAHAM, ÁNGEL, ARCA (DE NOÉ), CORONACIÓN DE LA VIRGEN, DANIEL, DEMONIO, ESPINAS, ESTEBAN, EVANGELISTAS, INOCENTES (MATANZA DE LOS), ISAÍAS O ESAÍAS, JOB, JUAN (BAUTISTA), JUAN (EL DISCÍPULO AMADO), JUICIO FINAL, MARÍA, MELQUISEDEC, PURGATORIO, RESURRECCIÓN, SALOMÓN, SAMARIA, SATANÁS, SERAFÍN, SINAGOGA, TENTACIÓN, TOBÍAS (LIBRO DE), TOMÁS, VACAS GORDAS/VACAS FLACAS, VERÓNICA, VIRGEN/VIRGINIDAD, VISITACIÓN.

ICONOS → ABRAHAM, FAZ, HOGUERA, ICONO, LUCAS, MIGUEL, TRANSFIGURACIÓN, TRINIDAD.

MOSAICOS → ABEL, ARCA (DE LA ALIANZA), ARCA (DE NOÉ), BABEL, BESO DE JUDAS, CIEGO, CRISTO, DESCENSO DE JESÚS A LOS INFIERNOS, DILUVIO, EPIFANÍA, JAIRO, JERICÓ, JERUSALÉN, JONÁS, JOSUÉ, MARCOS, MELQUISEDEC, MIGUEL, NOÉ, PABLO, PAN, PARALÍTICO, PASTOR, PAVO REAL, PEZ, RAMOS, SERAFÍN, TOMÁS, VACAS GORDAS/VACAS FLACAS.

PAVIMENTOS → ABSALÓN, BECERRO DE ORO, CANDELABRO DE SIETE BRAZOS, PAVO REAL, PEZ.

ROMANO (ARTE) → CANDELABRO DE SIETE BRAZOS, JAIRO, JONÁS, PASTOR, TEMPLO DE JERUSALÉN.

ROMÁNICO (ARTE, esculturas y frescos) → ABEL, ABRAHAM, ALMA, APOCALIPSIS, APÓSTOLES, ÁRBOL (DE JESÉ), BABEL, BALAAM, BESO DE JUDAS,

CAÍN, CIEGO, CIRCUNCISIÓN, CORONACIÓN DE LA VIRGEN, CRISTO, DANIEL, DAVID, EPIFANÍA, EVA, EVANGELISTAS, HOGUERA, HUIDA A EGIPTO, ISAÍAS O ESAÍAS, JEFTÉ, JEREMÍAS, JERUSALÉN, JOB, JONÁS, JOSÉ (SAN), JUDAS ISCARIOTE, JUICIO FINAL, LÁZARO (EL POBRE), MATEO, MELQUISEDEC, MERCADERES DEL TEMPLO, MIGUEL, PARAÍSO, PARALÍTICO, PAVO REAL, RAMOS, SALOMÉ, SAMARIA, SERAFÍN, SIMÓN EL MAGO, TENTACIÓN, TOMÁS, VACAS GORDAS/VACAS FLACAS, VIRGEN/VIRGINIDAD, VISITACIÓN.

TAPICES → APOCALIPSIS, ARCA (DE NOÉ), BETSABÉ, CAÍN, DAVID, ESPADA, ESTEBAN, JEFTÉ, MARÍA DE MAGDALA O MARÍA MAGDALENA, NUBES, PESCA MILAGROSA, TRINIDAD, VISITACIÓN.

VIDRIERAS → ÁRBOL (DE JESÉ), ARCA (DE LA ALIANZA), CRISTO, DIOS, ESPADA, JERUSALÉN, MANÁ, MARÍA, SALOMÓN, SAMARIA, TOBÍAS (LIBRO DE), VACAS GORDAS/VACAS FLACAS.

ÍNDICE DE COMPOSITORES

AUBER, Daniel, 1782-1871, Francia → HIJO (PRÓDIGO).

BACH, Johann Christoph Friedrich, 1732-1785, Alemania → LÁZARO (EL RESUCITADO).

BACH, Johann Sebastian, 1685-1750, Alemania → ELI, ELI, LEMA SABACHTANI, JUAN (EL DISCÍPULO AMADO), MAGNÍFICAT, MISA, PASIÓN, SALMO.

BACH, Karl Philipp Emanuel, 1714-1786, Alemania → MAGNÍFICAT, PASIÓN.

BACH, Wilhelm Friedemann, 1710-1784, Alemania → MISA.

BAÏF, Jean Antoine du, 1552-1589, Francia → SALMO.

BEETHOVEN, Ludwig van, 1770-1827, Alemania → AGONÍA DE JESÚS, MISA.

BENOIT, Peter, 1834-1901, Bélgica → DIABLO.

BERIO, Luciano, n. 1925, Italia → EPIFANÍA.

BERIO, Luigi, siglo XX, Italia → PASIÓN.

BERLIOZ, Hector, 1803-1869, Francia → DIABLO, DIOS, INFANCIA DE CRISTO, RÉQUIEM.

BERNSTEIN, Leonard, 1918-1990, Estados Unidos → JEREMÍAS.

BOCCHERINI, Luigi, 1743-1805, Italia → MISA.

BOIELDIEU, François Adrien, 1775-1834, Francia → ATALÍA.

BORGSTROM, Hjelmar, 1864-1925, Noruega → AGONÍA DE JESÚS.

BRAHMS, Johannes, 1833-1897, Alemania → JOB, MARÍA, RÉQUIEM, VANIDAD.

BRITTEN, Benjamin, 1913-1976, Inglaterra → ARCA (DE NOÉ), HIJO (PRÓDIGO), RÉQUIEM.

BRUCKNER, Anton, 1824-1896, Austria → DIOS, MISA.

CAFARO, siglo XX, Italia → AMÉN.

CALDARA, Antonio, h. 1670-1736, Italia → MATER DOLOROSA.
CALMEL, Pierre, n. 1921, Francia → CALVARIO, MARÍA.
CARISSIMI, Giacomo, 1605-1674, Italia → ABRAHAM, BIBLIA, DAVID, JEFTÉ, JONÁS, JUECES, SALOMÓN.
CASTELNUOVO TEDESCO, Mario, 1895-1968, Italia → ESTHER, JONÁS.
CHARPENTIER, Marc Antoine, 1634-1704, Francia → ASUNCIÓN, BIBLIA, DAVID, DIOS, MISA, SALOMÓN, SAÚL, TINIEBLAS.
CIRY, Michel, n. 1919, Francia → JESÚS.
CLÉREMBAULT, Louis-Nicholas, 1676-1749, Francia → DIOS.
COUPERIN, François, 1668-1733, Francia → MISA, TINIEBLAS.

DEBUSSY, Claude, 1862-1918, Francia → ALMA, HIJO (PRÓDIGO).
DELALANDE, Michel Richard, 1657-1726, Francia → DIOS, TINIEBLAS.
DESPORTES, Philippe, 1546-1606, Francia → SALMO.
DONIZETTI, Gaetano, 1797-1848, Italia → DILUVIO.
DUFAY, Guillaume, h. 1400-1474, Inglaterra → MISA.
DUPRÉ, Marcel, 1886-1971, Francia → PASIÓN, VÍA CRUCIS.
DURUFLÉ, Maurice, 1902-1986, Francia → RÉQUIEM.
DVORAK, Anton, 1841-1904, Checoslovaquia → BIBLIA, MARÍA, MATER DOLOROSA, RÉQUIEM.

FAURÉ, Gabriel, 1845-1924, Francia → RÉQUIEM.
FRANCK, César, 1822-1890, Francia → BIENAVENTURANZAS, REDENTOR/REDENCIÓN/RESCATE.

GILLES, Jean, 1669-1705, Francia → RÉQUIEM.
GOUNOD, Charles, 1818-1893, Francia → AVEMARÍA, DIABLO, DIOS, ÍDOLO, JESÚS, RÉQUIEM.

HAENDEL, Georg Friedrich, 1685-1759, Alemania → ALELUYA, AMÉN, ATALÍA, DAVID, EGIPTO, JEFTÉ, MACABEO, MAGNÍFICAT, MESÍAS, PASIÓN, SANSÓN, SAÚL.
HAYDN, Joseph, 1732-1809, Austria → CREACIÓN, CRUZ/ CRUCIFIXIÓN, DIOS, ELI, ELI, LEMA SABACHTANI, MISA.
HENRY, Pierre, n. 1927, Francia → APOCALIPSIS, DIOS.
HONEGGER, Arthur, 1892-1955, Suiza → CANTAR DE LOS CANTARES, DAVID, JUDITH, PASCUA, SALMO.

JANEQUIN, Clément, h. 1485-

1558, Francia → DAVID, MISA, SALOMÓN.

KAGEL, Maurizio, n. 1931, Argentina → CREACIÓN, DIABLO.
KODÁLY, Zoltan, 1882-1967, Hungría → MERCADERES DEL TEMPLO.
KUHNAU, Johann, 1660-1722, Alemania → BIBLIA.

LASSUS, Orlando di, 1532-1594, Flandes → JOB, MAGNÍFICAT, MISA, PASIÓN, PEDRO.
LE SUEUR, Jean-François, 1760-1837, Francia → ADÁN, BOOZ
LEO, Leonardo, 1694-1744, Italia → ABEL.
LESUR, Daniel, n. 1908, Francia → CANTAR DE LOS CANTARES.
LISZT, Franz, 1811-1866, Hungría → CRISTO, MISA, RÉQUIEM, TRANSFIGURACIÓN, VÍA CRUCIS.
LULLY, Jean-Baptiste, 1632-1687, Francia, de origen italiano → DIOS.

MACHAUT, Guillaume de, h. 1300-1377, Francia → MARÍA.
MAHLER, Gustav, 1860-1911, Austria → CRISTO, RESURRECCIÓN.
MASSENET, Jules, 1842-1912, Francia → EVA, SALOMÉ, TIERRA PROMETIDA.
MÉHUL, Étienne, 1763-1817, Francia → DALILA, JOSÉ.
MENDELSSOHN-BARTHOLDY, Felix, 1809-1847, Alemania → ELÍAS, PABLO.
MESSIAEN, Olivier, 1908-1992, Francia → APOCALIPSIS, ASCENSIÓN, CUERPO (GLORIOSO), DIOS, EZEQUIEL, IGLESIA, INFANCIA DE CRISTO, RESURRECCIÓN, TRANSFIGURACIÓN.
MIGOT, Georges, 1891-1976, Francia → EVA, VANIDAD.
MILHAUD, Darius, 1892-1974, Francia → BIBLIA, CAÍN, CANTAR DE LOS CANTARES, CREACIÓN, DANIEL, DAVID, ISAÍAS O ESAÍAS, PROVERBIOS, SALMO.
MONTEVERDI, Claudio, 1567-1643, Italia → CANTAR DE LOS CANTARES, MARÍA, MISA, SALMO.
MOZART, Wolfgang Amadeus, 1756-1791, Austria → DAVID, LUZ, MARÍA, MISA, RÉQUIEM.
MUSSORGSKY, Modest Petrovich, 1839-1881, Rusia → JUAN (EL DISCÍPULO AMADO), SATANÁS.

NABOKOV, Nicolai, 1903-1976, Estados Unidos, de origen ruso → JOB.
NIELSEN, Carl, 1865-1931, Dinamarca → SAÚL.

OCKEGHEM, Johannes, 1410-1497, Flandes → MARÍA, MISA, RÉQUIEM.

ORFF, Carl, 1895-1982, Alemania → RESURRECCIÓN.

PALESTRINA, Pier Luigi, h. 1525-1594, Italia → AMÉN, ASUNCIÓN, AVEMARÍA, CANTAR DE LOS CANTARES, MARÍA, MATER DOLOROSA, MISA.

PENDERECKI, Krzysztof, n. 1933, Polonia → CÓLERA, DAVID, DIABLO, PARAÍSO, PASIÓN, RÉQUIEM.

PERGOLESI, Giovanni Battista, 1710-1736 → MATER DOLOROSA.

PEROSI, Lorenzo, 1872-1956, Italia → PASIÓN.

POULENC, Francis, 1899-1963, Francia → AGONÍA DE JESÚS, CRISTO, GLORIA, MARÍA, MATER DOLOROSA, TRINIDAD.

PRÉS, Josquin des, h. 1442-h. 1527, Francia → DAVID, MATER DOLOROSA, MISA, SALMO.

PRETORIUS, Michaël, 1571-1621, Alemania → SALMO.

PROKOFIEV, Sergei Sergeivich, 1891-1935, Rusia → ÁNGEL, HIJO (PRÓDIGO).

PUCCINI, Giacomo, 1858-1924, Italia → GLORIA, RÉQUIEM.

PURCELL, Henry, 1659-1695, Inglaterra → DIOS, SALMO.

RIMSKI-KORSAKOV, Nicolai Andreievich, 1844-1908, Rusia → PASCUA.

ROMAN, Johann Helmich, 1694-1758, Suecia → MISA.

ROSENBERG, Hilding, 1892-1985, Suecia → CANTAR DE LOS CANTARES.

ROSSINI, Gioacchino, 1792-1868, Italia → BABILONIA, MATER DOLOROSA.

RUBINSTEIN, Anton, 1829-1894, Rusia → BABEL, CRISTO.

SAINT-SAËNS, Camille, 1835-1921, Francia → DALILA, DILUVIO, JUECES, SANSÓN.

SCARLATTI, Domenico, 1685-1757, Italia → DAVID, MISA.

SCHMIDT, Franz, 1874-1939, Alemania → APOCALIPSIS.

SCHMITT, Florent, 1870-1958, Francia → SALOMÉ.

SCHÖNBERG, Arnold, 1874-1951, Austria → AARÓN, JACOB.

SCHUBERT, Franz, 1797-1828, Austria → AVEMARÍA, LÁZARO (EL RESUCITADO), MISA.

SCHÜTZ, Heinrich, 1585-1672, Alemania → CRUZ/CRUCIFIXIÓN, DAVID, ELI, ELI LEMA SABACHTANI, PASCUA, PASIÓN, RESURRECCIÓN.

SERMISY, Claudin de, h. 1490-1562, Francia → MISA, PASIÓN.

STERNBERG, Erich Walter, n. 1938, Israel → ARCA (DE NOÉ), DAVID, JOSÉ.

STRAUSS, Richard, 1864-1949, Alemania → SALOMÉ.
STRAVINSKY, Igor, 1882-1971, Estados Unidos, de origen ruso → ABRAHAM, BABEL, DAVID, DILUVIO, JEREMÍAS, MISA, SALMO.

TANSMAN, Alexandre, 1897-1986, Francia, de origen polaco → ISAÍAS O ESAÍAS.
TELEMANN, Georg Philipp, 1681-1767, Alemania → MISA, PASIÓN.
TOURNEMIRE, Charles, 1870-1939, Francia → ELI, ELI LEMA SABACHTANI.

VAUGHAM WILLIAMS, Ralph, 1872-1958, Inglaterra → JOB.
VERDI, Giuseppe, 1813-1901, Italia → NABUCODONOSOR, RÉQUIEM.
VIVALDI, Antonio, 1678-1741, Italia → GLORIA, JERUSALÉN, JUDITH, MAGNÍFICAT, MATER DOLOROSA, SALMO.

WAGNER, Richard, 1813-1883, Alemania → APOCALIPSIS, CÁLIZ, CENA.
WALTON, William, 1902-1983, Inglaterra → FESTÍN (DE BALTASAR).
WILLAERT, Adrian, h. 1480-1562, Flandes → MISA.

COMPLEMENTOS

DIES IRAE → CÓLERA.
DRAMA LITÚRGICO, siglo XII → ADÁN, EMAÚS.
ESPIRITUALES NEGROS → ABRAHAM, APOCALIPSIS, BIBLIA, DAVID, ESCLAVO/ESCLAVITUD, EZEQUIEL, HOGUERA, JERICÓ, JONÁS, JUICIO FINAL, MARÍA, PARAÍSO.
TE DEUM → DIOS.

ÍNDICE DE DIRECTORES DE CINE

ALDRICH, Robert, 1918-1983, Estados Unidos → SODOMA Y GOMORRA.

ALIBERT, Pierre, siglo XX, Francia → CREACIÓN.

ARCAND, Denys, n. 1941, Canadá → JESÚS, PASIÓN.

BENHAMOU, Gérard, siglo XX, Francia → CAÍN.

BERESFORD, Bruce, n. 1940, Australia → DAVID.

BERGMAN, Ingmar, n. 1918, Suecia → APOCALIPSIS, ELI, ELI, LEMA SABACHTANI, JOB, PIETÀ O PIEDAD.

BOUR, Armand, 1868-1945, Francia → JUDAS ISCARIOTE.

BRESSON, Robert, n. 1907, Francia → AGONÍA DE JESÚS, FE/FIEL, GRACIA.

BRYANT, Charles, 1879-1948 → SALOMÉ.

BUÑUEL, Luis, 1900-1988, España → CANÁ (BODAS DE), CENA, ECCE HOMO, EXTERMINADOR, JESÚS.

CARNÉ, Marcel, n. 1909, Francia → BIBLIA, DIABLO.

CARRÉ, Michel, 1865-1945, Francia → HIJO (PRÓDIGO).

CHOMSKY, Marvin, siglo XX, Estados Unidos → HOLOCAUSTO, PASCUA (JUDÍA).

CLAIR, René, 1898-1981, Francia → DIABLO.

COPPOLA, Francis Ford, n. 1939, Estados Unidos → APOCALIPSIS.

DE MILLE, Cecil B., 1881-1959, Estados Unidos → DECÁLOGO, JESÚS, JUDAS ISCARIOTE, MOISÉS, SANSÓN.

DELANNOY, Jean, n. 1908, Francia → CIEGO.

DIETERLE, William, 1893-1972, Estados Unidos, de origen alemán → SALOMÉ.

DREYER, Carl, 1889-1968, Dinamarca → CÓLERA, ECCE HOMO, FE/FIEL.

DUVIVIER, Julien, 1896-1967, Francia → CALVARIO, JUDAS ISCARIOTE, PASIÓN, PONCIO PILATO.

EDWARDS, Samuel Gordon, 1885-1925, Estados Unidos → SALOMÉ.

EIFFEL, Jean, 1908-1982, Francia → CREACIÓN.

FLEISCHER, Richard, n. 1916, Estados Unidos → BARRABÁS.

GLASS, Max, siglo XX → CAMINO DE DAMASCO.

GODARD, Jean-Luc, n. 1930, Francia → AVEMARÍA, MARÍA.

GREENE, David, n. 1924, Inglaterra → JUDAS ISCARIOTE.

GRIFFITH, David Wark, 1875-1948, Estados Unidos → BABILONIA, CANÁ (BODAS DE), JUDITH.

GUAZZONI, Enrico, 1876-1949, Italia → JESÚS, MARÍA DE MAGDALA O MARÍA MAGDALENA.

HUSTON, John, 1906-1987, Estados Unidos → ACAB O AJAB, ANTICRISTO, BIBLIA.

JACOBY, Georg, 1890-1964, Austria → JESÚS.

JEWISON, Norman, n. 1926, Estados Unidos → JESÚS, JUDAS ISCARIOTE.

KIESLOWSKI, Krysztof, n. 1941, Polonia → DECÁLOGO.

KING, Henry, 1886-1982, Estados Unidos → DAVID.

KOSTER, Henry, 1905-1988, Estados Unidos, de origen alemán → BOOZ, JUDAS ISCARIOTE, PASIÓN, TÚNICA.

LANZMANN, Claude, siglo XX, Francia → SHOAH.

LE ROY, Mervyn, 1900-1987, Estados Unidos → JESÚS.

LEONE, Sergio, 1929-1989, Italia → SODOMA Y GOMORRA.

MALRAUX, André, 1901-1976, Francia → DESCENDIMIENTO DE LA CRUZ.

OLMI, Ermanno, n. 1931, Italia → ESTRELLA.

PARKER, Alan, n. 1944, Inglaterra → DEMONIO.

PASOLINI, Pier Paolo, 1922-1975, Italia → CRUZ/CRUCIFIXIÓN, JESÚS, JUDAS ISCARIOTE, MARÍA, MATEO.

POLANSKI, Roman, n. 1933, Polonia → DEMONIO.

PREMINGER, Otto, 1906-1986, Estados Unidos, de origen austriaco → ISRAEL.

RAPPER, Irving, n. 1898, Ingla-

terra → JUDAS ISCARIOTE, PONCIO PILATO.
RAY, Nicholas, 1911-1977, Estados Unidos → JESÚS, JUDAS ISCARIOTE.
ROHMER, Eric, n. 1920, Francia → CÁLIZ.
ROSSELLINI, Roberto, 1906-1977, Italia → ECCE HOMO, HECHOS DE LOS APÓSTOLES, JESÚS, MESÍAS.
RUSSELL, Ken, n. 1927, Inglaterra → DEMONIO.

SCHOEDSACK, Ernest, 1893-1979, Estados Unidos → PONCIO PILATO.
SCORSESE, Martin, n. 1942, Estados Unidos → JESÚS.
SÉGARRA, Ludovic, siglo XX, Francia → PABLO.
SJÖBERG, Alf, 1903-1980, Suecia → BARRABÁS.
SPIELBERG, Steven, n. 1947, Estados Unidos → ARCA (DE LA ALIANZA).
STEVENS, George, 1904-1975, Estados Unidos → JESÚS, JUDAS ISCARIOTE.
SYBERBERG, Hans Jürgen, n. 1935, Alemania → CÁLIZ.

TARKOVSKI, Andrei, 1932-1986, URSS → ICONO, PASIÓN.
TAVIANI, Vittorio y Paolo, n. 1929 y 1931, Italia → BABILONIA.
THORPE, Richard, 1896-1991, Estados Unidos → HIJO (PRÓDIGO).
TORRES, Miguel, siglo XX, México → MARÍA DE MAGDALA O MARÍA MAGDALENA.
TURJANSKY, Vjaceslav, 1891-1976, Rusia → HERODES EL GRANDE.

VIDOR, King, 1894-1982, Estados Unidos → ALELUYA, SALOMÓN.

WALSH, Raoul, 1887-1980, Estados Unidos → ESTHER, HIJO (PRÓDIGO).
WAJDA, Andrzej, n. 1926, Polonia → JUDAS ISCARIOTE.
WASZYNSKI, Michaël, siglo XX, Polonia → JUDAÍSMO.
WENDERS, Wim, n. 1945, Alemania → ÁNGEL.
WIENE, Robert, 1881-1938, Alemania → INRI, PASIÓN.
WYLER, William, 1902-1981, Estados Unidos → JESÚS.

ZECCA, Ferdinand, 1864-1947, Francia → HIJO (PRÓDIGO), JESÚS.
ZEFFIRELLI, Franco, n. 1923, Italia → JESÚS, JUDAS ISCARIOTE, MARÍA.

BIBLIOGRAFÍA

I. LA BIBLIA

Las traducciones más utilizadas son:

— *La Bible de Jérusalem,* Cerf, 1973 (última edición 1988).
— *La Traduction écuménique de la Bible* (TOB), Cerf, edición revisada, 1988.
— *La Bible,* traducida por el Ch. Osty, Seuil, 1973.
— *La Bible,* traducida por E. Dhorme (AT) y J. Grosjean (NT), «La Pléiade», Gallimard, 1959, 1971.
— *Sagrada Biblia,* traducida por E. Nacar Fuster y A. Colunga, BAC, 14.ª edición, 1972.

También se puede consultar:

— *La Bible,* traducida por A. Chouraqui, DDB, 1985.
— *Synopse des quatre évangiles,* Cerf, 1965.

II. DICCIONARIOS Y ATLAS

— *Diccionario bíblico abreviado,* Verbo Divino, 1985.
— *Diccionario enciclopédico de la Biblia,* Herder, 1993.
— *Diccionario ilustrado de la Biblia,* Everest, 1991.
— *Dictionnaire encyclopédique de la Bible,* Brépols, 1987.
— *Dictionnaire biblique universel,* M. du Buit y L. Monloubou, Desclée, 1985.
— *Dictionnaire des noms propres de la Bible,* D. Odelain y R. Séguineau, Cerf, 1978.

— *Panorama du monde biblique,* J. Rhymer, Cerf, 1985.
— *Dictionnaire de la Bible et Nouvel Atlas de la Bible,* J. Rogerson, Brépols, 1985.
— *Atlas de la Bible,* J. J. Bimson y J. P. Kane, Sator, 1986.
— *Atlas biblique,* J. R. Pritchard, Larousse, 1989.

III. MANUALES E HISTORIAS

— Charpentier, E., *Pour lire l'Ancien Testament,* Cerf, 1983.
— Charpentier, E., *Pour lire le Nouveau Testament,* Cerf, 1980 y 1981.
— De Vaux, R., *Les Institutions de l'Ancien Testament,* Cerf, 5.ª edición, t. 1 1989, t. 2 1990.
— Harington, W., *Nouvelle Introduction à la Bible,* Seuil, 1971.
— Rendtorff, R., *Introduction à l'Ancien Testament,* Cerf, 1989.
— Lemaire, A., *Histoire du peuple hébreu,* «Que sais-je?», PUF, 1981.
— Eisenberg, J., *Une Histoire des Juifs,* «Livre de poche», Hachette, 1970.

Para profundizar en el estudio de la Biblia, se podrán consultar las obras de las colecciones siguientes:

— «Le Monde de la Bible», Labor et Fides.
— «Petite collection des sciences bibliques», Desclée.
— «Lire la Bible», Cerf.

IV. REFERENCIAS LITERARIAS Y ARTÍSTICAS

— Albouy, P., *Mythes et mythologie dans la litterature française,* Armand Colin, 1969.
— Barbier, J., *Notre-Dame des Poètes,* antología reunida por J. Barbier, Robert Morel, 1966.
— Buitrago, A., *Diccionario de dichos y frases hechas,* Espasa Calpe, 1995.

— Dabezies, A., *Jésus-Christ dans la litterature française,* Desclée.
— Dobzinski, Ch., *Le Miroir d'un peuple: anthologie de la poésie yiddish 1870-1970,* Gallimard, 1972.
— Haïat, P., *Anthologie de la poésie juive,* Mazarine, 1985.
— Iribarren, J. M., *El porqué de los dichos,* Gobierno de Navarra, 1993.
— Junceda, L., *Del dicho al hecho,* Obelisco, 1991.
— Northrop, F., *La Grand Code, la Bible et la Littérature,* Seuil, 1984.
— En la colección «La Bible de tous les temps» en Éditions Beauchesne (8 vols.), *Le Monde grec ancien et la Bible* (1), *Le Monde latin antique et la Bible* (2), *Le Moyen Âge et la Bible* (4), *Le Siècle des lumières et la Bible* (7), *Le Monde contemporain et la Bible* (8).
— Réau, L., *Iconographie de l'Art chrètien,* reed. PUF, 1985.
— «Le Film religieux», *CinémAction,* Hors Série núm. 18, Notre Histoire-Corlet, 1988.